Curarsi secondo natura

Curarsi secondo natura

MANUALE PRATICO PER LA FAMIGLIA

CURARSI SECONDO NATURA
Manuale pratico per la famiglia

Titolo originale dell'opera:
FAMILY GUIDE TO NATURAL MEDICINE

L'edizione originale è stata realizzata da:
EDITOR: Alma E. Guinness
ART EDITOR: Robert M. Grant
SENIOR RESEARCH EDITOR: Christine Morgan
SENIOR ASSOCIATE EDITOR: Megan Newman
ART ASSOCIATE: Judith Carmel
RESEARCH ASSOCIATES: Christina Schlank,
Sylvia Steinert
ASSOCIATE EDITORS: Donna Campbell, Elisabeth Jakab
LIBRARY RESEARCH: Nettie Seaberry

con la collaborazione di:

John Banta, Emily Bradshaw, Rosalie Brody Feder, Susan
Bronson, Peter Burchard, Jean Callahan, Jacqueline
Damian, May Dikeman, Troy Dreier, Lisa Drescher,
Thomas Dworetzky, Marjorie Flory, Beth Howard, Pam
Lambert, Molly McKaughan, Sybille Millard, Donald
Moffit, Wendy Murphy, Linda Patterson Eger, Lew
Petterson, Don Pfarrer, Joshua Rosenbaum, Cathy Sears,
Joan Tedeschi, Joseph Wilkinson, Sydney Wolfe Cohen

Consulenza generale di:

Norman R. Farnsworth, Steven Freedman,
Herbert Krauss, Marion Nestle, Andrew Weil

Consulenza specifica di:

Agopuntura: Leung Soon Jack; *Antropologia:* Helen Fisher;
Chiropratica: Allan Weisberg, Peri L. Dwyer; *Fitoterapia:*
Mark Blumenthal; *Esercizi:* Elyse McNergney; *Massaggio:*
Lucy Liben; *Medicina ayurvedica:* Rudolph Ballentine;
Medicina cinese: Qingcai Zhang; *Naturopatia:* Kaiya
Montaocean, Michael Murray; *Oftalmologia:* George Dever;
Omeopatia: Dana Ullman; *Osteopatia:* Steven J. Weiss;
Polarità: Ellen Krueger; *Riflessologia:* Laura Norman;
Shiatsu/Digitopressione: Gina Martin; *Tai chi:* Bryant Fong;
Tecnica di Alexander: Deborah Caplan; *Terapia vitaminica:*
Alan R. Gaby; *Tocco terapeutico:* Dolores Krieger;
Yoga: Beryl Bender Birch

EDIZIONI DI SELEZIONE
DAL READER'S DIGEST - GRANDI OPERE

Direttore editoriale: Settimio Paolo Cavalli
Caporedattore: Alberto Dragone
Redazione: Livia Cagnoli Baroni
(*editor*, responsabile dell'opera),
Luciana Gamba (*editor*),
Maria Grazia Valentini (*senior editor*)
Segretaria di redazione: Maria Teresa Capsoni
Responsabile dell'ufficio grafico: Vincenzo Galli
Segreteria: Rossana Longhi

L'edizione italiana è stata curata da:
RED./STUDIO REDAZIONALE - COMO

Traduzione: Nicoletta Paci, Francesca Speciani
Adattamenti e aggiornamenti: Tiziano Casartelli,
Gudrun Dalla Via, Giovanna Galeazzi, Augusto
Sabbadini (Shantena), Francesca Speciani
Redazione: Alessandra Dotti, Giovanna Galeazzi,
Graziella Ghigliazza
Coordinamento redazionale: Tiziano Casartelli
Coordinamento grafico: Paolo Giomo
Supervisione editoriale: Maurizio Rosenberg Colorni

1ª Edizione - Dicembre 1995
Edito da Selezione dal Reader's Digest S.p.A. - Milano

Fotocomposizione: System Compos s.r.l.
Casnate con Bernate (CO)
Stampa e Legatura: Rotolito Lombarda
Cernusco sul Naviglio (MI)

ISBN 88-7045-139-9
PRINTED IN ITALY

SOMMARIO

CAPITOLO 5

Mangiare bene 252

CAPITOLO 6

Curarsi con le piante 302

CAPITOLO 7

Malattie, disturbi e rimedi 340

Perché un libro sulla medicina naturale?

*Se i limiti della medicina ufficiale si fanno talvolta evidenti, sempre più diffuso
è il bisogno di capire e informarsi: quali alternative abbiamo? Che sicurezza ci offrono?
Un dato è certo: la salute è un bene irrinunciabile.*

L A GUARIGIONE È UN PROCESSO NATURALE, comune a tutte le forme di vita: la ferita di un animale o di una pianta si rimargina da sé, proprio come quella di un essere umano. Dall'osservazione attenta della natura possiamo imparare molto: per esempio, come rafforzare il meccanismo spontaneo di auto-guarigione che agisce in ogni essere vivente. È questo il principio di base della medicina naturale, dal quale oggi quella ufficiale si è forse un po' troppo allontanata.

Il rapido successo delle scienze mediche nel corso del XX secolo, determinato dalla scoperta di farmaci efficaci contro le infezioni batteriche, di vaccini e dallo sviluppo di tecniche chirurgiche sempre più all'avanguardia, ha portato con sé il sogno di una nuova età dell'oro, nella quale scienza e tecnologia potessero sconfiggere povertà, analfabetismo, fame e malattia.

Ma già negli anni Sessanta l'utopia ha cominciato a vacillare davanti alla constatazione che nei Paesi industrializzati scienza e tecnologia andavano creando nuovi problemi, anche se riuscivano a risolverne molti. Per esempio, la riduzione dei rischi di morte prematura per malattie infettive iniziava a essere controbilanciata dall'incremento di patologie complesse collegato al conseguente aumento della popolazione anziana – dalle malattie degenerative croniche al cancro – su cui la medicina ufficiale non sempre riusciva a essere vittoriosa.

Né, d'altra parte, ha prodotto trattamenti sempre efficaci per risolvere le infezioni virali, le allergie, le malattie mentali, metaboliche e autoimmuni, i disturbi funzionali o psicosomatici.

La mente e il corpo sono considerati come un insieme unitario e inscindibile dalla medicina naturale, che per questo viene anche chiamata "medicina olistica", cioè intera.

Con la consapevolezza dei limiti della medicina ufficiale è dunque cresciuto anche l'interesse per le medicine alternative. Sistemi di cura tramontati nella prima metà del secolo ritornano oggi d'attualità: attraggono un gran numero di pazienti, sono oggetto di dibattito e costituiscono quasi una sfida alla medicina ortodossa.

Alternativa, complementare, olistica "Medicina alternativa" è un'espressione che si riferisce a numerose teorie e pratiche, antiche e recenti, più o meno fondate. Ci sono medici che chiamano "tradizionale" la medicina ufficiale, sottintendendo che le terapie alternative non lo sarebbero. Ma, in un certo senso, è vero il contrario: le origini dell'agopuntura si perdono infatti nella notte dei tempi, tanto che sarebbe difficile immaginare una pratica terapeutica più tradizionale, e la fitoterapia è una cura antichissima, tramandata di generazione in generazione nella maggior parte del mondo. Ecco perché la medicina ortodossa può essere definita più correttamente come "ufficiale" o "convenzionale".

In alcuni casi è giusto parlare di pratiche "alternative" alla medicina ufficiale. Per esempio, la manipolazione osteopatica, lo yoga e l'agopuntura possono risultare, talvolta, più efficaci degli analgesici, degli antinfiammatori e degli antispastici in caso di mal di schiena. Una dieta priva di latticini e impacchi caldi sul viso possono forse attenuare i sintomi di una sinusite anche senza ricorrere ad antibiotici e decongestionanti.

La medicina naturale è spesso descritta anche come "complementare", perché si ritiene che essa abbia successo quando viene utilizzata in combinazione con metodi più ortodossi. In effetti, in alcuni casi, è utile associare terapie diverse: una donna con un tumore al seno in fase iniziale può, per esempio, sottoporsi a intervento chirurgico e radioterapia, poi seguire una dieta antitumorale, ridurre il rischio di recidive con l'apporto di vitamine e rimedi fitoterapici e fare esercizi fisici e mentali, come la visualizzazione, per accelerare il processo di recupero e rinforzare il sistema immunitario.

Anche il comune tarassaco (soffione) può essere un utile rimedio naturale (vedi *pag. 332*).

L'orientamento "olistico" (cioè "globale") sottolinea invece la necessità di assumersi in prima persona la responsabilità del proprio benessere complessivo. Sorto come reazione all'atteggiamento del sistema medico ufficiale, centrato esclusivamente sulla cura del corpo, l'olismo (dal greco *hólos*, "intero") si riferisce alla persona intesa come un insieme di corpo, mente e spirito: un principio alla base di tutta la medicina alternativa.

Il **regno della medicina ufficiale** Chi si interessa di medicina naturale non intende affatto negare la superiorità di quella ufficiale in molti campi. Oggi la scienza medica può curare assai più efficacemente di un tempo le vittime di un trauma o di un'infezione batterica acuta (non dimentichiamo che in un passato non lontano la polmonite era una malattia letale), può tenere in vita chi è stato colpito da infarto o da un attacco di appendicite, può risolvere complicazioni da parto che un tempo sarebbero state fatali e operare veri e propri miracoli con la chirurgia plastica, ricostruendo perfino le articolazioni distrutte a causa di incidenti o malattie. Le vaccinazioni possono prevenire malattie quali la poliomielite, la difterite e il tetano, pericolosissime in passato.

Sarebbe sciocco ricorrere a terapie alternative per le patologie che la medicina ufficiale cura con successo. Nel caso di un grave incidente d'auto o di un'emorragia per un'ulcera duodenale, è chiaro che tutti noi vorremmo essere portati urgentemente al pronto soccorso e non certo da un omeopata o da un terapista shiatsu. La prima responsabilità nei confronti della nostra salute è saper distinguere quando occorre un intervento medico ortodosso.

I costi della tecnologia Può sembrare curioso, ma fino a non molto tempo fa medicina e botanica erano strettamente collegate: la maggior parte dei medicamenti proveniva infatti direttamente dal mondo vegetale. Ancora oggi molti prodotti farmaceutici sono di origine vegetale, ma hanno subìto un trattamento chimico. Tuttavia, l'idea di curare con rimedi a base di piante officinali sembra oggi antiquata alla maggior parte delle persone. La comunicazione tra il mondo della botanica e quello della medicina si è dunque, in un certo senso, interrotta.

Ma, oltre a questo distacco dalla natura, la scienza medica ufficiale fornisce pochissime indicazioni sulla salute e sulla guarigione. I programmi universitari trattano quasi esclusivamente il concetto di "malattia". Gli studenti imparano a diagnosticare e a curare le patologie solo dopo la loro comparsa, ma forse sanno ben poco sul modo di prevenirle e ancora meno su come conservare un organismo in buona salute e favorirne i meccanismi di autoguarigione.

Il rifiuto dei metodi semplici e naturali in favore della tecnologia ha ovviamente un prezzo. Basti pensare ai costi di gestione degli ospedali pubblici o delle cliniche private. Ma oltre che dispendiosa, la medicina "tecnologica" talvolta può essere anche pericolosa: ciò è evidente per esempio nelle tossicosi che derivano dall'assunzione di più farmaci contemporaneamente, oggi piuttosto diffusa.

Gli effetti collaterali possono essere lievi, come un formicolio, ma anche gravi, come un'invalidità permanente. I rimedi a base di piante medicinali, al contrario, sono assai meno dannosi, come risulta dalla casistica presentata dai medici che praticano la medicina naturale.

Numerosi medicinali in commercio, per risultare efficaci in breve tempo, sono molto energici. È ovvio che in situazioni d'emergenza il tempo di risposta del farmaco è vitale, tuttavia, per la cura dei disturbi più comuni il ricorso esclusivo a questi prodotti rappresenta a volte un'inutile forzatura e quasi una violazione del famoso precetto di Ippocrate ai medici: *primum non nocere* (innanzi tutto non nuocere).

In questa fine del XX secolo si coglie perciò tra la gente un senso di delusione e di perplessità nei confronti della tecnologia e della diffusione dei prodotti chimici di sintesi, mentre si nota un crescente interesse verso quelli naturali. Il mercato dei rimedi a base di piante medicinali e l'offerta di terapie alternative sono in continua espansione e anche la medicina ufficiale ne sta prendendo atto.

Il ruolo dell'alimentazione La dietetica è spesso limitata all'analisi delle diete speciali per i pazienti ospedalizzati o affetti da particolari patologie oppure affronta esclusivamente il problema del sovrappeso.

Fino a pochi anni fa chiunque avesse osato sostenere che l'alimentazione poteva costituire un fattore di rischio per le malattie tumorali era considerato un ciarlatano. Lo stesso accadeva a chi metteva in discussione che le vitamine servissero solo a evitare le malattie da carenza. Oggi c'è accordo sul fatto che le diete ricche di grassi e povere di fibra (cioè con molta carne e pochi vegetali) predispongano al cancro del colon, del seno, dell'utero e della prostata. E si è scoperto che il betacarotene, un precursore della vitamina A, può essere efficace nella prevenzione del cancro, soprattutto quando attacca i polmoni o il collo dell'utero; che dosi consistenti di niacina (vitamina B_3) riducono il colesterolo; che assunzioni elevate di vitamina E hanno effetti terapeutici nelle patologie fibrocistiche del seno. Numerose ricerche cominciano a documentare questi risultati.

Molti dei metodi descritti nelle pagine che seguono potrebbero suscitare perplessità e scetticismo in un medico convenzionale, ma la ricerca scientifica non si ferma, e molti studi ormai documentano l'efficacia di rimedi come per esempio l'aglio, una delle più importanti piante medicinali in numerose tradizioni popolari, che svolge effettivamente un'azione antibiotica e ha il potere di abbassare la pressione.

La rivoluzione in ostetricia A partire dagli anni Cinquanta, ma in Italia soprattutto dalla fine degli anni Sessanta, molti medici teorizzarono che allattare al seno fosse una pratica obsoleta e senza alcun vantaggio, mentre assai più moderno, razionale e sicuro fosse l'allattamento artificiale.

Allo stesso modo fu pesantemente messo in discussione il parto a domicilio, in quegli anni ancora assai diffuso nel nostro Paese, al quale era imputato l'alto tasso di mortalità neonatale. Tutto ciò provocò una sempre maggiore medicalizzazione del parto; tra gli anni Settanta e gli Ottanta la stragrande maggioranza dei parti veniva portata a termine con ogni possibile intervento tecnologico: era quasi d'obbligo l'episiotomia (recisione chirurgica del perineo per prevenire lacerazioni), si faceva uso di forti dosi di farmaci per indurre le contrazioni uterine e si ricorreva a iniezioni di ormoni per inibire la produzione di latte, era frequente l'uso del forcipe e della ventosa ostetrica, andò aumentando l'impiego dell'anestesia, mentre la percentuale dei parti con taglio cesareo subì un'impennata verticale che portò l'Italia ai primi posti al mondo nell'uso di questa pratica di parto chirurgico.

Naturalmente oggi è ben noto che il colostro, il liquido secreto dal seno subito dopo il parto, è una fonte ricchissima di anticorpi materni, che forniscono al neonato una difesa contro le infezioni fino a quando il nuovo organismo non comincia a produrne di propri. L'allattamento al seno è riconosciuto anche come tramite fondamentale per avviare l'intimo rapporto tra madre e figlio, necessario per il successivo benessere emotivo. Secondo diversi studi, addirittura, i neonati allattati al seno sarebbero più intelligenti e meno soggetti ad allergie di quelli allattati artificialmente.

Oggi, quindi, la situazione è ben diversa: molte delle pratiche ostetriche prima citate stanno cadendo in disuso e l'allattamento al seno e il parto naturale, sia pure assistito, hanno ritrovato la loro giusta

Il latte materno è una protezione naturale contro numerose malattie infettive.

considerazione, anche se spesso negli ospedali – e soprattutto nelle cliniche private – si continua ricorrere a interventi invasivi non strettamente necessari e la "rottura delle acque" (fuoriuscita del liquido amniotico) artificiale oppure l'episiotomia sono pratiche ancora troppo spesso di routine.

Il **potere della mente** Anche quando dichiara di tenere presenti gli aspetti psicologici della malattia, la medicina ufficiale si comporta di solito come se questi avessero un peso di scarso rilievo sulle condizioni, ben più concrete, degli organi colpiti. Per questo motivo sottovaluta o ignora terapie come l'ipnosi e la visualizzazione, che hanno la peculiarità di produrre effetti fisici con il solo potere della mente. Eppure si tratta quasi sempre di procedure meno invasive e, quando hanno successo, anche meno costose.

L'interesse del pubblico nei confronti dei medici che non si occupano solo dei fattori fisici risulta evidente anche dalla popolarità di libri e programmi televisivi dedicati al funzionamento dei processi mentali. Per esempio, nel suo libro pubblicato anche in Italia dall'Editore Armando nel 1982, *La volontà di guarire. Anatomia di una malattia*, Norman Cousins descrive come ebbe la meglio su una grave, quanto misteriosa, malattia del tessuto connettivo. Di ritorno da un viaggio a Mosca, Cousins cominciò ad accusare febbre, malessere e dolori articolari. Le sue condizioni peggiorarono rapidamente finché non fu più in grado di muovere gli arti, gli si bloccarono le mandibole e riscontrò la presenza di noduli in diverse parti del corpo. Ricoverato in ospedale, non ebbe alcun miglioramento. I medici poterono offrirgli soltanto cure palliative a base di analgesici e di antinfiammatori.

Il medico svedese Lars Ljungdahl considera l'umorismo un'efficace forma di terapia.

Cousins era però convinto che lo stato emotivo potesse influenzare la salute. Lasciò l'ospedale sotto la propria responsabilità e si trasferì in un albergo, dove poteva ordinare il cibo che preferiva, anziché accontentarsi della dieta offerta dall'ospedale, poco appetitosa e forse neppure tanto salubre. Cominciò ad assumere dosi elevate di vitamina C e fece di tutto per ritrovare il buon umore: noleggiò molte cassette di film comici e passò ore a rivederli. Come per miracolo, Cousins cominciò a riprendersi. Si può ben dire che a suon di risate riuscì a sconfiggere la malattia.

Dopo aver raccontato la sua esperienza nel libro citato (tradotto con successo in tutto il mondo), Cousins ha dedicato il resto della vita a ricordare a medici e pazienti che il corpo ha una testa e che questa viene prima di quello. Sarà forse anche grazie alla sua opera che cominciano a spuntare veri e propri terapisti della risata?

Responsabilità individuale Se state sfogliando questo libro è segno che desiderate, in un certo senso, trovare un'alternativa a medici, farmacisti e ospedali. Volete mantenervi in buona salute, pensate che la prevenzione sia preferibile a qualunque cura e siete pronti ad assumervi la piena responsabilità del vostro benessere. Un simile atteggiamento vi permetterà non solo, in qualche caso, di risparmiare denaro, ma anche di ridurre gli effetti collaterali dovuti all'assunzione di sostanze talvolta tossiche e di evitare molti problemi futuri.

Anche se in Italia coloro che praticano la medicina alternativa sono in buona parte regolarmente laureati, è assurdo consultare un medico alternativo per un problema di stretta competenza della medicina ufficiale. Ma non meno assurdo è l'atteggiamento contrario.

Selezione è da sempre attenta alle problematiche della salute e ha pubblicato numerosi libri di grande successo, come *Il consulente medico per la famiglia* nel 1986 o la più recente (1992) *Enciclopedia Medica*, una trattazione sistematica e aggiornata delle conoscenze più sicure nel campo della medicina ufficiale. Tuttavia non ha tralasciato di presentare ai lettori altre opere, più attente a un approccio "naturale" ai problemi di salute, come *Segreti e virtù delle piante medicinali* (1979) e *Guida alla Medicina Naturale* (1993) che di questo volume può essere un utile completamento, trattandosi di un vero e proprio dizionario enciclopedico, ricchissimo di voci e di consigli pratici.

L'intento è quello di fornire ai lettori un'informazione seria, documentata e completa su tutto ciò che può aumentare la capacità di ciascuno di gestire in prima persona la propria salute, imparando a scegliere a quale medico rivolgersi e a quale terapia accostarsi per risolvere i propri problemi.

Ricordate sempre che il corpo ha un'enorme capacità di autoguarigione e di risanamento: il segreto della medicina naturale è tutto qui. Scegliere di volta in volta il metodo più adatto per attivare o stimolare queste capacità in alternativa alle terapie sia farmacologiche sia chirurgiche della medicina ufficiale è solo compito vostro.

SELEZIONE DAL READER'S DIGEST

CAPITOLO 1

Il regno della medicina naturale

Perché mai, nell'era della medicina moderna, sempre più persone si rivolgono a metodi alternativi di prevenzione e di cura?

La medicina ufficiale ha raggiunto un livello altissimo di specializzazione e le terapie farmacologiche, se rappresentano la scelta migliore per molte malattie acute e gravi, non sono però in grado di dare sempre sollievo a chi soffre di disturbi cronici: mal di schiena, artrosi, effetti dello stress e tanti altri ancora.

Oggi sappiamo di aver molto da imparare da antichissimi sistemi filosofici e terapeutici, tramandati nel corso dei secoli in culture diverse dalla nostra.

Sani, nel modo più naturale

Sempre più persone si assumono oggi la responsabilità della propria salute ed esplorano le infinite possibilità della medicina naturale. Per molti è l'inizio di un nuovo modo di intendere la salute.

Concentrarsi sulla salute e non sulla malattia

A dispetto delle intuizioni di alcuni eminenti professionisti, la medicina continua a ruotare intorno alla malattia, assumendo un orientamento sbagliato. Anche se sono le persone a "prendere" le malattie (quando non riescono a difendersi dai germi ai quali siamo tutti esposti), i medici si comportano come se fosse il contrario, fossero cioè le malattie a "prendere" le persone. Benché in assoluto non sia giusto generalizzare, la medicina non si è quasi mai data la pena di studiare le persone che *non* si ammalano. Di rado i medici considerano in che misura l'atteggiamento del paziente nei confronti della vita influisca sulla qualità e sulla durata di questa.
— *Tratto da* Love, Medicine and Miracles *(Amore, medicina e miracoli) di Bernie S. Siegel.*

FRIZZANTE come la prima brezza di primavera, ci pervade la sensazione che il vero benessere sia finalmente alla portata di tutti. Anche chi ha creduto per tutta la vita che star bene è soprattutto questione di fortuna, che ai malanni non si sfugge e che i medici sono gli unici custodi della salute sta cominciando a cambiare idea.

Ci siamo abituati a non capire le cure che ci vengono prescritte e abbiamo imparato che ai medici, sempre molto impegnati, è meglio non fare troppe domande. Come risultato abbiamo affidato la nostra salute a dei professionisti, convinti della loro competenza. Ma in molti cominciamo a sentirci a disagio in un rapporto di questo tipo e guardiamo con sempre più interesse ciò che possono offrirci le terapie alternative.

La capacità di autoguarigione del corpo I metodi di cura presentati in questo libro spaziano dalle scuole mediche vere e proprie, com'è il caso della medicina tradizionale cinese, a specifiche terapie fisiche, come la tecnica di Alexander. Ma in che cosa si distingue esattamente la medicina alternativa da quella ufficiale? In parte nella fiducia che il nostro organismo sia una "macchina" piuttosto resistente, capace, con un sostegno o un intervento occasionale, di ritrovare da solo la salute, cioè il suo sostanziale equilibrio.

La temperatura corporea è un ottimo esempio della capacità degli esseri umani di conservare un equilibrio interno anche al mutare delle condizioni esterne. Rabbrividire quando fa freddo e sudare quando fa caldo sono semplici strategie per mantenere la temperatura intorno ai 37 °C. Questa temperatura media è geneticamente programmata, con differenze irrilevanti da persona a persona. Non c'è dieta, esercizio o stato d'animo che possa modificarla sostanzialmente. Un moderato rialzo febbrile è il modo in cui il corpo si difende dall'invasione di organismi estranei, perché, a una temperatura di 38,3 °C, il nostro organismo continua a funzionare mentre molti virus e batteri muoiono, con beneficio per la nostra salute.

Per chi pratica le medicine orientali, per esempio l'agopuntura o lo shiatsu, l'equilibrio comprende anche il flusso regolare di energia vitale (*Qi*) lungo i percorsi (chiamati "meridiani") che collegano i vari organi. Lo stress è solo uno dei fattori che possono interrompere questo flusso e creare uno squilibrio nell'organismo. Un medico cinese non cura mai solo i sintomi di una malattia, ma anche lo squilibrio che li ha determinati.

Chi pratica la medicina naturale sa che questo approccio alla salute basato sull'equilibrio dinamico è più utile e completo di quello che considera i soli sintomi. Prendiamo per esempio un

Sempre più persone *cercano attivamente di vivere in modo naturale, cioè in sintonia con il mondo che li circonda e li ospita. Una tendenza evidente anche negli alimenti che si producono e si consumano. Questo rigoglioso orto biologico, per esempio, testimonia il successo dei metodi naturali di coltivazione, che non prevedono l'uso di pesticidi e di concimi chimici. Il principio su cui si basa l'agricoltura biologica è semplicissimo: i vegetali di cui ci nutriamo, e di cui si cibano anche gli animali d'allevamento, sono esseri viventi. È dunque importante mantenerli in buona salute e nutrirli correttamente.*

Il regolare esercizio fisico
è uno dei precetti della medicina
preventiva. L'allenamento ideale
dovrebbe comprendere attività
diverse, intense ad allungare
e potenziare i muscoli ma anche
a rendere più efficiente l'apparato
cardiovascolare. E i vantaggi sono
evidenti anche per la linea.

disturbo digestivo cronico: un farmaco antiacido può dare sollievo, ma, per eliminare il problema alla radice, occorre anche riequilibrare l'organismo con opportuni cambiamenti della dieta ed esercizi antistress.

La relazione tra corpo e mente Il sistema immunitario è per il corpo come una fortificazione costruita per resistere alle infezioni. Questo sistema di difesa può però mostrare segni di cedimento se usato troppo o male. Oltre a riposarsi quanto basta e a mangiare correttamente, che cosa possiamo fare per mantenere il nostro sistema immunitario in perfetta efficienza? Ci sono piccoli ma significativi accorgimenti per stimolarlo, utili anche in una prospettiva generale di salute. Per esempio, fare regolarmente esercizio fisico non solo stimola il funzionamento del sistema immunitario, ma riduce il rischio di malattie coronariche, di diabete, di ipertensione, di osteoporosi e di obesità. Ci sono inoltre sempre più numerose prove scientifiche della funzione protettiva esercitata da certi cibi nei confronti delle malattie.

Quasi tutti ormai sanno che lo stress indebolisce il fisico e lo espone a una quantità di rischi. I medici naturali sostengono che gli effetti dello stress (dall'emicrania all'infarto) illustrano bene il peso dell'atteggiamento mentale rispetto alla salute globale e quindi anche al processo di guarigione. Meditazione, esercizi di respirazione e altre tecniche di rilassamento offrono altrettanti metodi per affrontare lo stress con poca spesa e senza effetti collaterali, tanto che perfino la medicina ufficiale comincia a valutarli positivamente. E non si tratta di un caso, dal momento che è stato calcolato che fino a due terzi delle visite mediche vengono richieste per disturbi da stress o da ansia.

L'ascolto del corpo Per star bene in armonia con la natura occorre imparare a conoscere meglio il proprio corpo. Il primo passo è sicuramente quello di occuparsene attivamente, mangiando in modo sano, facendo sport e abbandonando abitudini e attività nocive per corpo e mente. Quando poi si manifestano dei disturbi che necessitano l'intervento da parte di un medico, è utile essere informati.

Rispetto a un medico convenzionale, il medico "alternativo", naturale, conta sulla collaborazione del paziente. Questo atteggiamento può non essere particolarmente gradito, soprattutto da chi si accosta per la prima volta a un nuovo metodo terapeutico e preferirebbe lasciar fare al medico.

Se consideriamo, per esempio, le patologie coronariche, principale causa di morte nei Paesi occidentali, scopriamo che, se un tempo i medici si facevano beffe della prevenzione, oggi sono tutti d'accordo che dieta ed esercizio fisico regolare hanno un ruolo di rilievo nella riduzione del rischio cardiaco. Sta al paziente, però, fare ciò che occorre per prevenire o modificare il corso della malattia.

Questo tipo di collaborazione comporta un vantaggio in più: l'atteggiamento diventa più positivo e responsabile e produce un rinnovamento a livello fisico e mentale. Parecchi studi degni di nota hanno ormai messo in luce il rapporto tra atteggiamento emotivo e guarigione, un territorio che solo pochi anni fa sarebbe stato messo in ridicolo come "non scientifico".

Cure complementari Sono in molti ad andare dal dottore per disturbi vaghi, in cerca solo di sostegno emotivo e rassicurazione. Questi pazienti lasciano sempre lo studio medico delusi. Altri sperano di trovar sollievo dai loro disturbi cronici, come mal di schiena o artrosi, contro i quali la medicina ufficiale ha ben pochi rimedi.

La maggior parte dei medici è specializzata nel trattamento di sintomi o malattie specifiche; per questo si trova a disagio quando non esiste una pillola o una procedura codificata per risolvere un problema. Il medico naturale, che ha una visione più globale della salute, dedica invece un tempo più lungo all'ascolto del paziente; inoltre, ha quasi sempre a portata di mano un'intera "batteria" di tecniche più o meno terapeutiche con le quali aiutarlo.

Scegliere un trattamento alternativo non implica di per sé il rifiuto delle cure convenzionali, alle quali occorre sottoporsi sempre nei casi urgenti: fratture, dolori al petto, febbre alta. D'altra parte, mol-

Glossario di medicina

La popolarità raggiunta da molte forme di medicina alternativa ha arricchito le discussioni in questo campo di termini più o meno nuovi ma ancora poco familiari. Ecco che cosa significano i più usati.

- *Alternativa* Viene definita "alternativa" praticamente ogni tecnica terapeutica che non rientri nei canoni della moderna medicina ufficiale. Ne sono esempi la fitoterapia, la chiropratica e l'omeopatia.

- *Popolare* A seconda delle diverse culture, la medicina popolare presuppone una fiducia, talora persino una fede, nell'efficacia della cura scelta. Elementi comuni sono i rimedi vegetali, le formule magiche e i rituali.

- *Olistica* Sono definite "olistiche" le terapie che si rivolgono all'intera persona, corpo e mente, invece che solo alla parte del corpo dove si manifestano i sintomi. Importanti gli aspetti della responsabilità individuale e della prevenzione.

- *Naturale* Ogni terapia centrata sulla potenzialità di autoguarigione del corpo può definirsi "naturale". Ne sono esempi la naturopatia e l'idroterapia.

- *Ufficiale o ortodossa* È la medicina moderna convenzionalmente usata in tutto l'Occidente, ed è la forma di assistenza sanitaria dominante nei paesi industrializzati.

- *Tradizionale* Qualsiasi sistema medico con antiche origini, forti legami con una cultura, operatori riconosciuti e che faccia riferimento a una propria filosofia della salute può essere considerato "tradizionale". Ne sono esempi la medicina cinese e quella ayurvedica.

te delle terapie descritte in questo libro possono essere utilmente associate alle cure convenzionali. Nulla vieta che chi soffre di emicrania si faccia visitare da un neurologo per capire l'origine del suo problema, anche se nel contempo utilizza la meditazione o il biofeedback per trovare un sollievo immediato.

L'eccesso di farmaci e di tecnologia Come abbiamo visto, i prodotti farmaceutici sono preziosissimi in molti casi. La contestazione principale di coloro che praticano la medicina naturale, e di un crescente numero di medici convenzionali, riguarda l'uso spropositato che se ne fa.

Anche il modo in cui vengono sperimentati suscita più di un dubbio. Si sa, per esempio, che gli anziani assumono più farmaci rispetto agli appartenenti a ogni altra fascia di età; eppure la maggior parte dei medicinali viene sperimentata su persone più giovani, che presentano una fisiologia alquanto diversa. Certi prodotti interferiscono con l'assorbimento di vitamine e minera-

L'ipnosi, basata in parte sul potere della suggestione, è una tecnica efficace contro il dolore e lo stress. Un tempo ritenuta solamente un fenomeno da baraccone, è oggi una terapia riconosciuta a livello internazionale.

li, un problema soprattutto per chi, come accade spesso negli anziani, non ne assume regolarmente attraverso ciò che mangia.

Infine, gli effetti collaterali di alcuni farmaci sono spesso altrettanto fastidiosi dei sintomi per curare i quali vengono assunti, un fatto questo che spinge molti a cercare alternative.

L'ultimo capitolo di questo libro è interamente dedicato ai rimedi naturali per i disturbi più comuni (pagg. 340-435). Chi avesse di tanto in tanto problemi di sonno può scoprire, per esempio, che un bagno caldo può essere più utile di un sonnifero, che provoca anche vertigini, sonnolenza durante il giorno e, a lungo andare, dipendenza.

Naturalmente c'è anche chi si sente trascurato se non esce dallo studio del medico con una ricetta, ma il mondo è pieno di medici compiacenti.

Oltre all'eccessiva fiducia nei prodotti farmaceutici, è facile rimproverare ai medici convenzionali il ricorso a costosi esami di laboratorio anche quando non ce ne sarebbe un reale bisogno. Questa tendenza è in parte dovuta all'eccessiva specializzazione

L'incredibile ricerca dell'equilibrio

*Lo stress e i continui cambiamenti dentro e fuori di noi ci stringono d'assedio.
Per questo, se vogliamo mantenerci sani, dobbiamo raggiungere
un armonioso equilibrio interiore.*

L'equilibrio è un vero mistero. Provate a stare in verticale sulla testa o a camminare su una fune e capirete che cosa voglio dire. Il punto di equilibrio, benché privo di dimensioni, è sicuramente reale. Lo manchiamo, lo superiamo e ci correggiamo eccessivamente perdendolo di nuovo. Movimenti esagerati, scatti, tutto tranne che armonia. Ma alla fine si scopre questo specialissimo punto, magari anche solo per un istante, mentre si cade. Se lo si individua vi si può rimanere per qualche secondo e prendere familiarità con la sensazione peculiare di assenza di sforzo che lo contraddistingue. Se lo si perde anche di poco, si fa una bella fatica per ritrovarlo. Solo quando si è in equilibrio non occorre far niente tranne godersi lo stato di grazia di questa zona magica nella quale tutte le forze esterne vengono neutralizzate in virtù della loro precisa disposizione, poiché si trovano l'una opposta all'altra. L'equilibrio è come un punto di sospensione e di bellezza in mezzo al caos.

È questa la magia dell'occhio del ciclone, dell'attimo di totale oscurità di un'eclisse di Solé e, se ci pensiamo, della stessa stabilità della Terra. Gli equinozi del ciclo stagionale sono momenti magici, così come l'alba e il tramonto, veri e propri "punti di equilibrio" della giornata, durante i quali la riflessione e la meditazione richiedono il minimo sforzo.

Anche l'equilibrio della salute è dinamico. Gli elementi e le forze costitutive dell'essere umano e le pressioni ambientali che su di essi si ripercuotono formano un sistema tanto elaborato da non poter essere compreso nella sua complessità. Siamo isole di cambiamento in un mare in movimento, soggetti a cicli di riposo e di attività, di secrezioni ormonali, con potenti impulsi, esposti a rumori, a sostanze irritanti, a malattie, a campi elettrici e magnetici, a invecchiamento, ad alti e bassi emotivi. Le variabili sono infinite e non fanno che muoversi e intrecciarsi tra loro. Che in un tale siste-

Può essere difficile mantenere l'equilibrio.

ma possa verificarsi anche solo per un attimo una situazione di equilibrio sembra miracoloso, eppure quasi tutti possiamo considerarci sani per la maggior parte del tempo grazie alla coordinazione di corpo e mente, costantemente alla ricerca di questo incredibile e sfuggente punto di equilibrio, a dispetto di ogni pressione interna ed esterna.

L'equilibrio dona una qualità in più all'insieme. Rende la sua perfezione maggiore di quella della somma delle sue parti. La salute è globalità nel senso più profondo: è la completezza che non lascia fuori nulla e che contiene tutto nell'ordine necessario perché possa manifestarsi il mistero dell'equilibrio. Ben lontana dalla semplice assenza di malattia, la salute è proprio questo bilanciamento dinamico e armonioso di tutti gli elementi e di tutte le forze che costituiscono e circondano l'essere umano.

Tratto da Health and Healing (*Salute e guarigione*), *di Andrew Weil.*

raggiunta dalla medicina ortodossa. Va ammesso che l'esperienza dello specialista può in alcuni casi prevenire danni gravissimi alla salute, ma anche il ricorso ingiustificato allo specialista per problemi insignificanti presenta dei rischi: uno studio recente ha rilevato che cardiologi ed endocrinologi prescrivono più medicinali ed esami, e ricorrono più spesso al ricovero, rispetto ai medici di base e agli internisti che curano pazienti con malattie quasi identiche.

Si può facilmente desumere che il costo per la cura di molti pazienti con disturbi comuni è eccessivo e che c'è un gran bisogno di trovare quanto prima alternative valide.

"Caso clinico"

PRENDERSI CURA DI SÉ

C'è un approccio all'assistenza sanitaria che vede il paziente, e non il medico, come il principale responsabile della cura. In un articolo pubblicato su "Medical Self-Care", Tom Ferguson, medico, riferisce un caso clinico.

Voglio raccontarvi il caso di Dorothy, un'amica di sessantadue anni. Tre anni fa Dorothy soffrì di dolori alle gambe e alle spalle. Andò dal medico e seguì i suoi consigli senza discutere. Il farmaco prescritto, però, le provocò fastidiosi effetti collaterali. Il medico ne prescrisse uno diverso che ne produsse altri. Un terzo le diede un po' di sollievo, ma accompagnato da disturbi di altro tipo. Dopo tre mesi di cura i dolori si ridussero notevolmente.

Le spese sostenute si possono riassumere così: visite mediche, 215 dollari; esami di laboratorio, 92 dollari; medicinali, 86 dollari; totale, 393 dollari.

Quest'anno Dorothy accusò dei dolori simili ma, nel frattempo, era diventata un'esperta del "fai da te" della salute e decise di non lasciar fare soltanto al medico.

Anche questa volta, per prima cosa, andò dal dottore. «Non possiamo essere certi dell'origine dei dolori» le disse.

Ma quando prese il ricettario lei lo fermò e gli chiese di metterle per iscritto le varie possibilità di cura, in modo da poterci riflettere con calma.

Il medico le indicò tre medicinali, gli stessi che aveva preso tre anni prima. Dorothy andò in biblioteca e fece qualche ricerca. Scoprì che l'aspirina era in grado, nel-

la maggior parte dei casi, di dare risultati analoghi e decise di prenderla.

Un amico le suggerì di rivolgersi a un agopuntore e lei si sottopose a un breve ciclo di sedute con buoni risultati. Un parente le prestò un corso di rilassamento su cassetta. Si abbonò a due riviste di argomento sanitario e cominciò ad assumere integratori alimentari a base di vitamine e minerali. Tutte le sere ascoltava la cassetta di rilassamento prima di andare a letto, il che le permetteva di addormentarsi rapidamente e senza dolori.

Su indicazione di un'amica, Dorothy si mise a frequentare lezioni quotidiane di nuoto la mattina presto. Anche questo fu di aiuto. Acquistò un libro e un fascicolo informativo sui reumatismi presso un consultorio sanitario di base.

Questa volta le spese furono assai meno pesanti, in particolare: visita medica, 45 dollari; agopuntura, 60 dollari; aspirina, 4 dollari; libri, riviste e cassette, 51 dollari; altri strumenti di cura (termoforo), 36 dollari; totale, 196 dollari.

Dopo tre mesi i sintomi si ridussero sensibilmente.

Tratto da un articolo di Tom Ferguson pubblicato su "Medical Self-Care", marzo-aprile 1987.

Precisione fine a se stessa Anche i medici stessi, la cui competenza permetterebbe loro di analizzare la diagnosi e di valutare i limiti della tecnologia, cadono facilmente, insieme con gli specialisti cui si sono affidati, nel vortice del ricorso inutile ed esagerato ai test clinici, cui si lasciano sottoporre spesso in modo acritico. Ecco il drammatico resoconto di un medico, Lawrence K. Altman, su come gli strumenti della medicina moderna interferiscano a volte con la precisione (e la rapidità) della diagnosi (dal "New York Times" del 12 maggio 1992).

Dopo una partita di golf, Franklin K. Yee, un chirurgo di Sacramento (California), cominciò ad accusare febbre, nausea e un dolore all'addome. Pensando ai primi sintomi di un'influenza tornò a casa e si mise a letto. La mattina seguente il dolore era peggiorato, così si rivolse a un gastroenterologo con il quale aveva lavorato per anni.

Yee sospettava di avere un'ulcera, ma, dopo averlo visitato, lo specialista diagnosticò un'infezione virale. Per sicurezza, prescrisse un elettrocardiogramma, che risultò regolare. Tuttavia, il cardiologo chiamato in causa disse di aver riscontrato qualcosa di insolito e, per precauzione, fece ricoverare il paziente. Benché favorevole al ricovero, Yee non aveva dubbi che il suo cuore fosse a posto. Ma si astenne dall'avanzare altre ipotesi e richiamò alla memoria il detto secondo il quale «un medico che si cura da solo ha uno sciocco per paziente».

Durante il ricovero nel reparto di cardiologia, il dolore accusato inizialmente nella parte superiore dell'addome si spostò in basso a destra, provocando anche un senso di gonfiore. Visitandosi come avrebbe visitato un paziente, Yee esercitò con le dita una pressione e il dolore avvertito gli fece pensare a un'appendicite. Suo figlio, medico a sua volta, non poté che confermare la diagnosi. Yee mandò a chiamare il gastroenterologo.

Anche lo specialista rilevò il disturbo, ma, siccome la percentuale di globuli bianchi era normale, non confermò la diagnosi. Yee rimase in ospedale per tutto il week-end sottoposto a regolari controlli dei riflessi vitali e della pressione. Il dolore peggiorò ma il cardiologo, visto che il cuore era a posto, dimise il paziente.

In serata il dolore diventò insopportabile, con la febbre sempre alta. Sempre più convinto della diagnosi di appendicite, Yee diede appuntamento a un amico chirurgo direttamente al pronto soccorso. Ancora incerti sulla diagnosi del paziente, chirurgo e gastroenterologo chiesero una radiografia dei reni per controllare che non si trattasse di una colica. Il risultato fu negativo.

Chiesero allora una TAC dell'addome, per sottoporsi alla quale Yee dovette bere mezzo litro di soluzione al bario. Dalla TAC risultò che Yee aveva un grave problema di circolazione intestinale. Per confermare la diagnosi consultarono un angiologo,

Frutta e verdure appena colte non sono solo una fonte ricchissima di vitamine e minerali ma anche di fibre alimentari: tutti elementi indispensabili per mantenere una buona salute. Chi si preoccupa per gli effetti tossici dei prodotti usati in agricoltura può provare a coltivare in un proprio orto la verdura, riducendo o eliminando del tutto l'uso di sostanze chimiche, oppure rivolgersi ai negozi che vendono prodotti "biologici".

Fatte rotolare nella palma della mano, queste noci dorate migliorano la circolazione e riducono gli effetti dello stress. Fin dall'antichità, in Cina, si esegue lo stesso esercizio con delle biglie di metallo.

Per Ebrei e Musulmani la Mano di Fatima (sopra) è considerata un portafortuna; tra i Turchi sono di buon augurio rosari come questo (a sinistra).

che fece eseguire un'angiografia (esame radiologico eseguito mediante l'iniezione di un liquido di contrasto colorato nelle arterie, per consentirne la visualizzazione ai raggi X).

Yee continuava a essere convinto di avere un'appendicite e infine persuase i colleghi a operarlo per confermare la diagnosi. Gli specialisti accettarono, pensando di dover asportare comunque una parte di intestino. Al risveglio, lo informarono di aver asportato l'appendice e confermarono la sua diagnosi. Nel frattempo, però, il ritardo determinato dai vari esami aveva dato tempo all'appendice di rompersi, riversando una quantità di batteri nella cavità addominale. Come risultato Yee dovette assumere tre tipi di antibiotici per un certo periodo di tempo e inizialmente stette così male da non riuscire a bere un sorso d'acqua.

Otto giorni più tardi, Yee fu dimesso dall'ospedale. L'esborso per la degenza, gli esami e l'intervento fu di 30 000 dollari. Se fosse stato operato al momento in cui egli stesso aveva formulato la diagnosi, il ricovero non sarebbe durato più di quattro giorni, con un risparmio di quasi 20 000 dollari.

Scegliere una terapia Le terapie alternative descritte in questo libro coprono una vasta gamma di tecniche, delle quali abbiamo cercato di dare una valutazione il più possibile obiettiva. Ma come si può chiedere al lettore di fare altrettanto? C'è ovviamente un limite alla quantità di ricerche che una persona comune può fare. Può tuttavia sempre tenersi al corrente leggendo le rubriche dedicate alla salute da molti giornali o abbonandosi a riviste attente a questa tematica.

Prima di scegliere a chi affidarvi tra coloro che praticano la medicina naturale, raccogliete tutte le informazioni che potete da altri professionisti e da amici, più o meno come fareste per un medico qualsiasi; non dimenticate di farvi riferire le loro esperienze dirette con la persona che raccomandano.

Quando chiamate per prendere un appuntamento, chiedete se il terapista cui intendete rivolgervi è in possesso di un certificato che ne attesta la professionalità riconosciuto da un ente o un'associazione professionale o di categoria. In generale, quanto meno recente è il successo di una terapia tanto più facile è trovare al riguardo informazioni soddisfacenti.

Non dimenticate di chiedere ragguagli circa i prezzi e la durata delle sedute e dell'intera terapia prima di prendere un appuntamento. Alcuni trattamenti, come l'agopuntura, richiedono un certo numero di sedute.

Secondo un recente sondaggio, più della metà degli intervistati che non aveva mai provato metodi alternativi si è detta disposta a provarli qualora un trattamento convenzionale non desse risultati. Tra quanti avevano già sperimentato metodi alternativi, invece, quattro intervistati su cinque hanno dichiarato che sarebbero tornati da chi li aveva curati. Sta solo a voi giudicare la terapia alla quale vi sottoponete. Gli incompetenti e i ciarlatani esistono in ogni campo, per cui, se non vi sentite a vostro agio con il terapista o con il tipo di cura, rivolgetevi altrove.

La medicina ufficiale respinge fin troppo frettolosamente

la maggior parte delle terapie naturali, in quanto le prove della loro efficacia sarebbero solo "aneddoti privi di fondamento". I medici naturali rispondono che il loro approccio sopravvive alla prova del tempo anche senza alcun riconoscimento ufficiale. In molti casi, tuttavia, sono in continuo aumento i dati scientifici a sostegno di queste tecniche. E non va dimenticato che le prove richieste variano notevolmente nel tempo. Negli Stati Uniti, per esempio, gli osteopati furono denunciati per truffa dall'American Medical Association (Ordine dei medici americano) solo qualche decina d'anni fa. Oggi questa pratica è riconosciuta in tutti gli Stati dell'Unione e cura i dolori cronici di pazienti inviati da non pochi medici convenzionali. Anche l'agopuntura, l'omeopatia e altre terapie, bistrattate per anni, vanno registrando sempre nuovi riconoscimenti in tutti i Paesi occidentali.

Innovazione o truffa? La differenza tra un "bidone" e una terapia non scientificamente provata ma utile può non essere immediatamente evidente. Molte cure naturali, in effetti, sembrano solo curiosità esotiche, anche se il numero di persone disposte ad attestarne la validità è in continuo aumento. È il caso del *reiki*, una terapia manuale i cui fautori giurano sia in grado di curare una quantità di disturbi, offrendo come unica spiegazione il trasferimento di energia dal terapista al paziente. Ma è nella vendita dei prodotti da banco che vengono alla luce le truffe più ingegnose.

Negli Stati Uniti, per esempio, con l'approvazione da parte del Congresso del *Pure Food and Drugs Act* nel 1906 è stato possibile regolamentare l'etichettatura dei prodotti medicinali. Questa legge costituisce il primo regolamento federale per impedire la vendita di prodotti propagandati come cura per la "debolezza sessuale", di preparati con un elevato contenuto alcolico o di elementi radioattivi, quali il radio, per la cura del cancro. Il passo legislativo successivo contro le frodi in campo medico e le pubblicità di prodotti inutili o addirittura dannosi è stato efficace solo in parte. Anche in Italia sono state recentemente varate alcune disposizioni per arginare e controllare la propaganda e la vendita di questi prodotti. Queste leggi costituiscono certo un grosso passo avanti, ma non sono ancora in grado di fermare un florido mercato.

Secondo alcune statistiche, infatti, la vendita di prodotti di dubbia utilità quando non apertamente fraudolenti ha nel mondo occidentale un giro d'affari annuo strepitoso. Si vendono libri su diete dimagranti che si rivelano carenti e nocive da un punto di vista nutrizionale, ma, e questo è veramente un dato su cui riflettere, le vittime preferite dei ciarlatani sono soprattutto le persone che soffrono di artrosi, di cancro, di malattie gravi. Ogni

Come evitare truffatori e ciarlatani

Chi soffre di un disturbo che non guarisce con una terapia convenzionale è facilmente preda dell'ansia di trovare un'altra cura. Anche i pazienti più cauti possono aver difficoltà a distinguere un trattamento efficace e motivato da una truffa e un terapista competente da un ciarlatano. Provate a seguire questi consigli.

■ Evitate qualsiasi terapista che si dichiari in possesso di conoscenze note solo a lui. Nessuna cura sicura e affidabile è custodita come un segreto.

■ Non lasciatevi impressionare dalle sigle indicanti qualifiche professionali. Fatevi dire esattamente cosa significano e se corrispondono a diplomi ottenuti presso istituti riconosciuti. In caso di disturbi complessi preferite un terapista che sia anche laureato in medicina.

■ Diffidate di quei rimedi che vengono proposti per un ampio spettro di malattie gravi, specialmente quando sono indicati per curare qualsiasi forma di artrosi o tutti i tipi di cancro.

■ Non fidatevi di una pubblicità solo perché viene pubblicata da un giornale serio o da una rivista autorevole o viene diffusa per televisione o per radio. È rarissimo che i prodotti e i servizi vengano vagliati secondo criteri qualitativi da chi ne accetta la pubblicità.

Queste terme uniche al mondo, situate in una sperduta zona della Turchia, sono una cura efficace per chi soffre di psoriasi, una malattia della pelle che si manifesta con spesse chiazze, rosse e desquamanti. I pesci che popolano la piscina termale, la cui acqua è ricca di zolfo, si depositano sulla pelle riducendone sensibilmente l'ispessimento. Dopo un trattamento di tre settimane, i pazienti affermano di sentirsi molto meglio.

giorno appaiono sui mezzi d'informazione notizie riguardo a nuove cure, decisamente fantasiose o quantomeno curiose. Un po' di prudenza e di scetticismo vanno conservati. In linea di massima, se un trattamento sembra troppo efficace per essere vero, probabilmente non lo è; regola valida ovviamente per la medicina alternativa come per quella ortodossa.

Non di meno, molte cure assai dubbie hanno finito per rivelarsi legittime. Gli Egizi, migliaia di anni fa, fasciavano con il miele le ferite gravi, cura che non avrebbe più avuto ragion d'essere dopo la scoperta degli antibiotici. Tuttavia, in Germania qualche medico utilizza ancora lo zucchero sulle piaghe da decubito e su altre lesioni difficili; alcuni esperti sostengono infatti che lo zucchero asciuga la ferita, disidratando i batteri e agevolando la crescita del tessuto sano. Vantaggi? La cura è indolore ed economicissima, e chi l'ha sperimentata afferma che la cicatrizzazione è assai più rapida.

Il futuro Gran parte dei sostenitori della medicina naturale si augurano che le terapie alternative siano impiegate regolarmente accanto ai trattamenti medici convenzionali. Le patologie cardiache, l'obesità e certi tipi di cancro sono estremamente diffusi nella nostra società, ma non in altre culture, e non sono altro che il risultato di abitudini alimentari errate, mancanza di esercizio fisico, stress e altri fattori che sono diretta conseguenza del nostro ritmo di vita, spesso decisamente parossistico. La prevenzione è il fondamento della medicina naturale, ma implica l'adozione di uno stile di vita sano e di un atteggiamento positivo.

Tra gli approcci terapeutici presentati in questo libro, alcuni sembrano innovativi, semplici e familiari, mentre altri possono apparire strani o troppo lunghi e complicati. Lasciatevi guidare da ciò che leggete ma anche dal vostro intuito. È della vostra salute che si tratta, e siete voi a dover dire l'ultima parola.

Siamo più sani di quel che pensiamo

*Norman Cousins, scrittore e divulgatore scientifico, parla dell'uso spropositato
di analgesici e altri farmaci. Si sopravvaluta il rischio di ammalarsi
e si sottovalutano le capacità di recupero dell'organismo.*

Uno dei difetti dell'educazione sanitaria è quello di tendere a renderci più consci delle nostre debolezze che dei nostri punti di forza. Richiamando l'attenzione su tutto ciò che può "andare storto", induce a considerare univocamente il corpo umano come un ricettacolo per ogni genere di malattia. La lezione che tutti dovremmo apprendere è invece che il corpo umano è un meccanismo sorprendentemente robusto, capace di provvedere a tutti i suoi bisogni, cosa della quale invece siamo pochissimo informati. Anche per questo motivo permettiamo al dolore di intimidirci più del necessario. È un errore pensare al dolore come a un fatto patologico: le sue funzioni sono piuttosto riconducibili al sistema di allarme preposto a informarci quando qualcosa non va. Ma questo aspetto viene quasi sempre trascurato.

Invece di renderci conto del messaggio che passa attraverso il dolore e ricercarne la causa, quasi tutti reagiamo cercando di annullarlo. La nostra società è satura di pillole e di farmaci autoprescrivibili. Non stupisce che stia quindi trasformandosi in una comunità di individui deboli e ipocondriaci, paurosi anche del più piccolo dolore e sempre pronti al peggio. E purtroppo si sa che chi teme sempre il peggio, in un certo senso, non fa che invitarlo a manifestarsi.

Un'educazione sanitaria coerente dovrebbe partire dall'insegnamento delle magnifiche risorse sulle quali può contare l'organismo, dei suoi meccanismi di allarme e difesa nei confronti delle aggressioni. A tutti dovrebbe essere noto che nel corpo circolano straordinarie cellule il cui scopo è quello di individuare la presenza di organismi estranei e riferirne le coordinate al centro di controllo posto nel cervello, che a sua volta fa partire ordini precisi di combattimento alla volta del suo esercito di cellule di difesa. Queste si precipitano nel luogo dove è avvenuta l'invasione e la combattono con tutte le armi chimiche a disposizione, eliminando la maggior parte delle infezioni e delle proliferazioni anomale. Purtroppo questo meraviglioso sistema può essere annullato dai medicinali più comuni, che prendiamo convinti erroneamente di evitarci ulteriori sofferenze.

Poche cose sono più essenziali per il futuro della nazione di una "sana" rieducazione sanitaria: informazioni sui meccanismi interni ed esterni di difesa contro le malattie e i loro effetti; istruzioni sugli effetti negativi del panico e della ritirata di fronte al male, sull'importanza della fiducia nella guarigione, nel recupero, nella rigenerazione, sul bisogno di collaborazione tra medico e paziente, sul significato dei meccanismi di cura intrinseci al corpo umano e sulle modalità per permettere loro di agire nelle migliori condizioni. Ma soprattutto rieducazione al concetto che ogni atteggiamento mentale può avere un effetto negativo o positivo sui vari aspetti della salute.

Tratto da Head First, the Biology of Hope *(Prima la testa. La biologia della speranza), di Norman Cousins.*

Anche la preoccupazione riguardo alla salute è un problema.

Le antiche origini della medicina

I riti degli sciamani e i rimedi a base di piante dei guaritori tradizionali sono comuni in tutto il mondo. L'efficacia della medicina occidentale in diversi campi non impedisce a molti di affidarsi alle cure alternative.

DALLA FORESTA AMAZZONICA alla tundra siberiana, gran parte della popolazione mondiale continua a rivolgersi a guaritori tradizionali per l'assistenza al parto, la cura delle ferite e per scacciare gli "spiriti molesti". Perfino negli Stati Uniti, dove chiunque può accedere a una tecnologia medica avanzatissima, la medicina popolare resiste, soprattutto tra i pellirosse e nelle zone rurali dei monti Appalachi. Come anche gli scienziati vanno scoprendo, la sopravvivenza di quest'ultima non è dovuta tanto a ignoranza o a nostalgia quanto al fatto che ha successo più spesso di quanto non si creda.

In molte culture la malattia è considerata la manifestazione fisica di un'influenza spirituale. Di conseguenza il guaritore deve assumere contemporaneamente ruoli diversi nella comunità: veggente, psicologo, sacerdote e farmacista. I termini "sciamano" (che letteralmente significa "uomo saggio" e che indica colui che tratta la componente spirituale della malattia) e *medicine man* ("uomo-medicina", l'esperto di piante medicinali) vengono usati quasi con lo stesso significato, con una leggera preferenza per il primo.

Dalla foresta al laboratorio In anni recenti, botanici, biologi e chimici hanno studiato la foresta pluviale tropicale (che raccoglie i due terzi delle specie vegetali presenti sulla terra) e le piante officinali impiegate dai locali guaritori. Nell'America del Sud la ricerca si è fatta particolarmente urgente non solo a causa della selvaggia deforestazione e del conseguente sfruttamento industriale, ma anche perché, con la foresta, stanno scomparendo anche gli ultimi guaritori.

Per individuare le piante officinali presenti in una zona, i ricercatori si affidano alla competenza dei guaritori locali, acquisita in anni di studio. Per esempio, nel Belize (un piccolo stato dell'America Centrale), il National Cancer Institute (Istituto nazionale americano dei tumori) ha finanziato una ricerca di piante potenzialmente efficaci contro cancro e AIDS, per la quale è risultato insostituibile il bagaglio di conoscenze in possesso degli sciamani.

Comunicare con gli spiriti Lo sciamanismo non è solo la più antica delle cure psicosomatiche ma anche una tecnica apprezzata a tutt'oggi in molte culture, dalle remote regioni dell'Alaska alle giungle della Nuova Guinea, con credenze, rituali e metodi sorprendentemente simili. Per tradizione gli sciamani venivano addestrati alla cura degli ammalati, ma si distinguevano nella comunità per la capacità di mettere in comunicazione il mondo or-

Le figure preistoriche *di animali con le caratteristiche del cervo, ritrovate in Europa sulle pareti delle caverne, sono portate come testimonianza dell'esistenza, già 20 000 anni fa, di riti sciamanici. Ancora oggi, gli sciamani attribuiscono un ruolo simbolico importante a questo animale.*

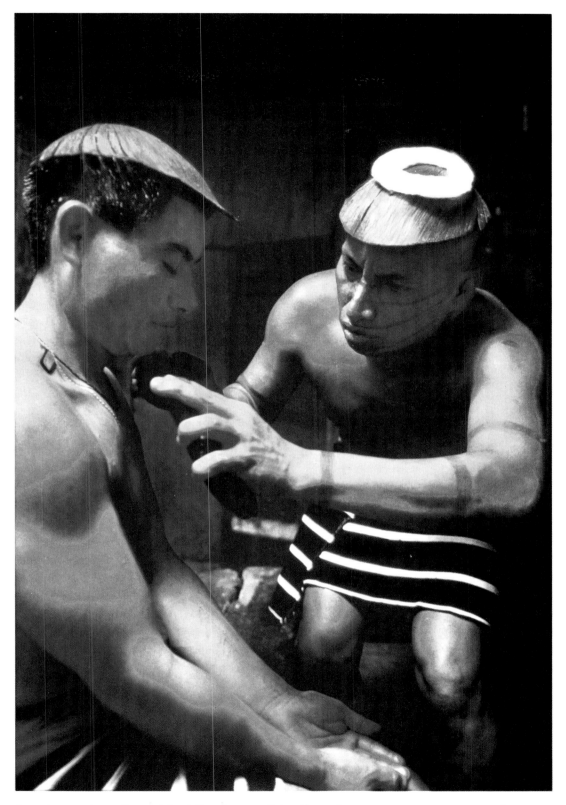

Lo sciamano *è una figura tipica delle culture tradizionali: guaritore, veggente, poeta, attraverso la trance riesce a dominare le forze invisibili della natura e ad accompagnare le anime nell'aldilà. Nel corso di un rito sciamanico di iniziazione, un giovane membro della tribù Colorado dell'Ecuador riceve istruzioni dal suo maestro. Gli sciamani Colorado, oltre che per le arti terapeutiche, sono noti per i loro poteri medianici. Tra i loro compiti più importanti c'è anche quello, preziosissimo, di conservare e di tramandare, di generazione in generazione, le tradizioni religiose della tribù.*

dinario e quello degli spiriti. Nelle società sciamaniche, le malattie sono sempre imputate all'influenza degli spiriti, offesi perché il malato ha infranto un tabù o stimolati dalla "fattura" di un mago, oppure al fatto che l'anima ha lasciato il corpo del paziente divenendo preda dei fantasmi, dei demoni o di altri spiriti maligni. Compito principale dello sciamano è scoprire la ragione ultraterrena della malattia del paziente.

Ma oltre a ciò, lo sciamano riveste altri importanti ruoli: celebra i cosiddetti riti di passaggio (dall'infanzia all'età adulta, per esempio), prevede le condizioni del tempo e l'esito della caccia, rintraccia persone e animali scomparsi, individua criminali e fa da giudice nelle dispute. In breve si prende cura dell'integrità della comunità.

Siamo ormai mille miglia lontani dalle concezioni naturalistiche nelle quali ha avuto origine lo sciamanismo. Oggi, malattie che avrebbero cancellato interi villaggi si prevengono con un vaccino; strumenti tecnologici come la TAC e l'ecografia ci permettono di vedere il corpo umano dall'interno. Che cosa mai possiamo imparare da guaritori che trattano le malattie con una combinazione di misticismo e imposizione delle mani? Di certo, gli sciamani hanno sempre compreso l'importanza dei fattori emotivi e del coinvolgimento individuale nel processo di guarigione, un assunto con il quale la medicina occidentale comincia finalmente a fare i conti.

Una guaritrice africana si occupa dei malati trattandoli con diversi metodi tradizionali di diagnosi e di cura. Nella fotografia, la guaritrice e l'assistente ritratta a destra si soffermano con attenzione su una serie di oggetti che utilizzeranno per la scelta della terapia; intanto, l'assistente di sinistra agita una frusta a coda di cavallo per tenere lontani gli spiriti maligni.

La vocazione È opinione comune che certi tratti fisici o certe attitudini mentali indichino la persona particolarmente dotata per lo sciamanismo. In certe zone, per esempio in Siberia, sono visti in questo senso i disturbi neurologici, come l'epilessia, mentre altre culture danno importanza ad alcune deformità, come per esempio una mano con sei dita. Ma il fattore determinante sembra essere una forte tendenza all'immaginazione e alla visione di spiriti.

In Costa d'Avorio, il guaritore del villaggio decora la sua capanna di terra con i teschi degli animali sacrificati, con penne di gallina e con altre figure simboliche intese a proteggerlo dagli spiriti maligni e da altre presenze sgradite.

Tradizionalmente, il mestiere di sciamano è abbastanza pericoloso. Già le pratiche di iniziazione, infatti, comprendono prove fisiche e mentali ai limiti della tortura; in più lo sciamano rischia gravi punizioni ogni volta che non riesce a guarire un malato. D'altra parte, a questi disagi si accompagnano grandi onori e riconoscimenti economici: i servizi di uno sciamano sono infatti piuttosto cari, a testimonianza del suo prestigio e del suo potere.

Si ritiene che una cerchia di spiriti benigni protegga, guidi e assista lo sciamano nel suo mestiere di guaritore, e che talvolta si manifestino sotto sembianze animali. Tra i pellirosse sono comuni le visioni di orsi e di aquile, mentre tra gli Eschimesi quelle di lupi e tra i Malesi di tigri.

La trance Durante una cerimonia di guarigione, lo sciamano va in *trance*. In questo stato compie il suo viaggio nel mondo degli spiriti. Le tecniche per raggiungere la *trance* variano da cultura a cultura: si va dalle privazioni fisiche, come il digiuno o il buio completo, all'uso di sostanze allucinogene, come il cactus di San Pedro che contiene mescalina. Ma ciò che meglio di tutto sembra funzionare è proprio la monotona ripetizione degli elementi del rituale: la danza sempre uguale, i canti ossessivi e soprattutto il suono persistente del tamburo.

Nei secoli gli sciamani hanno usato il tamburo come "cavalcatura" per raggiungere l'altro mondo. Lo strumento, d'altra parte, produce vibrazioni tanto intense da "trasportare" anche i moderni studenti dello sciamanismo.

Alcune ricerche suggeriscono che il suo ritmo monotono produrrebbe nel cervello onde theta, cioè quelle caratteristiche della fase di sonno nella quale compaiono i sogni, dello stato di ipnosi, del pensiero creativo.

Gli sciamani affermano di poter volare, trasformarsi in animali e superare qualsiasi ostacolo quando sono in *trance*.

In Indonesia, *durante un rito terapeutico, i guaritori del villaggio cercano di ricondurre al malato la sua anima utilizzando piante sacre e parole magiche. Se questo rito non va a buon fine, ornano il malato di ghirlande e celebrano una cerimonia nuziale, con canti e balli, per convincere l'anima a tornare nel mondo dei vivi.*

La guarigione Di solito le cerimonie sciamaniche hanno luogo la notte e, oltre al paziente, vi presenziano i parenti e altri membri della comunità. Non appena il tamburo e i canti cominciano a risuonare, lo sciamano, con un abito simbolico e una serie di strumenti e attrezzi, invoca tutti i guardiani spirituali perché lo proteggano nel suo viaggio verso il regno degli spiriti, dove potrà scoprire la natura del tabù infranto e intercedere per la guarigione. Se dovesse stabilire, per esempio, che il paziente è invaso da un demone, potrebbe procedere "succhiandoglielo via" con grande teatralità.

Questi rituali, che possono durare da qualche ora a molti giorni, coinvolgono intensamente l'intera comunità: una partecipazione collettiva che dimostra al malato di non essere solo a combattere la sua lotta. Gli psicologi che hanno studiato attentamente questo aspetto particolare del rito sciamanico sostengono che un appoggio di questo tipo può risollevare lo spirito del paziente tanto da fargli ritrovare la via della salute.

Un efficacissimo placebo Nelle società sciamaniche, la fede ha un ruolo terapeutico di primo piano. Chi ha studiato questo fenomeno è convinto che l'efficacia di questa forma di terapia sia dovuta all'enorme aspettativa che si crea nel malato. Dal momento che la pratica dello sciamano è così fortemente legata al sistema di credenze della comunità, il guaritore può sfruttare la fede del paziente nei suoi supposti poteri terapeutici.

Questo avviene in parte attraverso una serie di tecniche "simboliche" e di elementi visivi e sonori (come per esempio l'uso di costumi assai elaborati, di tamburi e sonagli, l'imitazione di versi di animali) intesi soprattutto a creare l'atmosfera più adatta per dare al paziente un'impressione di competenza specifica e di totale affidabilità diciamo così "scientifica".

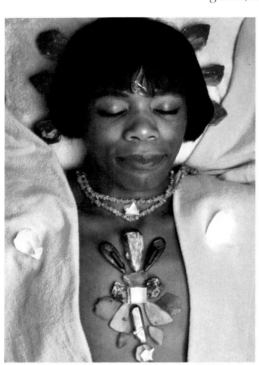

Benché non esistano prove
certe sull'uso dei cristalli nei riti
sciamanici, in anni recenti i
neosciamani del movimento New
Age hanno integrato la concezione
ayurvedica dei "centri di energia"
con l'impiego terapeutico di oggetti
simbolici, di derivazione
sciamanica. Nella foto, una serie
di cristalli dalle presunte proprietà
curative è stata posta sul corpo
della donna in corrispondenza
dei centri energetici.

Nel corso della cerimonia lo sciamano può decidere di eseguire una "estrazione". Spesso toglie dalla propria bocca un ramoscello che finge di aver risucchiato dal corpo del paziente. Per il guaritore l'oggetto è puramente simbolico, ma per il paziente è uno stimolo ad avviare il processo di autoguarigione.

La medicina moderna considera i risultati ottenuti in questo modo alla stregua di un effetto placebo, cioè di una reazione dovuta "semplicemente" alle aspettative del paziente.

Tuttavia, sembra paradossale, ma quante più cose veniamo a sapere sull'importanza dell'interazione strettissima che intercorre tra il corpo e la mente, tanto più razionali cominciano ad apparirci le pratiche sciamaniche.

Lo sciamanismo in un contesto attuale Benché tutt'altro che comuni, pratiche sciamaniche come il canto, la visualizzazione e l'uso di strumenti a percussione sono state impiegate in alcuni ospedali statunitensi.

Secondo G. Frank Lawlis, uno psicologo che ha condotto una ricerca su un gruppo di malati di cancro presso la Stanford University in California, i metodi sciamanici possono essere utili a ridurre il dolore, l'ansia e lo stress. Lawlis usava il tamburo, per esempio, per distogliere i pazienti dagli atteggiamenti distruttivi che impedivano loro di guarire.

Altri sostenitori dello sciamanismo, come l'antropologo Michael Harner, avanzano l'ipotesi che gli antichi rituali aiutino l'uomo a recuperare un collegamento con se stesso, con la comunità e con il pianeta, in una prospettiva di risanamento globale, soprattutto spirituale ed emotivo.

"Caso clinico"

A SCUOLA DALLO SCIAMANO

Per comprendere l'esperienza mistica che costituisce il cuore dello sciamanismo, Nevill Drury ha partecipato a un seminario. Ecco come racconta la sua esperienza.

Ricordo perfettamente la mia prima presa di coscienza sciamanica. Nel 1980 partecipavo all'*International Transpersonal Conference* (Conferenza internazionale delle discipline transpersonali), vicino a Melbourne, ed era la prima volta che molti personaggi di spicco del movimento per il potenziale umano venivano in Australia. Uno di loro, il professor Michael Harner, arrivò all'aeroporto Tullamarine con un tamburo da sciamano, sonagli di zucca e una serie di piume e ossa usate dagli indiani Salish per un gioco di controllo della mente.

Per me si trattava di un'opportunità per esplorare più accuratamente le tecniche sciamaniche di visualizzazione. Avevo già fatto uso di altre tecniche di visualizzazione, e trovavo abbastanza facile trattenere immagini con l'occhio della mente, ma speravo sinceramente di poter fare un'esperienza avvincente della "realtà sciamanica".

A quanto ricordo, passammo la giornata senza quasi toccare cibo, più che altro viaggiando dentro noi stessi al suono del tamburo. Il mio primo "contatto" fu con l'immagine di un falco. Aveva penetranti occhi neri e gialli, e piumaggio marrone e nero.

L'esperienza divenne più interessante e coinvolgente la sera. Harner ci chiese di immaginare di avventurarci per un tunnel di fumo pensando o di spingere verso l'alto il fumo di un fuoco da campo o di entrare in un caminetto per poi dirigerci verso il cielo salendo per la canna fumaria. Non appena entrati nel tunnel, ci spiegò, avremmo visto il fumo disperdersi davanti a noi e portarci sempre più in alto.

La stanza era semibuia e Harner cominciò a battere ritmicamente sul tamburo. Ecco qui di seguito le mie note su questo viaggio straordinario.

«In lontananza vedo una montagna dorata che sorge dalla nebbia. Mentre mi avvicino, noto che in cima alla montagna c'è un magnifico palazzo di cristallo dorato, dal quale irradia una luce giallognola. Mi dicono che è il palazzo della fenice, e scorgo l'uccello d'oro sopra l'edificio.

«Sono stupito e ammaliato dalla bellezza del luogo e il regale volatile mi offre di entrare.

«Il tamburo continua a suonare, ma ben presto Michael ci invita a tornare.»

Quel viaggio fu per me un'esperienza solenne. Mi sentivo come di ritorno da un luogo sacro. Da quel giorno non ho più potuto disinteressarmi dello sciamanismo.

Tratto da *The Elements of Shamanism* (Nozioni di sciamanismo), di Nevill Drury.

La medicina degli indiani d'America

Rimedi a base di erbe, oggetti sacri e bagni di sudore sono le terapie più comuni tra le popolazioni indigene d'America, dove i guaritori hanno ancora un ruolo di primo piano all'interno della comunità.

Questo sonaglio dei Navajo, *coperto di pelle di cervo e decorato con pelliccia di puma e piume d'aquila, era utilizzato dai guaritori come base ritmica durante i canti tribali.*

TUTTE LE TRIBÙ INDIGENE DELL'AMERICA DEL NORD, dagli Eschimesi dell'Artico ai Sioux e ai Kansa delle Grandi Pianure, fino ai Pima e ai Navajo del Sudovest, hanno sistemi medici complessi, diversi tra loro ma con una comune filosofia, secondo la quale gli esseri umani non si collocano né al di sopra né al di fuori della natura ma ne sono parte integrante.

Per queste popolazioni tutto in natura ha uno spirito, normalmente benevolo: animali, uomini, rocce, alberi, vento eccetera. Ma ci sono anche regni popolati da spiriti maligni che, se offesi, provocano la malattia negli esseri umani. Per guarire non basta eliminare i sintomi fisici: le cause spirituali sono almeno altrettanto importanti.

In molte comunità il contatto con il mondo degli spiriti avviene nei primi anni dell'adolescenza. Tra le tribù delle Pianure, ogni ragazzo si sottopone a una veglia solitaria per l'evocazione di una visione: per diversi giorni digiuna e prega sperando che gli spiriti abbiano pietà di lui. Se ha successo, gli appare lo spirito di un animale, che avrà per lui un significato speciale per tutta la vita.

Per questi pellirosse, che attribuiscono grande importanza alle visioni, la manifestazione di un animale che è simbolo di potenza può indicare che il ragazzo è destinato ad avere un ruolo di comando nella sua comunità.

Prima di tutto lo spirito, che lo accompagnerà per tutta la vita gli dà le istruzioni per costruirsi un importante strumento terapeutico: si tratta di un sacchetto di "oggetti sacri" ciascuno dei quali sarebbe la "casa" fisica di uno spirito, per esempio pezzi di pelle di animali, polveri o pietre. È a questo personale oggetto simbolico che l'indiano si rivolgerà in prima istanza nel caso dovesse ammalarsi, chiedendo agli spiriti un aiuto per combattere contro la malattia.

Lo sciamano erborista In caso di malattia, i membri delle tribù indigene d'America provano innanzi tutto a curarsi con le erbe o con l'aiuto di un erborista, il guaritore al quale si ricorre per i disturbi più comuni: mal di gola, ferite, mal di denti, fratture; spesso si tratta di donne, con una specializzazione per certi tipi di malattie. Per i disturbi meno definiti, che vengono attribuiti a forze soprannaturali, occorre invece lo sciamano. Ogni cura sciamanica è associata a una quantità di interventi terapeutici: canti, rituali e simboli di potere che possono essere comprati, scambiati o donati.

In una comunità ci sono in genere molti individui dotati di limitati poteri sciamanici, ma è raro che, quando trattano una malattia, indossino costumi elaborati come fanno invece gli sciamani

In una cerimonia di guarigione *dei Navajo, questo ragazzino
sta seduto in mezzo a un disegno fatto
con la sabbia colorata per assorbirne il potere curativo.*

più potenti del gruppo. In genere portano con sé i loro oggetti sacri e qualche sonaglio. Purificano l'aria bruciando piante speciali e talvolta somministrano rimedi vegetali; in altri casi ricorrono a canti o bagni di sudore.

I bagni di sudore sono usati spesso, da soli o nel contesto di più complessi riti terapeutici o religiosi. Il bagno ha luogo in una tenda a cupola, costruita con rami ricurvi di salice coperti di pelli d'animali. All'interno vengono poste rocce ardenti sulle quali si versa acqua. L'ambiente si scalda rapidamente e gli occupanti sudano copiosamente. Al termine si sfregano con foglie essiccate di salvia oppure si tuffano in un torrente freddo o nella neve.

Il disegno fatto con la sabbia
*è un rito tipico della medicina
dei Navajo, inteso a risolvere
le cause spirituali della malattia.
Le sabbie colorate sono ottenute
con minerali o vegetali sminuzzati.*

Le piante medicinali Come in molti altri sistemi di cura, le piante hanno un ruolo importante anche nella medicina delle popolazioni indigene americane, che hanno messo a punto un'efficace farmacopea di rimedi per combattere le malattie o accelerare la guarigione mediante uso interno o esterno. Molti gruppi, per esempio, usavano specie particolari di salice per fini diversi: tra gli Eschimesi, un decotto di corteccia di un certo tipo di salice serviva per i gargarismi contro il mal di gola, e le foglie di un'altra specie per le ferite; i Creek facevano il bagno in un infuso della stessa pianta, che prendevano anche per bocca, per attenuare i dolori articolari.

Oggi sappiamo, grazie alla moderna ricerca scientifica, che il salice contiene salicina, l'equivalente naturale dell'acido acetilsalicilico, ossia l'ingrediente attivo di uno dei farmaci più diffusi: l'aspirina.

Questa ragazza degli Apache
*è stata appena cosparsa con polline di stancia (*Typha latifolia*), simbolo di fertilità. Tutta la comunità si dedica per quattro giorni a una cerimonia che segna il passaggio della giovane all'età adulta, con l'assunzione di un nuovo status e di nuove responsabilità.*

L'uso medicinale delle piante varia enormemente da una tribù all'altra del continente americano, come è testimoniato dai diversi usi del tarassaco, pianta introdotta in America dagli europei. I Fox l'hanno usata per i dolori al torace, i Tewa per accelerare la saldatura delle fratture ossee, sotto forma di foglie triturate, mentre i Mohegans come tonico.

I segreti sull'uso terapeutico delle piante sono quasi sempre tramandati ai discendenti e gli erboristi, naturalmente, ne conoscono moltissimi. Tradizionalmente gli sciamani erano considerati i canali attraverso cui poteva manifestarsi un potere più grande. In passato sostenevano di aver ricevuto in sogno la rivelazione di un rimedio vegetale, da spiriti informatori; in altri casi seguivano animali malati per vedere che piante mangiavano: tra i preferiti c'era l'orso, la cui intelligenza era considerata una fonte sicura di rimedi fitoterapici.

La cura coi granelli di sabbia Peculiare dei Navajo è una cerimonia di guarigione basata sull'uso di disegni simbolici fatti con sabbia colorata, con la quale viene esorcizzata l'influenza degli spiriti maligni. Il disegno simbolico può essere abbastanza elaborato, tanto da richiedere la collaborazione di molte persone e un'intera giornata di lavoro. Il soggetto varia a seconda di quella che viene interpretata come la causa della malattia. Al termine, il malato siede al centro del disegno, dove assorbe il suo potere curativo. Intanto il guaritore navajo fa musica con un sonaglio, prega e canta. Subito dopo la cerimonia il disegno viene distrutto e ognuno dei presenti può prendere un pizzico della sabbia curativa e toccarsi una parte del corpo dove ha un dolore, oppure conservarla per un uso futuro. In questa, come in molte altre terapie dei pellirosse, la fede è cruciale per la riuscita della cura.

Il potere terapeutico dei rituali

*Guariamo più rapidamente quando crediamo nell'efficacia del trattamento usato.
Per i Navajo questo avviene quando i cantori celebrano le loro antichissime
cerimonie di guarigione.*

È difficile per molti bianchi capire perché i Navajo, anche quando hanno la possibilità di venire curati negli ospedali di stato e nei dispensari, continuino a preferire "ignoranti uomini-medicina". Il motivo è che la pratica medica degli indiani d'America dà buoni risultati, in molti casi comparabili a quelli ottenuti dai medici o negli ospedali dei bianchi.

In ospedale, un Navajo è solo e ha nostalgia, è costretto a rispettare orari e a mangiare cibi che gli sono estranei. Durante il rito navajo del "canto", invece, il paziente si sente personalmente confortato e amato: sa che i suoi parenti spendono ciò che hanno per farlo curare e che fanno a gara per dare il loro contributo.

In parte, le cerimonie di guarigione hanno anche una spiegazione a livello fisico. Non v'è alcun dubbio, tuttavia, che la loro efficacia sia soprattutto psicologica. E non c'è niente di misterioso: da tempo i medici sanno che la volontà di star meglio, la fiducia nella possibilità di guarire rappresentano già una mezza vittoria.

Il potere della tradizione.

Anche il prestigio e l'autorità del cantore rassicurano il paziente circa le sue possibilità di guarigione. Nella sua funzione di cantore, che ha ricevuto il dono del canto dai santi, è qualcosa di più che un semplice mortale, e talvolta è identificato con il soprannaturale, parla a nome dei santi e dice a chi ascolta che tutto va bene.

Prestigio, misticismo e potere stesso del cerimoniale contribuiscono tutti alla guarigione, poiché soprattutto sono giustificati dagli stessi poteri soprannaturali che presiedono alla rinascita della terra durante la primavera, la bagnano di pioggia oppure la distruggono con i fulmini.

Di fronte alla sacralità del canto, lo stesso paziente diventa santo, infila i piedi nei mocassini dei santi e respira la forza del sole. Partecipa della piena armonia con l'universo e, per far tutto questo, deve naturalmente essere libero dal male e dalla malattia. Ci sarà una spirale di memorie che si risvegliano e che, come vecchie melodie, su ondate emotive, lo portano a sentirsi finalmente sicuro.

Oltre che rassicurato, il paziente viene occupato e soprattutto distratto: bisogna infatti darsi da fare per evitare che la sfortuna possa avere il sopravvento e lo renda un essere misero e inutile.

Durante la cerimonia, i pensieri del paziente seguono incessantemente le istruzioni del cantore, si soffermano sulle implicazioni dei canti e delle preghiere, dei discorsi e delle precisazioni. Il periodo di riposo totale che segue la cerimonia rappresenta un'opportunità unica, e di rilevante importanza, per riflettere e convincersi che il cerimoniale ha raggiunto il suo scopo.

Tratto da The Navaho (I Navajo), *di Clyde Kluckhohn e Dorothea Leighton.*

L'equilibrio di yin e yang

Il medico tradizionale cinese si serve dei decotti di erbe e dell'agopuntura per facilitare il libero flusso dell'energia (Qi) lungo i suoi percorsi (i "meridiani") all'interno del corpo.

Il leggendario Imperatore Giallo

Huang Di, l'Imperatore Giallo, è indicato come l'autore del testo classico della medicina tradizionale cinese, che risale a oltre duemila anni fa. Sembra comunque più probabile che il *Canone di medicina interna dell'Imperatore Giallo* sia un'opera collettiva, compilata e rivista in tempi successivi da autori sconosciuti.

In ogni caso, il libro rappresenta il primo tentativo di codifica della medicina cinese e, benché oggi non sia più consultato a fini pratici, la sua saggezza continua ad essere un punto di riferimento per tutti i medici.

LA MEDICINA TRADIZIONALE CINESE, antico ma vitale sistema per procurare il benessere e promuovere la guarigione, si basa su un concetto di armonia e di equilibrio: la persona sana è anche in completa armonia al suo interno e con la natura. Un fondamento della medicina cinese è la prevenzione. Duemila anni fa i medici sottolineavano già l'importanza della moderazione nello stile di vita, nella dieta e nell'esercizio fisico, per conservare la salute e prevenire la malattia. In effetti, i medici tradizionali cinesi insegnavano ai pazienti come condurre una vita equilibrata e venivano pagati solo finché assicuravano loro una buona salute.

I primi medici cinesi erano anche filosofi, le cui teorie sulla salute avevano solide radici nella tradizione taoista, che sottolinea l'unicità di tutti gli elementi della natura: il corpo umano è visto come un universo in miniatura e, in quanto tale, funziona secondo gli stessi principi. Il *Canone di medicina interna dell'Imperatore Giallo*, scritto oltre duemila anni fa, è stato il primo libro a diffondere le idee base di questa scuola medica.

Yin e yang Nella medicina tradizionale cinese, la salute si definisce come "l'equilibrio delle forze *yin* e *yang*" presenti nell'individuo. Questi termini indicano le qualità complementari ma opposte intrinseche nella natura. Ogni cosa ha un aspetto yin e uno yang, qualità interdipendenti sempre riferibili alle parti di un tutto. Così il tempo comprende il giorno (che è yang) e la notte (che è yin), e nel corpo ci sono organi yin e visceri yang.

L'armonia, e quindi la salute, dipende dall'equilibrio di yin e yang. Da questo concetto muove tutta la prospettiva clinica. Se i nostri corpi sono costantemente alla ricerca di un equilibrio dinamico interno ed esterno (cioè con la natura) è ovvio che in ogni momento sono soggetti a piccoli aggiustamenti. In altre parole, la salute non è qualcosa di statico, a cui possiamo mirare, ma piuttosto la risposta continua alle più varie influenze. Quando non riusciamo ad adattarci, a un cambiamento di tempo o all'invasione di un virus, ecco che subentra la malattia.

L'anatomia umana L'anatomia cinese nasce dall'idea che il corpo sia un insieme integrato di aspetti yin e yang. Di conseguenza gli organi e i visceri lavorano a coppie, regolando la reciproca attività, e ciascuno dei cinque organi, *Zang* (Cuore, Rene, Fegato, Polmone e Milza-Pancreas), corrisponde a un viscere, *Fu* (Intestino Tenue, Vescica, Vescicola Biliare, Intestino Crasso, Stomaco). I visceri, che hanno principalmente il compito di trasfor-

Le erboristerie cinesi *non sono molto cambiate nel corso dei secoli. Prima di preparare un rimedio, l'erborista ancora oggi sceglie e pesa gli ingredienti a mano, quindi li miscela seguendo con precisione la ricetta. Dopo qualche millennio di pratica costante, sono circa 7000 le specie di piante medicinali individuate e classificate in Cina. Anche per l'Organizzazione Mondiale della Sanità la fitoterapia è considerata una delle più importanti armi di cui l'uomo può disporre per combattere la malattia.*

I simboli cinesi dei cinque movimenti (sopra) e dello yin-yang (sotto) rappresentano i ritmi vitali, il movimento e la trasformazione costanti che sono alla base dei cicli della natura. Secondo i principi della medicina cinese, vi è salute solo quando l'energia vitale del corpo è in equilibrio con le forze della natura. Questa straordinaria intuizione è oggi confermata, in Occidente, da una scienza, la cronobiologia, che studia i ritmi biologici di cui sono dotati tutti gli esseri viventi.

mare il cibo in energia e di eliminare le scorie, sono considerati yang, mentre gli organi, che controllano il mantenimento delle sostanze vitali, sono considerati yin. Oltre a ciò la medicina cinese riconosce altre componenti anatomiche, come il cervello e i vasi sanguigni, che hanno il compito di immagazzinare e insieme trasportare i vari materiali.

Occorre notare che, in medicina cinese, i termini "organo" e "viscere" indicano un intero sistema e mai la singola entità fisica. Così, quando un medico cinese parla del Fegato, si riferisce in realtà a una complessa struttura di tessuti, pelle, tendini, ossa, all'interno di un percorso energetico del corpo. L'enfasi è meno sulla forma (sulla misura, sulla posizione) e più sulla funzione, cioè sul modo in cui l'organo interagisce con il resto del corpo e lo influenza. Oltre ad avere una funzione specifica, ogni organo e ogni viscere è anche collegato al resto del corpo da una complessa rete di canali energetici, noti come "meridiani".

Liberare l'energia vitale Il sistema dei meridiani che collega gli organi e i visceri è anche la via attraverso la quale scorre il *Qi*, l'energia vitale del corpo. Questa energia, invisibile, priva di dimensioni eppure indispensabile, ha, secondo la teoria cinese, diverse origini e molte funzioni: circola per il corpo, riscalda e protegge dalle malattie, infonde vitalità. Una parte dell'energia viene ereditata dai genitori al momento del concepimento, un'altra proviene dal cibo e dall'aria: per questo gli esercizi di respirazione sono così importanti nella medicina cinese.

Come il *Qi*, i meridiani energetici che lo trasportano sono invisibili e hanno essenzialmente tre scopi: trasportano il *Qi*, mettono in comunicazione tra loro tutte le parti del corpo e regolano il sistema degli organi-visceri *Zang-Fu*. Inoltre, rappresentano la via di comunicazione tra l'esterno e l'interno del corpo, ed è proprio per questo che l'agopuntura è in grado di agire in profondità.

In questa prospettiva, la teoria dei meridiani spiega come il problema di un singolo organo o di un singolo viscere finisca per riflettersi sull'insieme, determinando squilibri anche in punti distanti del corpo: interferisce infatti con il normale flusso del *Qi*.

La diagnosi I medici cinesi fanno riferimento a un'elaborata mappa dei meridiani, ciascuno dei quali ha rilevanza sia per la diagnosi sia per la terapia. Nella teoria classica sono molti i fattori che possono scatenare la malattia e, in particolare, le "perniciose influenze esterne", come il vento e l'umidità, le interferenze interne, come lo stile di vita malsano, ma anche altri eventi, dalle punture d'insetti ai parassiti, ai traumi.

Però queste influenze scatenanti non sono mai viste come la vera causa del male. Piuttosto ogni fattore è considerato parzialmente responsabile della disarmonia; come si legge in un testo classico: «Vento, pioggia, freddo e caldo da soli non possono far niente a un uomo senza punti deboli». Per questo lo scopo del trattamento non è tanto l'eliminazione dei sintomi, quanto l'uso che se ne può fare al fine di scoprire e curare gli squilibri che ne sono alla base.

Dal momento che questi hanno un riflesso anche all'esterno, i medici cinesi raccolgono informazioni sullo stato del paziente attraverso "le quattro regole diagnostiche", *Si Zhen*: ispezione, auscultazione e olfattazione (per cui il cinese ha un solo termine), interrogatorio, palpazione.

Per prima cosa il medico osserva il paziente e ne annota l'aspetto, il colorito del viso e tutto ciò che può aiutare a comprenderne lo "spirito" generale, incluse la postura e l'espressione del viso. Poi passa a un accuratissimo esame della lingua, che, secondo la tradizione, è il barometro della salute in quanto strettamente connessa con gli organi e i visceri mediante il sistema dei meridiani: le caratteristiche della lingua (colore, consistenza, dimensioni e movimenti) e della patina che la ricopre forniscono altrettante indicazioni sulla natura della disarmonia. Attraverso lo studio di centinaia di lingue (e di copie utilizzate a scopo didattico) il medico tradizionale impara a riconoscere il significato diagnostico di ciascun segno.

Nella fase successiva, il medico valuta il suono del respiro del paziente (anche quando tossisce) e quello della sua voce. Con l'olfattazione interpreta i due principali tipi di odori del corpo, uno nauseante, simile a quello della carne rancida, e uno più pungente, avvicinabile a quello della candeggina: la presenza dell'uno o dell'altro è un importante segno di malattia.

Nell'interrogatorio, il medico pone domande sulla storia clinica, sui sintomi e sullo stile di vita del paziente, ma anche su altri argomenti che ritiene utili, come la traspirazione, la sete, l'appetito, la sensibilità al caldo e al freddo.

L'ultima fase diagnostica consiste nella palpazione di diverse parti del corpo, compresi vari punti di agopuntura, per individuare rigonfiamenti o sensibilità. Ma il pilastro della palpazione e, in definitiva, di tutta la diagnostica cinese, è l'esame del polso, una tecnica così significativa che molti cinesi, quando vanno dal medico, dicono che «vanno a farsi tastare il polso».

Per un medico cinese sentire il polso è assai più complesso che per un medico occidentale. Appoggiando le dita sull'arteria radiale, il medico sente le pulsazioni in tre punti su ciascun polso; ogni punto riflette le condizioni di diverse zone del corpo e i ventotto tipi di polso rilevabili offrono l'immagine di un particolare squilibrio.

Sulla base di queste quattro regole diagnostiche, il medico tradizionale cerca di individuare in che cosa consiste la disarmonia, compito

Questa moderna mappa dei punti di agopuntura illustra la complessità della teoria dei meridiani. Anche se le mappe sono utili strumenti didattici e di riferimento, gli agopuntori trovano sempre i punti al tatto, perché la loro localizzazione varia da persona a persona.

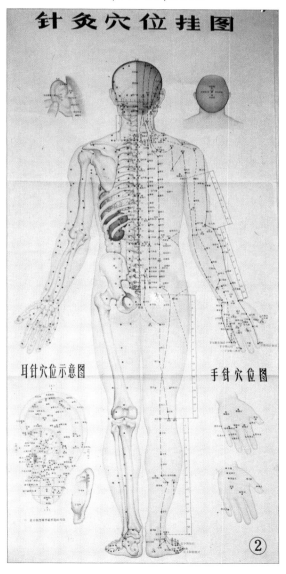

tutt'altro che facile. Per esempio, un caso di diabete, secondo la medicina occidentale, può essere diagnosticato da un medico cinese come un eccesso di fuoco nel Polmone, nello Stomaco o nel Rene, a seconda dei segni fisici e dei sintomi accusati dal paziente, quali la forza e le altre caratteristiche del polso, l'aspetto della lingua, il fatto che abbia poca o molta sete.

Infine, dal confronto tra le varie risultanze della valutazione, il medico determina la causa della disarmonia e formula un piano di cura, che può comprendere rimedi fitoterapici, agopuntura, massaggio, esercizio fisico, dieta.

L'esame della lingua è considerato uno dei più utili e affidabili strumenti diagnostici. Il medico ne osserva la forma, il colore e le caratteristiche della patina.

L'agopuntura e la moxibustione L'agopuntura è un'antica arte terapeutica cinese che ripristina il flusso costante del *Qi*, l'energia vitale. Benché questo scorra internamente, ci sono infatti molti punti superficiali situati lungo i maggiori meridiani dove se ne può valutare lo stato. A ogni punto corrispondono un organo o un viscere specifico; trattando i punti si ottiene un effetto sull'organo o sul viscere. I testi classici descrivono 365 punti di agopuntura, ma secondo alcuni medici sarebbero almeno 2000. Gli agopuntori imparano a scegliere i punti e a inserire gli aghi.

Il modo più comune di praticare l'agopuntura consiste nell'inserire un ago sottilissimo in ciascuno dei punti selezionati. Tradizionalmente agli aghi viene impresso un movimento d'avvitamento per accentuare la stimolazione, ma oggi molti si servono di una debole corrente elettrica fatta passare attraverso gli aghi, che otterrebbe lo stesso effetto, in particolare quando occorre una stimolazione continua per un periodo di quindici o venti minuti.

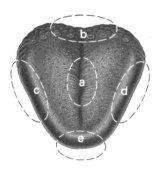

Per la medicina cinese esiste una corrispondenza tra certe zone della lingua e certi organi e visceri, per esempio, tra l'area a del disegno e lo Stomaco, l'area b e il Rene, le aree c e d e il Fegato e la Vescicola Biliare, l'area e e il sistema Cuore-Polmone.

I punti di agopuntura possono però essere stimolati anche con il calore o con la pressione. Nella moxibustione, per esempio, il medico appoggia dei piccoli coni di artemisia ("moxa") direttamente sui punti da trattare. I coni vengono poi fatti bruciare lentamente, per produrre un calore penetrante, e rimossi prima che provochino dolore. Per un riscaldamento meno intenso si usa anche un bastoncino a forma di sigaro, acceso e posto a circa 3 centimetri dal punto da trattare. La pressione eseguita in profondità con le dita, nota come digitopressione (*vedi* il paragrafo ad essa dedicato, pagg. 180-181), è un'altra tecnica terapeutica usata dagli agopuntori, che presenta qualche similitudine con quella giapponese dello shiatsu. È utilissima contro una serie di dolori, dal mal di testa ai disturbi mestruali.

Usi vecchi e nuovi Molti occidentali pensano che l'agopuntura sia usata solo a scopo analgesico, mentre in medicina cinese ha un ruolo ben più vasto. Agendo sul flusso del *Qi*, può essere usata sia come prevenzione sia come terapia. Ci sono medici cinesi che dispensano "trattamenti stagionali" contro i

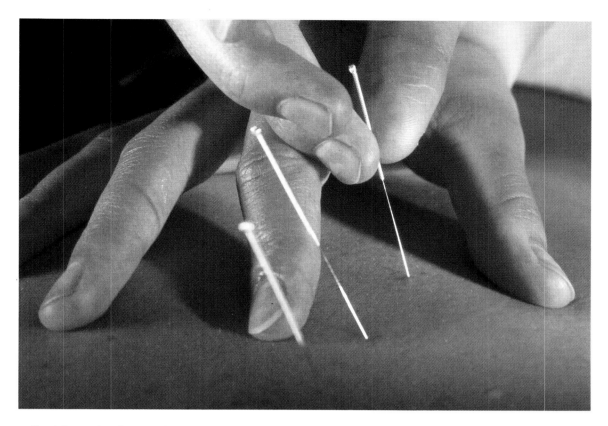

raffreddori e l'influenza legati ai cambi di clima. Per trattare lo squilibrio di determinati organi o visceri, all'agopuntore basta stimolare i punti dei meridiani interessati.

L'agopuntura è guardata con molto interesse anche dai medici che rifiutano la teoria del *Qi*, soprattutto per l'uso che se ne può fare in chirurgia, anche in combinazione con un'anestesia chimica, che può così essere praticata in dosi ridotte, con minori effetti collaterali. Va però detto che l'analgesia tramite agopuntura è stata sperimentata solo a partire dagli anni Cinquanta, e ha quindi ben poco a che fare con la medicina tradizionale cinese, dove la chirurgia era pressoché sconosciuta.

Tra i medici occidentali, l'agopuntura viene usata spesso nel trattamento dei dolori cronici più refrattari ad altre cure, quali l'artrosi, i mal di testa cronici e il mal di schiena. Si è anche rivelata utile nel trattamento delle tossicodipendenze, dell'alcolismo e dell'assuefazione alla nicotina, benché sia ancora presto per formulare un giudizio conclusivo.

Come funziona? Ricercatori cinesi e occidentali sono alla ricerca di spiegazioni scientifiche sul funzionamento dell'agopuntura. Secondo Bruce Pomeranz, un fisiologo dell'Università di Toronto, l'agopuntura stimolerebbe la produzione di varie sostanze neurochimiche con funzioni di inibizione del dolore. L'efficacia del trattamento dipenderebbe dai punti che vengono stimolati. Per esempio, Pomeranz riferisce che se un ago viene inserito in un punto doloroso il midollo spinale produce sostanze chimiche efficaci localmente, mentre se i punti stimolati si trova-

L'agopuntura è una terapia nata in Cina almeno tremila anni fa ed è tutt'oggi diffusissima, anche in Occidente: in Italia si calcola che i medici agopuntori siano circa 4000.

L'esame del polso, procedura diagnostica assai complessa e sofisticata, da almeno duemila anni è uno dei principali strumenti della medicina cinese. Il polso viene sentito in tre punti diversi su ogni braccio e, a seconda della "sensazione" che ne riceve, il medico è in grado di determinare la condizione dei sistemi organici e dell'energia vitale.

no a una certa distanza dal dolore, le sostanze inibenti vengono secrete dal cervello. Molti continuano a non lasciarsi convincere da ricerche di questo tipo e considerano i benefìci dell'agopuntura come il risultato di un effetto placebo. Ma è certo che non trovano d'accordo i molti pazienti che hanno ricavato sollievo dai loro dolori cronici.

Trovare un agopuntore Da una decina d'anni l'agopuntura si diffonde in Occidente in modo sempre più capillare, grazie anche a quei medici che, dopo la laurea, si specializzano in questa terapia. Ultimamente, in molte università italiane sono stati av-

"Caso clinico"

L'AGOPUNTURA COME ANESTESIA

In Cina per studiare la medicina tradizionale, David Eisenberg ha assistito a un intervento per l'asportazione di un tumore al cervello durante il quale il paziente rimase cosciente e non sentì alcun male.

Un professore di storia di cinquantotto anni di nome Lu aveva un tumore. All'Istituto neurologico di Pechino, un esame radiologico riservò la presenza di una formazione tumorale della grandezza di una castagna in mezzo al cervello.

Il chirurgo, dottor Wang Zhong-cheng, suggerì di intervenire praticando l'anestesia tramite agopuntura.

Inizialmente Lu non fu esattamente entusiasta all'idea di essere completamente sveglio e presente durante un intervento al suo cervello. Tuttavia, dopo che Wang gli ebbe spiegato che oltre il 90% degli interventi alla testa e al collo eseguiti presso l'Istituto neurologico avvenivano con successo ricorrendo all'agopuntura per l'anestesia, Lu accettò di fare una prova.

Attraverso una fleboclisi, a Lu venne somministrata una leggera preanestesia a base di sedativi, per tranquillizzarlo e rilassarlo, ma largamente insufficiente a produrre un effetto anestetico.

Il passo successivo fu l'inserimento degli aghi e l'inizio di un'agopuntura con stimolazione prodotta dapprima a mano, facendo girare gli aghi su loro stessi, finché il paziente fu in grado di avvertire il *Qi*, cioè una sensazione di pienezza, di distensione e una leggera scossa elettrica.

A quel punto l'anestesista collegò uno stimolatore a basso voltaggio agli aghi, in modo da poter inviare piccole scosse elettriche al paziente a intervalli precisi.

Il chirurgo mi fece sedere accanto al tavolo operatorio perché potessi avere sott'occhio le pulsazioni e la pressione sanguigna nel corso dell'intervento.

Poi iniziò a operare. Al momento dell'incisione, Lu non fece una smorfia né diede il minimo segno di sofferenza. Pulsazioni e pressione rimasero invariate.

Di solito la manipolazione delle superfici ossee è estremamente dolorosa, ma Lu disse di non sentire dolore. Pressione e pulsazioni si mantenevano regolari e il paziente era calmo, presente e aveva addirittura voglia di chiacchierare.

Per tutta la durata dell'intervento, più di quattro ore, Lu fu cosciente, con segnali vitali stabili.

Terminata l'operazione, strinse la mano al chirurgo, lo ringraziò sentitamente e uscì dalla sala operatoria a piedi, senza alcun aiuto.

Il tumore, rivelatosi in seguito benigno, era stato eliminato con successo.

Tratto da *Encounter with Qi* (Incontro con il Qi), di David Eisenberg.

viati dei corsi post laurea dedicati alla medicina tradizionale cinese, e in particolare all'agopuntura. Benché ci siano eccezioni, i medici di formazione occidentale tendono a utilizzare questa tecnica soprattutto per il suo effetto analgesico locale. Per contro, gli agopuntori tradizionali cominciano sempre dalla diagnosi degli squilibri sottostanti e solo in seguito scelgono i punti da trattare, in osservanza della teoria dei meridiani.

I dettagli della cura, tra i quali il numero, la lunghezza e lo spessore degli aghi, l'angolo e la profondità dell'inserimento, l'uso di stimolazione elettrica o di moxa, dipendono dal medico e dai particolari punti selezionati. Molti agopuntori inseriscono da uno a quindici aghi a seduta, l'infissione dei quali in genere non provoca dolore, a patto che siano sottili e sterili; tuttavia, certi disturbi accrescono la sensibilità.

Di solito gli aghi vengono lasciati infissi per quindici, venti minuti. I pazienti possono avere sensazioni di vario tipo: fastidio, formicolio e perdita di sensibilità. Molti, dopo la seduta, hanno un senso di euforia, altri desiderio di dormire. Alcuni pazienti avvertono un temporaneo peggioramento dei sintomi, che, secondo gli agopuntori, indicherebbe un positivo aumento di energia nel corpo.

Fitoterapia cinese Anche se è l'agopuntura ad aver attratto maggiormente l'attenzione dell'Occidente, la fitoterapia costituisce il vero nucleo della medicina cinese, un nucleo tanto complesso che gli studenti di medicina tradizionale cinese ne approfondiscono la conoscenza per almeno sei anni.

Come altre terapie cinesi, i rimedi a base di piante vengono usati per ripristinare l'equilibrio del sistema e sembrano particolarmente adatti nel ruolo di regolatori, in quanto spesso hanno una doppia azione. Per esempio, sembra che il *Dang Gui* (*radix Angelicae sinensis*) rilassi l'utero quando è contratto e lo contragga quando è rilasciato. Oltre a ripristinare l'equilibrio di yin e yang, le piante possono far aumentare la resistenza dell'organismo alle malattie.

Per la moxibustione si usano coni di artemisia: bruciano molto lentamente e sprigionano un calore penetrante, che molti pazienti trovano rilassante. Benché possano essere posti a diretto contatto con la pelle, spesso si frappone un sottile strato di zenzero perché possano bruciare più a lungo senza provocare fastidio.

*Molti dei rimedi vegetali usati
nella dietetica cinese servono
a rinforzare il sistema
immunitario, ad aumentare
la resistenza fisica e a ridurre
lo stress. Tra i prodotti raffigurati
sopra: semi di loto, astragalo,
datteri rossi e neri; benché
con qualche difficoltà, anche
in Occidente si possono trovare
in alcuni negozi specializzati.*

La dietetica Prima di prescrivere qualsiasi pianta officinale, il medico tradizionale si affida in genere a un'altra forma collegata di terapia: la dietetica. È un approccio che già si trova nei più antichi testi di medicina cinese, che invitavano i medici a «usare la medicina solo come ultima risorsa, se il cibo fallisce».

La dietetica cinese non ha niente a che fare con la riduzione dei grassi e delle calorie; piuttosto, utilizza i singoli alimenti come strumenti per riequilibrare gli aspetti yin e yang di un individuo.

Come le piante, i cibi sono catalogati e prescritti in base alle loro qualità, al fatto che siano "caldi" o "freddi", al loro influsso sul corpo, al loro sapore: piccante, acido, amaro, dolce, salato. Ogni sapore avrebbe affinità con specifici sistemi organici, quello salato, per esempio, con il Rene, quello acido con il Fegato eccetera.

In medicina cinese il cibo ha un ruolo fondamentale per la prevenzione e per la cura delle malattie. Se si seguono le prescrizioni dietetiche è più facile evitare o arginare la malattia. Idealmente, ogni pasto dovrebbe realizzare un perfetto equilibrio di sapori, consistenze, odori, colori e altre qualità intese a promuovere l'armonia interna tra i vari sistemi organici.

Trovare la formula giusta Ripristinare l'equilibrio può sembrare facile in teoria ma è assai difficile nella pratica. Infatti sintomi simili possono avere origine da disordini molto diversi fra loro e richiedere rimedi fitoterapici differenti. Un mal di schiena dovuto a freddo-umido (per esempio causato da un acquazzone o dalla permanenza in un luogo umido) viene curato con piante intese a eliminare l'umidità e a sbloccare i meridiani, mentre un mal di schiena dovuto a uno sforzo o a un trauma viene curato con piante capaci di promuovere il flusso regolare del *Qi*.

In generale, i rimedi a base di piante medicinali sono assai meno tossici dei farmaci chimici, ma non è comunque il caso di utilizzarli senza il parere di un professionista riconosciuto, che faccia riferimento a una solida esperienza clinica e ad una biblioteca di rimedi che hanno resistito alla prova del tempo. L'erborista cinese ha letteralmente decine di migliaia di formule a disposizione, anche se in pratica non usa in genere più di cinquecento rimedi classici.

I medici cinesi riconoscono quasi seimila sostanze farmacologiche, tra vegetali, minerali e prodotti animali. La formula tipo ne contiene tra le cinque e le quindici. Oltre a un ingrediente principale scelto per curare la malattia, i rimedi erboristici comprendono di solito altri ingredienti, per esempio dei "conduttori", per canalizzare il medicamento, e dei "correttori", per contrastare gli effetti collaterali. In più il medico può stabilire modalità specifiche di preparazione e di assunzione. Le otto preparazioni più comuni, tra le quali compaiono estratti concentrati, brodi (o decotti), pillole, paste e vini medicinali, variano per potenza e per tasso di assorbimento. Inoltre, i medici cinesi hanno sviluppato anche rimedi fitoterapici iniettabili.

Riconoscimenti Anche se in Cina i medici e gli scienziati di formazione occidentale sono stati incoraggiati a studiare le piante officinali tradizionali, fino a oggi ci sono giunti pochi studi clinici obiettivi. Tuttavia, alcune delle piante più comuni sono state studiate sia in Cina sia in Occidente e le loro proprietà farmacologiche sono note. La pianta *Ma Huang* (*herba Ephedrae*), per esempio, in Cina è un popolare rimedio contro l'asma, e anche in Occidente è comunemente impiegata nei medicinali usati allo stesso scopo (efedrina).

Altre piante cinesi hanno dato vita a farmaci moderni o lo faranno tra breve. In effetti, in Occidente, si assiste a continue scoperte di principi attivi che erano già impiegati dalla farmacologia cinese. Per esempio, nel popolare rimedio *Qing Hao* (*herba Artemisiae chinghao*) è stato isolato un agente antimalarico. E il seme del dattero acerbo, usato come sedativo e ipnotico dai cinesi da tremila anni, sta dando conferma dei suoi effetti anche in laboratorio. La comune digitale (*Digitalis purpurea*), una pianta che contiene un principio attivo con lo stesso nome ampiamente sfruttato nelle patologie cardiache, viene usata allo stesso scopo in Cina anche in virtù di un altro suo componente, la verodossina, sostanza che rinforzerebbe gli effetti della digitale consentendo di usarne dosi minori. La verodossina viene invece eliminata nel processo di raffinazione del derivato occidentale.

Molte formule fitoterapiche contengono decine di ingredienti; anche per questo è difficile mettere a punto esperimenti per valutare quali producono l'effetto desiderato. Le differenze tra le tecniche diagnostiche cinesi e quelle occidentali creano altri intralci alla ricerca ma, anche così, le piante officinali cinesi continuano a suscitare interesse e a guadagnarsi riconoscimenti scientifici in tutto il mondo.

Il movimento. Nei secoli, l'esercizio fisico ha costituito il perno della medicina preventiva cinese. Ogni mattina milioni di cinesi cominciano la giornata con i movimenti fluidi del *tai chi* e con le tecniche di respirazione del *Qi gong*. Entrambi promuovono il regolare flusso del *Qi* attraverso il corpo ed eliminano lo stress (per il tai chi *vedi* pagg. 244-251). Con l'esercizio, la dieta e la moderazione in tutti i campi, la medicina tradizionale cinese mira a rendere il corpo abbastanza forte ed equilibrato da resistere alle malattie ed alle infezioni. L'accento sullo stile di vita e la cura del proprio corpo offrono anche all'individuo un'opportunità di prendersi la responsabilità della propria salute, rendendo questo antico sistema più all'avanguardia della medicina moderna.

In Cina si comincia da bambini a fare dell'esercizio fisico regolare. Questa bambina impara il tai chi, un'arte marziale definita "morbida" e caratterizzata da movimenti lenti e armoniosi, ottima da praticare a qualsiasi età.

Ayurveda: la salute come equilibrio

Con il suo accento sul controllo di tutte le risorse fisiche e mentali,
questo sistema, derivato dalla filosofia indù, è un invito a salvaguardare
l'armonia tra l'uomo, il suo corpo e l'ambiente che lo circonda.

La dea indù Sitala *è stata venerata nei secoli come protettrice contro il vaiolo. Davanti alla sua effigie si bruciavano erbe nella speranza di tener lontana questa devastante malattia. La scultura qui riprodotta, proveniente da una zona dell'India settentrionale, risalirebbe al X secolo.*

L'INNATA CAPACITÀ DI DIFESA E AUTOGUARIGIONE DEL CORPO umano costituisce il nucleo centrale della medicina ayurvedica, nata in India almeno duemilacinquecento anni fa e considerata il primo approccio organizzato alla salute basato su fenomeni naturali invece che magici, scaramantici o spirituali. Secondo l'ayurveda (il termine sanscrito *ayurveda* significa letteralmente "scienza della vita" o "della longevità"), la malattia è il risultato di una disarmonia interna. Grande importanza è attribuita alla prevenzione, perché tutti possano godere di una vita più lunga e più sana.

Secondo le teorie ayurvediche ci si ammala per poter mettere in campo i propri poteri di guarigione: ci si concede cioè alla malattia. Uno stile di vita stressante, un'alimentazione scorretta e quelle attività inadatte alla stagione possono sconvolgere il delicato equilibrio necessario per la salute. Naturalmente possono intervenire anche malattie infettive, ma chi è in armonia con se stesso e con l'ambiente in cui vive è meno facilmente preda di qualsiasi tipo di male.

Una salutare "trinità" Secondo l'ayurveda, la salute dipende dall'equilibrio di tre forze vitali fondamentali, dette *dosha*. Paragonati talvolta al concetto di "umori" dei Greci o di "yin" e "yang" dei Cinesi, i *dosha* sono considerati gli elementi alla base di tutti i meccanismi del corpo umano.

Vata è il *dosha* responsabile del movimento ed è rappresentato dall'aria e dal vento. A esso si contrappone *Kapha*, associato alla terra, considerato la forza stabilizzatrice responsabile della struttura corporea. *Pitta*, il *dosha* del fuoco o del sole, si identifica con il calore, la disidratazione e la digestione ma, ciò che è forse più importante, rappresenta anche l'interfaccia di trasformazione tra *Kapha* e *Vata*: è il fuoco che trasforma la sostanza materiale, o *Kapha*, nella forza gassosa, *Vata*, che l'attiva e l'anima.

Ogni essere umano viene al mondo con una propria dotazione dei vari *dosha*. Quasi sempre ve n'è uno dominante, che determina la tipologia fisica, il temperamento e anche il tipo di disturbi cronici ai quali si è maggiormente soggetti. Per esempio, il tipo *Pitta*, passionale, litigioso e facile all'ira, tende ad avere disturbi "rabbiosi", come eruzioni cutanee, acidità di stomaco e ulcera peptica che, in una persona con un altro profilo costituzionale, cioè il cui *dosha* dominante è un altro, sarebbero solo il sintomo di un temporaneo squilibrio di *Pitta*.

I *dosha* caratterizzano anche il mondo che ci circonda: cibo, stagioni, ore del giorno. Da tali corrispondenze si desumono l'alimentazione, la routine quotidiana e l'attività capaci di favorire e

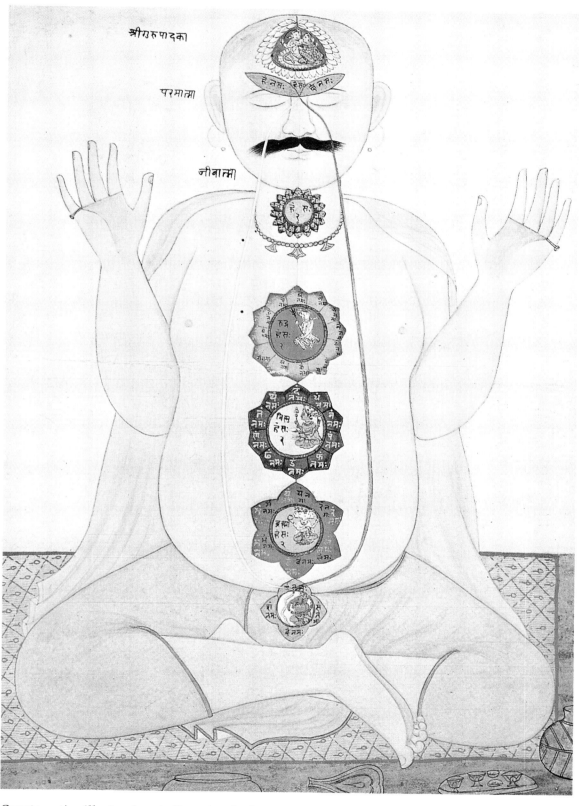

Questa antica illustrazione indiana *descrive i sette centri energetici (chakra), situati lungo tutto il corpo, dalla base della colonna alla sommità del capo.*
Ogni chakra *è idealmente collegato a un organo, a un elemento naturale, a un colore, a una forma e a una divinità. Fine ultimo dello yoga è far fluire l'energia vitale fino al* chakra *posto sulla sommità del capo e raggiungere così l'illuminazione.*

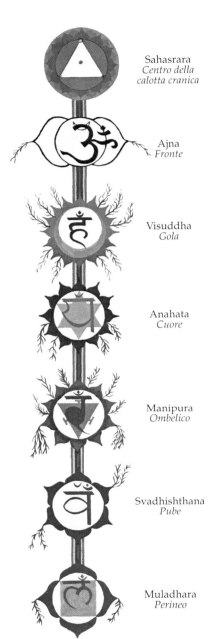

Sahasrara
*Centro della
calotta cranica*

Ajna
Fronte

Visuddha
Gola

Anahata
Cuore

Manipura
Ombelico

Svadhishthana
Pube

Muladhara
Perineo

Questa raffigurazione *dei
chakra collega i centri energetici
a specifiche parti del corpo:
la regione sacrale, il pube,
l'ombelico, il cuore, la gola, la
fronte, la cima della testa. I chakra
sono rappresentati simbolicamente
da fiori di loto sempre più
rigogliosi: il più basso è provvisto
di quattro petali, il più elevato
addirittura di "mille".*

mantenere l'equilibrio dell'individuo. Per esempio, in primavera, che è una stagione *Kapha*, i tipi a *Kapha* dominante devono ridurre l'assunzione di quei cibi che possono aumentare le condizioni *Kapha*, come i latticini, per evitare che il corpo debba poi liberarsi da un muco dovuto a eccesso di *Kapha*, come avviene con
il raffreddore da fieno. Il gusto stesso di certi alimenti e di certe
spezie aiuta a capire in che modo influiscono sull'accumulo di
ciascun *dosha*. I peperoncini piccanti fanno naturalmente aumentare il *Pitta*, mentre i cibi dolci e gli amidi provocano un ac-
crescimento di *Kapha*.

Quando, nonostante gli sforzi e le precauzioni, capita di ammalarsi, l'ayurveda offre un arsenale di cure, dalla chirurgia a
migliaia di rimedi a base di piante. Testi scritti molti secoli prima dell'era cristiana testimoniano l'abilità dei medici ayurvedici in una quantità di interventi chirurgici di maggiore o minore
entità, dalla chirurgia estetica agli innesti di pelle, fino alla rimozione di calcoli e di tumori.

Le origini orientali della medicina occidentale Già nei più
antichi testi indiani, scritti migliaia di anni fa, si trovano riferi-
menti all'ayurveda che, attraverso la catena dell'Himalaya, ha
propagato i suoi insegnamenti soprattutto in Cina. Chi ha familiarità con la medicina tradizionale cinese, infatti, può facilmente rintracciare numerose similitudini, per esempio nella diagnosi eseguita attraverso l'esame del polso e nell'importanza attribuita all'armonia delle forze. Attraverso il suo impatto prima
sulla medicina persiana e poi su quella greca, l'ayurveda è certamente all'origine anche di quella che poi si sarebbe sviluppata
come medicina occidentale.

Ma se quest'ultima si è poi orientata solo sulle cause e sulle
cure fisiche, gestite interamente dal medico, l'ayurveda ha con-
tinuato a occuparsi di medicina nel duplice aspetto della cura e
della prevenzione.

In realtà esistono due medicine ayurvediche: una è quella
praticata dai medici sui malati, mentre l'altra è patrimonio di
chiunque desideri star bene. In questo secondo caso, l'osservazione dei tre *dosha* dipende dalla capacità personale di introspezione, a cui è collegata la capacità di modificare l'alimentazione,
il genere e l'intensità dell'esercizio fisico, il modo di pensare, le
reazioni emotive all'apparire di un'interferenza nell'equilibrio
delle forze che consente di aggirare con eleganza la possibile malattia.

Nel corso del XIX secolo, quando l'influenza della medicina
occidentale cominciò a farsi più forte, ci fu una sorta di sconvol-
gimento nella medicina ayurvedica. Nel nostro secolo, però, e più
precisamente nel 1947, il governo indiano, fresco di indipenden-
za, riconoscendo la necessità di preservare gli aspetti migliori delle proprie tradizioni, stabilì la creazione di un consiglio nazionale per la supervisione della formazione, della pratica e delle ricerche ayurvediche.

Oggi, in India, l'antica medicina, riconosciuta formalmente dall'Organizzazione Mondiale della Sanità, convive con la nuova. L'ayurveda ha salde radici nelle zone rurali e nella vita quotidiana della gente, mentre, accanto ad essa, in moderni ospedali, la medicina occidentale fornisce, ove si richieda, cure tecnologiche in caso di malattie acute o di traumi.

Tradizioni olistiche A differenza della medicina occidentale, quella ayurvedica considera e tratta corpo e mente come un insieme integrato. Se la medicina ortodossa riconosce che un problema fisico può avere effetti a livello mentale e in certi casi anche viceversa, la filosofia ayurvedica ha una visione assai più complessa, secondo la quale qualsiasi disarmonia di uno dei tre *dosha* (*Vata*, *Pitta* o *Kapha*) ha riflessi a livello sia fisico sia mentale. Uno squilibrio di *Vata* può dare, per esempio, intorpidimento e dolore a livello fisico e ansia a livello mentale. In più, sia un evento mentale, come una preoccupazione, sia uno fisico, come un digiuno, possono aggravare il *dosha* corrispondente. Quindi lo squilibrio di *Vata*, a sua volta, provoca altri sintomi, sia fisici sia mentali.

Questo modello ayurvedico di interazione reciproca e continua tra livelli diversi contrasta apertamente con il semplice (e forse semplicistico) principio di causa-effetto della moderna medicina ufficiale.

Proprio il fatto di avere una struttura concettuale relativamente sofisticata ha permesso all'ayurveda una prospettiva di integrazione tra diverse terapie olistiche. Essendo forse il più antico sistema ancora in uso, ha visto il comparire e lo scomparire

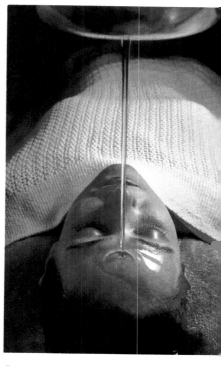

In un centro dove si pratica la medicina ayurvedica, le terapie tradizionali sono integrate con qualche novità. Nella foto, viene versato dell'olio di sesamo sulla fronte della paziente per ridurre lo stress.

In un istituto ayurvedico di New Delhi, in India, con il massaggio e con altre terapie coordinate si aiutano i pazienti a ritrovare l'equilibrio interno di cui hanno bisogno per guarire e prevenire le malattie.

di molte teorie, delle quali ha assimilato il meglio. Nella filosofia ayurvedica trovano facilmente posto terapie completamente diverse, come quella antibiotica, la chirurgia, la dietetica, il massaggio, la meditazione e anche l'agopuntura. (E in effetti la più antica mappa per l'agopuntura è costruita su un elefante ed è scritta in sanscrito.)

I medici ayurvedici oggi Anche se ayurveda e yoga sono riconducibili alle stesse antiche origini, per un certo tempo sono state considerate pratiche distinte. Oggi si assiste a una controtendenza e i moderni medici ayurvedici prescrivono spesso meditazione ed esercizi yoga insieme con diete e rimedi a base di piante. Il rinnovato interesse per lo yoga è probabilmente uno sviluppo desiderabile dell'ayurveda, in quanto aiuta a coprire il vuoto tra l'aspetto terapeutico e quello profilattico di questa medicina. I pazienti che imparano a meditare, a rilassarsi, a respirare e a usare le posizioni yoga si ritrovano pronti a mantenere e migliorare il proprio stato di salute una volta che l'abbiano ritrovato. Il medico ayurvedico che prescrive esercizi o raccomandazioni dietetiche su misura per un certo paziente, invece che esotici rimedi fitoterapici o elaborati massaggi con oli, prepara il paziente a una miglior gestione di sé. A un paziente *Vata* molto attivo, per esempio, si suggerirà di mangiare più burro e cibi dolci; raccomandazione inadatta, ovviamente, a un tipo *Kapha* sedentario.

La diagnosi Per valutare gli eventuali squilibri di *Vata*, *Pitta* e *Kapha* del paziente, il medico ayurvedico chiede informazioni sulle sue abitudini e preferenze, oltre che sui suoi sogni. L'esame fisico che segue comprende la valutazione dei *dhatu* (tessuti) e degli *srotas*, cioè dei percorsi attraverso i quali avvengono l'eliminazione e la pulizia. L'esame riguarda quindi il corpo nel suo insieme ma anche le sue secrezioni ed escrezioni, saliva, feci e urine. Vero centro della diagnosi è l'esame del polso. Il medico ayurvedico sente il polso su entrambe le braccia con le prime tre dita. Ritmo, forza e tipologia delle pulsazioni variano grandemente a seconda della costituzione fisica.

La coppettazione è un'antica pratica ayurvedica e cinese. Il terapista incide dei punti sulla pelle e vi fissa delle coppette a ventosa calde allo scopo di far diminuire la pressione sanguigna e i dolori muscolari o di favorire la circolazione locale.

Per esempio, un polso saltellante come una rana fa pensare a un tipo *Pitta*, mentre uno che scivola via come un cigno rimanda a un *Kapha*. Gli esperti in diagnosi dicono di poter valutare la condizione di un organo attraverso la pressione più o meno profonda di ciascun punto del polso, individuando uno squilibrio prima che si trasformi in malattia. I segni di uno squilibrio *Kapha* possono comprendere inerzia mentale e depressione, modelli comportamentali come pigrizia e resistenza al cambiamento, o

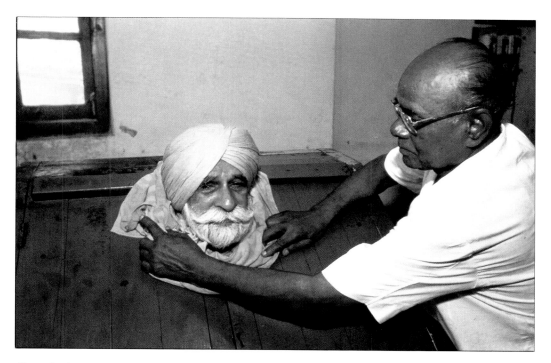

disturbi fisici come sinusite e congestione toracica, dolori articolari e pallore. Uno squilibrio di questo tipo può determinare allergie, tosse, mal di gola e perfino diabete. Sulla base dei rilievi diagnostici il medico raccomanda diverse cure per il corpo e per la mente.

La prescrizione terapeutica Oltre alla modificazione della dieta in base alla propria costituzione fisica e alla stagione, i medici suggeriscono talvolta anche rimedi fitoterapici per correggere squilibri specifici, o per contrastare gli effetti dell'invecchiamento. Benché alcune preparazioni erboristiche siano abbastanza elaborate, altre impiegano spezie comuni, in vendita nei mercati locali.

Per purificare il corpo dalle scorie accumulate, l'ayurveda ha messo a punto diverse procedure note con il nome collettivo di *panchakarma*. Tra queste i bagni di vapore con le erbe, i massaggi con oli specifici, la pulizia nasale e l'uso di lassativi e di clisteri medicamentosi.

Alcune procedure dovrebbero essere utilizzate solo da medici qualificati o sotto la loro supervisione, perché possono avere controindicazioni. Per esempio non bisognerebbe cercare di eliminare un eccesso di un *dosha* finché non sia ritornato al suo *kosht* o stato abituale. L'ayurveda, con la sua esperienza millenaria, offre indicazioni precise per l'uso di queste tecniche.

Se il *panchakarma* è prescritto dal medico, è possibile recarsi in un istituto ayurvedico dove si ricevono versioni estese di trattamenti che in versione ridotta possono anche essere eseguiti a casa. Per esempio, invece del leggero automassaggio prescritto per il mattino, in istituto si riceve un massaggio disintossicante completo, eseguito contemporaneamente da due terapisti.

La cabina per i bagni di vapore è un ottimo strumento per la purificazione del corpo, che la medicina ayurvedica considera un passo importante nel processo curativo. Sudare per guarire non è una pratica peculiarmente orientale: tra i pellirosse, per esempio, i bagni di sudore danno risultati simili.

I mandala di sabbia colorata

Attraverso la meditazione la mente mette in funzione i suoi poteri curativi e genera un senso di grande pace. Nei rituali buddisti ci si concentra su disegni simbolici, i mandala, per contemplare la saggezza di una divinità. I mandala possono essere dipinti o realizzati in legno, ma la sabbia è il materiale preferito. Il lavoro è meticoloso e spesso procede di granello in granello.

Il disegno del mandala *segue antiche regole e completarlo può richiedere diverse settimane. L'onore di ammirare il lavoro compiuto è in genere riservato a chi è stato iniziato alla religione buddista.*

Il mandala Kalachakra *è una rarità, perché può essere visto anche dai non iniziati.*

Un mandala *a mosaico*,
in teoria, dovrebbe essere fatto
di pietre preziose sminuzzate,
ma è assai più comune che si usi
sabbia colorata. Questo mandala
simboleggia l'infinita saggezza
della divinità Kalachakra.
Ma chi osserva non deve
necessariamente comprendere
la simbologia per cogliere
la bellezza della forma e forse
anche il senso di pace che
emana. Qui i monaci buddisti
sono impegnati nella distruzione
del mandala.

La distruzione *di un* mandala
richiede un rituale che richiama
simbolicamente la provvisorietà
delle cose terrene. La polvere
raccolta viene dispersa su un fiume
o un laghetto affinché la
benedizione della sabbia possa
riversarsi nella natura.

Omeopatia: dove meno vale di più

Questa forma di terapia, che ha già due secoli di vita e una diffusione sempre maggiore, sollecita le difese proprie dell'organismo somministrando quantità minime di sostanze medicinali.

Il padre fondatore dell'omeopatia

Samuel Hahnemann (1775-1843), farmacista e medico tedesco, mise a punto una terapia detta "omeopatia" all'inizio del XIX secolo. Deplorando le procedure mediche del tempo, Hahnemann si dedicò allo studio delle potenzialità curative di una serie di sostanze vegetali, animali e minerali. Oggi gli omeopati curano il paziente in base ai suoi sintomi peculiari, che variano da persona a persona.

L'OMEOPATIA NACQUE ALL'INIZIO DEL XIX SECOLO in reazione alle drastiche misure terapeutiche del tempo, quali salassi, induzione del vomito, purghe intestinali e somministrazioni massicce di farmaci dagli effetti poco noti. Samuel Hahnemann, un medico tedesco con un curriculum di studi regolare, rimase profondamente deluso quando si rese conto degli eccessi della medicina ortodossa.

Hahnemann aveva fiducia nelle proprietà curative dell'esercizio fisico, dell'aria aperta, dell'alimentazione corretta: un approccio terapeutico assai radicale per il tempo. Tuttavia, consapevole che una vita "sana" non era di per sé sempre sufficiente, cominciò a esplorare altre modalità terapeutiche; essendo infatti, oltre che medico, farmacista e autore di un testo ampiamente utilizzato dai suoi colleghi tedeschi, Hahnemann conosceva un gran numero di sostanze medicinali e aveva familiarità con i moderni metodi di preparazione.

Instancabile sperimentatore, Hahnemann cominciò a provare su se stesso alcuni rimedi comuni. Una delle prime medicine che sperimentò fu la cincona, o corteccia di china, fonte naturale del chinino, che già allora era usato per curare la malaria. L'assunzione di cincona da parte di un organismo sano provocò febbre, brividi, sete e mal di testa pulsante: i sintomi della malaria. Hahnemann intuì che l'efficacia del farmaco nel trattamento della malaria era dovuta alla sua capacità di provocare sintomi simili a quelli della malattia.

I simili si curano con i simili Questo esperimento, insieme con altri compiuti utilizzando sostanze diverse, condusse Hahnemann a formulare la sua prima teoria: la "legge dei simili". *Similia similibus curantur*, cioè i simili si curano con i simili. Secondo questo principio, una sostanza che produce certi sintomi in una persona sana può curare la persona ammalata che ha gli stessi sintomi. Per descrivere il trattamento basato su questo principio, Hahnemann coniò il termine "omeopatia", dalle parole greche *hómoios* (simile) e *páthos* (malattia).

Subito usò le sostanze medicinali in dosi molto ridotte, rendendosi conto che le grandi quantità provocavano una serie di effetti collaterali. Scoprì così che poteva preservare le proprietà terapeutiche del medicamento ed eliminarne i potenziali effetti collaterali utilizzando un processo farmacologico che chiamò "dinamizzazione": una serie di diluizioni successive della sostanza in una determinata quantità di acqua distillata, seguite ogni volta da scosse vigorose. Con sua grande sorpresa, Hahnemann scoprì che questo processo accresceva la potenza del rimedio e la durata dei suoi effetti. Formulò così la "legge della minima dose". L'uso di diluizioni successive continue delle sostanze medicinali è ancora oggi diffuso nel mondo tra milioni di persone, nonostante le controversie che fin dalle sue origini accompagnano questo principio.

Una diversa visione dei sintomi Le differenze tra la terapia omeopatica e le terapie convenzionali sono sostanziali. Innanzi tutto l'omeopatia è un sistema olistico (dal greco *hólos*, "intero"), e non considera mai la malattia in sé ma piuttosto la persona nella sua globalità e la malattia come l'espressione di uno squilibrio interno, come la risposta positiva dell'organismo a ciò che lo disturba. La terapia omeopatica aiuta l'individuo a potenziare questa risposta mediante l'assunzione di una sostanza capace di provocare gli stessi sintomi della malattia. L'eliminazione dei sintomi ottenuta tramite la somministrazione di medicinali (o "soppressione") viene ritenuta non solo insoddisfacente ma spesso addirittura pericolosa, perché lo squilibrio, che può essere più o meno profondo, trova quasi sempre un modo per manifestarsi altrove. La guarigione vera e duratura si ottiene grazie alla somministrazione del *simillimum*, la sostanza più "simile" alla malattia, diluita e dinamizzata (cioè sottoposta a un numero determinato di scosse), perché consente all'individuo di andare alla radice del disturbo. Durante la terapia, quindi, può capitare che un sintomo già presente si aggravi temporaneamente, o addirittura che si manifestino di nuovo vecchi disturbi precedentemente "soppressi". Questi segnali vengono considerati come la corretta risposta dell'organismo alla terapia.

I rimedi I rimedi omeopatici usati sono oltre duemila, tutti a base di sostanze vegetali, minerali, animali o di prodotti chimici infinitamente diluiti, preparati sotto forma di pastiglie, di granuli, di liquidi o di tinture e pomate per uso esterno. Tra i prodotti più usati vi sono: la calendula (con una peculiare azione disinfettante e cicatrizzante), la cipolla, il carbonato di calcio ottenuto dalla conchiglia dell'ostrica, la grafite (un minerale grigio, comunemente usato per la mina delle matite), l'arsenico, il veleno di serpente e quello d'ape. Benché alcune di queste sostanze possano sembrare pericolose, le dosi usate in omeopatia sono così basse da essere unanimemente riconosciute come prive di effetti nocivi.

L'autoprescrizione Pur se in presenza di disturbi ricorrenti o di sintomi pericolosi conviene sempre rivolgersi a un omeopata esperto, la popolarità crescente dell'omeopatia si spiega anche con la sua efficacia nel combattere i disturbi meno gravi. In questi casi ci si può tranquillamente affidare all'autoprescrizione, purché si disponga di un buon manuale e si abbia l'accortezza di utilizzare solo basse diluizioni dei rimedi (per esempio la 5 o la 7 CH). Le diluizioni dei rimedi possono essere centesimali hahnemanniane (CH, pronuncia "ci-acca"), decimali hahnemanniane (DH) o korsakoviane (K), a seconda del metodo impiegato e della proporzione tra diluito e diluente.

La farmacia portatile
di Hahnemann, composta da quattro ripiani e circa duecento fiale di rimedi omeopatici, è conservata presso il National Museum of American History (Museo nazionale di storia americana) di Washington.

Una volta scelto il rimedio, lo si assume a piccole dosi: due-tre granuli, oppure quattro-cinque gocce direttamente sotto la lingua, o sciolto in acqua.

Dato che la sostanza penetra nell'organismo attraverso la mucosa orale, è preferibile che per un paio d'ore prima e dopo l'assunzione questa non venga in contatto con altre sostanze che possono interferire con l'assorbimento del rimedio stesso (non solo sostanze alimentari ma anche aromi forti, per esempio quelli usati nella composizione dei dentifrici). Il rimedio deve essere assunto a intervalli di tempo tanto più brevi quanto più acuti sono i sintomi. Gli intervalli diventeranno progressivamente più lunghi a mano a mano che i sintomi si attenueranno. Per una puntura d'insetto che abbia provocato un accentuato gonfiore, per esempio, si comincerà con l'assumere un paio di granuli di *Apis* 7 CH ogni dieci-quindici minuti. Con il diminuire del dolore e del gonfiore, l'intervallo tra le assunzioni verrà portato prima a trenta minuti e poi, se il gonfiore persiste, a un'ora, due ore o quattro, fino alla completa scomparsa dei sintomi.

La visita omeopatica In presenza di malattie croniche e di disturbi gravi, la visita dell'omeopata è d'obbligo. Moltissimi omeopati, almeno in Italia, sono anche medici laureati e spesso hanno conseguito una o più specializzazioni; tuttavia, sia per l'esistenza di diverse scuole omeopatiche sia perché l'omeopatia è una forma di medicina che richiede un particolare rapporto di confidenza e di fiducia reciproca tra medico e paziente, consultare diversi specialisti e scegliere quello con il quale abbiamo ottenuto i migliori risultati può essere una buona idea.

Ciò che maggiormente differenzia la visita omeopatica da una visita convenzionale è l'interrogatorio. Prima ancora di visitare il paziente, l'omeopata procede a un'indagine accuratissima dalla quale ricava una quantità di informazioni circa la storia clinica, le preferenze alimentari, il temperamento, le abitudini, eventuali sensibilità al freddo e al caldo del paziente, l'evoluzione e le manifestazioni specifiche del disturbo, e molti altri dettagli apparentemente insignificanti ma vitali per tracciare un quadro della risposta di quel particolare individuo a quella malattia. Di tutti questi elementi, oltre che di eventuali disagi a livello psicologico ed esistenziale, l'omeopata tiene conto per scegliere il rimedio più adatto. Proprio la minuziosità dell'interrogatorio e l'attenzione con la quale si svolge permette al medico omeopata di conoscere profondamente il paziente, fatto che gli consentirà, in seguito, di prescrivergli altri rimedi per disturbi non gravi anche solo attraverso un breve consulto telefonico.

Campi di applicazione I campi di applicazione dell'omeopatia sono molti e vari. Anche se resta valida l'indicazione di rivolgersi a un ospedale per qualsiasi situazione d'emergenza e sempre in presenza di incidenti o sintomi gravi, ci sono casi in cui i rimedi omeopatici agiscono con rapidità e intensità sorprendenti. Non esiste, per esempio, nella farmacopea ufficiale, un medicinale che curi gli effetti di un trauma efficacemente quanto una dose di *Arnica* 200 CH. Allo stesso modo, individuando il rimedio omeopatico giusto, è possibile far calare la febbre alta altrettanto rapida-

Il medico britannico Edward Jenner (1749-1823) *scoprì che iniettando nel braccio di una persona piccole quantità di materiale estratto dalla lesione vaiolosa di un bovino la si immunizzava contro il vaiolo. Nel 1796 Jenner eseguì la prima vaccinazione antivaiolosa e Hahnemann sperimentò la cura da lui ideata per la malaria, che ebbe come conseguenza la formulazione della teoria omeopatica. Benché in entrambi i casi si trattasse di stimolare una difesa del corpo con piccole quantità di una sostanza, questa similitudine non fu rilevata e, mentre la scoperta di Jenner fu accolta entusiasticamente dai medici ortodossi, la terapia omeopatica sviluppata da Hahnemann fu a lungo disprezzata.*

I simili si curano con i simili

Disgustato per la brutalità delle pratiche mediche del XVIII secolo, davvero violente, Samuel Hahnemann mise a punto una nuova e delicata forma di terapia che chiamò omeopatia.

Per spiegare i principi della sua teoria ai medici tedeschi, Samuel Hahnemann scrisse l'*Organon dell'arte del guarire* dove, oltre a spiegare le modalità del trattamento omeopatico, espresse anche con forza le proprie opinioni sulle cure accreditate ai suoi tempi e che egli riteneva, spesso a ragione, danneggiassero il paziente invece di curarlo.

«In tempi recenti la vecchia scuola medica ha superato se stessa quanto a crudeltà nei confronti dei poveri malati e a inutilità delle sue pratiche, come qualunque osservatore privo di pregiudizi deve riconoscere e come pure i medici sono stati costretti a confessare al mondo intero a causa dei rimorsi della loro coscienza.

«Era ora che il saggio e benevolo Creatore e Preservatore del genere umano mettesse fine a questo abominio, ordinasse cioè la cessazione di queste torture e rivelasse un'arte terapeutica opposta, che non fa spreco di fluidi vitali e di potenza con clisteri e perenni lavaggi intestinali, bagni caldi, diaforetici o salivazione; che non sparge più sangue vitale e non tormenta né indebolisce con applicazioni dolorose; né che, invece di curare i pazienti sofferenti a causa delle malattie, li renda incurabili fornendo loro nuove malattie croniche procurate attraverso l'uso prolungato di medicinali potenti, sbagliati e dei quali non sono note le proprietà; un'arte terapeutica che non metta il carro davanti ai buoi, somministrando forti palliativi; né che, in breve, invece di aiutare il paziente lo guidi verso la morte come fa lo spietato medico dei nostri giorni.

«Ma un'arte che, al contrario, possa risparmiare il più possibile la forza del paziente e sortisca rapidamente e dolcemente una guarigione permanente e genuina, che ristabilisca la salute con dosi infinitamente piccole di poche semplici medicine scelte con cura in base ai loro effetti provati, secondo l'unica legge terapeutica conforme alla natura: *similia similibus curantur* (i simili si curano con i simili).

«Con l'osservazione, la riflessione e

Distaccarsi dalla medicina convenzionale.

l'esperienza ho scoperto che, contrariamente ai vecchi metodi, il vero modo per giungere alla guarigione, quello adatto e il migliore, è contenuto nella massima: "Per curare dolcemente, rapidamente, definitivamente e in modo certo, scegliere sempre, in caso di malattia, il medicinale che può produrre una malattia simile a quella che si intende curare".

«Quanto spesso la grande verità è stata a un passo dall'essere compresa! E tuttavia lasciata andare, come un semplice pensiero di passaggio. E così l'indispensabile trasformazione dei modi tanto antiquati di curare la malattia, la trasformazione cioè del sistema terapeutico improprio fin qui in voga in un'arte medica vera, reale e certa è rimasto un compito che dobbiamo svolgere al nostro tempo.»

Tratto dalla Sesta edizione dell'Organon dell'arte del guarire, *di Samuel Hahnemann.*

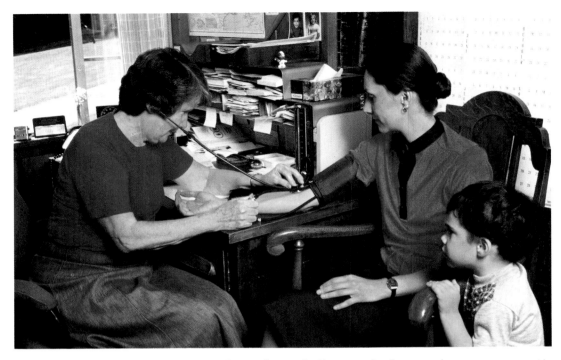

Gli omeopati, in genere, sono medici laureati. Benché essi, come i medici ortodossi, misurino la pressione e si servano, con maggior moderazione, delle stesse procedure diagnostiche della medicina convenzionale è profondamente diversa la loro concezione dei sintomi e della terapia.

mente e in modo assai più naturale che usando un comune antipiretico. I risultati migliori si ottengono di solito sui bambini, anche piccolissimi, che non solo apprezzano particolarmente la presentazione del medicinale in granuli di zucchero, ma dispongono di difese immunitarie ancora non compromesse dalla soppressione dei sintomi con farmaci di vario tipo. In genere la loro risposta alla cura omeopatica è rapidissima.

Va segnalato che, oltre che per i bambini, il ricorso all'omeopatia rappresenta un'alternativa innocua all'assunzione di medicine convenzionali per le donne in gravidanza. È difficilissimo, infatti, che, usati in dosi ridotte o seguendo il consiglio di un medico esperto, i rimedi omeopatici possano produrre effetti collaterali indesiderati.

Anche in presenza di disturbi cronici (allergie, cefalea, artrosi, colite, ulcera, ipertensione e obesità), di stati di carenza (anemia, squilibri ormonali) e di infezioni la terapia omeopatica dà buoni risultati.

Alcuni omeopati, e alcuni medici ufficiali, ammettono la possibilità di utilizzare in parallelo una cura omeopatica e una convenzionale, riconoscendo alla prima la capacità di migliorare lo stato delle difese naturali del paziente e quindi di ridurre l'incidenza di complicazioni e ricadute.

Le discussioni continuano Benché tra di essi vi sia chi la pratica, in genere i medici rifiutano l'omeopatia senza appello, sostenendo che non ha basi scientifiche e che la sua eventuale efficacia è sostanzialmente dovuta all'effetto placebo: si otterrebbero, cioè, risultati analoghi anche somministrando pillole di sostanze inerti (per esempio solo zucchero). Nonostante vi siano esempi storici di scoperte che hanno trovato una spiegazione scientifica solo in un secondo tempo, la scienza medica ufficiale continua a essere molto conservatrice, e preferisce spesso negare, piuttosto che indagare, ciò che non è in grado di spiegare.

Scegliendo tra centinaia di rimedi, il medico
omeopata somministra alla paziente un preparato
di origine vegetale per un problema cutaneo.
Gli omeopati considerano i sintomi come prova
che il corpo mette in campo le sue difese.

Molti medici convenzionali possono essere d'accordo, almeno in teoria, con l'idea alla base della "legge dei simili": anche la medicina ufficiale la sfrutta in alcuni casi, per esempio nelle vaccinazioni e nella cura delle allergie. Tuttavia, il secondo principio omeopatico, la "legge della minima dose", è inaccettabile per il medico convenzionale, in quanto contraddice una serie di nozioni scientifiche. I rimedi omeopatici sono spesso così diluiti da non contenere nemmeno una molecola della sostanza iniziale: come può allora funzionare il rimedio? si chiedono i medici e gli scienziati ortodossi.

Gli omeopati non hanno ancora trovato una spiegazione convincente, anche se alcuni teorizzano che nel processo di diluizione la sostanza lascerebbe una sorta di impronta alla soluzione, modificandone la struttura molecolare. Forse anche se la sostanza in effetti non c'è più, potrebbe rimanere traccia della sua energia. Per alcuni si verificherebbe un fenomeno analogo a quello per il quale una nota suonata al pianoforte può essere avvertita anche lontano dallo strumento. Allo stesso modo, dicono, la dose infinitesima di una sostanza avrebbe una risonanza sui sintomi, attraverso il corpo. Inoltre, gli omeopati credono nell'esistenza di una "forza vitale" simile al concetto cinese del *Qi*, che percorrerebbe il corpo e non sarebbe altro che il processo di autoguarigione. Questa forza vitale potrebbe essere sensibile alle medicine omeopatiche "energetiche".

I sostenitori dell'omeopatia citano l'efficacia di questo sistema terapeutico nella cura dei neonati e degli animali, che non sanno nemmeno di assumere medicine e quindi non avrebbero alcun motivo di rispondere a un placebo. Inoltre notano che gli stessi rimedi omeopatici provocano sintomi, testimoniando dell'azione biologica in corso. In ogni caso, chi pratica l'omeopatia sostiene che le teorie valgono poco di fronte ai risultati clinici: ciò che conta davvero è che l'omeopatia funziona.

Le scuole omeopatiche

Per ragioni storiche e geografiche, l'omeopatia si è sviluppata seguendo orientamenti diversi, dai quali sono nate le tre più diffuse scuole omeopatiche, oggi tutte presenti anche in Italia.

La *scuola unicista* somministra un rimedio solo alla volta, cercando di individuare il *simillimum* del malato, capace di coprire tutti i sintomi, da quelli organici a quelli mentali.

La *scuola pluralista* si affida a più rimedi, assunti contemporaneamente o alternati, ed è più vicina a una visione organicista dell'essere umano, secondo la quale un unico rimedio non può rappresentare l'individuo nella sua totalità. Ogni rimedio copre un certo gruppo di sintomi.

La *scuola complessista* impiega preparati omeopatici costituiti da più rimedi in diluizioni varie e farmaci di altro tipo: gemme, aromi, estratti di organi animali. La medicina antroposofica rientra in questa scuola.

Antroposofia: la scienza dell'uomo

Con l'aiuto di diversi metodi terapeutici, l'antroposofia di Rudolf Steiner elimina la sofferenza ristabilendo l'equilibrio dinamico tra i sistemi che governano l'essere umano.

Rudolf Steiner e l'ampliamento dell'arte medica

Fondatore dell'antroposofia, Rudolf Steiner (1861-1925) dedicò la vita a riordinare le conoscenze mediche del suo tempo e ad ampliarle con rigore scientifico in nome del rispetto per l'uomo e per i suoi intimi legami con la natura che lo circonda. Filosofo, pensatore e pedagogista, diede vita alle scuole steineriane, i cui metodi di insegnamento ancora oggi sono considerati innovativi.

LETTERALMENTE "SCIENZA DELL'UOMO", l'antroposofia nasce alla fine del secolo scorso grazie agli studi ai quali fin da giovanissimo Rudolf Steiner, nato in Austria nel 1861, fu indirizzato dalle rivelazioni di un vecchio contadino e di un maestro spirituale. Segnato dalla saggezza istintiva, pietosa e profonda del primo e dagli insegnamenti del secondo, che lo spinse ad acquisire con lo studio una «mentalità scientifica materialista», Steiner pose le basi di una medicina moderna, rispettosa dell'uomo e della natura, caratterizzata da rigore scientifico e da forte spiritualità. Con la dottoressa olandese Ita Wegman, sua allieva e collaboratrice nella prima clinica antroposofica sorta ad Arlesheim, in Svizzera (sede oggi di un corso universitario di antroposofia), scrisse *Elementi fondamentali per un ampliamento dell'arte medica*, libro che riordina le teorie, le scoperte, le indicazioni terapeutiche, le annotazioni cliniche raccolte negli anni in un numero altissimo di conferenze e relazioni scientifiche.

Una filosofia della natura umana «È impossibile» diceva Steiner, «spiegare la coscienza solo in funzione di processi materiali», dei quali aveva tuttavia sommo rispetto. Per questo "costruì" un modello dell'essere umano costituito da quattro livelli ("corpo fisico", "corpo eterico", "corpo astrale" e "io") con precise corrispondenze nel regno della natura. Proprio tali corrispondenze indicano da quale mondo naturale (minerale, vegetale o animale) ricavare il rimedio adatto alla cura del disturbo specifico.

Il livello più basso è costituito dal corpo fisico, il più vicino alla terra (alla quale ritorna infatti quando si decompone) e ai minerali. Se il processo di malattia riguarda il corpo fisico, il rimedio verrà dal mondo minerale. Il secondo livello è costituito dal corpo eterico, quello delle forze formatrici, che riassume tutte le attività vitali, dalla nutrizione alla crescita, alla riproduzione, che l'uomo condivide con il mondo vegetale. Se la malattia colpisce il corpo eterico, il rimedio verrà pertanto dal mondo vegetale. Il terzo livello è costituito dal "principio psichico", il corpo astrale, che dà "animalità" ai livelli inferiori e immette l'uomo nel regno animale. Se è il corpo astrale ad essere affetto dalla malattia sarà dal mondo animale che si trarrà il rimedio. Ciò che però distingue l'uomo dai minerali, dai vegetali e dagli animali è il principio dell'"io", che mette l'essere umano in condizione di avere coscienza di se stesso e lo eleva al di sopra dei tre mondi della natura.

I primi due corpi corrispondono al sistema degli scambi e i secondi due, superiori, al sistema neurosensoriale. L'alternanza tra i due sistemi è regolata dal sistema ritmico, che controlla anche le funzioni di circolazione e respirazione.

Per quanto riguarda i rimedi vegetali, all'uomo tripartito corrisponde una pianta tripartita. I tre sistemi possono infatti essere messi in relazione, e fornire di conseguenza indicazioni per ricavare i rimedi adatti alla cura dei disturbi che affliggono ognuno di essi. Così: se il disturbo riguarda il sistema degli scambi si utilizzerà la radice, che è a contatto con le forze della terra (mondo minerale), se riguarda il sistema neurosensoriale si utilizzerà il fiore, che partecipa ai processi e alla vita degli animali (mondo animale), se riguarda il sistema ritmico si utilizzerà la foglia (forma tipica del mondo vegetale), che riunisce i poli opposti della radice e del fiore.

Il medico steineriano Nonostante la complessità dei concetti filosofici su cui si basa la teoria antroposofica, il modo di visitare di un medico steineriano è assai simile a quello di un coscienzioso medico di famiglia, con qualche domanda in più sulle abitudini di vita, compresi sonno, alimentazione e atteggiamenti. In Italia la medicina steineriana è relativamente diffusa tra i pediatri. Poiché le regole relative alla cura e all'alimentazione dei più piccoli sono piuttosto rigide e questo fatto può intimorire un genitore inesperto, è bene consultare prima della nascita un pediatra antroposofo, per verificare in che misura si è disposti, poi, a seguire precise norme igieniche e alimentari.

Le terapie antroposofiche Lo stato di salute corrisponde all'equilibrio dinamico tra i quattro "corpi". Se questo equilibrio si rompe, la malattia può diventare per l'individuo un'occasione per acquisire maggiore consapevolezza e responsabilità di sé e della propria evoluzione personale. La terapia deve dunque tenere presente che il processo morboso fa parte del destino individuale, che può comprendere anche vite precedenti o future. A seconda del "corpo" in cui si verifica lo squilibrio, il medico steineriano sceglie uno o più rimedi riuniti in uno stesso medicamento, spesso in dosi omeopatiche e preparati secondo complessi procedimenti, oppure rinvia il paziente a una terapia di altro genere: l'arte-terapia, la musicoterapia, il massaggio, l'euritmia.

L'euritmia L'euritmia è una particolare forma di lavoro sul corpo che si basa sull'integrazione di suoni, gesti e sentimenti. Fu messa a punto da Rudolf Steiner come logico completamento delle scoperte relative al rapporto tra l'armonia del movimento e l'armonia dei vari livelli dell'essere umano. L'uomo moderno riflette ancora, benché inconsciamente, ritmi e movimenti naturali, capaci di esprimere e di far vibrare ciò che lo attraversa in profondità. Se la salute è compromessa da ritmi di vita innaturali, questa particolare forma di ginnastica può aiutare a ritrovare l'equilibrio perduto e stimolare la forza vitale.

L'alimentazione biodinamica Da una visione tanto radicale delle corrispondenze tra uomo e natura non potevano che derivare una filosofia dell'ambiente e un metodo di coltivazione delle materie prime alimentari, detto "biodinamico", che tenessero conto di tali indicazioni pratiche. Solo una terra sana può produrre e mantenere individui sani. Solo un'umanità che abbia il massimo rispetto dell'ambiente può salvare la terra dai danni della "civilizzazione". I prodotti coltivati con il metodo biodinamico, conservati e preparati secondo le indicazioni dell'antroposofia, vengono attualmente commercializzati anche in Italia.

L'armonia di movimenti, forme e colori (che vediamo qui illustrata in un acquerello di scuola antroposofica) è secondo Steiner in rapporto con l'armonia della salute, cioè con la riscoperta dei ritmi naturali e profondi dell'uomo.

Il Goetheanum, un edificio progettato dallo stesso Steiner, è la sede, in Svizzera, della Società antroposofica, oggi diffusa in tutto il mondo. Scopo della società è quello di approfondire le ricerche nel campo della medicina, della pedagogia e della religione.

La terapia con i fiori di Bach

Preparati utilizzando alcune varietà di piante, i rimedi del dottor Edward Bach mirano a risolvere i conflitti interiori dai quali, secondo la teoria di questo studioso, dipendono le malattie.

Bach: la preparazione dei rimedi

Il dottor Edward Bach si serviva del calore e della luce del sole per preparare i suoi famosi rimedi floreali. Per certe piante poneva i fiori in bocce di vetro piene d'acqua di fonte e le esponeva alla luce del sole per tre ore. Alla fine di questo procedimento i fiori venivano eliminati e all'acqua veniva aggiunto alcol puro per non alterarla: questa soluzione, chiamata "tintura madre", veniva poi diluita prima di essere utilizzata.

«CURATE IL PAZIENTE E NON LA SUA MALATTIA» diceva Edward Bach (1886-1936), il medico inglese che inventò una terapia naturale a base di fiori. A dispetto delle sue specializzazioni in batteriologia e patologia, Bach si trovò in conflitto con l'uso sintomatico dei farmaci fatto dalla medicina ortodossa. Abbracciò così l'omeopatia, un metodo terapeutico alternativo nel quale il medico tiene conto della personalità e dello stile di vita del paziente prima di stabilire il trattamento.

Un sesto senso Dopo aver lavorato per molti anni come omeopata in un ospedale di Londra, Bach decise di abbandonare l'omeopatia e di seguire il suo interesse per i rimedi a base di piante. Convinto che le emozioni negative predisponessero l'individuo alla malattia e ne impedissero la guarigione, suppose che certi fiori potessero incoraggiare una visione più positiva della vita e annullare i sentimenti negativi che inibiscono la capacità di autoguarigione del corpo. All'inizio del 1930 lasciò Londra e si stabilì in una zona rurale del Galles, dove incominciò a studiare i fiori selvatici locali.

Mettendo da parte il suo sapere scientifico, Bach vagò per la campagna dell'Inghilterra e del Galles lasciandosi guidare solo dall'intuito. Se era preoccupato, spaventato, o se soffriva per altri sentimenti negativi, si avvicinava a diverse piante, cercando di scoprire, soffermandosi accanto ad esse, da quali fosse più attratto e quali alleviassero maggiormente il suo disagio.

Le emozioni negative Nel tempo, Bach individuò trentotto piante curative, corrispondenti, ciascuna, a trentotto emozioni negative. In seguito, classificò queste emozioni in sette gruppi, rappresentanti, ciascuno, sette stati mentali che, secondo la sua teoria, potevano concausare la malattia o interferire con la guarigione: paura, incertezza (insicurezza), apatia, solitudine, ipersensibilità, disperazione, cura eccessiva degli altri.

Non si sa ancora in che modo piante comuni possano vanificare emozioni quali l'invidia, la paura, la rabbia e l'ansia: Bach compì ricerche estese su questi temi, ma non riuscì a convincere molti colleghi. Nonostante ciò, in tutto il mondo pazienti entusiasti usano i suoi rimedi da oltre mezzo secolo, convinti della loro efficacia.

I rimedi Forse ciò che attrae maggiormente della teoria di Bach è l'interesse sincero per gli aspetti emotivi. I rimedi di Bach vengono ancora oggi preparati secondo le ricette originali e utilizzando le stesse specie di fiori, erbe e piante che in gran parte crescono solo in Gran Bretagna. Sono acquistabili ovunque, anche in Italia, senza bisogno di prescrizione, nelle farmacie omeopatiche, nelle erboristerie e in molti negozi di alimenti naturali. Sono efficaci sia assunti singolarmente sia mescolati per ottenere una soluzione personalizzata: l'importante è ricordare di non usare più di sei fiori per volta. In ogni caso, danno i migliori risultati se diluiti.

Il procedimento di diluizione o per la preparazione della soluzione personalizzata è semplice: dopo essersi procurati una boccetta di vetro scuro munita di tappo salva-gocce e averla sterilizzata, la si riempie per tre quarti di acqua pura; si aggiungono quindi due gocce del rimedio o dei rimedi selezionati, acquistati non diluiti, e si colma con alcol puro, non denaturato. Si agita quindi bene la soluzione ottenuta e se ne assumono quattro gocce quattro volte il giorno, a stomaco vuoto.

Perché la terapia abbia successo sono solitamente necessarie da una a dodici settimane di trattamento, anche se disturbi lievi possono essere risolti molto più velocemente.

La scelta del fiore deve essere basata sulla classificazione fatta da Bach delle emozioni negative e dei relativi rimedi (*vedi* la tabella alle pagine seguenti). Il giusto rimedio trasforma l'emozione negativa nel suo corrispettivo positivo, facendo risorgere nell'animo gioia, fiducia in se stessi e coraggio.

Tendenze attuali Bach nutriva una totale sfiducia nei riguardi della scienza, e quest'ultima deve ora prendere atto di alcune sue intuizioni sulla natura delle malattie. Negli ultimi anni è stato verificato che le emozioni influenzano il nostro benessere fisico, rafforzando le risposte immunitarie quando ci sentiamo bene e rendendoci più vulnerabili nei confronti delle malattie quando siamo depressi, stressati o in ansia. Alcuni scienziati di psiconeuroimmunologia hanno incominciato a tracciare le complesse funzioni ormonali, neurologiche e immunologiche che legano emozioni e salute (*vedi* più avanti il capitolo "La mente e la salute").

In queste nuove scoperte non possono non risuonare le parole di Bach, che scriveva: «Dietro ogni malattia ci sono le nostre paure, le nostre ansie, la nostra avidità, quello che ci piace e quello che non ci piace. Ricerchiamo e curiamo questi sentimenti, e se ne andrà anche la malattia di cui soffriamo».

I fiori californiani Individuati a partire dalla fine degli anni Settanta, sono ritenuti una moderna integrazione dei fiori di Bach. Sono infatti indicati soprattutto per il trattamento specifico di quei disturbi psicologici dovuti alla vita moderna: stress "metropolitano", ansie da lavoro, difficoltà di accettazione del proprio corpo. In questo momento sono 72 i fiori californiani in commercio, ma altri 24 sono in fase di sperimentazione.

I fiori selvatici crescono in grande quantità intorno alla casa del dottor Bach, nel villaggio di Sotwell, nell'Oxfordshire, in Gran Bretagna. Dopo la sua morte la residenza è stata trasformata in un centro, il Bach Center, dove si preparano i rimedi, si pubblicano testi e si organizzano seminari sulla floriterapia.

Questa tabella riporta alcuni esempi di cure con i fiori di Bach. I rimedi individuati da Bach sono 38 e vengono commercializzati in tutto il mondo con lo stesso numero e lo stesso nome inglese. A questi si aggiunge il Rescue Remedy, il rimedio del pronto soccorso, che non ha numero ed è una combinazione di Clematis, Cherry Plum, Star of Bethlehem, Rock Rose e Impatiens. Viene utilizzato per superare un trauma.

Paura

2 Aspen (pioppo tremulo): paure vaghe, di tutto ciò che è ignoto; angoscia, panico.

6 Cherry Plum (mirabolano): paura di perdere il controllo.

20 Mimulus (mimolo giallo): paure di origine conosciuta, timidezza. Stimola il coraggio, la sottomissione, la resistenza.

25 Red Chestnut (ippocastano rosso): paura e preoccupazione eccessiva per i propri cari.

26 Rock Rose (eliantemo): terrore, panico; coinvolgimento e abbandono totali.

Incertezza, insicurezza

5 Cerato (cerato): sfiducia in se stessi, nel proprio giudizio, e tendenza a cercare il consiglio degli altri.

12 Gentian (genzianella autunnale): scoraggiamento e delusioni che inducono depressione. Stimola all'ottimismo e alla perseveranza.

13 Gorse (ginestrone): disperazione.

17 Hornbean (carpino bianco): insicurezza, stanchezza mentale che si ripercuote sul fisico.

28 Scleranthus (centigrani, fiorsecco): indecisione, instabilità, repentini sbalzi di umore; mal di mare.

Apatia

7 Chestnut Bud (boccioli d'ippocastano): ripetizione degli stessi errori, superficialità.

9 Clematis (vitalba): distrazione, fuga nella fantasia, mancanza d'interesse per il presente.

16 Honeysuckle (caprifoglio): difficoltà ad accettare i cambiamenti, nostalgia del passato, sofferenza per la perdita di una persona o di un oggetto amato.

23 Olive (ulivo): esaurimento fisico e mentale intenso.

35 White Chestnut (ippocastano bianco): logorante dialogo interiore, preoccupazione.

Solitudine

14 Heather (brentolo, erica): egocentrismo, terrore della solitudine, loquacità, incapacità di star bene con se stessi.

18 Impatiens (non-mitoccare): impazienza, tensione, instabilità, tendenza agli incidenti, rifiuto di ogni legame.

34 Water Violet (violetta d'acqua): solitudine volutamente cercata, orgoglio, senso di superiorità, difficoltà a entrare in relazione con gli altri e a esprimere i sentimenti.

30 Sweet Chestnut (castagno dolce): disperazione, senso di vuoto, solitudine profonda, esistenziale, totale impotenza, sensazione di essere "tagliati fuori".

Ipersensibilità

1 Agrimony (agrimonia): tormento interiore, paura della solitudine; orrore per i litigi, i conflitti, le competizioni.

4 Centaury (cacciafebbre): sottomissione, ansia eccessiva di piacere agli altri, collera e depressione represse.

15 Holly (agrifoglio): collera, rancore, gelosia, invidia, sospetto, disamore di sé.

33 Walnut (noce): ipersensibilità alle influenze esterne, ai cambiamenti e al giudizio degli altri.

Disperazione

10 Crab Apple (melo ornamentale): senso di sporco, vergogna.

11 Elm (olmo inglese): sfinimento; sensazione di non essere all'altezza del proprio compito, di essere sopraffatti dalle responsabilità.

19 Larch (larice): paura di fallire, senso d'inferiorità.

21 Mustard (senape selvatica): tristezza profonda e inspiegabile, scoraggiamento improvviso per cause sconosciute.

22 Oak (quercia): eccessivo accanimento nel lavoro e nel compimento del proprio dovere.

Cura eccessiva degli altri

3 Beech (faggio): eccesso di senso critico, intolleranza.

8 Chicory (cicoria selvatica): possessività, invadenza; carenze affettive; tendenza a manipolare e controllare gli altri.

27 Rock Water (acqua di roccia; unico rimedio non floreale): rigidità e tendenza all'eccessivo coinvolgimento.

31 Vervain (verbena): entusiasmo eccessivo, fanatismo.

32 Vine (vite): volontà di dominio, ambizione esagerata; bisogno eccessivo di controllo.

Il corpo, un tutto unico

Utilizzando una serie di tecniche manuali, gli osteopati si affidano alla delicatezza del tocco e alla manipolazione, oltre che a procedure mediche standardizzate, per la diagnosi e la terapia di molti disturbi.

Il padre fondatore dell'osteopatia

Andrew Taylor Still (1828-1917), medico nella guerra di Secessione americana, aprì la prima scuola di osteopatia a Kirksville, nel Missouri, nel 1892. Convinto di aver scoperto il vero segreto della salute e della malattia, Still mise per iscritto che scopo della sua scuola era «... migliorare lo stato attuale della chirurgia, dell'ostetricia e in generale della cura delle malattie...».

CIÒ CHE DISTINGUE L'OSTEOPATA dal medico comune è il suo approccio al corpo umano: il medico convenzionale è abituato a pensare al corpo umano come a un certo numero di apparati riuniti in un'unica struttura; l'osteopata vede invece il corpo come un tutto unico, collegato, nel quale ogni organo e ogni apparato sono costantemente in contatto. Il corpo e il cervello collaborano in ogni momento per mantenere una struttura e un funzionamento corretti. La salute quindi è soprattutto una questione di equilibrio: se questo viene a mancare in una qualsiasi parte del corpo, tutti gli altri sistemi e organi possono risentirne.

Il concetto di autoguarigione L'osteopata crede nella grande capacità del corpo umano di conservare e recuperare il suo stato di salute (filosofia condivisa da molti metodi terapeutici non convenzionali), anche se talvolta può avere bisogno di qualche aiuto. Benché a conoscenza anche delle tecniche convenzionali, gli osteopati si servono di una serie di tecniche manuali per la diagnosi e la cura di molti problemi medici, dall'asma all'angina. Focalizzando la loro attenzione sull'apparato neurologico e muscoloscheletrico (ossa, muscoli, tendini, tessuti, nervi, colonna vertebrale, midollo spinale e cervello), che costituiscono circa il 60% della massa corporea, valutano i pazienti sulla base di una combinazione di tecniche manuali che vanno dalla palpazione alla manipolazione.

Ma al di là della semplice eliminazione dei sintomi, gli osteopati si preoccupano soprattutto di individuare a che cosa sia dovuto lo squilibrio. Ritengono, infatti, che, una volta diagnosticate e curate le vere cause, il corpo sia in grado di riacquistare da solo la salute o di rispondere a terapie appropriate. Un paziente che soffre di mal di schiena e di mal di testa, per esempio, può essere curato con una manipolazione, con un analgesico, con esercizi di rilassamento. Se però la causa dei sintomi fosse un'ulcera, è logico che qualunque intervento avrebbe solo un effetto palliativo temporaneo. Così, benché l'osteopata cerchi sempre di alleviare la sofferenza del paziente, nel contempo si preoccupa anche di determinare la radice del problema e di trovare un rimedio adeguato.

Origini L'osteopatia nacque alla fine del XIX secolo per opera di Andrew Taylor Still, un medico itinerante americano con una preparazione di tipo convenzionale. Dopo aver perso tre figli a causa della meningite, Still cominciò a mettere in dubbio l'efficacia della medicina ortodossa, al tempo basata su un uso casuale di medicine discutibili, su interventi chirurgici pericolosi e poco altro.

Still era certo che il corpo umano possedesse un'innata capacità di recupero, filosofia condivisa da Ippocrate, il medico e scienziato considerato il padre della medicina occidentale. Nella ricerca di alternative, Still si concentrò sui metodi che il medico aveva a disposizione per sostenere il meccanismo interno di autodifesa del corpo.

Nel tempo, Still si convinse che salute e malattia dipendevano in gran parte da un corretto equilibrio della struttura corporea e dal perfetto funzionamento meccanico delle sue parti. A partire da questo principio formulò, nel 1874, i principi di una nuova scienza medica che infine chiamò "osteopatia", dai termini greci *ostéon* (osso) e *pátheia* (sofferenza o malattia). Senza dimenticare la preparazione medica ricevuta, Still studiò soprattutto come una disfunzione biomeccanica fosse in grado di provocare la malattia.

Nel 1892 Still aprì la prima scuola di osteopatia nel Missouri e nel 1897 fondò l'American Osteopathic Association (Associazione americana di osteopatia), per promuovere la professione e sorvegliarne gli sviluppi. Ma ci vollero molti anni prima che negli Stati Uniti l'osteopatia venisse riconosciuta come una pratica sanitaria credibile. Negando le teorie e i successi di Still, la comunità medica ortodossa americana sostenne che le scuole di osteopatia non garantivano un livello di preparazione pari a quello di altre scuole mediche, ma, alla fine degli anni Trenta, il livello di istruzione subì i necessari adeguamenti e tutti gli Stati riconobbero gli attestati rilasciati. Oggi molti osteopati americani sostengono di essere meglio attrezzati per la terapia di molti disturbi rispetto ai medici comuni, in quanto, oltre che degli strumenti convenzionali, dispongono di una grande tecnica manuale di diagnosi e di cura.

L'osteopatia moderna I metodi di Still sono sopravvissuti, si sono evoluti e sono ora diffusi in tutto il mondo. Se numerosi osteopati si sono avvicinati ai loro colleghi ortodossi, molti di questi ultimi hanno dovuto prendere atto dei principi dell'osteopatia. Un osteopata specializzato in tecniche di manipolazione, per esempio, cura molti pazienti inviati da ortopedici e da altri specialisti, oltre a lavorare con persone ricoverate in ospedale all'interno dei programmi di riabilitazione per

Le mani dell'osteopata sono il suo più prezioso strumento diagnostico e terapeutico. Non solo permettono di determinare la natura del problema del paziente, ma forniscono informazioni sul modo migliore di trattarlo. Nella foto, un osteopata manipola delicatamente il collo irrigidito di un paziente per ripristinarne la funzionalità. Perché il risultato sia duraturo possono essere necessari più di un trattamento e qualche modifica delle abitudini del paziente, secondo i suggerimenti dell'osteopata.

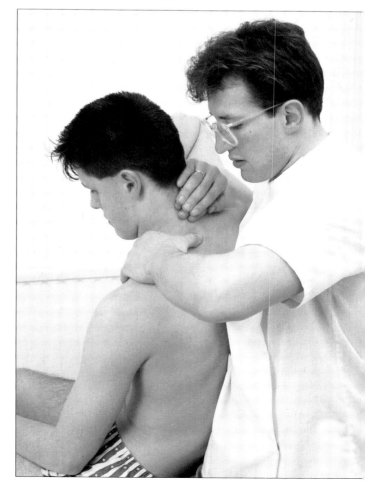

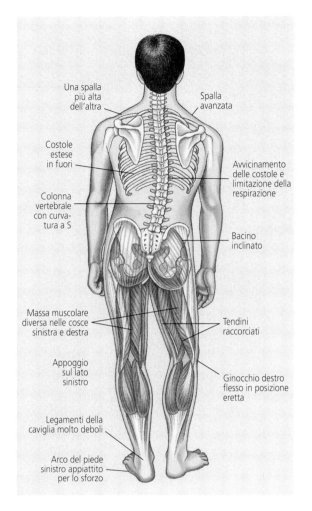

Una spalla
più alta
dell'altra

Spalla
avanzata

Costole
estese
in fuori

Avvicinamento
delle costole e
limitazione della
respirazione

Colonna
vertebrale
con curva-
tura a S

Bacino
inclinato

Massa muscolare
diversa nelle cosce
sinistra e destra

Tendini
raccorciati

Appoggio
sul lato
sinistro

Ginocchio destro
flesso in posizione
eretta

Legamenti della
caviglia molto deboli

Arco del piede
sinistro appiattito
per lo sforzo

*L'attento esame della struttura
è una parte fondamentale della
visita osteopatica. Questo disegno
sottolinea alcuni problemi
abbastanza evidenti, sia ereditari
sia dovuti a cattive abitudini.
Per tracciare il profilo fisico
del paziente, l'osteopata tiene
conto di fattori quali l'assetto
posturale in posizione eretta,
l'inclinazione del bacino
e la presenza di piedi piatti.*

chi ha subìto interventi chirurgici o superato un infarto.

Così come Still credeva nella cura della persona intera, riconoscendo la componente emotiva anche di un disturbo fisico, molti medici ortodossi cominciano oggi ad ammettere che lo stress e altri problemi psicologici possono avere una profonda influenza sulla salute e sulla terapia.

Gli osteopati non rifiutano l'esistenza dei germi patogeni, semplicemente credono che la persona sana sia meno soggetta alle infezioni di quella che mangia in modo disordinato o inadeguato, ha una postura scorretta ed è notevolmente sottoposta allo stress. Mentre la scienza medica va scoprendo il delicato intreccio esistente tra il corpo, la mente e il sistema immunitario, le teorie di Still appaiono via via sempre più sensate.

Oggi esistono grosse differenze tra osteopata e osteopata. Alcuni praticano la medicina convenzionale e non si distinguono dai medici comuni. Altri praticano la medicina ortodossa, ma con un approccio più olistico (cioè "globale", rivolto all'intera persona intesa come un insieme di corpo, mente e spirito) e combinano misure profilattiche come l'esercizio fisico e la dietetica con il lavoro di manipolazione. In Italia è assai diffusa l'osteopatia pura o "classica", che si affida alle cure farmacologiche e alla chirurgia solamente nei casi in cui sono inevitabili.

Certi osteopati della scuola "classica" si riferiscono ai problemi strutturali che sono alla base di diversi disturbi con il termine di "lesioni osteopatiche", coniato da Still. Ma con l'evoluzione della pratica osteopatica altri hanno ampliato le loro idee e si sono concentrati più sul corpo intero. Secondo questi ultimi si tende ad attribuire troppa importanza ai problemi di natura meccanica (a scapito di tutti gli altri) e all'apparato muscoloscheletrico e si minimizza la complessa interazione di corpo e mente necessaria per la salute e la guarigione.

Che cosa aspettarsi I pazienti che si rivolgono a un osteopata si sorprendono innanzi tutto del lungo tempo che questi dedica loro a ogni visita. In aggiunta alle domande di routine sulle condizioni generali di salute, molti osteopati si soffermano infatti su questioni relative allo stile di vita (esercizio fisico, alimentazione, lavoro, famiglia, stress e così via), oltre a procedere a una visita accurata.

Durante la visita, l'osteopata prende nota della postura del paziente e osserva come cammina, come si siede, come tiene la testa. In più ricerca eventuali disparità nella lunghezza delle gambe, nell'altezza delle spalle e anomalie nella curvatura della colonna, tutti elementi che possono influire sulla salute del paziente. Tasta con delicatezza il corpo del paziente seguendo una tecnica diagnostica manuale che consente di individuare eventuali sensibilità, rigidità muscolari, gonfiori, infiammazioni e blocchi articolari. Se lo ritiene necessario, può richiedere analisi chimiche, come l'esame del sangue, delle urine o una radiografia.

Se il paziente presenta un disturbo particolare, per esempio un dolore nella regione lombare, l'osteopata interviene con un massaggio dei tessuti molli e una manipolazione della colonna vertebrale al fine di ripristinare la struttura corretta e la funzionalità di tutte le parti mobili. Se necessario, ricorre anche a manipolazioni più intense dei tessuti articolari con una tecnica detta "spinta ad alta velocità".

In più può servirsi di tecniche "funzionali" (o indirette), che non richiedono la collaborazione del paziente e hanno lo scopo di migliorare la mobilità di un'articolazione, restituendone il controllo al sistema nervoso. Talvolta può impiegare un insieme di tecniche di rilassamento, come meditazione ed esercizi di respirazione.

Per aiutare il paziente a mantenere la mobilità articolare e l'elasticità muscolare, l'osteopata può infine prescrivere esercizi di *stretching* e potenziamento da fare a casa.

Altri suggerimenti dell'osteopata possono riguardare la gestione dello stress e alcune modifiche all'ambiente domestico o di lavoro perché risultino più funzionali, come una diversa collocazione del telefono, della scrivania, del computer o della sedia.

I dolori di tutto l'apparato muscoloscheletrico rispondono bene al trattamento osteopatico, utile anche nella terapia di molti altri disturbi, dall'indigestione alle difficoltà di respirazione (come l'asma, la bronchite e l'enfisema), dai problemi di circolazione alle emicranie, dalla sinusite ai ritardi mentali.

Gli osteopati sostengono l'efficacia delle loro manipolazioni anche contro le malattie infettive. Dopo aver prescritto l'antibiotico adatto, certi osteopati

Chinesiologia: l'equilibrio globale

La chinesiologia applicata, messa a punto dall'americano George Goodhart, è una tecnica diagnostica e terapeutica basata su una serie di test muscolari e di leggere manipolazioni. La sua forma semplificata, il *Touch for health* (Tocco per la salute) è perfettamente praticabile anche da non professionisti che, con l'aiuto di un buon manuale, possono individuare e correggere squilibri presenti nei muscoli e in altre strutture corporee. Alla base della chinesiologia vi è il concetto che il benessere viene dall'interno: una buona postura e un corretto rapporto tra le parti del corpo sono sinonimi di buona salute.
La valutazione di diversi gruppi muscolari e l'analisi della postura forniscono un quadro abbastanza preciso del grado di equilibrio dell'organismo. Quando il chinesiologo identifica un disturbo, che può essere fisico, psicologico, biochimico o energetico, interviene praticando un leggero massaggio con i polpastrelli su determinati punti che, per riflesso, riescono a modificare il tono di certi muscoli. Partendo dall'assunto che a un muscolo eccessivamente teso corrisponde un muscolo indebolito, l'intervento si concentrerà sul rilassamento del primo e sulla tonificazione del secondo, per riportare l'equilibrio.
Oltre a curare disturbi minori, la chinesiologia è ampiamente utilizzata nella prevenzione. Molti medici, omeopati, agopuntori se ne servono come sostegno a trattamenti specifici e i dentisti più attenti la usano per valutare la precisione dei loro interventi.

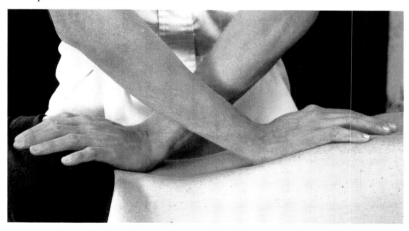

Chi soffre di mal di schiena cerca spesso sollievo *nell'osteopatia. Dopo aver valutato le condizioni del paziente, l'osteopata applica una pressione moderata alla schiena in modo da stirarne delicatamente i tessuti, rilassarne i muscoli dolenti e, nel tempo, restituire mobilità alla parte.*

usano particolari tecniche di manipolazione intese a sollecitare la circolazione e le risposte immunitarie. Tali tecniche promuoverebbero la circolazione della linfa, il fluido corporeo che trasporta gli antigeni e che quindi stimolerebbe la produzione di anticorpi, e di conseguenza le difese contro l'infezione.

Osteopatia cranica Questa particolare tecnica diagnostica e terapeutica si basa sugli spostamenti lievissimi consentiti dalle ossa craniche, dal cervello e dal liquido cerebrospinale che scorre intorno ad esso e lungo la colonna vertebrale. Il primo a usarla fu William Garner Sutherland, un allievo di Still. Suther-

"Caso clinico"

UNA PROSPETTIVA PIÙ AMPIA

La protagonista di questo caso clinico soffriva di un forte dolore alla spalla, ma, durante una visita medica, il suo osteopata fece una scoperta sorprendente. Questo caso evidenzia l'importanza di un completo esame fisico per la correttezza della diagnosi.

Spesso gli osteopati sono l'ultima spiaggia: vedono in continuazione pazienti con dolori cronici contro i quali nessun trattamento convenzionale ha avuto successo. Per qualsiasi medico il dolore rappresenta una sfida, in quanto nasconde sempre altri problemi; ma le mani di un osteopata sono strumenti sensibili, allenati a scoprire il problema che si nasconde sotto ogni disturbo. Ecco il racconto di S. J. Weiss, un osteopata specializzato nella terapia del dolore.

«Paula M. mi fu inviata dal suo internista. Era una manager di trentasette anni che da diverse settimane accusava un forte dolore alla spalla destra, iniziato mentre si trovava in vacanza ai tropici. Il suo internista l'aveva già inviata da un ortopedico, che le aveva fatto una serie di iniezioni senza alcun effetto. Il mio primo esame mise in luce una situazione di spasmo e di infiammazione, non solo nella spalla destra ma in tutta la parte alta della schiena, nel collo e nel torace. Anche una delicata palpazione risultava dolorosa in queste aree: tutto il corpo sembrava infiammato.

«L'esame dell'articolazione della spalla destra evidenziò una generale restrizione dei movimenti, che risultavano dolorosi, ma nessuna lesione specifica. L'esame della gabbia toracica e dei tessuti circostanti rivelò uno spasmo importante del diaframma e una generale rigidità con costrizione di tutto il torace e della gabbia toracica a ogni respiro. Infine, l'esame dell'addome evidenziò un fegato ingrossato ed estremamente sensibile che, alla palpazione, produceva il forte dolore alla spalla destra.

«In base all'esame fisico e alle caratteristiche del dolore cominciai a sospettare che il problema non avesse niente a che fare con il disturbo muscoloscheletrico della spalla: piuttosto, sembrava una malattia degli organi interni e in particolare del fegato e degli intestini. Rimandai la paziente dal suo internista per un controllo medico completo, con particolare attenzione al fegato. Una volta completati gli esami, risultò che la paziente aveva contratto un'infezione parassitaria che aveva attaccato il fegato e cominciato a produrre un ascesso. Paula fu curata dal medico per l'infezione e in breve il dolore alla spalla diminuì. Tornò da me perché persistevano la rigidità e il disagio. Una volta curata l'infezione, il suo corpo era in grado di rispondere al trattamento osteopatico mediante delicate manipolazioni, che eliminarono completamente il dolore e la rigidità della spalla, della schiena e del torace».

land teorizzò che, se le ossa del cranio non erano fuse, i loro spostamenti potevano influire sulla pressione del liquido cerebrospinale, determinando problemi gravi e anche estesi al resto del corpo.

A praticare l'osteopatia cranica sono medici specialisti che usano raffinate tecniche manuali per individuare e trattare i disturbi causati dai minimi spostamenti delle ossa del cranio. Chi la pratica ritiene sia particolarmente efficace contro le otiti dei bambini.

Contro il logorio quotidiano Dal mal di piedi al torcicollo, tutti i giorni capita di avere qualche disturbo che, finché non diventa intollerabile, si accetta come naturale conseguenza del passare del tempo. Si tratta magari di un disagio dovuto a un trauma, a uno stress o anche solo alla forza di gravità.

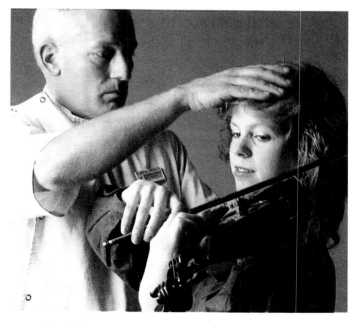

Per l'osteopata un dolore cronico non è mai normale né inevitabile. Qualche volta è il risultato di un atteggiamento posturale scorretto che, poco alla volta, ha interferito con il naturale allineamento del corpo. Quale che sia la causa del disagio, il risultato è un logorio dei sistemi neurologico e muscoloscheletrico che, se non viene curato, può dar luogo ad altri problemi.

Spesso i violinisti soffrono di contrazioni croniche dei muscoli del collo a causa della posizione e dell'impegno richiesti per l'esecuzione. Preoccupazione dell'osteopata è appunto tener conto di ogni singolo aspetto della vita del paziente, per scegliere la strategia di trattamento più adatta.

Il corpo del paziente è lo specchio fedele delle sue attività professionali e ricreative. L'impiegata che passa ore al telefono ha quasi sempre problemi di collo e spalle, mentre chi passa ore sulla macchina da scrivere o al computer tende a lamentare dolori e intorpidimenti alle braccia e ai polsi. La cura osteopatica dà spesso un sollievo immediato, ma il successo della terapia dipende anche dalla collaborazione del paziente.

Qualunque sia lo sport praticato, per agonismo o per divertimento, è frequente che provochi traumi, spesso dovuti a una pratica scorretta. E anche se in genere si pensa che lesioni come le slogature alle caviglie siano per lo più accidentali, gli osteopati argomentano che potrebbero dipendere proprio da problemi strutturali, come la diversa lunghezza degli arti, o da anni di uso scorretto. Per esempio, un corridore che abbia un problema a un piede soffrirà quasi sicuramente di stiramenti del polpaccio. Per compensare il fastidio cambierà il suo passo solo per scoprire che il dolore passa all'anca. In casi di questo tipo un osteopata lavora innanzi tutto sul tessuto danneggiato, poi passa ad analizzare i problemi meccanici che l'hanno provocato, valutando la lunghezza delle gambe e altri fattori, e infine mette a punto una strategia di cura destinata a prevenire future ricadute.

Salutari aggiustamenti

Spinto dal desiderio di trovare una causa unica per tutte le malattie,
Daniel David Palmer creò un sistema basato sulla manipolazione vertebrale.
Un secolo più tardi, la chiropratica elimina o allevia dolori di varia natura.

Il padre fondatore della chiropratica

In cerca di una forma di terapia che potesse curare ogni tipo di malattia, Daniel David Palmer (1845-1913) sviluppò la teoria alla base della chiropratica, che consiste nella manipolazione delle vertebre. Suo figlio Bartlett Joshua Palmer, medico e uomo d'affari, riorganizzò la scuola di chiropratica fondata da suo padre a Davenport, nello stato americano dello Iowa. Oggi la chiropratica è una terapia diffusa in tutto il mondo.

LA CHIROPRATICA, nome derivato dai termini greci *kheír* e *praktikós*, che significano "eseguito con le mani", fu ideata dall'americano Daniel David Palmer nell'ultimo decennio del XIX secolo. Guaritore senza qualifiche, Palmer aprì uno studio a Davenport, nello Iowa, dove curava i pazienti con l'imposizione delle mani. Il suo obiettivo era trovare una cura per tutte le malattie che non facesse uso di medicinali, a quei tempi piuttosto pericolosi. Imparò tutto ciò che poté sulla struttura della colonna vertebrale e sulla pratica antichissima della manipolazione.

Nel 1895 avvenne un fatto decisivo per la carriera di Palmer. Harvey Lillard, un sorvegliante che aveva perso l'udito molti anni prima, gli riferì di essere diventato sordo quasi improvvisamente quando, facendo un lavoro pesante piegato in avanti, aveva sentito uno scricchiolio. Ricordava ancora di aver sentito qualcosa nella schiena e di aver perso improvvisamente l'udito. Esaminando l'uomo, Palmer scoprì una sporgenza nella schiena, che attribuì a un'ernia del disco. Applicò una pressione decisa sulla vertebra dorsale corrispondente, che tornò al suo posto; in breve Lillard recuperò completamente l'udito. In un secondo caso, Palmer dimostrò di poter aiutare un paziente che soffriva di cuore con la manipolazione vertebrale. Sulla base di questi due casi si convinse che la maggior parte delle malattie era il risultato di un imperfetto allineamento della colonna vertebrale.

La manipolazione vertebrale In breve tempo molta altra gente andò a chiedere di essere curata nello stesso modo. Nel frattempo Palmer raffinò la sua teoria e stabilì che lo spostamento di una vertebra, se comportava la compressione di un nervo, poteva provocare una malattia, in quanto intralciava la trasmissione di energia dal cervello al resto del corpo e creava un'interferenza nei normali impulsi nervosi. Palmer chiamò queste interferenze "sublussazioni" e sostenne che, per curare le malattie e ristabilire un corretto funzionamento degli organi, dei muscoli, delle articolazioni e dei legamenti, occorreva rimuoverle con adeguate manipolazioni: libero da blocchi, il corpo poteva di nuovo esercitare le sue capacità di recupero.

Un "aggiustamento" (o manipolazione) implica il riallineamento delle vertebre, in modo da riportarle alla loro posizione normale. In alcuni casi si pratica anche la manipolazione della testa e delle estremità (gomiti, ginocchia, caviglie). Benché siano stati messi a punto strumenti meccanici, la maggior parte delle manipolazioni è eseguita manualmente.

Come un qualsiasi medico, il chiropratico interroga il pa-

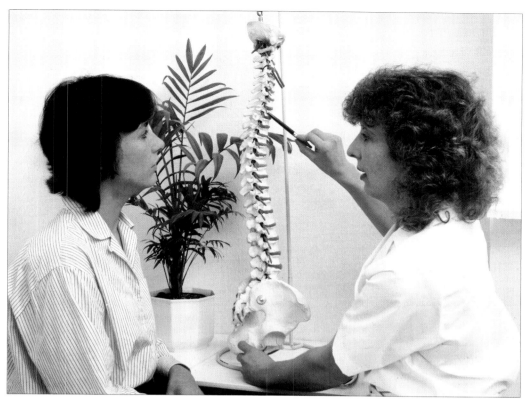

La manipolazione vertebrale è assai efficace contro il mal di schiena. Nella foto,
a una paziente viene illustrata la struttura della colonna vertebrale, le cui ossa (le vertebre)
si estendono dal coccige alla base del cranio; tra vertebra e vertebra sono frapposti dischi
di cartilagine, che ammortizzano gli urti e le sollecitazioni cui è soggetta la colonna.

ziente sulla sua storia clinica e lo visita. Molti chiropratici moderni si servono del computer per individuare problemi associati al "complesso delle sublussazioni vertebrali". Con le macchine, con il tatto e con l'analisi visiva, il chiropratico arriva a determinare la natura del problema del paziente, ponendo particolare attenzione all'esistenza di tensioni e debolezze muscolari, alla mobilità della colonna, alla presenza di anomalie strutturali e alla scorrettezza dell'assetto posturale. In alcuni casi può valutare l'attività elettrica dei nervi e dei muscoli. Nelle visite successive queste osservazioni possono essere utilizzate per documentare i progressi del paziente. Dopo la visita è frequente che venga richiesta una radiografia della colonna vertebrale per localizzare errori di allineamento e zone di tensione, ma anche per escludere patologie gravi, quali tumori ossei o fratture, che richiederebbero l'intervento di altri specialisti.

Alcuni medici ortodossi sostengono che i chiropratici fanno un eccessivo ricorso alla radiografia per la diagnosi, ma questi rispondono che i nuovi strumenti forniscono una protezione adeguata nei confronti delle radiazioni.

Le manipolazioni sono il principale strumento di cura dei chiropratici. Le tecniche di manipolazione consistono in rapidi colpi alle vertebre e nella cosiddetta "spinta in torsione". Nel primo caso, il paziente è disteso prono su un particolare lettino di-

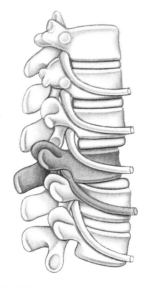

L'allineamento imperfetto
di una vertebra, come quella
che nel disegno appare più scura,
può determinare la compressione
di un nervo con conseguente
dolore. I chiropratici definiscono
questa situazione "sublussazione"
e la curano con apposite
manipolazioni.

viso in sezioni che si abbassano leggermente quando viene esercitata la pressione: il chiropratico preme una mano sulla colonna vertebrale e assesta un rapido e calcolato colpo alla vertebra.

Nella "spinta in torsione", il paziente è disteso sul fianco, con la parte superiore del corpo ruotata in un senso e il bacino in un altro: il chiropratico assesta un rapidissimo colpo alla vertebra, portando l'articolazione leggermente oltre il normale raggio di torsione; la forza della spinta è caratteristica di chi la applica.

Due tipi di chiropratici Oggi i chiropratici sono classificabili in due categorie: quelli "puri", che seguono rigidamente la filosofia di Daniel D. Palmer localizzando ed eliminando le sublussazioni mediante manipolazioni, e quelli "misti", cioè medici che combinano la manipolazione vertebrale con altre tecniche terapeutiche. La maggioranza dei chiropratici moderni rientra nella seconda categoria e in genere non disdegna l'uso delle nuove tecnologie e l'accesso a metodi scientifici di localizzazione ed eliminazione delle sublussazioni.

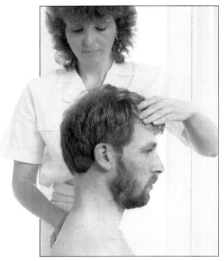
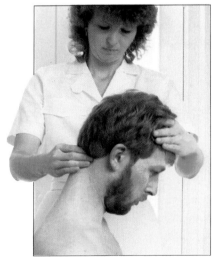

La visita comincia con un esame della mobilità vertebrale. Partendo da una posizione neutra il paziente inclina la testa in avanti e all'indietro, quindi la fa ruotare prima in una direzione poi nell'altra, e il chiropratico ne segue i movimenti con le mani. Prima di decidere come intervenire, il terapeuta valuta la dinamica dei movimenti della colonna vertebrale. (Per manipolazioni della schiena il paziente viene fatto stendere su un particolare lettino.)

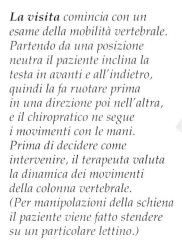
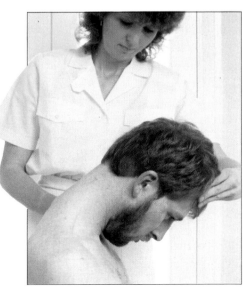

Una terapia dalla testa ai piedi Chi si rivolge a un chiropratico lo fa in genere perché ha mal di schiena, ma la terapia funziona anche contro l'emicrania e altre forme di cefalea (spesso collegate a problemi delle vertebre cervicali), contro la sciatica, il gomito del tennista, i dolori delle spalle, delle gambe e dei piedi, delle braccia e dei polsi.

Alcuni pazienti trovano che questa tecnica sia utile anche contro le allergie, l'asma, il mal di stomaco e i disturbi mestruali. Ci sono ricerche che dimostrano come la chiropratica riesca ad abbassare la pressione sanguigna e a dare sollievo ai neonati che soffrono di coliche. Uno studio ha sottolineato come la rimozione di un blocco nel sistema nervoso possa incrementare l'agilità, la potenza, l'equilibrio e la velocità di un atleta. In alcuni sport di squadra, i chiropratici sono tra i medici sportivi preferiti.

Nonostante i dubbi di molti medici convenzionali, la chiropratica ha un vasto seguito. Molti pazienti che hanno cercato invano sollievo altrove hanno finito per trovarlo in questa disciplina e sono disposti a garantire della sua efficacia.

Un tempo considerati dall'American Medical Association (Ordine dei medici americano) come seguaci di un "culto privo di fondamento scientifico", i chiropratici sono oggi riconosciuti in tutti gli Stati Uniti e in Canada. Più confusa la situazione italiana, dove accanto a medici qualificati, che hanno frequentato corsi professionali in scuole internazionali e operano in strutture sanitarie pubbliche e private, troviamo non meglio identificabili "specialisti" nonché più generici fisioterapisti.

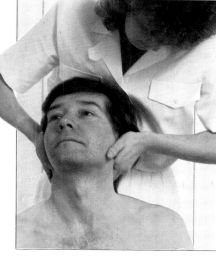

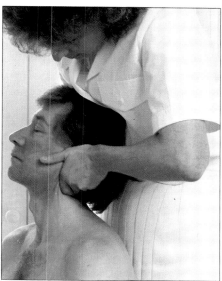

Preparandosi a riallineare
le vertebre cervicali, il chiropratico
valuta prima la mobilità del
paziente poi esegue rapidi
movimenti di ampiezza e forza
ridotte. Trattamenti di questo tipo
aiutano a ristabilire la mobilità
articolare, allentano la contrazione
dei muscoli del collo e alleviano
il dolore associato. Chi soffre
di cefalea dice che questo tipo
di manipolazione riduce la
frequenza degli attacchi.
A chi soffre di mal di schiena
e di dolori cervicali ricorrenti
i chiropratici suggeriscono
anche esercizi di stretching.

La natura guaritrice

*Convinti che si sottovalutino le capacità del corpo di guarire spontaneamente,
i seguaci della naturopatia propugnano la prevenzione per il mantenimento
del benessere e l'utilizzo di discipline complementari per la cura delle malattie.*

I naturopati non
*sostengono una particolare
forma di terapia a scapito
di un'altra, ma piuttosto
sottolineano la necessità
di ritrovare, nei modi più
diversi, un salutare
equilibrio interiore ed
esteriore, con se stessi e con
l'ambiente. È lo stile di vita,
infatti, che può produrre
la malattia.*

LA NATUROPATIA è un metodo terapeutico "a ombrello", che contempla una moltitudine di approcci alla diagnosi e alla cura, tutti basati sulla capacità di autoguarigione dell'organismo. Trova seguaci soprattutto tra coloro che preferiscono curarsi senza medicine e si interessano di prevenzione. I naturopati incoraggiano i pazienti a occuparsi attivamente del mantenimento del naturale stato di equilibrio dell'organismo: li aiutano a modificare la loro immagine di "individui malati" e a riconquistare le potenzialità di benessere e di guarigione che hanno in se stessi. Questo metodo viene descritto come una specie di "permesso di essere sani" e vuole educare i pazienti in modo che possano evitare molte delle malattie che affliggono milioni di persone.

Somiglianze e differenze Talvolta l'approccio terapeutico del naturopata coincide con quello del medico ortodosso. Entrambi considerano utile l'esercizio fisico, la dieta a basso tenore di grassi e ricca di fibre e la riduzione delle cause di stress.

Quando occorre, il naturopata, qualora non sia egli stesso un medico, invia i pazienti a un medico ortodosso che richieda un ricovero o prescriva medicinali. Tuttavia, è opinione comune tra i naturopati che le medicine siano usate troppo spesso e costino più di quanto valgono: per questo incoraggiano i loro pazienti ad affidarsi in primo luogo alle terapie naturali, come l'agopuntura (*vedi* pagg. 44-47), l'idroterapia (*vedi* pagg. 84-89), l'omeopatia (*vedi* pagg. 58-63), il massaggio (*vedi* pagg. 168-175), la cura con le vitamine e i minerali (*vedi* pagg. 296-301), lo shiatsu (*vedi* pagg. 176-179) e la fitoterapia cinese (*vedi* pagg. 47-49) o occidentale (*vedi* pagg. 304-335).

Le origini La nascita della naturopatia coincide con quella dell'idroterapia (*vedi* il paragrafo seguente). Il termine "naturopatia" venne infatti coniato nel 1900 da un gruppo di seguaci dell'abate bavarese Sebastian Kneipp (1821-1897), che per primo si curò una grave malattia polmonare immergendosi ogni giorno, per diversi mesi, in un bagno di acqua gelida.

La visita Insegnare ai pazienti come vivere sani è obiettivo primario del naturopata che, durante la visita, si sofferma a spiegare l'alimentazione e la *routine* quotidiana più indicate come forma di prevenzione. Al primo incontro, il terapeuta prende nota di tutta la storia clinica del paziente e di una serie di informazioni dettagliate sul suo stile di vita. Attribuendo grande importanza alla qualità della dieta per riconquistare e mantenere un corpo

Da secoli gli europei *frequentano stazioni termali, come l'elegante bagno Gellert di Budapest, in Ungheria. L'idroterapia (ampiamente descritta nelle pagine seguenti) è un ramo importante della naturopatia. Nelle stazioni termali, infatti, oltre agli interventi più specificamente idroterapici (bagni, fanghi, saune) si seguono diete alimentari o digiuni più o meno ristretti che stimolano le capacità di autoguarigione dell'organismo.*

sano, la naturopatia insiste sull'assunzione di cibi integrali e non elaborati o raffinati, mentre suggerisce di evitare quelli ad alto tenore di grassi e di zucchero, poveri di fibre. Benché queste siano le linee generali, universalmente utili, il naturopata studia un programma dietetico specifico per il paziente.

Purificare il corpo Per evitare accumuli di tossine, la dieta naturopatica suggerisce di assumere pochi prodotti di origine animale o di evitarli del tutto, e con essi tutti i grassi saturi. Sono ritenuti preziosi invece gli alimenti di origine vegetale (frutta, verdure, cereali, legumi, noci e semi), che forniscono adeguato nutrimento e molta fibra alimentare. Sale, zucchero e additivi andrebbero esclusi o ridotti al minimo. La bevanda ideale è l'acqua pura, nella misura di circa otto bicchieri il giorno.

Condurre una vita sana ed evitare i cibi e le sostanze nocive sono probabilmente gli obiettivi fondamentali della naturopatia, tanto che diversi terapeuti ritengono che i maggiori rischi per la salute vengano proprio dalle sostanze tossiche che si accumulano nel corpo e richiamano l'attenzione sui metalli pesanti, sulle sostanze chimiche tossiche, sull'alcol, sulle droghe e i farmaci e sugli additivi alimentari. La naturopatia indica vari metodi per liberare l'organismo dalle tossine, dai clisteri d'acqua per ripulire il colon al massaggio per purificare la pelle, fino agli esercizi di respirazione profonda per i polmoni.

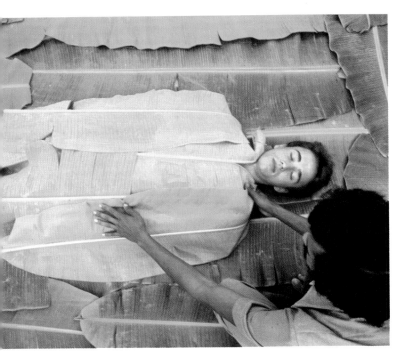

La naturopatia si avvale spesso delle risorse locali. Presso il Centro di naturopatia e di scienza yoga di Bangalore, in India, i terapeuti avvolgono i pazienti in foglie di banano per farli sudare. Questa procedura, che dura una ventina di minuti, apre i pori, ammorbidisce la pelle e lascia il paziente rinfrescato e riposato.

Il digiuno A fini disintossicanti, i naturopati suggeriscono brevi digiuni periodici di tre, cinque giorni, durante i quali bere acqua e tisane, senza assumere cibo. La decisione di digiunare andrebbe sempre presa di comune accordo con il medico.

Il digiuno è praticato da sempre per ragioni che poco hanno a che fare con la salute. Popoli diversi come gli indigeni d'America, gli indiani e gli abitanti dell'antica Grecia digiunavano per motivi religiosi, per un lutto, per pratica spirituale.

Chi digiuna per riconquistare o mantenere la salute afferma di averne benefici: gli organi interni riposano; la digestione e la circolazione migliorano; aumentano la chiarezza e l'energia spirituali e mentali; si riduce la dipendenza dai medicinali; il sonno migliora; si perde peso. Qualcuno riferisce addirittura che il digiuno attenuerebbe i sintomi depressivi e l'ansia e produrrebbe un senso di benessere. Chi suggerisce di digiunare in caso di malattia ritiene che in questo modo si eviti di disperdere nel processo digestivo energie utili alla guarigione. In più c'è chi sostiene che il digiuno libererebbe un ormone che stimola la risposta immunitaria dell'organismo.

Anche i terapeuti più entusiasti riconoscono però che il digiuno può essere pericoloso e può causare debolezza, affaticamento, anemia e altri problemi. La stessa sensazione di leggerezza associata al digiuno potrebbe essere un segnale che l'organismo non riceve i minerali essenziali per il funzionamento del sistema nervoso.

"Caso clinico"

UN ALTRO MODO DI CURARE

Un naturopata ha sempre un approccio diagnostico ampio e olistico. Victoria Moran descrive una visita naturopatica alla sua bambina di cinque anni.

Farmi carico in prima persona della mia salute e incontrare le medicine alternative sono stati due fatti coincidenti che mi hanno poi spinto a sostituire la farina bianca con quella integrale, la carne con i legumi e la TV con la ginnastica in palestra. Ho poi scoperto terapeuti di vario tipo e spesso mi sono servita di un chiropratico, di un massoterapista, di un agopuntore. Quando però si è trattato della salute di mia figlia mi sono scoperta conservatrice. Per questo, quando un anno e mezzo fa ho individuato un gonfiore sul petto della mia bambina di cinque anni, Rachael, l'ho subito portata dal miglior pediatra che ho potuto trovare. Dopo averla visitata mi ha detto: «Dobbiamo tenerla sotto controllo. Me la riporti tra due settimane».

Dire a una madre di aspettare è come dirle di preoccuparsi. Non essendo tipo da mani in mano, decisi di usare le due settimane per vedere che cosa potevano fare le medicine naturali per la mia piccola. Un'amica mi indicò un naturopata, un medico che usa i metodi naturali per sollecitare la guarigione spontanea.

La prima mossa del naturopata fu di chiedermi tali dettagli sulla vita di Rachael che fui sollevata all'idea che avesse solo cinque anni: diversamente avremmo potuto passare la giornata in studio. Poi la visitò e mi fece una serie di raccomandazioni: due settimane di dieta a base soprattutto di frutta e verdura; impacchi di verbasco e consolida maggiore (due piante) sul punto dolente due volte il giorno e poi echinaria (una pianta dalle proprietà immunostimolanti) per bocca.

Tutte queste istruzioni mi sembrarono ragionevoli. Ma quando mi disse: «Se fosse mia figlia valuterei l'opportunità di cambiarle scuola» fui presa in contropiede. Sapevo che l'approccio naturopatico è di tipo olistico, e quindi pensa alle cause oltre che ad alleviare i sintomi, ma cambiare asilo mi sembrava davvero eccessivo. Nondimeno, le sue delicate domande sulla storia di mia figlia avevano suscitato lunghe descrizioni da parte di Rachael delle prese in giro continue dei suoi compagni.

Decisi di seguire *in toto* le raccomandazioni del naturopata, compreso il cambio di asilo, da subito. In pochi giorni il gonfiore, che da quel che ho capito era una ghiandola linfatica ingrossata, cominciò a ridursi. Quando tornammo dal pediatra, disse semplicemente: «Ovviamente se n'è andato». Gli esami lo confermarono e da allora il problema non si è più ripresentato.

Tratto da *The Natural Doc* (Il naturopata), di Victoria Moran, articolo pubblicato su "Vegetarian Times", agosto 1990.

Alla fonte della natura

Per uso interno o esterno, fredda, calda o tiepida, l'acqua ha un'incredibile varietà di applicazioni terapeutiche. Idroterapia e cure termali hanno conservato nel tempo una grande popolarità.

L'idroterapia di Sebastian Kneipp

L'abate bavarese Sebastian Kneipp (1821-1897) fu al tempo stesso un grande curatore e una guida spirituale.
Divulgatore dell'idroterapia, i cui benefici aveva provato di persona riuscendo a guarire dalla tubercolosi mediante spugnature, bagni e docce fredde, fece del convento di Wörishofen, in cui era confessore e direttore, un luogo dedicato alla cura delle sofferenze del corpo e dello spirito.

L'UTILIZZO DELL'ACQUA PER CURARE LE MALATTIE e conservare la salute è probabilmente antica quanto la civiltà. Nel V secolo a.C., il medico greco Ippocrate raccomandava l'acqua di sorgente per i suoi effetti salubri. Gli antichi Romani frequentavano i bagni con tale entusiasmo da costruire mirabili edifici, spaziosi quanto eleganti, per i loro elaborati "rituali acquatici", secondo una consuetudine che cercarono di esportare in ogni parte dell'Impero. Ma si dovette arrivare al XVII secolo perché in Europa sorgessero vere e proprie stazioni termali in prossimità delle numerose fonti naturali di acqua minerale. Gestite da esperti naturopati, molte terme rappresentano ancora oggi delle vere e proprie "cliniche della salute".

Le cure termali Le acque minerali sono la maggiore attrazione di molte località termali antiche e moderne. Da sempre si ritiene che l'acqua di certe sorgenti abbia proprietà medicamentose e curi disturbi diversi, come l'asma e l'obesità. Il secolo scorso e i primi anni del nostro sono stati l'età d'oro di molte eleganti località termali, dove i più abbienti andavano per curarsi ma anche per mettersi in mostra. Oggi le stazioni termali, di cui l'Italia è ricchissima, attraggono soprattutto chi cerca una routine rilassante e rigenerante. Tra i servizi offerti: bagni terapeutici, inalazioni e bagni di vapore, massaggi, fangoterapia, aria pura, attività fisica, alimentazione sana e trattamenti estetici.

Talassoterapia Possiamo considerare l'acqua marina come un tipo particolare di acqua minerale, i cui benefici sono messi a disposizione dei visitatori delle terme situate in riva al mare. Qui si pratica la talassoterapia (dal greco *thálassa*, mare). Un trattamento talassoterapico tipico comprende un massaggio mentre il paziente è parzialmente immerso in acqua di mare, getti di acqua di mare e impacchi a base di alghe, dopo i quali il paziente viene ripulito e avvolto in asciugamani caldi. Anche se non v'è alcun dubbio che si tratti di pratiche piacevoli, non è provato che l'acqua di mare apporti altri benefici oltre a una sensazione di benessere.

Le cure idroterapiche: una tradizione europea Le cure a base di acqua, europee per nascita e per tradizione, rappresentano un ramo importante della naturopatia. Oltre ai citati usi termali, l'acqua viene da secoli impiegata in una vasta gamma di pratiche terapeutiche ed estetiche, dai bagni freddi alle passeggiate a piedi nudi sull'erba bagnata, dai digiuni a base di acqua minerale agli idromassaggi oggi tanto in voga.

Fu nel XVIII e XIX secolo che l'arsenale dei trattamenti idro-

I raggi del sole entrano, attraverso il soffitto, in questo bagno turco di Istanbul, dove ci si rilassa dopo una serie di saune sempre più calde (ad una temperatura che varia tra i 45 e i 55 °C) alle quali seguono un vigoroso massaggio e una doccia fredda. I vari passaggi dal caldo al freddo costituiscono un vero e proprio allenamento per il sistema di termoregolamentazione del nostro organismo, che così stimolato ci mette in guardia da quei disturbi dovuti alle variazioni meteorologiche (meteoropatie): cefalee, vertigini, problemi circolatori, dolori articolari.

terapici si arricchì delle tecniche ancora oggi considerate più efficaci. Merito soprattutto di Vinzenz Priessnitz (1799-1851), il guaritore austriaco detto il "genio dell'acqua fredda" e dell'abate bavarese Sebastian Kneipp (1821-1897), che delle tecniche di Priessnitz fu il principale divulgatore. Convinto assertore della capacità dell'organismo di curarsi da solo, Kneipp riteneva l'acqua il mezzo principale per stimolarla; fondò così una clinica idroterapica dove bagni caldi e freddi, bagni di vapore, impacchi, docce e pediluvi erano associati a uno stretto regime dietetico e a esercizi fisici.

Una delle stazioni termali più famose del mondo per le proprietà terapeutiche delle sue fonti alcaline è quella di Vichy, in Francia, frequentata fin dal XVII secolo. Per godere dei benefici dell'idroterapia, però, non è necessario compiere lunghi viaggi: anche in casa propria è possibile fare impacchi, spugnature, docce... come è indicato nelle pagine successive.

Tecniche idroterapiche L'idroterapia si serve di bagni completi o parziali, per riscaldare o rinfrescare il corpo, come pure di spugnature, di impacchi e di compresse, particolarmente efficaci contro i disturbi circoscritti ma anche in alternativa ai bagni quando questi non sono possibili. Talvolta impiega sostanze con una provata azione terapeutica, quali l'argilla, i semi di lino, il fieno greco.

Un trattamento particolare consiste nei bagni alternati: immergendosi prima nell'acqua calda e quindi in quella fredda, i vasi sanguigni, rispettivamente, si dilatano e si contraggono, facendo compiere una vera e propria ginnastica all'apparato circolatorio. Oltre a risultare stimolante, attivare la circolazione in questo modo allevia i crampi e i dolori cronici, riduce l'infiammazione dei tessuti e rende più sollecite le risposte del nostro sistema immunitario.

I semicupi, che consistono nell'immergersi in una vasca d'acqua fino all'altezza dei fianchi, sono usati come alternativa, per trattare i problemi addominali, il mal di schiena, le emorroidi, la stitichezza, i disturbi urinari. Per i semicupi alternati, che in casa possono essere eseguiti con l'aiuto di un grosso catino sistemato nella vasca, ci si siede prima nell'acqua calda con i piedi nella fredda per tre minuti, poi si inverte la posizione per un minuto, il tutto per due o tre volte.

La terapia del contrasto Passare improvvisamente da una stanza calda a un bagno freddo può sembrare una tortura, ma in realtà è assai divertente. I finlandesi usano sedere in saune asciutte e calde per una ventina di minuti e poi precipitarsi fuori e rotolarsi nella neve o tuffarsi in un lago gelato. Il bagno turco, come la sauna, è in genere caldo e asciutto (in realtà è il bagno russo che impiega il vapore) e si conclude anch'esso con una breve immersione nell'acqua fredda. Negli Stati Uniti, le popolazioni indigene praticano da sempre una propria versione di questi bagni, costruendo un'apposita "tenda del sudore" dove il vapore viene prodotto versando acqua su pietre roventi. Man mano che la temperatura cresce, chi si trova sotto la tenda comincia a sudare profusamente. Come i finlandesi, anche i popoli nativi d'America concludono quasi sempre il bagno di sudore con un tuffo in un vicino torrente.

Come agiscono il caldo e il freddo Il calore dilata i vasi sanguigni, agevolando la circolazione. Per questo un pediluvio caldo libera il naso chiuso: il sangue viene richiamato dalle zone congestionate nei vasi sanguigni dei piedi che si dilatano per ef-

"Caso clinico"

UNA CURA ISTANTANEA

In seguito a un infortunio alla gamba, il neurofisiologo Oliver Sacks si sottopose a diverse settimane di terapia riabilitativa. Tuttavia, non avendo riacquistato il pieno controllo dell'arto, si rivolse a uno specialista per un consiglio...

Telefonai al dottor W.R., in Harley Street, che disse di potermi ricevere il giorno dopo.

«Ora, riguardo alla sua gamba, lei cammina come se avesse ancora il gesso pur avendo già riacquistato una flessione di quindici gradi. Sono più che sufficienti per camminare normalmente, se solo li utilizzasse. E allora perché cammina come se non avesse il ginocchio? Sarà anche l'abitudine, ma è come se avesse 'dimenticato' di avere un ginocchio.»

«Lo so» gli dissi. «Me ne accorgo.»

«Che cosa le piace fare? Che cosa le viene più naturale? C'è uno sport che pratica?» mi chiese. «Il nuoto» risposi.

«Bene. Ho un'idea» disse con un sorriso. «Penso proprio che le ci voglia una bella nuotata. Può aspettare?» Ritornò subito dopo, sempre più sorridente. «Il taxi sarà qui tra poco. La mando alle terme.»

Quando giunsi a destinazione noleggiai costume e asciugamano e mi avvicinai tremante al bordo della piscina. C'era un giovane bagnino nei pressi del trampolino. «Mi hanno detto che dovrei fare una nuotata» lo avvertii. Lui si stiracchiò un po', poi improvvisamente disse: «Attento!», togliendomi il bastone con la mano destra e spingendomi in acqua con la sinistra.

Prima ancora di rendermi conto di ciò che era accaduto mi trovai in acqua. Ero offeso, ma la provocazione fece effetto. Sono un buon nuotatore e mi sentii sfidato. Il bagnino rimase un momento a guardarmi; io cominciai a nuotare rapidamente a stile libero, fermandomi solo quando lui mi urlò: «Basta così!».

Uscii dalla piscina e mi accorsi di camminare normalmente. Il ginocchio funzionava perfettamente.

Quando rividi il mio medico, lui scoppiò a ridere ed esclamò: «Splendido!».

Mi resi conto allora del teatrino che aveva messo in piedi per me.

«Funziona sempre. Ciò di cui si ha bisogno è la spontaneità. Trovarsi costretti ad agire. Si fa così anche con i cani. Anche con il mio, una femmina di Yorkshire terrier. Dopo essersi rotta una zampa ed essere guarita perfettamente, continuava a camminare come se fosse zoppa. Dopo due mesi la portai con me in barca. Al largo la afferrai e la buttai in acqua. Nuotò fino a riva con forti zampate simmetriche, poi si scrollò per tutta la spiaggia, su quattro zampe. La terapia è la stessa: sorpresa, spontaneità, istinto».

Tratto da *A Leg to Stand On* (Su una gamba sola), di Oliver Sacks.

L'impacco consiste in un telo bagnato e strizzato che avvolge una parte del corpo o il corpo intero, ricoperto da un secondo telo e quindi da una coperta. Se viene strizzato solo leggermente e sostituito non appena comincia a scaldarsi, ha la funzione di assorbire il calore del corpo, utile soprattutto negli stati febbrili, nelle infiammazioni, nell'artrite acuta, nelle distorsioni. Se il primo telo viene strizzato completamente e lasciato in posa più a lungo tende invece a produrre calore, inducendo la sudorazione: utile contro l'insonnia e i disturbi digestivi.

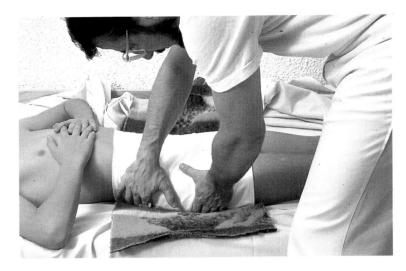

La compressa è una pezzuola ripiegata e bagnata applicata su una parte del corpo da raffreddare o scaldare. Si possono alternare compresse calde e fredde, (soprattutto in presenza di emicrania e sciatica), iniziando con l'applicare le prime per circa tre minuti quindi le seconde per un minuto e ripetendo diverse volte.

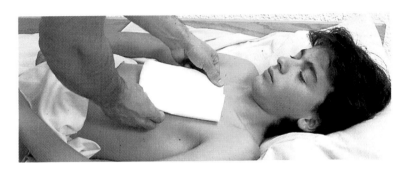

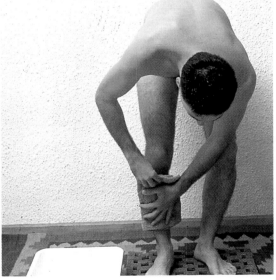

Strofinare la pelle con una pezzuola ruvida bagnata in acqua fredda è ciò che in idroterapia si definisce "spugnatura", una tecnica che aiuta a eliminare le tossine.

Per le docce è bene usare un semplice tubo di gomma di 2 cm di diametro. L'acqua non deve schizzare ma scorrere. La reazione da ottenere è un leggero arrossamento con una gradevole sensazione di calore.

fetto del calore inducendo la riduzione del gonfiore delle vie nasali, che lasciano così passare più aria. Il calore inoltre rilassa i muscoli, scioglie le articolazioni rigide e allevia dolori e indolenzimenti. Poiché provoca un aumento della frequenza cardiaca il suo uso è sconsigliato a chi soffre di ipertensione, di cardiopatie o di diabete, a chi segue una terapia farmacologica, ai bambini piccoli e agli anziani, particolarmente sensibili alle variazioni di temperatura, e alle donne in gravidanza.

Il freddo provoca una restrizione dei vasi e quindi del flusso sanguigno, riducendo i gonfiori e le infiammazioni. Può anche attenuare la febbre e agire da anestetico locale. Gli impacchi di ghiaccio sono efficaci contro il mal di testa, l'epistassi, gli spasmi muscolari, i lividi, le contusioni, le distorsioni.

Per tonificare l'organismo è utile frizionare quotidianamente la pelle, a secco, con un telo ruvido o, meglio, con un guanto di crine.

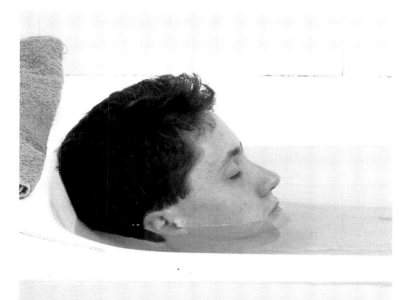

Il bagno caldo (da 37 a 42 °C) non deve durare più di venti minuti. È utile contro insonnia, nervosismo, reumatismi, sciatica, coliche renali.
Il bagno freddo (da 15 a 20 °C) consiste, invece, in una rapida immersione nell'acqua fredda dopo la quale bisogna asciugarsi rapidamente. È utile quando occorre abbassare rapidamente la temperatura corporea, per stimolare il metabolismo e per un effetto generale stimolante e rinfrescante.

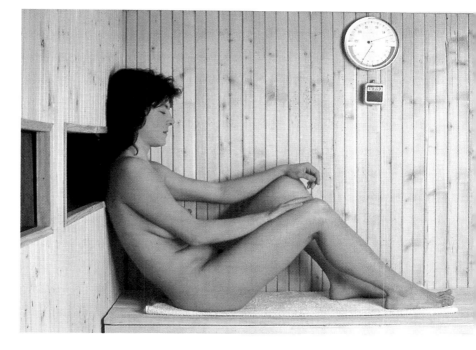

La sauna finlandese è un "bagno di aria calda" con un tasso di umidità bassissimo; per questo motivo l'alta temperatura dell'aria (che arriva anche a 90 °C) non ustiona la pelle. La sauna stimola una copiosa sudorazione e quindi l'eliminazione delle tossine.

Purificarsi con fango, sabbia e sudore

Acqua e sapone non sono l'unica scelta per la pulizia del corpo. Tornano oggi in voga antiche usanze, come bagni in fonti idrominerali, sabbiature, bagni di fango e di vapore che purificano in profondità.

In una località termale colombiana, gli ospiti si immergono in un fango ricco di minerali per assorbirne le sostanze nutritive e rilasciare tossine. Secondo i suoi sostenitori, la fangoterapia è efficace contro i dolori provocati dai reumatismi e dall'artrosi.

Fango su tutto il corpo Da tempo si conoscono e si apprezzano le proprietà di certi fanghi di mantenere la pelle giovane e liscia. Un visitatore dell'isola di Vulcano, nelle Eolie, si cosparge il viso e tutto il corpo con il fango caldo di uno dei molti laghetti vulcanici dell'isola.

Un giovane Navajo si cura
il raffreddore sudando, sotto
una tenda. All'interno di
una struttura a cupola, sopra
la quale sono stese coperte
o pelli, si versa acqua sulle pietre
roventi per produrre vapore.
Le popolazioni native americane
sono convinte che salute fisica
e spirituale siano strettamente
connesse. L'aria calda e umida
riduce l'infiammazione delle
mucose nasali, ma nello stesso
tempo purifica la mente
e l'anima del giovane. Per la vita
del villaggio, la "tenda del
sudore" è qualcosa di più che un
semplice strumento terapeutico.
I guerrieri la usavano per
purificarsi prima di una battaglia
e ancora oggi è impiegata in vari
riti religiosi. In più, serve anche
come luogo d'incontro per gli
uomini della tribù.

Completamente coperta
di sabbia calda, una donna
si gode i benefici di una
sabbiatura presso la stazione
termale di Surigahama,
in Giappone. Per la maggior
parte dei visitatori,
la temperatura della sabbia
vulcanica è troppo elevata
per poter resistere più
di venti minuti. In Giappone,
la sabbiatura è molto
apprezzata per migliorare
la circolazione, combattere
i dolori e stimolare
la traspirazione.

Per migliorare la vista

Con il metodo Bates l'occhio può essere educato, e anche rieducato qualora siano già sorti problemi visivi, a una maggiore collaborazione con la mente, tale da produrre la massima efficienza visiva.

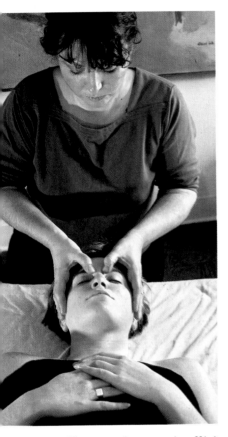

Una pressione con i pollici *può dar sollievo e rilassare dopo un intenso sforzo visivo. Nella foto, una terapeuta shiatsu fa scorrere i pollici sulla zona circostante le cavità oculari, prima in una direzione poi nell'altra: comincia dalla parte superiore delle cavità oculari per scendere verso il naso.*

MOLTI SONO CONVINTI che i difetti visivi siano ereditari e che peggiorino inevitabilmente con l'avanzare dell'età. Alla base di una diminuzione della capacità visiva possono invece esserci abitudini alimentari scorrette, un'insufficiente esposizione alla luce solare, la mancanza di esercizio fisico, le troppe ore passate davanti al video del televisore o del computer e l'accumulo di stress. Tuttavia, secondo una teoria abbastanza recente, l'allenamento visivo, unito a un adeguato rilassamento della muscolatura oculare, consente di rinunciare agli occhiali o per lo meno di portarli per meno tempo o meno forti.

Per chi consulta uno specialista, la scelta è tra un oftalmologo e un optometrista. L'oftalmologo è un medico che si occupa prevalentemente di malattie e di interventi chirurgici; l'optometrista, invece, si limita a valutare i difetti visivi e a prescrivere occhiali o lenti a contatto, ma non è un medico. Oggi quasi tutti gli specialisti che praticano terapie di rieducazione visiva sono optometristi.

Migliorare la vista Gli esercizi di rieducazione visiva non mirano solo a impedire il peggioramento dei difetti ma anche a prevenirli; per questo bisognerebbe iniziare a praticarli, idealmente, prima ancora che i difetti si verifichino. Possono correggere la miopia, l'ipermetropia, i disturbi della visione periferica, lo strabismo, l'ambliopia (o "occhio pigro") e altri difetti. Uno dei primi passi consiste nel fare a meno degli occhiali, perché l'occhio sia stimolato a lavorare, oppure nel portare lenti che correggano solo parzialmente il difetto, perché, pur lavorando, l'occhio non si sforzi troppo.

Molti atleti sanno che gli esercizi per la vista possono migliorare la coordinazione occhio-mano e la visione periferica. I piloti di aerei li praticano con buoni risultati per rendere più acuta la visione in profondità e la messa a fuoco. Ciò nonostante molti oftalmologi mettono ancora in dubbio l'efficacia di questi metodi e la validità degli studi sui quali si basa la rieducazione.

Uno sforzo coordinato I sostenitori della rieducazione visiva sono convinti che occhio e cervello siano in grado di lavorare più efficientemente quando collaborano. Le sedute terapeutiche in una clinica o in un ambulatorio optometrici possono richiedere strumenti speciali (c'è un esercizio durante il quale si cammina lungo un asse d'equilibrio con una benda su un occhio), ma in genere gli esercizi sono piuttosto semplici e possono essere eseguiti ovunque, in qualsiasi momento, senza strumenti di sorta. Esercitarsi quotidianamente aiuterebbe gli occhi a rilassarsi e ad adattarsi meglio ai cambiamenti di luce e di fuoco e contribuirebbe, appunto, alla collaborazione tra occhi e cervello eliminando le cause mentali dei difetti visivi. Gli optometristi comportamentali o evolutivi lavorano spesso con i bambini, le cui abitudini visive sono ancora in formazione. Secondo loro, quando la terapia funziona, bambini che altrimenti dovrebbero portare gli occhiali per tutta la vita possono anche arrivare a evitarli.

Tutto cominciò con Bates William Bates (1881-1931), un oftalmologo americano, è stato l'ideatore e il propugnatore di una filosofia dell'occhio che ha avuto un grosso successo a dispetto delle critiche dei medici convenzionali. Nel 1920, Bates mise in discussione la sua professione nel libro *Il metodo Bates per vedere bene senza occhiali.* Dopo aver seguito migliaia di casi per diversi anni, Bates contestò la teoria secondo la quale le lenti correttive sarebbero l'unico modo di affrontare i difetti visivi.

Bates spiegò che i vari problemi della vista sono determinati dalla debolezza dei sei gruppi di muscoli che controllano ogni occhio. Quando questi muscoli sono tonici, riuscirebbero, secondo Bates, ad aggiustare la forma del globo oculare in modo da consentire una corretta messa a fuoco.

Gli esercizi

Il metodo Bates si basa su una combinazione di rilassamento ed esercizio fisico e tiene conto dell'aspetto mentale dei difetti visivi. Accade frequentemente, infatti, che la vista cali perché inconsapevolmente non si desidera vedere qualcosa o si preferisce isolarsi simbolicamente dal mondo. Prima di eseguire gli esercizi ricordatevi alcune regole importanti.

- Ripeteteli con regolarità.
- Rilassatevi durante l'esecuzione (in particolare collo, spalle e tempie) e riducete al minimo lo sforzo oculare.
- Togliete occhiali e lenti a contatto.

Per rieducare la vista i consigli sono questi.

- Sbattete spesso le palpebre durante il giorno e ancora più spesso nelle situazioni che affaticano gli occhi (per esempio durante la lettura).
- Fermatevi spesso (almeno un minuto ogni quindici di lavoro) quando usate il computer e, se possibile, fate un breve *palming*.
- Evitate qualsiasi comportamento in grado di danneggiare gli occhi o la vista (per esempio guardare la televisione con le luci spente, passare molte ore davanti al computer, leggere nella semioscurità).

Per migliorare la messa a fuoco. *Tenete una matita davanti agli occhi a sette, otto centimetri di distanza dal viso. Tenetene una seconda con l'altra mano e il braccio teso. Mettetene a fuoco una con entrambi gli occhi, sbattete le palpebre, poi mettete a fuoco l'altra. Ripetete più volte l'esercizio.*

Palming *(coprire con le palme). Sedetevi rilassati davanti a un tavolo. Chiudete gli occhi e appoggiate i gomiti su un cuscino davanti a voi. Tenete il capo in linea con il collo, che non deve essere flesso. Senza toccarli, copritevi gli occhi con le mani a coppa. Ripetete l'esercizio due volte il giorno per dieci minuti.*

Un approccio su due fronti Il metodo Bates si basa su una combinazione di rilassamento ed esercizio fisico, che dà grande rilievo all'aspetto mentale della terapia. Le sue tecniche, rimaste praticamente invariate, confinano con quelle della meditazione e del biofeedback. I moderni specialisti della vista nell'ambito della medicina alternativa tengono però conto anche di fattori legati all'alimentazione, alla salute, allo stile di vita, che influirebbero sulla vista. Chi si avventura in questo campo al di là del metodo Bates comincia a esplorare anche l'uso terapeutico dei colori (detto "cromoterapia", dal greco *chrôma*, "colore") nelle difficoltà di apprendimento, nella depressione, nei problemi dovuti allo stress, in quelli sessuali e nella sindrome premestruale.

"Caso clinico"

IMPARARE A VEDERE

Il narratore e saggista inglese Aldous Huxley (1894-1963), autore di alcuni tra i romanzi più letti di questo secolo, ha descritto la sua esperienza con il metodo Bates.

A sedici anni, Aldous Huxley soffrì di una grave infiammazione della cornea, che lo lasciò quasi cieco. «I medici mi consigliarono di leggere con una potente lente di ingrandimento e, dopo un certo tempo, con gli occhiali. Certo, un po' di sforzo e di fatica c'erano sempre e in alcune occasioni ero addirittura sopraffatto dal senso di esaurimento fisico e mentale che solo lo sforzo visivo riesce a produrre. E tuttavia ero grato di poter ancora vedere.

«Andai avanti così fino al 1939 quando, nonostante le spesse lenti, cominciai a trovare la lettura sempre più difficile e faticosa. Non v'era alcun dubbio che la mia capacità visiva mi stesse abbandonando velocemente e definitivamente.»

Fu allora che Huxley sentì parlare del metodo Bates di rieducazione visiva. «Dal momento che le lenti correttive non mi facevano ormai alcun bene, decisi di tuffarmici a capofitto» scrive Huxley.

Cominciò a passare tre ore il giorno, sei giorni la settimana, da un oculista, per imparare a praticare il metodo Bates. Dopo un mese sua moglie riferì a sua sorella: «C'è stato sicuramente un miglioramento, ma ancora niente di spettacolare; quel che è certo è che anche la pupilla destra comincia a dilatarsi. Mi commuove vedere Aldous che *mi guarda*».

La vista di Huxley continuò a migliorare e, benché la sua capacità visiva fosse destinata a rimanere difettosa, lo scrittore si convinse che il metodo Bates lo aveva salvato dalla cecità completa e ne divenne un convinto sostenitore.

«Ciò che deve poter fare il metodo Bates» scriveva a un medico che si era dichiarato contrario alla tecnica, «è solo questo (...) mostrare alla gente come usare nel modo migliore possibile la propria capacità visiva.

«A chi vede male, egli [Bates] ha detto, in effetti, ciò che un giocatore di golf professionista direbbe al novellino: "Sii attivo, ma rimani rilassato; non sforzarti e nel contempo fai del tuo meglio; smetti di intestardirti e irrigidirti e lascia che sia l'intelligenza del tuo corpo e del tuo subconscio a giocare come si deve". Il metodo Bates non è un ramo della medicina, quindi non è né ortodosso né alternativo. È una forma di rieducazione, fondamentalmente simile ai metodi di insegnamento ideati e applicati con successo in tutte le discipline psicofisiche degli ultimi millenni».

Basato su *The Art of Seeing* (L'arte di vedere), di Aldous Huxley; *Aldous Huxley*, di Sybille Bedford e *This Timeless Moment* (Questo attimo eterno), di Laura Archera Huxley.

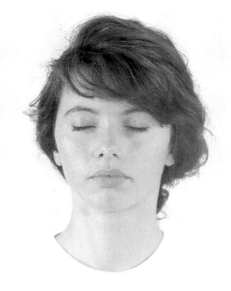

Blinking (sbattere le palpebre). Sbattete le palpebre una o due volte ogni dieci secondi, per lubrificare gli occhi. Fatelo molte volte, nel corso della giornata, in modo che gli occhi non restino mai asciutti.

Shifting (trasferire). Evitate di fissare gli oggetti. Piuttosto spostate continuamente lo sguardo da un punto all'altro. Gli occhi saranno più rilassati e la vista più chiara.

Swinging (oscillare). Per rilassare gli occhi, in piedi, con le gambe divaricate quanto basta per sentirvi comodamente in equilibrio, dondolatevi con scioltezza da un lato all'altro, lasciando che lo sguardo segua il movimento del corpo.

Splashing (spruzzare). Quando vi svegliate, spruzzatevi gli occhi chiusi per venti volte con acqua calda e poi altre venti con acqua fredda. Ripetete la procedura prima di coricarvi, ma invertendo la sequenza. Aiuta a migliorare la circolazione nella zona oculare.

L'iridologia: una finestra sulla salute

Dall'esame delle iridi è possibile ricavare informazioni dettagliate sullo stato di salute complessivo. Ogni segno ha infatti un significato particolare e consente di formulare una diagnosi prima che il disturbo si manifesti.

I NATUROPATI e gli altri medici alternativi, che preferiscono evitare radiografie e procedure invasive, si servono talvolta dell'iridologia come strumento diagnostico. Si tratta di un sistema che dai cambiamenti di colore e di consistenza, dai segni e dalle macchie della trama dell'iride, cioè della parte colorata dell'occhio, trae indicazioni sulla presenza di disturbi fisici o mentali.

Segni rivelatori L'attento studio dei segni presenti nell'iride può addirittura consentire di prevedere l'insorgere di una malattia prima che questa si manifesti. I sostenitori asseriscono che l'iridologia è in grado di individuare anche carenze di elementi nutrizionali e accumuli di sostanze tossiche nell'organismo. I medici naturali fanno a volte ricorso agli iridologi per confermare o ampliare una diagnosi ottenuta in altro modo.

L'iridologia si basa su un sistema ideato nel XIX secolo da Ignatz von Peczely, un medico ungherese, e adattato negli anni Cinquanta da Bernard Jensen, un chiropratico americano. Jensen fondò la sua tecnica su diagrammi dettagliati delle iridi destra e sinistra, dove a ogni organo, a molte parti e funzioni corporee era assegnato un sito specifico.

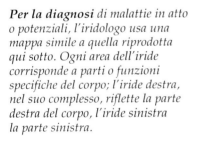

Per la diagnosi di malattie in atto o potenziali, l'iridologo usa una mappa simile a quella riprodotta qui sotto. Ogni area dell'iride corrisponde a parti o funzioni specifiche del corpo; l'iride destra, nel suo complesso, riflette la parte destra del corpo, l'iride sinistra la parte sinistra.

Cerchi concentrici Secondo Jensen, l'iride si può dividere in sei zone disposte ad anello, ciascuna collegata a un sistema corporeo: la prima zona, la più interna, allo stomaco, la seconda all'intestino, la terza al sangue e al sistema linfatico, la quarta alle ghiandole e agli organi, la quinta ai muscoli e allo scheletro e la sesta alla pelle e alla traspirazione. In generale, la parte supe-

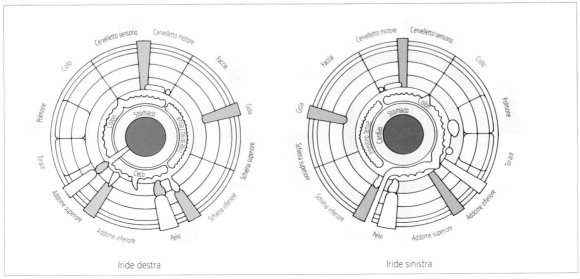

Iride destra   Iride sinistra

riore dell'iride corrisponde alla parte superiore del corpo (cervello, volto, collo, polmoni, gola) e quella inferiore alla parte inferiore del corpo (pelvi, addome).

Secondo gli iridologi anche la maggiore o minore luminosità dell'iride fornisce indizi sullo stato di salute della persona; un contorno scuro indicherebbe un'alterazione del sistema di eliminazione della pelle; un segno bianco sarebbe sintomo di stress, di eccesso di stimoli o di infiammazioni; segni scuri indicherebbero carenze nutrizionali, circolazione rallentata e altri problemi. Gli iridologi esaminano anche la trama iridea: una grana fine, con fibre molto vicine e allineate, indica una costituzione fisica forte, mentre un'iride meno compatta è sintomo di debolezza.

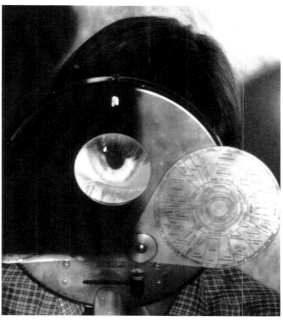

Anche i medici ortodossi talvolta esaminano gli occhi a scopo diagnostico, riconoscendo che le anomalie possono rivelare problemi di salute. Certi segni, come un anello grigio o giallo intorno all'iride, possono essere interpretati come sintomi di patologie cardiache.

L'iridologo utilizza una speciale macchina, dotata di potenti lenti d'ingrandimento, per fotografare l'iride del paziente; in questo modo evidenzia tutte quelle particolarità (macchioline, punti, striature...) che gli permetteranno poi di formulare la diagnosi.

La visita L'esame iridologico è un eccellente metodo diagnostico soprattutto nei casi di malattie croniche i cui sintomi si evolvono nel corso di mesi o anni senza che vi sia stata alcuna soluzione terapeutica. Ma è validissimo anche nel caso di una malattia i cui sintomi non si sono ancora manifestati apertamente pur essendo già in atto (per esempio l'insufficienza renale o la patologia cancerosa): i segni iridei, infatti, precedono l'insorgere dei sintomi e appaiono quando l'individuo sembra ancora godere di buona salute.

Limiti Poiché il campo di indagine è piuttosto ristretto, l'iridologia ha dei limiti precisi. Va da sé che un esame di questo tipo non può essere effettuato su individui affetti da malattie agli occhi che causano alterazioni dell'iride.

Nelle persone anziane la lettura dell'iride è resa difficile dalla minore chiarezza con cui si presenta la trama, o da eventuali operazioni chirurgiche che le hanno private di parti dell'iride, come nei casi di glaucoma e di cataratta. Queste operazioni, in particolare, intervengono sull'iride proprio nelle zone in cui è più leggibile lo stato della circolazione sanguigna. E si sa che in età avanzata i problemi cardiovascolari sono numerosi.

I bambini al di sotto dei quattro anni sopportano male la luce necessaria per effettuare l'esame iridologico e si muovono in continuazione. Ma a partire da quell'età l'iridologia è un buon metodo per individuare i punti deboli dell'organismo, già nettamente delineati.

CAPITOLO 2

La mente e la salute

Sappiamo tutti che la paura e l'eccitazione producono scariche di adrenalina simili a scosse elettriche: è la mente che richiama il corpo all'azione. La medicina naturale riconosce alla

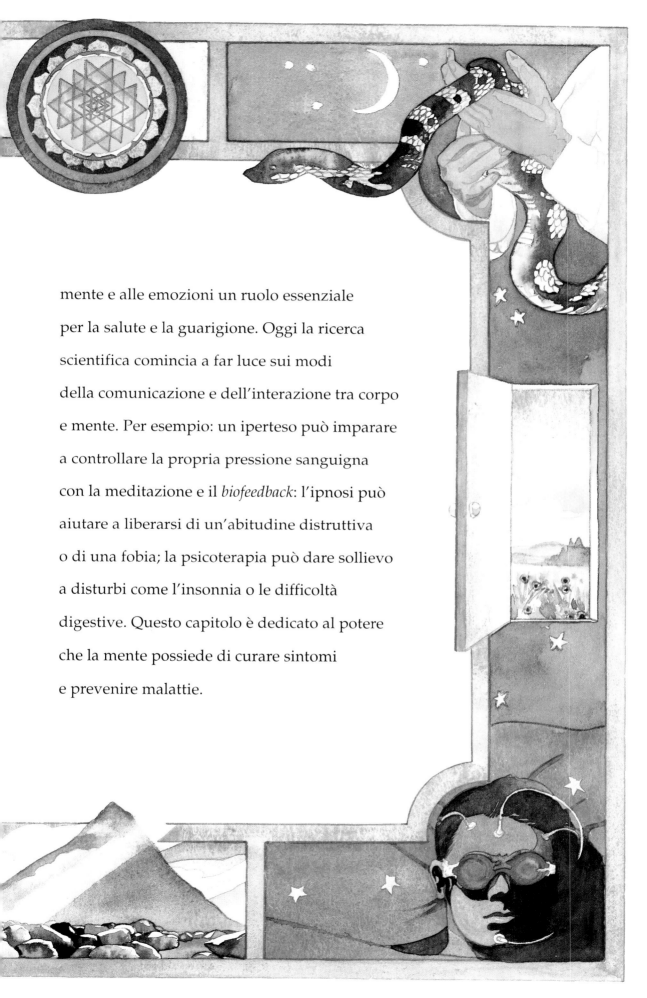

mente e alle emozioni un ruolo essenziale
per la salute e la guarigione. Oggi la ricerca
scientifica comincia a far luce sui modi
della comunicazione e dell'interazione tra corpo
e mente. Per esempio: un iperteso può imparare
a controllare la propria pressione sanguigna
con la meditazione e il *biofeedback*: l'ipnosi può
aiutare a liberarsi di un'abitudine distruttiva
o di una fobia; la psicoterapia può dare sollievo
a disturbi come l'insonnia o le difficoltà
digestive. Questo capitolo è dedicato al potere
che la mente possiede di curare sintomi
e prevenire malattie.

Il legame tra corpo e mente

Chi pratica la medicina naturale sa che le emozioni influenzano la salute.
Oggi anche la ricerca scientifica inizia a dimostrare l'interazione tra corpo
e mente e a spiegare i meccanismi che la regolano.

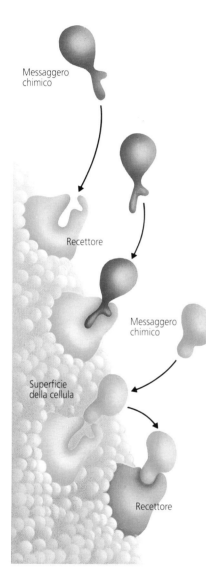

Messaggero
chimico

Recettore

Messaggero
chimico

Superficie
della cellula

Recettore

Come funzionano
i recettori cellulari

Le cellule comunicano per mezzo
di particolari molecole che, in base
alla loro forma, vanno a collocarsi
sui recettori di forma
complementare di cui sono dotate
altre cellule. Come una chiave apre
solo una determinata serratura, così
ogni messaggero molecolare si lega
solo con il suo specifico recettore.

PUÒ IL SINGOLO INDIVIDUO influenzare in qualche misura il proprio sistema immunitario, deputato a proteggere l'organismo dall'attacco dei virus, dei batteri e delle tossine? Secondo nuove scoperte la risposta sarebbe affermativa. Scienziati delle discipline più diverse vanno esplorando le complesse relazioni che intercorrono tra il sistema nervoso, il sistema endocrino e il sistema immunitario; lo scopo è anche di determinare quanto le emozioni possano influire sulla salute. La "psiconeuroimmunologia", o PNI, una disciplina relativamente nuova, è la punta di diamante in questo campo.

Fino a tempi abbastanza recenti, la scienza non ha avuto grossi dubbi sul fatto che corpo e mente fossero entità separate, funzionanti in modo indipendente. La scienza medica in particolare, concentrandosi sugli aspetti strettamente fisici della malattia, ha rinforzato questo dualismo approntando tecnologie sempre più raffinate: chirurgia laser, TAC, farmaci potenti e mirati...

Studi recenti nel campo della PNI hanno mostrato che i sistemi nervoso, endocrino e immunitario sono uniti da una rete di comunicazione che permette a corpo e mente di influenzarsi reciprocamente. Ma in che modo funziona questa rete? È in questa direzione che si muovono attualmente le ricerche nel campo della psiconeuroimmunologia.

Il mistero dell'immunità Un tempo si pensava che il sistema immunitario fosse indipendente dalle funzioni cerebrali. In alcuni esperimenti di laboratorio si era infatti visto che ponendo in un vetrino infettato alcune cellule difensive queste, senza bisogno di alcun "ordine" proveniente dal cervello, si gettavano all'attacco dei microbi.

In realtà, il sistema immunitario è una rete di difesa straordinariamente complessa che presenta ancora molti lati oscuri, perfino agli occhi degli scienziati. Se è facile riferire il sistema circolatorio al cuore e il sistema nervoso al cervello, il sistema immunitario non è governato da un organo particolare. Linfonodi, midollo osseo, timo, milza, tonsille e appendice producono tutti, o immagazzinano, vari tipi di cellule di difesa specializzate per ogni particolare "assalto" esterno.

I globuli bianchi (o leucociti) costituiscono la prima linea di difesa dell'organismo. Si attaccano ai microbi invasori e producono anticorpi per neutralizzarli o distruggerli. Anche se il sistema immunitario produce vari tipi di cellule, i leucociti (tra i quali i linfociti T) restano il fulcro della funzione di difesa.

Sappiamo che il cervello produce ormoni e altri messaggeri

In questa illustrazione *di fantasia, i messaggeri molecolari (le V volanti) si precipitano verso i recettori della superficie di una cellula neuronale. Unendosi cambiano forma (come si vede dai coni e dai lampi) e sono pronti per ulteriori reazioni. La struttura ramificata è un neurone situato a una certa distanza.*

molecolari che di cellula in cellula portano segnali in tutto il corpo. Molte cellule sono dotate di recettori, molecole strutturate appositamente per ricevere determinati messaggeri, proprio come ogni serratura riceve solo una data chiave. Molti ormoni prodotti dal cervello sono destinati ai recettori di certe cellule immunitarie, ma gli psiconeuroimmunologi hanno scoperto che anche i leucociti producono ormoni destinati a determinate cellule neuronali. Su questa base si comincia a intuire che i globuli bianchi avrebbero una funzione assai più ampia di quella finora attribuita loro. Secondo un ricercatore, sarebbero un po' come «pezzettini di cervello sparsi in tutto il corpo».

"Caso clinico"

UN CORPO CON MOLTE MENTI

I pazienti con personalità multiple offrono una drammatica testimonianza della relazione corpo-mente. Sorprende fino a che punto anche le loro malattie possano cambiare insieme con la personalità.

Verso la fine degli anni Settanta, una donna che chiamerò Harriet venne ricoverata presso l'unità di Psichiatria di un ospedale di Chicago. Sovrappeso e diabetica, Harriet soffriva anche di cefalee seguite da amnesie di diverse ore.

All'ospedale le fu diagnosticata una personalità multipla, un disturbo mentale per il quale nel paziente convivono due o più personalità diverse, che si alternano prendendo il controllo del comportamento. Harriet fu curata da Bennett Braun, uno dei maggiori esperti di questa malattia.

Con l'ipnosi, Braun individuò quattro personalità distinte che convivevano nel corpo della paziente. Harriet, la personalità ospitante, era una giovane donna sottomessa ma simpatica. A ogni cambio di identità corrispondeva un cambiamento nell'espressione del viso, nei modi, nella voce. Le "altre" personalità erano Judy, una bambina goffa e introversa di cinque anni; Sally, un'aggressiva e imbronciata sedicenne; e Kitty, un'adolescente simpatica e ben educata.

Fino a tempi recenti, l'opinione di molti medici era che i pazienti con personalità multiple fingessero, ma ci sono ormai prove fisiologiche convincenti che indicano la fondatezza del disturbo: le onde cerebrali variano distintamente da una personalità all'altra.

Durante una seduta di terapia, improvvisamente si presentò Kitty. Anche lei, come Harriet, era gravemente diabetica. Ma quando, dopo non molto, comparve Sally, accadde qualcosa di inaspettato: in un'ora tutti i sintomi del diabete sparirono. Il livello di zucchero nel sangue di Sally era perfettamente normale e, ogni volta che Harriet diventava Sally, il suo organismo non presentava alcun sintomo della malattia.

Il caso di Harriet non è il solo che dimostri lo strano potere della mente sul corpo. Un altro caso è quello di un giovane che soffriva di allergia agli agrumi solo quando assumeva alcune delle sue personalità secondarie.

Un altro ancora è quello di un paziente adulto, dotato di vista apparentemente normale, che soffriva di glaucoma tutte le volte che cambiava personalità.

Che cosa c'è dietro le personalità multiple? Quando il paziente si fa curare emerge quasi sempre qualche storia tragica di insopportabili maltrattamenti infantili. Evidentemente le personalità secondarie aiutano a difendersi da traumi fisici ed emotivi troppo intensi per poter essere affrontati.

C'è chi arriva addirittura a teorizzare che il sistema immunitario faccia parte di quello nervoso, come un "sesto senso" del cervello, che capta i virus e altri agenti patogeni. Secondo questa teoria, il sistema immunitario trasformerebbe le informazioni relative a eventuali attacchi in messaggi biochimici, in ormoni che, inviati al cervello, influenzerebbero la mente alterando umore e comportamento.

In modo analogo, le funzioni immunitarie seguirebbero l'andamento alterno dell'umore, cioè avrebbero esse stesse alti e bassi in corrispondenza delle fluttuazioni emotive.

Per tornare al tema di partenza: è possibile controllare consapevolmente i nostri processi biochimici? In parte sì. Non c'è dubbio, per esempio, che si possa imparare ad affrontare lo stress in modo costruttivo. È stato dimostrato che in periodi di grave stress le ghiandole surrenali avviano la produzione di corticosteroidi, messaggeri chimici che possono deprimere la funzione immunitaria rendendo più vulnerabili nei confronti delle malattie. Con la meditazione, con il *biofeedback* e con altre tecniche, c'è chi riesce ad ascoltare il proprio corpo e ad attenuare le sue risposte allo stress. Certi ricercatori sono convinti che un controllo di questo tipo abbia a sua volta un benefico effetto sul sistema immunitario. Se le notizie sulle relazioni tra mente e corpo sono fondate, è certo che potremo fare di più per la nostra salute. Come il cervello, anche il sistema immunitario ha una specie di memoria, si tratta degli anticorpi, le cellule specializzate che ricordano gli incontri avuti con un virus o con un altro agente infettivo. Al tentativo di sfruttare questa memoria e il collegamento esistente tra la mente e il sistema immunitario si rifanno tecniche come la visualizzazione, le immagini guidate, l'autoipnosi. Ci sono studiosi convinti che un giorno riusciremo a condizionare il sistema immunitario al punto di evitare completamente la malattia.

In ogni cultura le madri "curano" i graffi e i piccoli traumi dei loro piccoli con un tenero «Vediamo se passa con un bacino». E anche se le lacrime non cessano immediatamente, i bambini ne sono quasi sempre confortati. La madre sa che il dolore sparirà rapidamente e che il bacio è una forma di rassicurazione. Questa pratica affettuosa, probabilmente antica quanto il mondo, aiuta a far passare la paura delle ferite, fisiche o emotive che siano. E se la mamma dice che passa, è certo che passerà.

L'effetto placebo Le recenti scoperte sulle influenze che la mente ha sul corpo rimettono in discussione tutta la questione dell'efficacia terapeutica dei placebo (*placebo* è una locuzione latina di uso comune in diverse lingue, letteralmente significa "piacerò" ma indica sostanze farmacologicamente inerti, prive di valore medicamentoso, usate al posto dei medicinali). Tutti ne hanno sentito parlare, anche se nessuno pensa di averne mai fatto uso. Assai spesso invece vengono usati negli esperimenti in "doppio cieco", cioè quelli dove né medico né paziente sanno se è stato somministrato un farmaco o un placebo. Lo scopo di questi

L'enigma delle verruche scomparse

Sembra che solo chi soffre di verruche dia loro peso, ma il dottor Andrew Weil si chiede se il problema delle verruche non apra piuttosto nuove vie allo studio dei meccanismi di guarigione.

Le cure miracolose per le verruche sono tanto comuni quanto curiose. Chiedete qua e là e raccoglierete molte storie diverse.

I metodi usati con successo variano dai più semplici ai più estrosi, senza alcun fondamento teorico.

Qualche esempio? Farsi toccare da un vicino di casa che sembra abbia guarito altre persone, applicare piante curative sulla verruca o strofinarla con una fetta di patata che va poi seppellita sotto un albero particolare durante una particolare fase lunare.

Le verruche non sono un disturbo funzionale. Sono oggettivamente delle affezioni cutanee: un'anomalia che si produce in un tessuto infettato da un virus. Non di meno sono suscettibili di guarigioni pressoché istantanee, determinate dal credito che si dà a trattamenti che non avrebbero altrimenti alcun effetto significativo sui virus o sul tessuto cutaneo.

Un medico mi riferì di aver guarito un uomo che aveva avuto per anni verruche su tutto il corpo. I vari tentativi di eliminarle erano riusciti solo a moltiplicarle. Per togliersi un capriccio, gli disse che avrebbe provato su di lui una nuovissima forma sperimentale di radiazioni che, benché non proprio esente da rischi, era così potente da poter risolvere definitivamente il suo problema. Insieme con un amico radiologo lo fece spogliare e sedere al buio in un locale destinato alle irradiazioni. Accesero degli apparecchi rumorosi, che però non emisero raggi X. Il giorno seguente le verruche scomparvero e non ricomparvero più.

Le verruche sulle piante dei piedi sono assai più ostinate di quelle sulle mani. Un paziente mi chiese come curarle e, dal momento che insisteva per avere una risposta, gli dissi di strofinare le verruche con un cubetto di ghiaccio secco la sera, prima di andare a dormire.

Gli suggerii anche di visualizzare, ogni mattina e ogni sera, una luce bianca che lo attraversava dalla testa ai piedi e di pensare che questa luce avrebbe aiutato il suo corpo a liberarsi dalle verruche.

Sei mesi dopo mi scrisse che dopo una settimana aveva notato un minimo cambiamento. Aveva insistito negli sforzi e dopo un mese le verruche se n'erano andate per sempre.

Ho molti motivi per porre in evidenza il meccanismo implicito nelle cure per le verruche.

Il primo è l'aspetto oggettivo, scientificamente dimostrabile, del problema: in casi di questo genere, i medici si trovano di fronte alla possibilità di verificare la fondatezza e l'importanza di certe guarigioni mediate dalla mente.

Il secondo è che allo stesso meccanismo sono forse riferibili altri eventi fisico-mentali, quali l'effetto placebo, le guarigioni miracolose, le remissioni spontanee di un cancro e così via.

Il terzo è che questo meccanismo può fornire una chiave per la comprensione dei modi in cui mente e corpo si influenzano.

Infine, conoscere il meccanismo che sta alla base delle cure per le verruche consente alla gente di servirsene per sé e per altri e di utilizzarlo per risolvere problemi medici più seri.

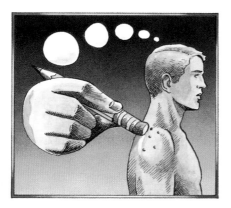

Cura delle verruche: talvolta, in questi casi, la mente ha la meglio sulla materia.

Tratto da Health and Healing *(Salute e guarigione), di Andrew Weil.*

esperimenti è determinare se un certo farmaco agisce meglio di un placebo nei confronti di una certa malattia. La cosa curiosa è che molto spesso si verifica un miglioramento dei sintomi sia che il placebo venga prescritto deliberatamente dal medico (come talvolta avviene), sia che si tratti del placebo preso casualmente nel corso di un esperimento.

La scienza ufficiale ha finora dedicato scarsa attenzione all'efficacia, apparentemente inspiegabile, del placebo, ed è ricorsa, per lo più, alla particolare suggestionabilità del paziente, e alla sua "malattia immaginaria". Resta il fatto che i placebo sono impiegati con successo nei casi più vari, dalle verruche ai problemi di cuore.

Se il placebo è una sostanza inerte, la sua efficacia può risiedere ovunque, ma è probabile che abbia a che fare con ciò che il paziente si aspetta. In circostanze favorevoli, sembra in grado di sollecitare il sistema immunitario, permettendo all'organismo di combattere la malattia. Ma anche considerando il delicato

legame tra corpo e mente, come e perché funziona un placebo è in gran parte un mistero.

Bisogna dire che l'effetto placebo ha anche un risvolto negativo: decine di lavoratori di una fabbrica accusarono nausea e svenimenti dopo che si era sparsa la voce di una fuoriuscita di gas tossici. Anche se le ispezioni dimostrarono che nell'ambiente non c'era traccia di gas, i loro sintomi erano reali. Così, nel mondo, si segnalano numerosi casi di morte per magia nera. Chi fa il maleficio ha un gran potere sulla vittima, che dopo breve tempo muore. Si ritiene che ciò in cui la vittima crede fermamente abbia il potere di influenzare in qualche modo la parte del sistema nervoso autonomo che controlla il battito cardiaco, al punto da causarne l'arresto.

Il rapporto medico-paziente Che cosa si può imparare da casi bizzarri come le epidemie di malattie immaginarie o le morti per magia nera? Di certo testimoniano incontestabilmente quanta importanza riveste ciò in cui si crede e ciò che ci si aspetta. Proprio come le vittime di un maleficio credono nel potere di chi lo opera, tanta gente crede nei poteri del proprio medico o del proprio terapeuta. Qualunque sia la sua efficacia, va tenuto conto che ogni particolare trattamento sollecita anche una risposta a livello mentale. In breve, l'efficacia del rimedio dipende dalla fiducia che il medico ha in esso e dalla fiducia che il paziente a sua volta ripone nel medico e nella terapia.

Nel corso di una celebrazione rituale in onore della dea del mare, i medium del culto religioso brasiliano Umbanda operano una guarigione di gruppo. Migliaia di credenti si radunano sulla spiaggia di San Paolo e offrono doni alla dea. Il culto, nato a Rio de Janeiro negli anni Venti, è un insieme di cattolicesimo e di credenze animistiche africane.

Il tocco che guarisce

Il successo dei guaritori: quando la fiducia diventa fede.
L'imposizione delle mani è una pratica antichissima che continua ad avere un vasto seguito anche nel mondo moderno.

Il Re ti tocca, Dio ti cura

Luigi IX di Francia (sopra), canonizzato qualche tempo dopo la sua morte, avvenuta nel 1270, era noto per i suoi poteri di guaritore. Ma non era il solo Re con questa dote. Nel Medioevo, quando c'era abbondanza di malattie e scarsità di medici, non di rado ci si rivolgeva al Re per la cura dei malati. Godendo già della successione regale per diritto divino, i Re si attribuirono anche altre doti di origine divina. Il "tocco del Re" era considerato particolarmente efficace contro la scrofolosi, una malattia delle linfoghiandole causata dal latte infetto.

LE GUARIGIONI MIRACOLOSE si basano sul ricorso a un potere superiore, che aiuta l'individuo a vincere la propria malattia. Avvengono tramite preghiere, imposizioni delle mani o rituali di diverso genere. Da un punto di vista razionale questi fatti sono spiegati associando la fede a un processo psicologico che in qualche modo scatena i meccanismi di difesa dell'organismo, specialmente nel corso di cerimonie o riti capaci di suscitare intense reazioni emotive. Ma, che la guarigione sia determinata dall'intervento divino o dalla reattività emotiva del malato, non si può fare a meno di constatare che la fiducia nella possibilità di una guarigione miracolosa è comunque positiva e utile, qualunque sia la terapia scelta.

È la fiducia che opera i miracoli Alcuni guaritori dichiarano di poter curare anche chi non crede nelle loro capacità, ma quasi sempre la fiducia del paziente gioca un ruolo essenziale. La guarigione richiede un profondo impegno emotivo e il ricorso a tutte le più intime risorse spirituali e psicologiche del paziente. Spesso è necessario anche che guaritore e paziente condividano una fede religiosa e certi valori culturali. Una persona cresciuta in una tradizione medica ortodossa, per esempio, ha meno possibilità di essere curata con successo da un *curandero* messicano o da uno sciamano siberiano di chi invece ha familiarità con i loro sistemi. Il fallimento di una cura è spesso legato a scelte culturali incompatibili.

I primi a operare guarigioni miracolose furono sciamani, *medicine men* ("uomini-medicina" o stregoni) e sacerdoti, che combattevano gli spiriti responsabili della malattia con canti e vari rituali. Gli antichi non facevano distinzioni tra malattia del corpo o dello spirito, ma avevano piuttosto una visione della salute che oggi definiremmo olistica. Tuttavia, le arti terapeutiche non venivano praticate in modo uniforme. Per gli antichi Greci le afflizioni del corpo erano il segno di uno sgarbo fatto agli dèi e andavano pertanto sopportate. Gli Ebrei erano inclini ad accettare la malattia come una punizione divina mentre i primi Cristiani la vedevano più come opera del male, insito nella vita umana. Gesù Cristo combatteva il male guarendo i lebbrosi, restituendo la vista ai ciechi e facendo camminare gli storpi; gli Apostoli proseguirono questa tradizione di miracoli nel nome di Gesù.

Guaritori antichi e moderni Anche se con nomi completamente diversi, i *medicine men* continuano a operare ancora oggi

Nella speranza di un miracolo, ogni anno centinaia di migliaia di fedeli si recano in pellegrinaggio al santuario di Lourdes, in Francia, nel luogo in cui, nel 1858, una contadina di quattordici anni, Bernadette Soubirous, ebbe una visione della Vergine che le mostrava dove scavare per far scaturire una fonte dai poteri miracolosi. Dopo un secolo, la Chiesa cattolica ha aperto un'inchiesta sulle guarigioni miracolose che lì si verificavano, dichiarandone autentiche un centinaio.

in molte parti del mondo. Nel Borneo, per esempio, si chiamano *manang* e tra gli Eschimesi dell'Alaska *angakok*. Qui, come in altre popolazioni indigene, il malato è ancora trattato con rituali che hanno lo scopo di esorcizzare gli spiriti ostili o una "fattura" inflitta da un nemico. Talvolta occorre che il paziente stesso espii le trasgressioni commesse perché possa aver luogo la guarigione.

Negli Stati Uniti, i più fervidi sostenitori delle guarigioni ottenute con la fede sono gli aderenti alla setta denominata Christian Science, secondo cui la malattia è un'illusione basata su pensieri sbagliati e tutti i disturbi possono essere curati correggendo il proprio atteggiamento mentale. Per usare le parole di Mary Baker Eddy (1821-1910), fondatrice di Christian Science, «La mente governa il corpo. Non in parte ma globalmente».

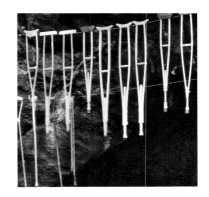

Le stampelle abbandonate a Lourdes testimoniano il potere straordinario della fede.

La funzione di guaritore resta uno dei tanti compiti dei ministri di Dio, e tutte le religioni, in ogni parte del mondo, contemplano funzioni religiose, preghiere e benedizioni per alleviare le sofferenze dei malati e fornire loro un sostegno emotivo e spirituale.

La teoria energetica del contatto Il contatto fisico è la forma più elementare di comunicazione e di conforto: rassicura, indica attenzione e affetto. Per i neonati è un cibo indispensabile quanto il latte materno. Non sorprende quindi che molti guaritori curino numerose malattie "con le loro mani" anziché ricorrere ai poteri divini.

Oggi un tipo di contatto particolare, la cosiddetta "imposizione delle mani", è ampiamente sfruttato da molti terapeuti naturali, che credono nell'esistenza di un'energia vitale che dà la forza di guarire. Si tratta di un concetto derivato dalle culture orientali, per le quali il flusso energetico che attraversa il corpo è ritenuto responsabile dello stato di salute. Se c'è disarmonia in questo flusso, allora si manifesta la malattia. Il tocco del guaritore ha dunque il compito di ristabilire la corretta circolazione e l'equilibrio dell'energia vitale del paziente.

La pranoterapia Ha origini antichissime ed è oggi, tra le "cure mediante i fluidi", la più conosciuta e diffusa. Per "fluido" si intende quell'energia vitale (che in India chiamano *prana*) presente in tutti gli uomini, dalla nascita alla morte, in grado di determinare la salute e la malattia. Il pranoterapeuta passa le proprie mani sul corpo del paziente, sfiorandolo appena (una tecnica detta "imposizione"), in modo da sintonizzarsi con il suo fluido e individuare le zone malate. Su queste poi si sofferma e vi appoggia le mani per consentire al fluido vitale di intervenire. Durante il trattamento, che dura circa un quarto d'ora, solitamente i pazienti sentono del calore provenire dalle mani del pranoterapeuta, o un formicolio sulle zone trattate. Ma attenzione: poiché la pranoterapia non fa che stimolare, attraverso le mani del guaritore, i meccanismi di autoguarigione del paziente, è indispensabile che tra i due si stabiliscano un'aperta e sincera comunicazione, una reale fiducia e la volontà di giungere a un risultato positivo.

Il Therapeutic Touch Messo a punto da un'insegnante della scuola universitaria per infermiere di New York, Dolores Krieger, il *Therapeutic Touch* (tocco terapeutico) fa capo a elementi di pranoterapia e alle teorie orientali della circolazione energetica. Si fonda sul presupposto che ogni essere umano sia circondato da un campo energetico che, se bloccato, provoca dolore o malattia. Il terapeuta afferma di poter individuare e correggere tali blocchi, con effetti positivi sul dolore e sulla salute del paziente in generale. Molti infatti riferiscono di aver trovato sollievo dal mal di schiena, dal mal di testa, dalla tensione e da al-

---

Imparare a valorizzarsi

La relazione terapeutica può sempre instaurarsi quando una persona chiede a un'altra di guarirla. È ricercata attivamente dagli sciamani come dagli psicoterapeuti.

La relazione terapeutica comunica l'affetto e la preoccupazione per l'altro che è in grado di dare la forza e la motivazione necessarie a guarire. Comunica il valore dell'individuo. È irrazionale, come l'amore, e permette di sperare che l'amore abbia un potere miracoloso. Comunica quel che ci aspettiamo per noi stessi, per il nostro corpo, per la mente e per lo spirito.

È qualcosa che risponde a un profondo bisogno: di contatto affettuoso, di attesa per qualcosa di buono dalla vita, di consapevolezza del proprio valore, perfino di un pizzico di magia. In tutte le tradizioni ci sono guaritori che hanno il potere di evocarla. È il filo d'oro che collega le varie forme di cura.

– Tratto da *The Healing Relationship* (La relazione terapeutica), di Jerry Solfvin.

tri sintomi già dopo poche sedute. Chi soffre di malattie croniche può comunque trarre beneficio dagli effetti rilassanti del *Therapeutic Touch*.

Diventare sensibili all'energia Secondo Dolores Krieger, molti possono imparare a sentire con le mani l'energia che irradia dal corpo. Chi impara a farlo può servirsi della tecnica in ogni occasione.

Per individuare il vostro campo energetico, sedetevi comodi con entrambi i piedi appoggiati a terra. Con i gomiti all'infuori, avvicinate lentamente le palme delle mani, evitando però di farle toccare, poi allontanatele lentamente di cinque centimetri. Riavvicinatele e riallontanatele di dieci, poi di quindici centimetri, ritornando ogni volta alla posizione di partenza. Ora allontanatele di venti centimetri e fermatevi un momento. Riavvicinatele di cinque centimetri alla volta, facendo una pausa tra un movimento e l'altro. Infine, riportatele alla posizione iniziale e concentratevi per un minuto intero su ciò che sentite: caldo, freddo, formicolio, pulsazioni o altre sensazioni possono fornirvi un'indicazione del vostro stato energetico.

Il guaritore dev'essere in buona salute e fortemente motivato a curare gli altri. Prima di cominciare la seduta medita per qual-

La capacità di guarire con l'imposizione delle mani è un «potenziale naturale di ogni essere umano», sostiene Dolores Krieger, maestra del Therapeutic Touch. *La Krieger, ritratta qui durante una seduta, ha insegnato a migliaia di operatori sanitari come utilizzare il proprio flusso energetico.*

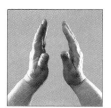

Per cominciare, tenete le palme delle mani una di fronte all'altra, poi allontanatele di cinque centimetri.

Riavvicinatele e ripetete la sequenza due volte, aumentando la distanza fino a quindici centimetri.

Infine allontanatele di venti centimetri; nel riunirle procedete di cinque centimetri alla volta.

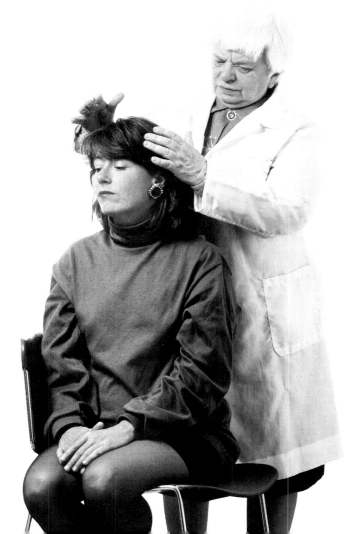

Senza alcun contatto

Tastare ed esplorare delicatamente con le mani il corpo del paziente è uno dei primi strumenti diagnostici a disposizione del medico. Oggi, scrive Lewis Thomas, le macchine hanno sostituito questa antica procedura.

Una causa di disagio per chi è gravemente malato, certo non una delle meno importanti, è la mancanza di contatto fisico. Gli altri, perfino gli amici intimi e i famigliari, tendono a stare alla larga del malato, a toccarlo il meno possibile per paura di disturbare o di contagiarsi, ma anche a titolo scaramantico. La più antica delle tecniche mediche è invece proprio quella che si fonda sul contatto con il paziente.

Nei secoli, questa tecnica andò raffinandosi e le mani impararono a fare qualcosa di più del semplice contatto: tastare il polso, la punta della milza, il bordo del fegato; battere il torace per valutare la risonanza dei polmoni; cospargere pomate sulla pelle; stringere un arto con un laccio o comprimere una ferita per bloccare un'emorragia. Ma nello stesso tempo non smisero di toccare, di accarezzare e di tenere la mano del paziente.

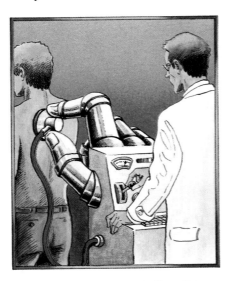

Un approccio non manuale alla medicina.

Chi pratica l'imposizione delle mani deve avere, innanzi tutto, il dono della disponibilità. Certo ci sono persone alle quali non piace toccare gli altri e che farebbero bene a evitare professioni che richiedono un contatto fisico.

Se uno di costoro un tempo si fosse trovato a studiare medicina, avrebbe dovuto rinunciare ai suoi propositi o quantomeno rassegnarsi ad essere un cattivo medico.

Il contatto con l'orecchio fu uno dei grandi passi avanti nella storia della medicina. Una volta appreso che cuore e polmoni avevano suoni specifici, utili per la diagnosi, i medici cominciarono ad appoggiare un orecchio sul cuore e sulle zone anteriori e posteriori del torace, per ascoltarli.

È difficile immaginare un gesto umano più amichevole, un segno più intimo di attenzione e di disponibilità personale di una testa china, appoggiata sulla pelle nuda.

Lo stetoscopio è un'invenzione del XIX secolo, che certo facilita l'auscultazione del torace ma porta anche il medico a una certa distanza dal paziente. È stato il primo strumento diagnostico dei molti che dovevano seguire: tutti destinati a ingigantire sempre più questa distanza.

Oggi il medico può eseguire una quantità di accertamenti senza doversi muovere dal suo studio, addirittura senza nemmeno vedere il paziente.

Invece di "sprecare" quarantacinque minuti del suo tempo ad auscultare il petto e a palpare l'addome del paziente, può richiedere semplicemente una TAC e aspettare di rivedere in una volta sola, in ogni dettaglio, tutti gli organi interni, sullo stato dei quali tramite la palpazione e l'auscultazione poteva fare solo congetture.

Il medico può persino stare a distanza, se crede, lontano dal paziente e dalla famiglia, senza doversi impegnare in alcun contatto fisico al di là di una formale stretta di mano.

La medicina moderna non ha più niente a che fare con l'imposizione delle mani, ma sempre di più con la lettura di segnali elettronici.

Tratto da The Youngest Science (*La scienza più giovane*)*, di Lewis Thomas.*

che minuto e visualizza il paziente come un essere umano sano. Poi passa a valutarne il campo energetico: tiene le mani aperte e le fa scorrere sui due lati del corpo, senza toccarlo. Dolores Krieger afferma che le mani possono avvertire una densità insolita o un calore nei punti dove l'energia è bloccata. Il guaritore cerca allora di "sciogliere" l'energia, distribuendo quella in eccesso verso altre parti del corpo.

Reiki: guarire trasferendo energia Anche il reiki è un'arte di imposizione delle mani basata sul principio dell'energia vitale universale. Il metodo fu scoperto, o più precisamente riscoperto, da un teologo giapponese intorno alla metà del XIX secolo. In cerca del fondamento teorico alla base delle tecniche di imposizione delle mani, il dottor Mikao Usui si imbatté in alcuni antichi manoscritti in sanscrito nei quali trovò i principi di ciò che in seguito chiamò reiki, nome derivato dalle parole giapponesi *rei* (universale) e *ki* (forza vitale).

Eliminare la congestione Secondo chi lo pratica, il reiki libera i blocchi energetici presenti nel corpo, siano essi causati da mali fisici, psichici o spirituali. Inoltre darebbe sollievo da una quantità di disturbi, dall'artrite allo stress. Non è però raccomandabile in caso di fratture, di dolori acuti o di malattie croniche.

La formazione del guaritore reiki avviene attraverso una sorta di iniziazione, acquisita per gradi. Il Maestro traccia antichi simboli energetici sulla testa dell'iniziato e poi in altri punti del corpo, corrispondenti ai *chakra*.

L'effetto terapeutico dei reiki non dipende dal modo in cui si tengono le mani o dall'abilità del guaritore, bensì dal trasferimento di energia da una persona all'altra. In ogni caso il flusso di vibrazioni energetiche è reciproco: sia il guaritore sia il paziente danno e ricevono. Durante la seduta, il paziente può sentire il calore della mano del guaritore, un formicolio o un senso di rilassamento.

Che cosa rivela l'aura? C'è chi ritiene che ogni individuo abbia intorno a sé un campo energetico luminoso, una vera e propria aura che segue i contorni del corpo.

Sebbene la sua presenza sia ancora sottoposta alla verifica scientifica, e molti medici la mettano in dubbio, l'aura potrebbe rappresentare una manifestazione delle nostre condizioni mentali, fisiche ed emotive.

I sostenitori di questa teoria affermano che a diverse caratteristiche dell'aura corrisponderebbero diverse condizioni di umore, di energia e di salute. Per questo motivo alcuni terapisti se ne servono come strumento diagnostico. Un'aura rosa o bianca, per esempio, farebbe pensare a uno stato di gioia e di buona salute, mentre certe tonalità di rosso indicherebbero una collera repressa e il grigio, ed anche il marrone, un problema fisico o psichico.

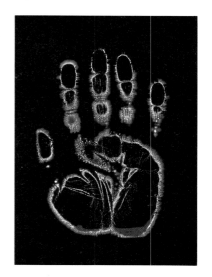

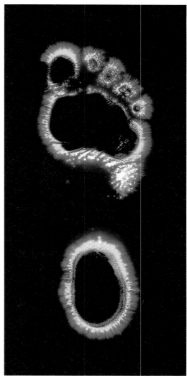

La fotografia di Kirlian, benché ritenuta inattendibile da molti scienziati, sembra in grado di riprodurre l'aura degli esseri viventi. Per realizzare queste fotografie di Kirlian è stata applicata una corrente elettrica a una speciale lastra fotografica sulla quale erano appoggiati un piede e una mano.

La meditazione in Oriente e in Occidente

La meditazione è un'efficace tecnica di rilassamento che contribuisce all'equilibrio del corpo e della mente. Ma essa ha anche effetti più sottili, che possono produrre una profonda trasformazione spirituale.

Pionieri occidentali della saggezza orientale

Elena Petrovna Blavatskij (sotto) e Annie Besant (sopra): con la loro attività nella Società teosofica hanno favorito l'introduzione in Occidente della meditazione e della filosofia orientale.
La Società, fondata nel 1875, aveva tra i suoi scopi la promozione della fratellanza del genere umano, da ricercare con l'aiuto della filosofia, della scienza e della religione.

FINO A NON MOLTO TEMPO FA in Occidente la meditazione era considerata patrimonio esclusivo di asceti, yogi e mistici. Di primo acchito la parola evoca l'immagine di un *sadhu*, un asceta errante indù, seduto immobile a gambe incrociate sotto un grande albero, assorto in uno stato di profondo rapimento o di monaci buddisti avvolti nelle loro vesti arancioni, seduti silenziosamente nella quiete profumata di incenso di un tempio tailandese, immobili come le grandi statue dorate di Budda che li sovrastano, ripetendo all'infinito lo stesso atteggiamento del corpo, lo stesso motivo. Ma oggi non è raro trovare immersi in pratiche di questo genere personaggi di tutt'altro mondo e di tutt'altro genere: manager provati dallo stress di una vita dinamica e competitiva, atleti che desiderano dare il meglio di sé in una gara importante, artisti che cercano di attingere alle sorgenti più profonde della loro creatività. Che cosa porta questi nuovi meditatori ad adottare tecniche che sembrano tanto lontane dal nostro mondo contemporaneo? E che cos'è la meditazione?

Rilassarsi consapevolmente Le motivazioni con cui le persone si accostano alla meditazione sono abbastanza differenziate e di diverso livello. Ma un minimo comune denominatore è indubbiamente il fatto che la meditazione fa bene al corpo e alla psiche. L'attività cerebrale rallenta: si è osservato che l'elettroencefalogramma di persone immerse in meditazione mostra un progressivo spostamento delle onde cerebrali verso onde lunghe e di bassa frequenza, le cosiddette "onde alfa". Il cervello si prende un meritato riposo, simile per certi versi a un sonno profondo. Simultaneamente il corpo si rilassa, il metabolismo rallenta, l'energia si raccoglie all'interno, tutto l'organismo entra in uno stato di salutare riposo e recupero. Si è scoperto che questo rilassamento apporta importanti benefici al sistema nervoso, al sistema circolatorio, al sistema immunitario. La pratica della meditazione è stata usata come coadiuvante alla terapia in molte malattie, dall'ipertensione alla colite, al cancro, oltre che come sostegno alla psicoterapia.

Ma, se il rallentamento dell'attività cerebrale durante la meditazione assomiglia a quello che si produce durante il sonno, c'è tuttavia una differenza essenziale fra la meditazione e il sonno: la persona immersa in meditazione è profondamente attenta e presente, più intensamente sveglia che nel normale stato di veglia. In generale, l'attenzione si ritrae dal mondo esterno, i sensi, per così dire, ritirano i loro tentacoli all'interno. Oppure, in alcune forme di meditazione, si concentrano in maniera esclusiva su un singolo oggetto, su un'immagine, su un suono. Per esempio, lo sguardo resta fisso sulla fiamma di una candela, oppure su un oggetto colorato, un cosiddetto *yantra* o *mandala*, per lo più dotato di un particolare significato simbolico. Oppure la persona in meditazione emette dei suoni, recita certe sillabe, anch'esse dotate di significato simbolico, dette *mantra*. Le pratiche di concentrazione su un particolare oggetto rappresentano spesso un passaggio intermedio, che facilita al meditatore il processo di graduale ritiro dell'attenzione all'interno dell'abituale, continuo e automatico coinvolgimento negli stimoli esterni e nelle preoccupazioni della vita quotidiana.

Una forma classica e antichissima di meditazione, per esempio, concentra l'attenzione esclusivamente sul respiro. In questa pratica il meditatore osserva senza distrarsi il flusso del respiro che entra e che esce. È questa la meditazione *vipassana*, insegnata da Budda ai suoi discepoli e praticata ancor oggi in tutto l'Oriente buddista, dallo Sri Lanka al Giappone, nonché in misura crescente in Occidente.

Smettere di agire meccanicamente Il punto di partenza comune forse a tutte le pratiche di meditazione è una certa consapevolezza di come funziona la mente e di come ci muoviamo nella vita nel nostro stato di coscienza ordinario. Georg Gurdjeff, un moderno maestro spirituale nato nel Caucaso e vissuto in Russia e in Francia all'inizio del secolo, soleva dire ai suoi discepoli che il primo passo consiste nel rendersi conto di «essere una macchina». «L'anima», diceva provocatoriamente Gurdjeff, (cioè il diventare esseri umani coscienti e capaci di volontà) «non è data alla nascita, ma si conquista con un processo di evoluzione personale.» La maggior parte di noi vive in modo frammentario e meccanico. Crediamo di essere coscienti di quello che facciamo e di dirigere liberamente la nostra vita, ma, se esaminiamo più a fondo le nostre scelte, ci accorgiamo che esse sono frutto di un gioco di forze inconsce su cui esercitiamo ben poco controllo. «Per questo», diceva Gurdjeff, «ci è tanto difficile decidere veramente qualcosa, per esempio modificare un'abitudine radicata.» Una parte di noi può aver deciso di smettere di fumare, ma un'altra sottopersonalità protende meccanicamente la mano verso il pacchetto di sigarette.

La meditazione introduce un po' di spazio nel susseguirsi di questi processi automatici, un po' di presenza, di attenzione, di consapevolezza. È sorprendente, ma agli inizi della pratica una delle prime scoperte che facciamo è che la nostra capacità di attenzione consapevole è straordinariamente limitata. Per esempio, cerchiamo di concentrarci sul respiro, senza perderne un solo istante, ma a stento è passato un minuto e già ci accorgiamo di

«Fai di meno, realizza di più» è il consiglio dello yogi Maharishi Mahesh, fondatore della Meditazione Trascendentale (MT). Nel momento in cui il sole della tarda estate lo circonda di un alone luminoso, il Maharishi si gode un attimo di silenzio. Dal quartier generale della MT, in Olanda, lancia il suo messaggio di pace mondiale: che la meditazione, e non la diplomazia o le forze armate, riesca ad allentare la tensione del pianeta.

essere perduti nei pensieri, il respiro è completamente dimenticato. Non dobbiamo sentirci frustrati per questo: abbiamo semplicemente scoperto la natura del funzionamento della mente nel suo stato ordinario. «La mente non disciplinata dalla meditazione», secondo un detto buddista, «è come una scimmia ubriaca punta da un'ape.» Sembra un'affermazione estrema, ma contiene una sottile verità. In questo senso la scelta della meditazione è essenzialmente la scelta di smettere di vivere da "scimmie ubriache". O, in altre parole, di non essere più governati dagli automatismi della mente. «La mente», secondo un altro aforisma tradizionale, «è un eccellente servitore, ma un pessimo padrone.» La pratica della meditazione rimette ordine nei ruoli.

Distaccati o coinvolti? L'Occidente ha nutrito a lungo una notevole diffidenza nei confronti della meditazione. Un aspetto di questa diffidenza è legato proprio al distacco, in quanto la meditazione è stata concepita come una pratica che porta a ritirarsi da ogni coinvolgimento, a ignorare i problemi reali del mondo e a rifugiarsi in una sorta di apatia. Indubbiamente certe particolari tecniche di meditazione presentano questo rischio. Ma non è questo il senso più profondo e generale della meditazione. I grandi maestri spirituali hanno sempre sottolineato che una precisa misura del progresso sulla via della meditazione è l'apertura del cuore, lo sviluppo di quella che i buddisti chiamano "compassione". Questa compassione non ha nulla a che fare con il lacrimoso sentimento che a volte in Occidente indichiamo con lo stesso nome: essa è una sorta di ampiezza del cuore, un'immediata capacità di empatia, conformemente all'etimologia della parola stessa. Il Dalai Lama, guida spirituale dei buddisti tibetani, ha detto: «Si può vivere senza religione e anche senza meditazione, ma non senza un'amorevole partecipazione al destino degli altri esseri viventi». Nella pratica della meditazione, perdendo a poco a poco l'identificazione con i processi meccanici della "nostra" mente e con gli impulsi inconsci della "nostra" personalità, gradualmente ci apriamo a un sentire più vasto. La nostra identità, per così dire, si espande.

Vivere intensamente Nel rafforzare l'"osservatore interno" e nel disidentificarci dai processi automatici della mente non si mette a tacere e non si sopprime nulla. La mente diventa a poco a poco più silenziosa, ma non viene "ridotta al silenzio". Le emozioni "negative" gradualmente evaporano, ma non vengono rimosse. È essenziale che l'"osservatore interno" si accosti con equanimità e accettazione a qualsiasi esperienza interna si presenti. L'energia vitale, l'energia degli impulsi primari e della sessualità, non va repressa, ma vissuta con consapevolezza e gratitudine. In questa pienezza di esperienza

Suggerimenti per meditare e rilassarsi

Ogni forma di meditazione e di rilassamento ha alla base dei suggerimenti pratici comuni, che possono aiutare a raggiungere lo scopo che si è fissato.

- Ambiente isolato. Eliminate tutto ciò che potrebbe distrarvi.
- Posizione comoda. Abbandonate le tensioni. Indossate abiti ampi.
- Concentrazione. Fissatevi su una parola, su un'immagine, su un suono.
- Atteggiamento passivo. Non sforzatevi di far succedere qualcosa.
- Pratica regolare.

Lo psicanalista svizzero *Carl Gustav
Jung era affascinato da certi elementi
delle religioni orientali e in particolare
dai mandala, i cerchi sacri.
Era convinto che se avesse disegnato
versioni proprie di questi antichi simboli
esse avrebbero rivelato idee e tratti
profondamente nascosti nell'inconscio.
I buddisti usano spesso i mandala
per concentrarsi e meditare. Quello
riprodotto nell'immagine qui sotto
è un manufatto tibetano del XVIII
secolo che illustra lo stato spirituale ideale.
I Budda e le loro controparti femminili
nel cerchio interno hanno i colori
degli elementi. Seduto sulle nuvole sta
il Budda Vajrasattva, che rappresenta
la perfezione e la purezza della mente.*

Un mandala *dello stesso Jung,
che illustra con vividi colori
e disegni geometrici gli aspetti
della forza creativa e vitale;
l'Anima maschile e l'Animus
femminile sono rappresentati
nei quattro cerchi posti all'esterno.*

vissuta coscientemente, una trasformazione si produce da sé. La via della meditazione è perciò un delicato equilibrio che consiste nel vivere intensamente, appassionatamente, con tutta la nostra energia, ma senza identificarci e restando consapevoli. È solo da questa totalità di vita, non da una fredda disciplina, che a lungo andare emergono saggezza e compassione.

Tecniche di meditazione La meditazione può assumere molte forme. Una prima distinzione di massima si può tracciare fra tecniche per così dire "statiche", in cui il corpo resta più o meno immobile, e tecniche "dinamiche", in cui il corpo è in movimento. Comune a entrambe è uno stato di acuita presenza interna, di intensa consapevolezza e attenzione.

Nelle tecniche "statiche" la posizione del corpo è tipicamente quella seduta, tanto che a volte, per esempio nello Zen (parola che è la versione giapponese del sanscrito *dhyana*, che significa appunto "meditazione"), la pratica della meditazione viene detta semplicemente «sedere». Una posizione classica è quella a gambe incrociate, per esempio nella forma detta "posizione del loto", in cui ciascun piede poggia sulla coscia della gamba opposta. Questa posizione (per chi è in grado di assumerla!) consente una grande stabilità anche sedendo semplicemente a terra, e permette di mantenere senza sforzo la schiena diritta. Un'altra posizione classica è quella inginocchiata, stando seduti su un basso sgabello per non premere sui polpacci. Gli occhi sono chiusi o fissi su un punto davanti a sé, senza distrazioni. Ma l'essenza della meditazione non ha nulla a che fare con una posizione particolare: la si può praticare seduti su una sedia o anche sdraiati. È però importante che il corpo possa restare rilassato e relativamente immobile per un certo tempo, e mantenersi presenti e svegli. Tenere la schiena diritta è d'aiuto, in quanto favorisce l'equilibrio e la circolazione energetica.

Anche le meditazioni "dinamiche" hanno una tradizione antichissima. Le *trance* in cui gli sciamani cercavano ispirazione spirituale e poteri di guarigione, spesso servendosi della danza e del canto, erano indubbiamente forme di meditazioni dinamiche. Nel sufismo, la tradizione mistica dell'Islam, i cosiddetti *dervisci*, in Persia e nel Medio Oriente, hanno sviluppato una tecnica particolarissima di meditazione in movimento. È una danza in cui i meditatori, che spesso indossano suggestivi costumi dalle ampie gonne, ruotano vorticosamente su se stessi, accompagnati da una musica ritmica. Con la pratica è possibile ruotare per ore e perfino per giorni. A lungo andare il danzatore perde ogni coscienza di sé come entità separata e si scioglie nella danza stessa, in una sorta di "divina ebbrezza". Dopo un certo tempo, in seno al vorticoso movimento in cui tutte le forme circostanti si confondono, il punto focale dell'attenzione diventa un centro perfettamente immobile, che richiama il meditatore alla consapevolezza del proprio centro eterno, il luogo in cui, al di là delle forme mutevoli della personalità, è unito all'intera esistenza.

La via per la serenità

In Giappone, per la cerimonia del tè si crea una sorta di santuario nel quale trovare il conforto nella quiete spirituale. Gli utensili vengono scelti con cura e puliti, come pure la stanza del tè e il sentiero del giardino; le scritture di un saggio vengono appese nel *tokonoma* (l'alcova) e sotto ad esse vengono posti i fiori raccolti il mattino. La luce è naturale, ma bassa e diffusa, per non gettare ombre. L'acqua bolle sui tizzoni di carbone ardente. La scena così creata induce alla riflessione e all'introspezione.

Prendere il tè da soli in un ambiente così è un'esperienza veramente sublime. Qui l'uomo, la natura e lo spirito si congiungono per preparare e bere il tè.

– **Tratto da** *Chado, The Japanese Way of Tea* (Chado, la via giapponese del tè), **di Soshitsu Sen.**

*Anche il semplice gesto di mettere il tè nella ciotola
con un cucchiaino di bambù deriva dalla tradizione più antica.*

La coreografia di un antico rituale

La cerimonia del tè segue una perfetta regia dal momento in cui il padrone di casa accoglie gli ospiti fino all'inchino finale di commiato. Ogni regola di condotta, messa a punto dai buddisti Zen un migliaio di anni fa, è studiata per infondere armonia e quiete spirituale a tutti i partecipanti. Ogni passo segue un ordine preciso, dalla semplice disposizione degli utensili al metodo per la preparazione del tè. Anche la conversazione è rituale.

*In questo giardino del tè di Kyoto, padroni di casa e ospiti, tutti nel costume tradizionale, seguono
il rituale formale della cerimonia del tè. Quattro sono le "regole" da seguire affinché ciascuno entri
in intimo contatto con se stesso: armonia, rispetto, purezza e tranquillità. Importato inizialmente dalla Cina
nel primo secolo d.C., il tè ha assunto gradualmente per molti giapponesi un valore spirituale ed estetico.*

Rilassamento: un'arte e una scienza

Siete stressati? Rilassatevi. Un consiglio semplice, oggi avvalorato anche dalla scienza. Il rilassamento non è né un lusso né un vizio, ma un momento essenziale per condurre una vita più sana.

QUASI TUTTI PENSANO ALLO STRESS come a qualcosa che ci è imposto dall'esterno. Gli specialisti, invece, lo definiscono come il nostro modo di reagire agli eventi. La causa, quindi, l'evento stressante, può effettivamente essere esterna, come un disastro naturale o un lutto, ma anche interna, come un sentimento di collera o di ansia; può essere fisica (incidente, malattia), economica (licenziamento) o sentimentale (problemi di coppia); può essere temporanea o protrarsi nel tempo.

Qualunque sia la sua causa, lo stress ha molti effetti sgradevoli. Contribuisce a produrre contrazioni muscolari, affaticamenti, mal di testa, ulcera, asma, mal di schiena, disturbi digestivi, ipertensione e anomalie del battito cardiaco. Quel che è peggio, sembra che possa influire anche sulle funzioni immunitarie e sulla genesi di alcune forme di cancro.

In uno studio assai noto, Thomas H. Holmes e Richard H. Rahe, ricercatori dell'Università di Washington, hanno elaborato una lista degli eventi stressanti che rendono gli uomini più vulnerabili nei confronti della malattia. La morte del coniuge è il più traumatico per tutti.

Eppure il tipo di reazione ai diversi avvenimenti varia da cultura a cultura: un periodo di carcerazione, per esempio, è il secondo evento più stressante per un giapponese ma solo il quarto per un americano.

Alcuni ricercatori sono convinti che anche i disagi quotidiani, come gli ingorghi automobilistici, il rumore o i conflitti familiari, possano nel tempo risultare ancora più nocivi di una disgrazia improvvisa. Inoltre, ciò che per una persona può essere traumatico, come un colloquio di lavoro o un lancio con il paracadute, può essere un'esperienza eccitante per un'altra. Se la ricerca citata ha rilevato che effettivamente molti si ammalano in seguito a un periodo di stress, ha anche fatto notare che molti altri, circa il 30%, non si ammalano affatto.

Lotta o fuga Che lo stress sia prodotto da una serie di gravi traumi o dalla reazione eccessiva a eventi minori, i suoi effetti immediati possono andare dall'accelerazione della respirazione alla sudorazione delle mani, dalla nausea alla tensione psicofisica. Il fisiologo di Harvard Walter B. Cannon ha chiamato questo tipo di reazioni fisiologiche *fight-or-flight* (lotta o fuga).

Si tratta di una risposta psicofisica che si è sviluppata tra gli animali e gli esseri umani allo stato selvatico con lo scopo di prepararli ad affrontare situazioni di emergenza (per esempio l'attacco di un predatore) attraverso una serie di reazioni importanti: attiva infatti il sistema nervoso simpatico, accelera la frequenza cardiaca, fa dilatare le pupille per vedere meglio e rende il

Nel suo completo abbandono, *questo piccolo di otto mesi non sembra avere gran che bisogno di biofeedback, meditazione o altre moderne tecniche antistress. Eppure anche i bambini, che molti vorrebbero immuni da certi sintomi tipici degli adulti, mostrano a volte, già in tenerissima età, segni di stress, quali mani sudate e accelerazione del battito cardiaco.*

Chi si sentirebbe a proprio agio *dovendo dormire in un'amaca sospesa a migliaia di metri d'altezza sopra un precipizio ghiacciato? Di sicuro questo scalatore del monte Barrille (in Alaska). Per combattere l'insonnia da altitudine ha indossato una mascherina speciale che filtra la luce colorandola di azzurro e si rilassa ascoltando il suono registrato di una cascata.*

corpo più energico e pronto, appunto, all'attacco o alla ritirata. Se si trattava di una questione di vita o di morte per i nostri antenati, quando poteva salvarli dall'assalto di una tigre o da un albero in caduta, ancora oggi la rapidità di reazione evita al pedone di farsi travolgere da un'auto in corsa.

Tuttavia, questa risposta psicofisica assai spesso si scatena come reazione a eventi psicologici invece che fisici, quindi in modo inappropriato quando non addirittura nocivo. E se anche non sperimentiamo una reazione completa ogni volta che siamo disturbati, può darsi che ci controlliamo contraendo i muscoli o stringendo i denti, sistemi che possono provocare tutta un'altra serie di problemi fisici e mentali.

Vincere lo stress con il rilassamento Così come abbiamo una risposta innata allo stress abbiamo anche la capacità di rilassarci. Qualunque sia il livello ordinario di stress nella nostra vita, in certa misura possiamo controllarlo. È un nostro potere ridurre l'eccitazione emotiva, prevenire i dolori del collo o della schiena, gestire una quantità di disturbi psicosomatici e forse anche ridurre il rischio di un infarto.

Anche se i sintomi di una malattia grave sono di competenza del medico, per combattere lo stress nella vita quotidiana possono essere utili alcuni piccoli accorgimenti. Cominciate a fare un elenco delle cose o situazioni che vi procurano disagio e, se possibile, evitatele (ma siatene consapevoli). Sforzatevi di fare rilassanti pause per il pranzo, seduti, invece di mangiare correndo da un posto all'altro; potreste magari scoprire di star meglio solo riducendo l'assunzione di cibo poco sano, di caffeina o di alcolici. Poiché risentimenti e ostilità contribuiscono allo stress, cercate di appianare i conflitti con gli altri prima che diventino esplo-

Avete mai notato che la pancia dei bambini si solleva e si abbassa a ogni respiro? La maggior parte degli adulti, invece, quando respira muove solo la parte alta del torace. In questo modo non sfrutta i vantaggi di una respirazione naturalmente profonda: più ossigeno in circolo, meno tensioni e mente più pronta.

La respirazione superficiale, scorretta, spinge il petto in fuori.

La respirazione profonda e naturale è diaframmatica, ed espande l'addome.

sivi. Gli esperti raccomandano respirazione profonda e bagni non troppo caldi (quelli caldi sono spossanti).

Rilassatevi con un passatempo o un esercizio: suonate o ascoltate musica, leggete, lavorate a maglia, disegnate, dedicatevi al bricolage, ballate o fate uno sport che non sia troppo competitivo. Se vi sentite esausti a metà pomeriggio, fate una bella passeggiata di dieci minuti invece di mangiare un dolcetto o un gelato: lo zucchero dà una carica immediata che però si esaurisce subito, facendovi tornare al punto di partenza, mentre l'esercizio fisico dona energia e rilassamento in modo più duraturo.

La "risposta di rilassamento" Il cardiologo di Harvard Herbert Benson ha coniato in un suo libro il termine *Relaxation Response* (risposta di rilassamento). Benché solo di recente la "risposta di rilassamento" sia stata compresa dagli studiosi occidentali, questa era praticamente da sempre alla base di molti metodi tradizionali. «Non abbiamo scoperto niente di nuovo», scrive infatti Benson, «abbiamo solo dato una base scientifica a una saggezza secolare.»

Benson cominciò a studiare lo stress a causa della sua evidente influenza sulla pressione arteriosa e sulle malattie cardiovascolari. Se la risposta "lotta o fuga" poteva far aumentare la frequenza cardiaca e la pressione sanguigna, sosteneva, la "risposta di rilassamento", opposta a quella, doveva essere in grado di farle diminuire.

Ispirato dagli studi su *yogi* e maestri Zen che riuscivano a controllare funzioni organiche da sempre considerate involontarie, cercò di riprodurre gli stessi effetti in laboratorio. All'inizio si servì della Meditazione Trascendentale (MT), nella quale chi medita ripete una parola o frase detta *mantra*. I risultati furono incoraggianti e le ricerche successive confermarono che altre tecniche potevano indurre risposte analoghe.

Nel laboratorio di Benson, i pazienti sedevano in posizione comoda, in atteggiamento passivo, e si concentravano sulla parola da ripetere. Per evitare le implicazioni mistiche della MT, Benson suggerì di usare una parola neutra o una sillaba senza senso, ma in seguito scoprì che il metodo era assai più efficace se ciascuno sceglieva una frase o una preghiera secondo la propria ispirazione.

Benson è convinto che il metodo possa essere usato per affinare le capacità intellettuali e creative. Come descrive in un suo libro, si tratta di un processo che prevede due fasi: prima si usa la "risposta di rilassamento" per aprirsi a nuove idee, poi si "riprogramma" la mente meditando su un detto o un'osservazione che abbia un nesso con l'area nella quale ci si vuole perfezionare.

Vasche per il rilassamento «Immaginate di galleggiare in un bozzolo buio, insonorizzato... senza sforzo, come una barchetta

Un bel respiro!

Provate a migliorare la vostra tecnica di respirazione con un semplice esercizio.

- Sedetevi eretti o sdraiatevi supini con la schiena diritta. Rilassatevi.
- Inspirate lentamente attraverso il naso, spingendo l'aria nell'addome.
- Fate caso a come si espande l'addome quando riempite d'aria i polmoni.
- Espirate lentamente attraverso il naso, contraendo i muscoli addominali in modo da far salire il diaframma che spingerà l'aria fuori dai polmoni.
- Continuate a respirare così, osservando l'addome che si alza e si abbassa.

Una variante stimolante.

- Inspirate come descritto e trattenete il respiro per qualche secondo.
- Immaginate di avere una cannuccia tra le labbra e soffiate via con forza un po' d'aria. Fate una pausa.
- Continuate l'espirazione procedendo con piccoli soffi fino al termine.

Impegnatissimi e sempre "in riga", i dirigenti giapponesi stressati fanno un salto al Brain Mind Gym (Palestra per mente e cervello) di Tokyo per una rapida rimessa a punto. Stesi su comode poltrone reclinabili, i clienti indossano mascherine e cuffie speciali che emettono onde sonore e luminose in grado di alterare le onde cerebrali e di indurre un profondo rilassamento senza difficoltà e in tempi brevi.

nella vasca da bagno... di essere immersi in acqua né calda né fredda...» Così è stata descritta l'esperienza in una vasca per il rilassamento. Queste vasche, note anche come "vasche di isolamento sensoriale", furono create per studiare la privazione sensoriale. Molti scienziati erano convinti che gli stimoli ambientali fossero essenziali per il funzionamento della coscienza, e che senza stimoli il cervello "andasse a dormire".

John C. Lilly, un neurofisiologo del National Institute of Mental Health (Istituto nazionale americano di igiene mentale), era invece convinto che in assenza di stimoli esterni il cervello umano rimanesse sveglio grazie agli stimoli autoindotti. Per verificare la sua teoria, Lilly si immerse in una vasca d'acqua chiusa, insonorizzata e buia. Disse poi di aver sperimentato un profondo rilassamento all'interno della vasca, che descrisse come «uno stato raffinatissimo di esperienza interiore».

Il lavoro di Lilly fu guardato con sospetto (anche per le sue precedenti sperimentazioni con l'LSD) dagli stessi ricercatori che in seguito proseguirono i suoi studi fino a perfezionare le vasche di galleggiamento ("bagnate") e le camere di isolamento sensoriale ("asciutte"), oggi utilizzate anche in terapia. La tecnica si chiama REST (*Restricted Environmental Stimulation Therapy*, Terapia di stimolazione ambientale ridotta; acronimo che in inglese ha anche il significato di "riposo"), termine preferito a "isolamento" e a "privazione sensoriale" perché, come ha fatto osservare qualcuno che l'ha provata, «non c'è niente che ad essa si possa paragonare».

La terapia del galleggiamento La tipica vasca di galleggiamento è chiusa e silenziosa, riempita d'acqua per circa venticinque centimetri, ad una temperatura di circa 32-34 °C, in modo da non essere avvertita né come calda né come fredda e dove viene sciolta in quantità massiccia epsomite (un minerale, solfato al magnesio idrato, che deve il suo nome alla città del Regno Unito Epsom, nel Surrey; è nota anche con il nome di "sale inglese"), perché il galleggiamento non richieda alcuno sforzo.

La seduta dura in genere da mezz'ora a due ore, ma può essere sospesa in qualsiasi momento poiché il portello si apre dall'interno. All'inizio può accadere di sentirsi un po' ansiosi, ma nel giro di qualche minuto si sperimenta in genere un profondo rilassamento.

Vari studi indicano che il galleggiamento aiuterebbe a controllare la pressione arteriosa e la tensione muscolare, oltre a provocare altri effetti fisiologici legati alla "risposta di rilassamento". In ogni caso, l'assenza di stimoli esterni aiuta a rivolgere l'attenzione all'interno. C'è chi si concentra sul battito cardiaco o sulla respirazione, e chi trova così eccitante l'assenza di peso e di corporeità da registrare solo l'agilità del pensiero, delle emozioni e delle immagini. Con il tempo la terapia aiuta ad affrontare con più calma i problemi e a dedicarsi al raggiungimento dei propri obiettivi, ma anche ad essere più disponibili nei confronti degli eventi e delle sollecitazioni esterni. Alcune vasche sono attrezzate in modo da diffondere musica, messaggi registrati o i suggerimenti di un terapista.

Secondo alcuni, lo stato di rilassamento raggiunto nella vasca è maggiore di quello ottenuto con la meditazione. La vasca è anche facile da usare e non richiede sforzi né allenamento. In particolare sembra utile a chi non ha mai sperimentato un rilassamento totale e non ha idea di come ci si senta quando *non* si è tesi. Molti sono entusiasti soprattutto degli effetti che sperimentano dopo la seduta. Dicono di percepire più intensamente le sensazioni e di essere gioiosamente consapevoli di tutto ciò che vedono, sentono e annusano.

In un "piccolo mare" di acqua molto salata, si può lasciarsi andare completamente e galleggiare godendosi uno stato privo di qualsiasi tensione. Le "vasche di galleggiamento" possono essere utili per chi non ha mai imparato a rilassarsi veramente. L'isolamento totale, infatti, aiuta chi ha difficoltà a ignorare i fastidiosi stimoli esterni.

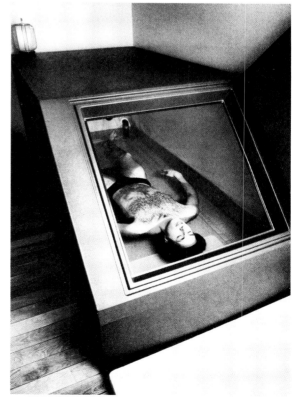

Vasche "asciutte" Il rilassamento in una vasca "asciutta", cioè in una camera di isolamento sensoriale, presenta aspetti comuni all'esperienza del galleggiamento. Ci si stende in genere su un materasso ad acqua o simile, che segue la forma del corpo, in un piccolo ambiente chiuso, buio e silenzioso. Alcuni di questi locali sono fatti in modo da poter alzarsi, muoversi, mangiare e usare il bagno. Chi soffre di claustrofobia o di attacchi d'ansia può trovare meno minacciosa la vasca "asciutta". E forse per il fatto che in una vasca di questo tipo si può stare per un tempo assai più lungo senza provare disagio (anche ventiquattro o quarantotto ore), viene talvolta impiegata in programmi mirati al cambiamento di abitudini o di vizi come il fumo. Il galleggiamento sembra invece più indicato per un rilassamento generico.

Una pausa rilassante

*Il lavoro sedentario può essere una grave fonte di tensione fisica e psicologia.
Ma non occorre fare* stretching *in palestra per sciogliere i muscoli contratti.
Tutti possono vincere lo stress da ufficio senza muoversi dalla scrivania.*

IL TELEFONO SUONA, urtandovi i nervi e interrompendo un lavoro
che doveva già essere consegnato. La tensione vi ha portato a ir-
rigidire e sollevare le spalle, gli occhi vi bruciano per il riverbero del video. la schiena ha ormai assunto una curvatura pericolosa e la colonna comprime centinaia di minuscoli nervi...

Chi lavora in ufficio non corre certo i rischi, per esempio, di
un minatore, ma ogni professione ha i suoi svantaggi. Le lunghe

**Stiramento
della zona dorsale**.
*Con le mani appoggiate
sulle spalle, ruotate
il tronco fino a sentire
uno stiramento nella
parte superiore della
schiena. Tornate
al centro e ripetete
in senso inverso.*

**Inizio da una posizione
neutra**. *Quando siete seduti,
braccia e gambe formano angoli
retti. Sostenete la zona lombare
con un cuscino e con lo schienale
correttamente regolato.*

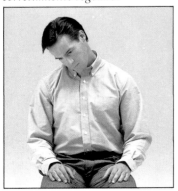

Rotazioni della testa. *Lasciate cadere piano la testa a sinistra,
a destra e sul petto. Infine sollevate il mento più che potete. Da questa
posizione portate il capo verso la spalla sinistra e poi verso la destra
ripassando dal centro.*

Allargamento del torace.
*Intrecciate le mani dietro la nuca
e spingete i gomiti all'indietro finché
sentite il torace che si allarga.*

ore passate alla scrivania, le scadenze sempre in agguato, i mobili inadeguati e la postura scorretta sono fonte di frequenti malesseri.

Potete evitare che l'ufficio diventi una stanza di tortura con qualche piccolo adattamento. Sistemate la sedia all'altezza e alla distanza dalla scrivania che vi consentono l'accesso più agevole alla superficie di lavoro, senza bisogno di chinarvi. Se usate il computer, posizionate il video esattamente di fronte a voi. Abbassare le luci o schermare il video può ridurre il riverbero. State in piedi quando potete, stiracchiatevi e camminate più volte durante il giorno per ridurre la tensione e incrementare la circolazione sanguigna. E fate gli speciali esercizi da ufficio descritti in queste pagine, per rilassare quelle parti del corpo più "sotto pressione".

Stiramento delle spalle.
Portate le mani dietro la schiena. La mano destra passa sopra la spalla destra e la sinistra sotto la spalla sinistra. Cercate di agganciare almeno le dita. Poi invertite la posizione.

Rotazione delle braccia. *Sollevate le braccia dai fianchi e portatele all'altezza delle spalle. Disegnate piccoli cerchi, prima in avanti poi all'indietro.*

Stiramento dei polsi. *Allungate il braccio davanti a voi e, con l'altra mano, tirate all'indietro le dita della mano tesa. Ripetete invertendo la posizione.*

Alzare le spalle. *Ruotate le spalle in avanti per cinque volte, controllando di fare il più ampio movimento possibile, in modo lento e fluido. Invertite il senso di rotazione.*

Allungamenti laterali. *Intrecciate le dita delle mani e sollevatele sopra la testa, palme in su, fino a sentire i gomiti tesi. Inclinatevi verso sinistra e poi verso destra.*

Stiramento delle dita. *Con le mani davanti a voi, le palme rivolte verso il basso, allargate il più possibile le dita. Contate fino a cinque, poi lasciate andare e rilassate.*

Biofeedback e visualizzazione

Consapevolezza e controllo delle proprie funzioni possono rivelarsi utili nel combattere una moltitudine di disturbi. Il biofeedback, a questo proposito, è uno strumento efficacissimo. Ma va utilizzato con attenzione.

UN METODO DI RILASSAMENTO che sfrutta ciò che la moderna tecnologia ha da offrire è il biofeedback, sviluppato negli anni Sessanta da professionisti che operavano in campi diversi come la psicologia sperimentale e la medicina riabilitativa. Il termine *feedback* (ritorno di segnale) fu preso in prestito dall'elettronica: in un circuito, le informazioni su una parte del sistema operativo vengono registrate e fatte tornare al sistema, che può così riadattare il suo funzionamento. È un po' ciò che accade quando un termostato invia alla caldaia il segnale di accendersi o spegnersi finché l'ambiente non ha raggiunto una data temperatura.

Nel biofeedback, i sensori misurano la tensione muscolare, la temperatura cutanea e altri processi fisici. I valori vengono poi amplificati e tradotti in segnali acustici o grafici a beneficio del paziente. Se, per esempio, a quest'ultimo vengono sistemati degli elettrodi sui muscoli, in cuffia potrà udire un suono basso quando il muscolo è rilassato o un gemito acuto quando è teso. Contemporaneamente, un tracciato su carta potrebbe fornire le stesse informazioni a livello visivo. Imparando a riconoscere determinati processi fisici, è possibile almeno, in certa misura, controllarli.

Con il biofeedback, *questa donna stressata sta monitorando le fluttuazioni della sua temperatura cutanea e il grado di tensione muscolare sulle tempie. Imparando in questo modo a controllare le risposte "involontarie" allo stress, può in seguito riuscire ad alleviare i suoi sintomi anche senza strumenti elettronici.*

Una lettura immediata Il biofeedback è spesso usato durante gli esercizi di rilassamento, i cui effetti sarebbero accelerati, secondo i sostenitori del metodo, dal fatto di poter seguire i progressi fatti. I risultati migliori si ottengono infatti quando il monitoraggio è continuo e immediato. Controllare i processi fisici può essere, secondo un ricercatore, come giocare a freccette con gli occhi chiusi. Usare il biofeedback è come aprire gli occhi: chi vede l'effetto di ogni movimento e di ogni pensiero non può che migliorare la prestazione. L'obiettivo è assumersi la responsabilità del proprio corpo: in questo senso si può affermare che il paziente non è più l'oggetto della cura, ma *è* la cura.

Tecniche di biofeedback Uno strumento comunemente usato nel biofeedback è l'elettromiografo (EMG), che misura l'attività elettrica dei muscoli. Questa macchina è usata anche nella riabilitazione dei pazienti paralizzati in seguito a ictus: anche in una persona con un arto insensibile agli stimoli e incapace di movimento l'elettromiografo può, infatti, segnalare una minima attività elettrica dei muscoli. Il suono emesso viene amplificato, così che il paziente possa essere consapevole di questa attività e il suo sistema nervoso ne stimoli una ulteriore; con il tempo si possono creare nuove terminazioni nervose, grazie alle quali il paziente può riacquistare una parziale mobilità.

Più spesso la macchina è usata per promuovere il rilassamento di muscoli che si contraggono in risposta a uno stress. I sensori posti sulla fronte, sulla schiena, sul collo o sulla mascella aiutano a eliminare le tensioni nelle zone corrispondenti. Con lo stesso metodo si possono affrontare anche l'asma e l'ulcera causate dallo stress.

Monitoraggio della temperatura Questo sistema consente di rilevare la temperatura cutanea, significativa in certi disturbi circolatori. Nel morbo di Raynaud, per esempio, le estremità sono soggette a una notevole diminuzione dell'irrorazione sanguigna in seguito a una contrazione improvvisa dei vasi dovuta al freddo o a un sovraccarico di stress.

Con i sensori posti su mani e piedi, i pazienti possono imparare ad accrescere la circolazione sanguigna locale. Il metodo consente inoltre di ridurre gli episodi ricorrenti di cefalea e di essere più rilassati.

Risposta elettrodermica (*Electrodermal Response***, EDR)** Uno strumento (un manometro) consente di misurare la conduttività elettrica della pelle, associata all'attività delle ghiandole sudoripare. Noto anche come GSR (*Galvanic Skin Response*, Risposta cutanea galvanica) ed ESR (*Electric Skin Resistance*, Resistenza elettrica cutanea), è questo il metodo sul quale si basa la "macchina della verità".

In associazione con terapie di vario tipo, è utile nella cura di alcune specifiche fobie, degli attacchi di panico, della traspirazione eccessiva e della balbuzie.

Il biathlon è una gara che combina sci di fondo e tiro. Derivata probabilmente dall'addestramento militare, è una competizione che richiede un grande controllo fisico e mentale. Durante la gara, gli atleti più allenati riescono a controllare la frequenza cardiaca in modo da essere sufficientemente calmi e stabili per sparare ai bersagli disposti lungo il percorso.

Un aiuto per gli sportivi Anche gli atleti usano l'EDR, in modo che l'ansia e tutte quelle tensioni che spesso si manifestano prima di una gara giochino in loro favore anziché contro di loro. Se è importante essere "su di giri" per una partita, una corsa, una qualunque competizione, l'eccesso di ansia può influire negativamente sull'energia disponibile e sulla capacità di concentrazione. Con l'EDR gli atleti riescono a sintonizzare il cosiddetto "livello di anticipazione". Se la macchina, per esempio, registra presenza di sudore (una comune reazione all'ansia), l'atleta che tende ad arrivare troppo stressato alla gara può servirsi dell'informazione ricevuta per ritrovare quella calma necessaria e rendere al massimo.

"Caso clinico"

PIÙ TERAPIE PER VINCERE IL DOLORE

Il biofeedback non è una cura ma uno strumento che aiuta a sviluppare la capacità di mobilitare le proprie risorse contro certi sintomi. Associato con la visualizzazione dà risultati formidabili.

Ellen, una donna in sovrappeso di quarantacinque anni, soffriva di dolori vaghi ma insistenti e di altri sintomi da stress. Delusa da una serie di cure mediche, si rivolse al biofeedback nella speranza di riprendere il controllo del proprio corpo.

Alla sua prima visita presso il laboratorio di biofeedback, il tecnico le mise un sensore per la temperatura sul dito medio e altri sensori sul dorso della mano e sulla fronte, per identificare eventuali tensioni muscolari. La temperatura della mano fornisce un'indicazione della tensione muscolare e la prima lettura fu di circa 25 °C. Dal momento che Ellen voleva controllare lo stress, le fu detto come rilassarsi in modo da dilatare i vasi sanguigni e provocare un innalzamento della temperatura della mano.

Stranamente, benché l'esercizio fosse stato compreso, la temperatura della mano scese invece di salire, indicando un aumento della tensione muscolare e dell'ansia. Lo psicologo che assisteva Ellen le suggerì con delicatezza di non sforzarsi troppo: tutto il suo corpo era teso nel tentativo di rilassarsi! Le suggerì anche di visualizzare qualcosa di piacevole, come una passeggiata sulla spiaggia o nei boschi, o una qualsiasi situazione che lei trovasse rilassante.

Ellen si lasciò andare al ricordo del tempo in cui non aveva dolori e nel giro di qualche minuto la temperatura cominciò ad aumentare. Dopo quindici minuti era salita a oltre 30 °C.

Da questa prova Ellen apprese due importanti lezioni: la prima era che poteva prendere controllo del proprio corpo e la seconda che non doveva sforzarsi di far succedere le cose, ma lasciare che succedessero da sole. In questo caso la visualizzazione l'aveva aiutata ad abbandonare per qualche istante i suoi pensieri negativi.

Anche successi così piccoli possono voler dire molto per un paziente. Per il resto della seduta Ellen progredì rapidamente. Continuando a concentrarsi su scene piacevoli si rilassò sempre di più.

Nella parte conclusiva della seduta, Ellen parlò con il terapista del suo matrimonio, dei figli e della sua paura di ammalarsi. Mentre conversava, la temperatura della mano calò rapidamente. Ma accorgendosi delle sue reazioni fisiche allo stress emotivo, che la macchina registrava inesorabilmente, Ellen fu in grado di rendersi conto come la contrazione muscolare producesse il dolore.

Nelle settimane seguenti Ellen scoprì che associando biofeedback, visualizzazione e psicoterapia i dolori, e gli altri sintomi correlati, si riducevano sensibilmente.

Elettroencefalogramma (EEG) L'elettroencefalografo dà un'immagine dell'attività cerebrale, purtroppo abbastanza imprecisa perché il cervello emette molte onde con frequenze diverse, solo alcune delle quali sono state correlate a disturbi specifici o a stati mentali, come le onde alfa, quelle prodotte quando ci si rilassa. Fu per questo nesso tra onde alfa e stato di rilassamento che i primi ricercatori pensarono che se i pazienti avessero imparato ad aumentare l'emissione di onde alfa sarebbero riusciti anche a contrastare l'ansia, l'insonnia e forse l'epilessia. Ma da ulteriori ricerche apparve chiaro che non bastava: occorreva sempre associarvi altre terapie. Grazie alle nuove apparecchiature disponibili, gli insonni imparano a controllare le onde theta e gli epilettici le onde prodotte durante le convulsioni. Con l'avanzare della tecnologia si potranno combattere anche altre malattie neurologiche.

Con altri apparecchi si possono monitorare la pressione arteriosa e la frequenza cardiaca, aiutando chi ne soffre a contrastare l'ipertensione e le aritmie.

Dove praticarlo Il biofeedback viene insegnato in centri specializzati da terapisti che offrono esperienza, consigli e incoraggiamento. Una volta appreso come monitorare e controllare i sintomi, occorre però riuscire a ottenere gli stessi risultati senza l'aiuto degli strumenti. In una situazione stressante, per esempio, dovreste riuscire a rilassare i muscoli del viso in modo da prevenire un mal di testa da tensione.

Limiti e rischi Il biofeedback non è adatto a tutti. Come sempre, il trattamento medico è prioritario per chi abbia sintomi gravi o malattie croniche. Il biofeedback, per esempio, può essere pericoloso per chi soffre di diabete o di malattie endocrine, in quanto può intervenire sul bisogno di insulina e di altri medicinali. Attenzione: per ottenere un risultato sicuro e duraturo occorrono tempo e impegno.

Visualizzazione Sogni, fantasie e ricordi sono tutte forme di visualizzazione che forniscono altrettante valvole di sfogo positive per l'immaginazione. Di recente c'è chi ha trovato il modo di utilizzare la fantasia come mezzo efficace per combattere lo stress.

Ma che cosa significa esattamente "visualizzare"? Incominciamo col dire subito che non è necessario "vedere" mentalmente un'immagine precisa: se alcuni, quando chiudono gli occhi, riescono a scorgere figure ben definite, o a crearsi situazioni "reali", altri raggiungono soltanto impressioni indefinite. Vanno bene entrambe.

L'autocontrollo degli yogi può sembrare addirittura sovrumano. Quale sarà il segreto di quest'uomo che sembra stare comodamente seduto su un tappeto di chiodi? Un mantra che concentra il suo potere di meditare, forse distraendolo dal dolore. Con l'avvento del biofeedback e di altre strumentazioni scientifiche, chi pratica lo yoga ha dimostrato che è possibile controllare le funzioni involontarie dell'organismo. In una spedizione in India, gli esperti di biofeedback Elmer e Alyce Green hanno studiato anche yogi in grado di intervenire sul sistema nervoso e sul metabolismo.

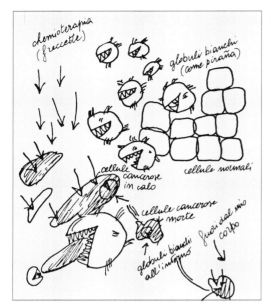

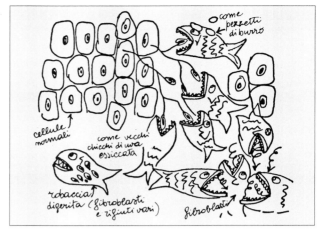

Gli esercizi di visualizzazione sono usati per aiutare gli ammalati di cancro a esprimere i loro sentimenti nei confronti della malattia. Presso il Simonton Cancer Center (Centro oncologico Simonton) di Dallas, nel Texas, il radio-oncologo Carl Simonton rinforza la terapia medica standard con esercizi di visualizzazione e altre tecniche. A una paziente sottoposta a chemioterapia per un tumore al seno fu chiesto di visualizzare la sua malattia. Il suo primo disegno (a sinistra), con i globuli bianchi che si scagliano contro cellule cancerose, riflette sia la sua rabbia per essere malata sia la sua determinazione a guarire. Sei mesi dopo, la paziente ha accettato la sua collera e nel suo nuovo disegno (a destra), le cellule che combattono il cancro sono assai più efficienti anche se d'aspetto meno feroce. Secondo Simonton, gli occhioni dei pesci che ingoiano il tumore indicano attenzione e determinazione; segni che il medico considera molto positivi per la guarigione.

La visualizzazione, infatti, può essere di tipo passivo o attivo. Nel primo caso non ha importanza che cosa visualizziamo, qualsiasi immagine o impressione, anche vaga purché positiva, è in grado di rilassarci. Nel secondo caso dobbiamo scegliere coscientemente l'immagine (che può riferirsi, per esempio, ad un fine che vogliamo raggiungere), e soffermarci su di essa.

Anche gli atleti usano la visualizzazione per migliorare le loro prestazioni, spesso senza nemmeno rendersene conto. Un giocatore di golf può tracciare una mappa mentale del percorso e immaginare esattamente dove metterà la pallina a ogni colpo; un saltatore può visualizzare come una serie di attimi tutta la rincorsa e l'esecuzione del salto; un giocatore di basket può vedere come in un film la traiettoria della palla, dalla sua mano al canestro.

Guarire con le immagini guidate Le ricerche più recenti e interessanti in tema di visualizzazione riguardano il sistema immunitario. Se Hans Selye ha scoperto l'effetto deprimente dello stress sulle funzioni immunitarie, altri ricercatori hanno studiato il modo di combattere questo effetto con esercizi di visualizzazione e di rilassamento. Un approccio che diversi oncologi stanno sperimentando oggi contro i tumori.

Quasi tutte le tecniche di visualizzazione cominciano con un rilassamento seguito dall'evocazione di un'immagine mentale. In un semplice esercizio detto *palming* (*vedi* pag. 93), si chiudono gli occhi e li si copre con le palme delle mani; poi ci si concentra su un colore finché tutto il campo visivo ne è coperto e non c'è più niente che può distrarre. Per ridurre lo stress, per esempio, ci si sofferma dapprima su un colore associato con la tensione (il rosso) e poi lo si sostituisce con uno ritenuto calmante (il blu). Oppure si può immaginare un panorama rasserenante, come la superficie senza increspature di uno stagno o le pendici di una collina. Nelle immagini guidate, i partecipanti visualizzano lo scopo che intendono raggiungere e poi immaginano se stessi mentre eseguono i passi necessari per raggiungerlo. I malati gravi, per esempio, vengono sollecitati a visualizzare gli organi malati come completamente sani, oppure a immaginare una progressiva riduzione della dimensione del tumore che li ha colpiti o i microrganismi nocivi che soccombono sotto gli attacchi del sistema immunitario.

Dubbi e certezze I vantaggi di queste visualizzazioni sono documentati. Uno studio condotto a Yale ha dimostrato che pazienti gravemente depressi trovavano conforto immaginando di essere lodati da persone che ammiravano, con grande incremento dell'autostima.

Tuttavia, non tutti concordano sull'efficacia terapeutica delle immagini guidate utilizzate in appoggio alle cure ufficiali contro il cancro.

La visualizzazione, così come la maggior parte dei metodi di rilassamento, ha effetti significativi soprattutto nella lotta contro il dolore e la depressione.

"Caso clinico"

VISUALIZZARE LA PERFEZIONE

Elizabeth Manley, campionessa canadese di pattinaggio su ghiaccio e medaglia d'argento alle Olimpiadi invernali del 1988, racconta come usa la visualizzazione per perfezionare i passi più difficili.

Mi servo moltissimo dell'immaginazione. Per imparare il salto triplo di Lutz, per esempio, mi mettevo al bordo della pista, chiudevo gli occhi e immaginavo di eseguire il salto alla perfezione. Quando mi preparavo così, nove volte su dieci ci riuscivo.

In seguito ho ripreso su cassetta un paio di salti perfetti. Li ho guardati centinaia di volte, fino a scolpirmeli in testa. Con la mente riuscivo a vedere tutto il corpo, il salto, la posizione di arrivo. A quel punto fui in grado di portarmi in pista quell'immagine e, prima di eseguirlo, mi figuravo il salto riuscito alla perfezione, in ogni dettaglio. E me lo immaginavo la notte, prima di addormentarmi. Penso che dieci minuti spesi così valgano almeno quarantacinque minuti di prove su pista.

Ho cominciato a usare intensivamente le tecniche descritte due anni prima delle Olimpiadi del 1988. Con gli esercizi di visualizzazione, di ri-lassamento progressivo e di respirazione riuscivo anche a calmarmi.

Credo di dovere a queste tecniche gran parte del mio successo.

Prima di scendere in pista Elizabeth Manley prova mentalmente per centinaia di volte i passi più difficili.

Il potere dell'ipnosi

Un tempo considerata una truffa, l'ipnosi ha invece dimostrato di avere una varietà di impieghi terapeutici, dall'attenuazione del dolore alla cura delle fobie. Oggi questi stessi effetti si possono sperimentare anche da soli.

Un medico magnetico

Alla fine del XVIII secolo, Franz Mesmer, un carismatico medico di Vienna, operò guarigioni miracolose per mezzo del "magnetismo animale". Convinto che le forze magnetiche del corpo influissero sulla salute, Mesmer riallineava il "fluido magnetico" dei suoi pazienti con sbarrette di ferro oltre che con parole e gesti ipnotizzanti.
Una commissione scientifica dimostrò che la sua teoria era falsa, ma, ciò non di meno, sostenne il principio che la suggestione poteva essere una parte importante della cura. Studenti e pazienti di Mesmer continuarono per qualche tempo ad aggrapparsi all'idea del magnetismo animale. Le basi dell'ipnosi moderna erano ormai gettate.

NÉ SONNO NÉ INCOSCIENZA, l'ipnosi è uno stato nel quale ci si chiude a ogni distrazione e si è liberi di concentrarsi su un argomento, su un'emozione o su un ricordo particolari. Chi la pratica sottolinea il fatto che si tratta di uno stato normale e anche abbastanza comune. Quasi a tutti capita di sperimentarlo spontaneamente: quando si sogna a occhi aperti, quando si legge o addirittura nei lunghi percorsi in autostrada.

Concentrarsi in questo modo presenta dei vantaggi, in quanto la persona sotto ipnosi è assai suggestionabile e quindi ricettiva a induzioni tese a vincere il dolore, lo stress o le fobie, e a modificare cattive abitudini, come il fumo, l'alcol, l'eccesso di cibi. Chi soffre di cefalee croniche trova sollievo senza ricorrere ad analgesici e sedativi, così come chi soffre di allergie e di malattie della pelle.

Spesso ci si "sente meglio" anche solamente sapendo che l'ipnosi consente un maggiore controllo sulla propria vita.

L'utilità dell'ipnosi è riconosciuta anche dalla scienza ufficiale; i medici la consigliano però solo ai pazienti che hanno problemi diagnosticati.

Contro i disturbi cronici Chi cerca un'alternativa ai farmaci o a un intervento chirurgico per un disturbo cronico può affidarsi all'ipnosi, che sembra funzionare particolarmente bene in casi di eczema, di verruche, di allergia e di asma, soprattutto in associazione con altre terapie psicologiche o mediche.

Ci sono persone che temono di poter essere indotte, sotto ipnosi, a commettere gesti immorali, illegali o pericolosi. I difensori della tecnica affermano invece che chi è in stato di ipnosi può "risvegliarsi" in qualsiasi momento e non perde mai completamente il controllo delle proprie azioni. Trovare un terapeuta con qualifiche dimostrabili, o servirsi dell'autoipnosi, può essere un modo per superare queste difficoltà.

Il fascino sulle masse Negli anni, la moda dell'ipnosi ha avuto alti e bassi. Paradossalmente, proprio in un momento in cui la medicina è sempre più dipendente dalla tecnologia e la cura delle malattie sempre più impersonale, il fascino dell'ipnosi fa presa su molti.

In primo luogo perché non richiede strumenti particolari, poi perché impone una relazione personale tra terapeuta e paziente, infine perché consente di ottenere il rilassamento e la concentrazione che si desiderano in pochissimo tempo.

Quasi tutti possono essere, almeno in parte, ipnotizzati. L'elemento essenziale è la disponibilità del soggetto, che dipende in larga misura dal rapporto tra terapeuta e paziente. I soggetti ideali sembrano essere i bambini, forse a causa della loro suggestionabilità, o della loro maggiore disponibilità.

Che cosa aspettarsi Durante la seduta, il terapeuta chiede in genere di concentrarsi su un oggetto o sul suono della sua voce. Per indurre il rilassamento, userà quasi sicuramente messaggi invitanti, mai comandi, come: «Se senti che le palpebre diventano pesanti, lascia che si chiudano». In alternativa potrebbe chiedere di contare alla rovescia da venti a zero. Una volta in stato di ipnosi, la cognizione del tempo può essere distorta, e un periodo lungo può trasformarsi in uno breve.

Non tutti riescono in uguale misura a entrare in uno stato di ipnosi profonda. Molti raggiungono solo uno stato di leggera ipnosi, nel quale, per esempio, possono avere difficoltà ad alzare le braccia se è stato loro detto che queste sono pesanti, oppure possono non sentire il dolore provocato da un pizzicotto sulla mano se è stato loro detto che questa è anestetizzata. Il terapeuta può sollecitare uno stato di ipnosi più profondo, fino a raggiungere un livello di anestesia totale o il controllo di varie funzioni corporee involontarie, come la pressione sanguigna e la frequenza cardiaca.

L'ipnosi può essere preziosa per ricordare esperienze rimosse da tempo o per rivivere eventi traumatici che ancora provocano dolore o disagio e che, sperimentati di nuovo in condizioni di sicurezza e da adulti, possono essere ricondotti alle giuste proporzioni.

Vincere la paura Una domanda ricorrente sull'ipnosi è: «Che cosa succede se chi mi ipnotizza muore mentre sono in trance?» In effetti quella di non svegliarsi da una trance ipnotica è una paura comune. La verità è che, anche se il terapeuta ha problemi a risvegliare il paziente (caso quanto mai raro), quest'ultimo scivola senza accorgersene in uno stato di sonno naturale e poi si sveglia.

Ma il protrarsi dell'effetto dell'ipnosi può essere utile, per esempio, per attenuare il dolore di un intervento chirurgico o di un cancro, così come per chi soffre di un disagio emotivo acuto. L'ipnosi è stata usata con successo anche su veterani che cercavano di convivere con il terribile ricordo della guerra.

Siete ipnotizzabili?

Con l'aiuto di un amico, scoprite se siete buoni candidati per l'ipnosi. Avendo osservato una correlazione tra risposta ipnotica e arrovesciamento degli occhi, il ricercatore Herbert Speigel ha messo a punto un semplice test.

- Cercate di rovesciare gli occhi più indietro che potete, abbassando un po' le palpebre.
- Quando avrete gli occhi semichiusi, fateli confrontare al vostro amico con le immagini riportate sotto: più bianco si vede, più facile sarà per voi essere ipnotizzati.

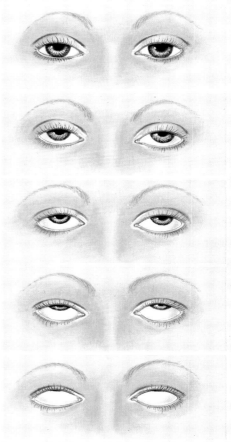

Autoipnosi Spesso, chi riesce a vincere lo stress, il dolore e altri problemi con l'ipnosi decide poi di imparare a raggiungere uno stato ipnotico senza l'aiuto di un terapeuta. Una buona ragione per desiderare di essere autonomi è la comodità: invece di incontrarsi regolarmente con il terapeuta, molti possono raggiungere gli stessi risultati a casa o sul posto di lavoro, ovunque abbiano a disposizione un ambiente tranquillo. Un altro motivo è la fiducia in se stessi, elemento importante per chi cerca nell'ipnosi rilassamento e riduzione dello stress, per chi vuole risolvere una fastidiosa dipendenza, ma anche per chi usa l'ipnosi in associazione con (o al posto di) una terapia farmacologica. Diversi studi hanno dimostrato infatti che, per alcuni pazienti colpiti da artrite, ipnosi e autoipnosi erano altrettanto efficaci dei medicinali.

Gli esperti sono convinti comunque che, perché il trattamento sia veramente efficace, l'autoipnosi debba essere appresa da un professionista. In seguito i pazienti possono usare la tecnica a casa propria.

Tecniche di base Ci sono varie tecniche di autoipnosi: sta a voi scegliere quella che fa al caso vostro. Molti trovano facile impararla con l'aiuto di istruzioni scritte o registrate.

L'autoipnosi si comincia sempre stando seduti in una posizione comoda. Iniziate rilassando i muscoli e fissando gli occhi su un oggetto, su un punto nella parete o sulla fiamma di una candela; dopo un po', rileverete che le palpebre si fanno più pesanti e comin-

L'autoipnosi *aiuta molte donne a rilassarsi durante il travaglio.*

Questa donna incinta *impara come entrare in uno stato ipnotico, che potrà riprodurre da sé quando sarà il momento di partorire.*

Secondo diverse donne *che l'hanno sperimentata, l'autoipnosi durante il travaglio ridurrebbe sostanzialmente o addirittura eliminerebbe il dolore delle contrazioni, rendendo inutile l'eventuale ricorso all'anestesia e consentendo a madre e figlio di essere più lucidi subito dopo il parto.*

ciano a sbattere. Respirate profondamente diverse volte: inspirate a fondo ed espirate con un sospiro. Mentre gli occhi si chiudono, pronunciate una frase del tipo: «Adesso rilassati». In alternativa, pensate al vostro colore preferito o immaginate un panorama bellissimo. Evocate l'immagine scelta nel momento in cui gli occhi si chiudono; con un po' di pratica, sarà sufficiente questo per indurre lo stato di ipnosi. Quando gli occhi sono chiusi, cominciate a rilassare il corpo, un gruppo di muscoli per volta. Partite dagli avambracci e dai bicipiti: contraeteli, poi rilasciateli completamente. Usate lo stesso metodo di contrazione-rilassamento anche per i muscoli del viso, del collo, delle spalle, del petto, dell'addome, della schiena, dei glutei, delle cosce, delle caviglie e dei piedi. A mano a mano che i muscoli cominciano a rilassarsi dovreste avere la sensazione che si appesantiscono.

Scendere le scale In seguito provate ad aggiungere qualche esercizio mentale che renda l'ipnosi più profonda, come contare alla rovescia o immaginarvi mentre scendete una scala. Per verificare di essere sotto ipnosi, chiedete alla vostra mano di diventare insensibile, poi provate a darvi un pizzicotto: dovreste avvertire la pressione, ma senza provare dolore. Un suggerimento utile può essere quello di registrare la procedura su cassetta, in modo da poter seguire ogni volta gli stessi passi. La ripetizione vi aiuterà a perfezionarvi. Ricordate soltanto di usare un tono di voce calmo e di dare solo messaggi positivi: per perdere peso, per esempio, ripetete a voi stessi che vi piacerebbe essere magri.

Per concludere l'autoipnosi, dite a voi stessi che quando avrete contato fino a cinque sarete svegli, riposati e coscienti: a ogni numero che ripeterete mentalmente, vi sveglierete un po' di più.

Training autogeno Una forma simile all'autoipnosi, ma più semplice e assai diffusa, è il training autogeno (TA), usato spesso con il biofeedback come mezzo di rilassamento. Messo a punto negli anni Trenta dallo psichiatra tedesco Johannes Schultz, che cercava di scoprire in che modo l'ipnosi influenzasse il corpo, il cervello e il sistema nervoso, consiste in un sistema di esercizi intesi a evocare le sensazioni di pesantezza e calore che, come Schultz aveva osservato, si avvertono naturalmente negli arti durante l'autoipnosi. Lo scopo del training autogeno è quello di raggiungere da soli il massimo rilassamento.

Guida all'autoipnosi

L'autoipnosi può essere appresa così facilmente che molti perfezionano la tecnica di base già in pochi giorni. Secondo alcuni è assai utile contro lo stress.

■ Prendetevi il tempo necessario per rilassarvi completamente.

■ Scegliete un piccolo oggetto o un punto davanti a voi, situato più in alto dei vostri occhi. Concentrate su di esso tutta la vostra attenzione cosciente. Respirate piano, profondamente, in modo soddisfacente.

■ Cominciate a dire a voi stessi che vi sentite rilassati.

■ Se sentite gli occhi che lacrimano o sbattono, suggerite loro di chiudersi: «Ogni volta che i miei occhi lacrimano e sbattono si portano via pensieri, preoccupazioni, angosce».

■ Visualizzate un luogo reale o fantastico, accogliente e pieno di pace, un luogo dove non esistono pensieri che possano distrarre né preoccupazioni.

■ Concentrate attenzione e immaginazione sulle sensazioni che avvertite nelle mani e nelle dita. Visualizzate sensazioni di freschezza, intorpidimento, calore, pesantezza e leggerezza. Ogni volta che individuate una di queste sensazioni, incoraggiatela a espandersi con ulteriori suggestioni.

■ La differenza tra uno stato di veglia cosciente e uno stato ipnotico può essere minima, tanto che le prime volte potreste non rendervi nemmeno conto del passaggio. Siate pazienti con voi stessi.

Adattato da Self-Hypnosis *(Autoipnosi), di Brian M. Alman e Peter T. Lambrou.*

Tecniche autogene e meditazione Combinando le autosuggestioni dell'ipnosi con gli elementi meditativi dello yoga, il training autogeno è rivolto soprattutto alle sensazioni fisiche e solo in una fase più avanzata ai processi mentali. Come quando si medita, è importante non sforzarsi di raggiungere l'obiettivo per non diventare ansiosi, ma nemmeno essere tanto passivi da addormentarsi. Prima di iniziare una seduta di training autogeno assicuratevi di essere in un ambiente tranquillo e rilassante. Potete eseguire gli esercizi seduti con la schiena diritta su una sedia con schienale, leggermente piegati in avanti su uno sgabello o anche sdraiati supini.

"Caso clinico"

L'IPNOSI IN CHIRURGIA

Al posto dell'anestesia totale, l'odontoiatra Victor Rausch decise di utilizzare l'autoipnosi per l'intervento di rimozione della colecisti.
Ecco come riferisce la sua esperienza.

Ho scelto di farmi operare in autoipnosi invece che sotto anestesia per semplice egoismo. Ardevo dalla curiosità e dal desiderio di sapere come mi sarei sentito se la cosa avesse funzionato. Volevo scoprire in che misura potevo controllare il mio corpo con l'autoipnosi ed ero pronto ad assumerne il rischio.

La sera prima dell'intervento mi sottoposi a un rilassamento progressivo per raggiungere uno stato di serenità molto profondo. Concentrandomi sui sentimenti di sicurezza e sull'assoluta certezza di successo dell'operazione, scivolai dolcemente in un profondo sonno ipnotico.

Non mi fecero preanestesia e, quando arrivai in sala operatoria, salii da solo sul lettino. Immediatamente sentii la terribile tensione di tutti i presenti ma continuai a stare calmo e rilassato.

Il chirurgo mi chiese se ero pronto. Quando dissi di sì, mi toccò nella zona che intendeva incidere. Senza esitazioni, passò il bisturi sull'addome.

Nel preciso istante dell'incisione [...] provai un'interessante sensazione, come di qualcosa che scorresse per tutto il corpo. Qualunque cosa stesse succedendo, improvvisamente mi sentii intensamente consapevole di tutto ciò che avevo intorno, delle persone e di sensazioni fisiche mai provate prima.

Secondo l'équipe medica non c'era alcun segno visibile di tensione muscolare, né di alterazioni della respirazione o dell'espressione del viso, nessun segno di disagio.

Mentalmente riuscivo a dirigere la sensazione di scorrimento in ogni zona del corpo e ad averne un controllo completo, senza mai perdere di vista i vari passaggi dell'operazione.

Coscientemente ero completamente distaccato. Era come se fossi un osservatore invece del paziente. A questo punto erano passati circa tre minuti dall'inizio. Mi sentivo forte e sicuro del successo dell'operazione. Per tutta la durata sudai copiosamente ma il polso e la pressione sanguigna restarono costanti. Una volta completata la sutura, l'anestesista mi chiese se mi sentivo di tornare a piedi in camera mia. Dissi di sì con entusiasmo, scesi dal lettino e feci qualche passo per la sala operatoria. Non provavo dolore né disagio. Ero eccitatissimo. L'anestesista mandò qualcuno a prendermi vestaglia e pantofole. Tutti insieme, a braccetto, ci dirigemmo verso l'ascensore e fino alla mia stanza.

Tratto da Cholecystectomy with Self-Hypnosis *(Colecistectomia in autoipnosi), di Victor Rausch.*

Il training autogeno consiste nel ripetere per diverse volte uno dei sei esercizi di base, ossia una delle sei formule verbali. Benché ogni esercizio richieda solo pochi minuti, all'inizio potrebbe essere necessario ripeterlo a lungo, anche dieci volte al giorno.

Man mano che diventate più esperti, dal primo esercizio passerete al secondo, poi al terzo e così via, fino a eseguirli tutti e sei in sequenza. Gradualmente la durata delle sedute aumenterà fino a trenta, quaranta minuti, e la loro frequenza diminuirà fino a due volte al giorno.

Procedendo lentamente ma sempre con costanza, quasi tutti arrivano a padroneggiare l'intera sequenza nel giro di pochi mesi.

Con un burattino, *il terapeuta fa un gioco ipnotico per catturare e dirigere su un oggetto l'immaginazione del bambino. Spesso i bambini, anche quelli con minore capacità di attenzione, rispondono particolarmente bene alla suggestione ipnotica; forse perché dotati di fiducia e di immaginazione. L'ipnosi può essere utile in una quantità di casi, dall'enuresi notturna al superamento di un lutto.*

Fare il primo passo Per cominciare, chiudete gli occhi e ripetete diverse volte: «Il mio braccio destro è pesante». Poi ripetete la formula per l'altro braccio e per le due braccia insieme, quindi per ogni gamba e per le due gambe insieme. La sensazione di pesantezza che avvertirete corrisponde al rilassamento muscolare.

Il secondo esercizio è dedicato alla sensazione di calore, che corrisponde alla dilatazione dei vasi sanguigni. La frase da ripetere è: «Il mio braccio destro è caldo»; si procede quindi seguendo le stesse modalità del primo esercizio. Le formule successive sono: «Il mio battito cardiaco è calmo e regolare», «La mia respirazione è profonda e regolare», «Il mio plesso solare è caldo» (da evitare però in caso di disturbi nella zona dell'addome) e «La mia fronte è fresca».

Una volta perfezionata la sequenza di base potete provare a sviluppare "formule intenzionali" per cambiare abitudini come il fumo o gli eccessi alimentari. Per esempio, potreste dirvi: «Sono io che controllo la mia dieta. Posso mangiare meno e diventare più attraente». I messaggi agiscono meglio se sono semplici e persuasivi.

È ancora oggetto di discussioni il modo in cui il training autogeno riuscirebbe a produrre rilassamento. Tuttavia, studi effettuati sulle modificazioni delle onde cerebrali e su altri processi fisiologici mostrano che il TA smorza la risposta fisica allo stress, riducendo gli stimoli in grado di raggiungere le aree del cervello collegate al sistema nervoso autonomo. Quale che sia il motivo per cui funziona, il TA è stato impiegato con successo in una varietà di disturbi di ordine fisico ed emotivo, dalla depressione all'ansia, dalle emicranie alle allergie. Gli sportivi, poi, ne fanno largo uso.

L'essenza dei sogni

*Le immagini che popolano i sogni sono personali e legate alle emozioni
più profonde: possono suscitare paura in una persona e nostalgia in un'altra.
Ma da dove vengono? E che significano?*

Nei sogni può accadere di tutto. *Contro ogni logica e probabilità, una locomotiva può saltar fuori
dal caminetto, come in questo quadro di René Magritte. Considerati un tempo messaggi divini,
i sogni sono visti oggi come il riflesso peculiare di un'esperienza o di emozioni personali.*

CHE COSA POSSONO DIRE di noi stessi i nostri sogni? Possono rilevare desideri nascosti o repressi, come sostengono molti psicologi? Oppure si tratta di immagini casuali, prive di ogni significato? Entrambe le ipotesi sembrano plausibili, ma molta strada resta ancora da percorrere per comprendere appieno la loro funzione.

Di certo sappiamo che i sogni sono successioni di immagini, pensieri ed emozioni sperimentate dalla mente durante il sonno. Gli studiosi hanno determinato che la maggior parte dei sogni si verifica durante la fase REM (*Rapid Eye Movement*, movimenti oculari rapidi) del ciclo di sonno. Il tracciato encefalografico della fase REM registra infatti un'attività delle onde cerebrali molto simile a quella osservabile nelle fasi di veglia.

Ogni notte, durante il sonno, si verificano circa cinque fasi REM della durata di dieci, trenta minuti ciascuna. Anche se le ricerche hanno dimostrato che tutti fanno parecchi sogni ogni notte, in genere si ricordano solo quelli dell'ultima fase REM che precede il risveglio. Per questo chi afferma di non sognare mai in realtà non riesce a ricordare queste esperienze notturne. Alcuni ricercatori sostengono che nel sonno REM il cervello non avrebbe gli elementi chimici necessari a fissare i pensieri nella memoria a lungo termine; questo spiegherebbe perché dimentichiamo i sogni tanto in fretta.

Una persona dorme e intanto apprende l'arte del "sogno lucido". Lampi di luce rossa all'interno della mascherina segnalano l'inizio di una fase REM del sonno, quella dove ha luogo la maggior parte dei sogni. I lampi di luce ricordano alla persona che sta dormendo e che ciò che gli accade è solo un sogno. Con l'esercizio imparerà a controllare il contenuto dei suoi sogni.

Teorie sui sogni Sigmund Freud fu uno dei primi ricercatori dell'era moderna a sviluppare una teoria articolata sui sogni, che vedeva come «la strada principale per l'inconscio» e riteneva rappresentassero pensieri che la mente cosciente preferiva censurare. I sogni sarebbero quindi altamente simbolici e difficili da interpretare.

La teoria di Freud fu assai accreditata, ma quando si scoprirono i cicli di sonno REM e si cominciò ad attribuire ai sogni una componente biologica, molti scienziati e psicologi riformularono le loro tesi sul significato dei sogni. Alcuni si spinsero tanto in là da affermare che i sogni erano semplicemente il risultato di un'attività neurologica casuale e quindi completamente privi di significato. Ma anche questi oppositori finirono per ammettere che la trama dei sogni rappresentava gli sforzi che la mente faceva per dare un senso a questi impulsi nervosi casuali, e quindi doveva avere qualche risonanza psicologica.

La funzione dei sogni Ben lungi dall'essere dominio esclusivo degli esseri umani, il sonno REM (e quindi i sogni) è presente anche negli animali. Per questo alcuni ricercatori suggeriscono che i sogni avrebbero una funzione biologica di "pulizia mentale", sarebbero cioè un momento per elaborare ricordi e liberare la mente dalle informazioni inutili. Certi sogni particolarmente bizzarri sarebbero come schegge di materiale staccatosi dai ricordi. Come sostiene un ricercatore, «sogniamo per dimenticare».

Interpretare i sogni Benché non ci siano prove certe, molti psicologi sono convinti che i sogni possano fornire una chiave di interpretazione dei sentimenti e degli atteggiamenti più profondi. E se molti li usano per conoscersi meglio, altri se ne servono per risolvere problemi e diventare più creativi.

Per analizzare i sogni, il primo passo è sempre riuscire a ricordarli con la maggiore precisione possibile. Dato che al risveglio si dimenticano rapidamente, tenete carta e matita, o un registratore, vicino al letto, in modo da prendere appunti. Non trascurate i frammenti di sogni apparentemente senza un nesso logico: non di rado forniscono indizi importanti. Anche se è possibile cercare d'interpretare i propri sogni da soli, un lavoro di gruppo che permetta uno scambio con altri, con o senza l'aiuto di una persona che abbia qualche esperienza in materia, può risultare ancora più utile. Un gruppo di persone in sintonia tra loro può incoraggiare a parlare dei sogni e dei problemi rimossi che in essi si manifestano. In più, raccontando il sogno a voce alta, capita di ricordare dettagli dei quali non si era tenuto conto, e gli altri possono suggerire interpretazioni diverse.

È importante che i membri del gruppo non interrompano la narrazione e ricordino che solo chi racconta può dire se si riconosce in una certa interpretazione. Uno scrittore suggerisce di intervenire sempre usando una particolare formula: «Se il sogno fosse mio...». L'interpretazione di un'altra persona di solito è significativa quando tutti i dettagli del sogno sembrano incastrarsi a perfezione.

Un'intuizione può consentire a un membro del gruppo di vedere un problema con altri occhi, e forse anche di prendere decisioni sensate.

I terapeuti della Gestalt (una parola tedesca che significa "forma") lavorano sui sogni in un modo molto particolare. Essi cer-

Gli indiani Ojibwai appendono ogni notte un "acchiappasogni" nel luogo dove dormono i loro bambini, per intrappolare i brutti sogni. Quelli belli riescono invece a infilarsi nel foro centrale.

Durante la "cerimonia dei sogni", le "Facce di pula", una classe medica degli indiani Irochesi, indossavano maschere di pula intrecciata. Gli Irochesi credevano che i sogni fossero la lingua dell'anima e consideravano la malattia come una frattura tra anima e corpo. La "cerimonia dei sogni" era parte di un elaborato rituale di guarigione.

cano di aiutare le persone a dare una forma armoniosa ai conflitti presenti nella loro vita. In un certo senso aiutano "a portare a compimento i conti in sospeso". I sogni possono accelerare questo processo in quanto creazioni del sognatore. Ogni personaggio e ogni situazione del sogno sarebbero un po' quella parte di sé che in genere si preferisce non vedere da svegli. Attraverso vari esercizi si impara a mettere in pratica i sogni, a viverli e ad accettare situazioni e aspetti della propria personalità prima ritenuti intollerabili.

Il "sogno lucido" A molti capita, durante un sogno, di avere improvvisamente la percezione che proprio di sogno si tratta. "Sogno lucido" è detta la capacità di continuare a sognare riuscendo a osservare la storia dall'esterno, come se si vedesse un film. Ci sono persone che riescono a produrre questo effetto volontariamente. Da un punto di vista fisiologico, si tratta semplicemente di uno stato di sonno meno profondo, nel quale è possibile intervenire sullo svolgersi degli eventi del sogno, magari cambiandone il finale. Chi pratica questa tecnica afferma che può aiutare a confrontarsi con problemi difficili e ad assumersi la responsabilità della propria vita.

Stephen LeBerge, della Stanford University, è un pioniere del campo e sostiene che molti fanno "sogni lucidi" spontanei. Probabilmente si tratta di quelle persone che riescono a stabilire mentalmente a che ora si vogliono svegliare e poi ci riescono senza bisogno della sveglia. Ma altri possono imparare. Per cominciare, studiate attentamente i vostri sogni normali e quindi chiedetevi, diverse volte al giorno, se state sognando o no. Dopo qualche tempo la domanda comincerà a presentarsi anche durante il sonno. Cercate di rimanere coscienti quando vi addormentate e durante i sogni. Ma attenzione, potreste risvegliarvi di soprassalto o scivolare in un sogno "vero".

Alcuni utilizzano il "sogno lucido" per affrontare gli incubi e superarli; di fronte a una figura minacciosa del sogno, combattono e la uccidono. Ma secondo gli esperti conviene mettere in discussione la forza del demone piuttosto che distruggerlo: solo così si riesce a individuare i propri conflitti e a gestirli in modo costruttivo. Il demone rimpicciolisce o scompare quasi sempre se lo sfidate, oppure si trasforma in una persona con la quale avete un problema, spesso un genitore o il coniuge; affermando voi stessi nel sogno, avviate un dialogo immaginario che vi aiuterà a vedere il punto di vista dell'altra persona.

Prendere nota dei sogni

Al risveglio, per quanto chiaramente vi sembri di ricordare un sogno, se non fate lo sforzo di registrarlo è quasi inevitabile che sfugga rapidamente dalla memoria.

- Non importa come (cassetta, appunti scribacchiati nel cuore della notte), ma cercate di registrare i vostri sogni.

- Quando li registrate, usate il tempo presente (riservando il passato per ciò che anche in sogno viene sperimentato come un ricordo). Assicuratevi sempre di annotare data e giorno della settimana nel quale il sogno ha avuto luogo.

- Date un titolo ai sogni che trascrivete. Scegliere un titolo vi aiuterà quasi sempre a intuire il significato del sogno.

- Ricordate che ogni sogno ha molti significati e molti livelli di significato, quindi non precipitatevi a darne un'interpretazione.

- Immaginate come avrebbe potuto proseguire il sogno se non vi foste svegliati in quel momento.

- Rileggete periodicamente i vostri sogni. Siate aperti per scoprire in essi nuove indicazioni e nuovi sviluppi.

- Parlate dei vostri sogni con coloro che vi stanno a cuore e chiedete loro di raccontarvene a loro volta.

Tratto da Dream Work *(Il lavoro sui sogni), di Jeremy Taylor.*

Il tempo del sogno
degli aborigeni australiani

I "sogni" degli aborigeni australiani non sono sogni come li intendiamo noi in Occidente. La parola forse suggerisce in che modo questi popoli mettono in comunicazione il mondo fisico e quello spirituale. Gli esseri ancestrali sarebbero stati un tempo sulla terra, dandole forma e tutto ciò che è in essa.
Questi esseri vivono ora in eterno nel "tempo del sogno", una dimensione spirituale parallela al mondo fisico. I "sogni" sono dunque i miti che descrivono questi antenati e le loro azioni, e costituiscono una grande riserva di temi e motivi per l'arte degli aborigeni.

Dipinto su corteccia, questo "sogno" racconta di Gurru-murringu, l'antenato "onirico" dell'artista, mangiato da un serpente per aver disubbidito a una legge.

Mentre lavora, un padre spiega il suo "sogno" al figlio. L'animaletto di famiglia, un opossum, si affaccia sopra la testa del bambino. Ogni clan ha i suoi "sogni", trasmessi da una generazione all'altra. Dipingere il "sogno" di un clan diverso è un'offesa grave.

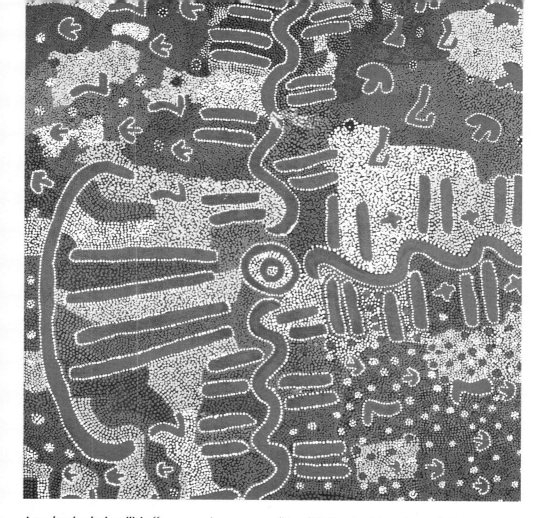

I moderni colori acrilici offrono una vivace gamma di tonalità. Questo dipinto, Sogno dell'acqua a Mikanji, mostra le conseguenze di una tempesta originatasi dall'incontro di diversi "sogni" in un pozzo.

I **"sogni"** confermano il diritto di un clan a vivere in una certa zona. Spesso un artista descrive il suo dipinto con le parole: «Questo è il mio paese».

Tartarughe e altri animali bevono da un pozzo sacro. Questo "sogno", come molti altri, è stato probabilmente dipinto migliaia di volte. Gli aborigeni hanno la più antica tradizione di arte pittorica del mondo: 30 000 anni.

La medicina dell'anima

La psicoterapia può aiutarci a superare momenti difficili, a vivere in modo intenso e gioioso, a entrare più intimamente in contatto con la nostra esperienza e con gli altri, a sviluppare il nostro potenziale.

IL CAMMINO DELLA VITA, come tutti sappiamo, ha le sue difficoltà. Ci sono momenti di gioia e di chiarezza in cui ogni cosa sembra fluire spontaneamente, e momenti bui, periodi di confusione o di sfiducia, di frustrazione, di isolamento, di depressione. Le difficoltà sono una parte inevitabile del vivere e anche tappe di un percorso che, vissuto pienamente e consapevolmente, ci porta alla saggezza.

Ma per alcuni di noi, e in certi momenti, il buio diventa troppo fitto, la situazione troppo oppressiva, il senso di sfiducia paralizzante. In questi momenti possiamo aver bisogno di aiuto, può essere prezioso che qualcuno ci dia una mano per ritrovare il coraggio e il senso di direzione, per mettere un po' di chiarezza nella confusione, per superare quelli che sembrano ostacoli insormontabili, per riaprirci alla gioia di vivere.

Nelle società tradizionali il compito di fornire questo aiuto spettava ai membri più vecchi e saggi della comunità o a una particolare categoria di persone, sacerdoti e sciamani, la cui formazione consisteva in una certa disciplina spirituale e nell'acquisizione di tecniche rituali e magiche. Nelle società contemporanee le istituzioni religiose hanno in gran parte cessato di assolvere a questa funzione. I moderni "sacerdoti" e "sciamani" sono piuttosto gli psicoterapeuti. Come nel caso degli sciamani tradizionali, il loro lavoro assume molte forme diverse.

Sul lettino dello psicanalista La forma classica della moderna psicoterapia è la psicanalisi, creata da Sigmund Freud a Vienna all'inizio del secolo. Malgrado sia stata in seguito varia-

Il lettino di Freud, oggi presso il Freud Museum di Londra, è il simbolo della psicanalisi. Da un punto di vista terapeutico, il lettino dovrebbe facilitare il rilassamento; inoltre, non permettendo al paziente di vedere l'analista, dovrebbe farlo sentire meno inibito e più disponibile a riferire ciò che gli passa per la testa.

mente criticata e le nuove terapie se ne siano distaccate per molti aspetti, indubbiamente la psicanalisi ha posto le basi di tutta la moderna psicoterapia. Essa ha ancora i suoi "sacerdoti" e viene tuttora praticata in una forma non molto diversa da quella messa a punto da Freud.

Un contributo fondamentale di Freud consiste nell'aver riconosciuto che una parte considerevole delle forze che determinano il nostro comportamento agisce al di sotto del livello della coscienza e in maniera relativamente autonoma rispetto all'io cosciente. In questo vasto sotterraneo dell'inconscio, assimilabile per certi versi alla parte sommersa di un iceberg che ne costituisce i nove decimi, va a finire tutto ciò che l'io cosciente, per via dei condizionamenti sociali e della storia personale, non riesce ad accettare, non può permettersi di vivere, rimuove, reprime. Per esempio, nelle nostre società (e ancor più in quella viennese dell'inizio del secolo!), come del resto in gran parte delle società tradizionali, la sessualità è oggetto di tabù e restrizioni ed è circondata da messaggi negativi e sensi di colpa. Ma l'energia sessuale è una parte essenziale della nostra biologia e della nostra psiche: essa non può perciò semplicemente scomparire. Quella parte di essa che non trova espressione a livello cosciente, sprofonda nell'inconscio e trova vie diverse e più indirette per esprimersi. Queste forme indirette di espressione sono di natura simbolica: la pulsione che non può presentarsi all'io cosciente per quello che è, si presenta "travestita" da qualcos'altro. L'attività simbolica dell'inconscio ha espressioni normali e relativamente innocue, come il sogno, i lapsus verbali, il linguaggio inconsapevole del corpo. Ma, quando la pressione diviene troppo forte e le vie di espressione ordinarie non sono sufficienti, essa può assumere anche forme più drammatiche, come le nevrosi, che creano notevoli scompensi e sofferenza nella vita dell'individuo.

La terapia analitica consiste nel far emergere alla coscienza il senso di questa attività simbolica dell'inconscio, analizzando sogni, comportamenti, associazioni verbali eccetera, fino ad arrivare a dissotterrare i momenti cruciali della rimozione, che spesso sono eventi traumatici dei primi anni di vita.

Vivere il proprio corpo Le psicoterapie più recenti, pur ereditando certi concetti fondamentali di Freud, si distaccano dal modello psicanalitico sotto vari aspetti. Uno di questi è il fatto di dare una maggiore importanza al vissuto corporeo della persona. Secondo alcune scuole, per esempio, i traumi psichici si traducono in contrazioni muscolari che tendono a cronicizzarsi e a creare una vera e propria "armatura" difensiva. Questa "armatura" impedisce alla persona di vivere la propria parte più vulnerabile, e quindi più esposta alla sofferenza, ma anche più sensibile, avventurosa, creativa e vitale. Spesso questa desensibilizzazione ha svolto un'essenziale funzione protettiva in un certo

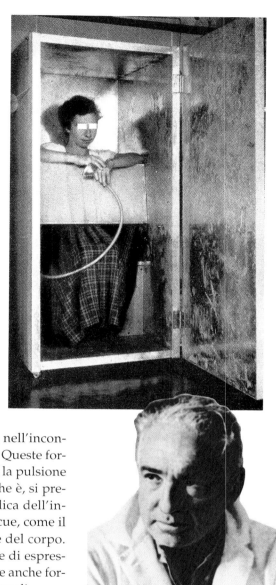

Wilhelm Reich, del quale è illustrato sopra anche il controverso "accumulatore di orgone", fu il primo degli allievi di Freud a occuparsi del corpo oltre che della mente. Reich sosteneva di aver scoperto la base biologica delle emozioni in un'energia universale che chiamò "orgone". Mise a punto l'accumulatore in modo da concentrare questa energia e renderla disponibile per la terapia. Insieme con altre tecniche mediche, l'accumulatore doveva aiutare i pazienti a superare i blocchi muscolari e caratteriali.

*Durante il viaggio aereo,
alcuni partecipanti a un gruppo
terapeutico contro la paura
di volare accettano le
congratulazioni del terapeuta.
Prima di salire su questo 747, il
gruppo ha visitato l'aereo e ha
fatto esercizi per superare
la fobia.*

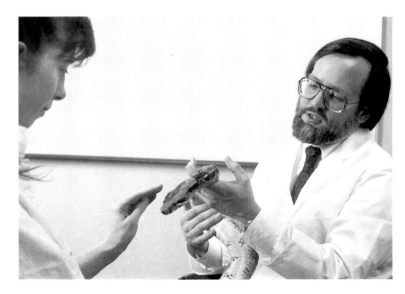

*La paura morbosa dei serpenti
si può superare. All'Università
del Michigan, Randolph Nesse (a
destra) aiuta i pazienti a superare
gradualmente le loro fobie,
affrontandole ripetutamente
e volontariamente.*

momento della vita in cui la persona non era in grado di affrontare altrimenti le pressioni o le minacce dell'ambiente, per esempio nell'infanzia. Ma essa ha ormai da lungo tempo cessato di essere una risposta necessaria, utile o creativa. Si è trasformata in una rigidità che opprime l'individuo e ostacola la pienezza della sua vita adulta. La persona così irrigidita vive solo una minima parte del proprio potenziale, il che crea a lungo andare un'ulteriore sofferenza. Non di rado questo stato di contrazione ha conseguenze a livello del corpo e può provocare disturbi psicosomatici di vario genere, come gastrite, difficoltà respiratorie, asma, ipertensione, mal di testa, insonnia eccetera. La persona ha inoltre difficoltà a vivere pienamente e gioiosamente il proprio corpo e la propria sessualità.

La risoluzione di questi "blocchi", che hanno origine psichica ma sono radicati in precisi fatti corporei, non può avvenire a livello puramente mentale e verbale. Occorre che la persona sia aiutata a percepire ciò che contrae l'energia vitale e a trovare nuovi e più creativi modi di "abitare" il proprio corpo e di rispondere alle situazioni della vita. Questo avviene tramite particolari esercizi, movimenti o situazioni, che sono spesso accompagnati da intense esperienze emotive. Il terapista è in genere assai più coinvolto che nella psicanalisi e in certi casi il suo tocco aiuta il cliente a prendere coscienza di certi vissuti corporei o a rilassare certe contrazioni. In tutte queste terapie il "lavoro sul corpo" e il "lavoro sulla psiche" sono strettamente correlati e inscindibili.

Un'importante scuola di questo tipo è quella bioenergetica, che fa capo a Wilhelm Reich, un allievo dissidente di Freud, e più recentemente è stata ulteriormente sviluppata da Alexander Lowen a New York. Questo tipo di lavoro si serve spesso delle cosiddette "posizioni di stress", in cui l'intensità delle sensazioni corporee provoca un cortocircuito, per così dire, agli abituali meccanismi di difesa della mente e facilita l'emergere di vissuti emotivi. Per esempio, la persona può restare per un certo tempo in piedi con le ginocchia piegate e le braccia tese in avanti, oppure con la schiena inarcata all'indietro, e così via. Liberato dall'"armatura" che lo imprigiona, il corpo ritrova la sua condizione naturale.

Dialoghi immaginari Le psicoterapie contemporanee tendono in genere a mettere l'accento sull'esperienza attuale della persona piuttosto che sui traumi passati. Tipica in questo senso è la *Gestalt therapy* (o "terapia della forma") creata nel dopoguerra dallo psicanalista berlinese Friedrich (Fritz) Perls (1893-1970) e divenuta famosa negli anni Sessanta, quando egli lavorava a Esalen, il centro californiano che è stato il crogiolo di tutte quelle esperienze che vanno sotto il nome di "terapie umanistiche". Per la Gestalt i disturbi psichici sono in primo luogo disfunzioni del contatto della persona con la propria realtà interna ed esterna, "interruzioni" del processo continuo con cui l'organismo sano cresce e si sviluppa assimilando elementi dell'ambiente.

Per svolgere efficacemente il suo compito il terapista deve, a sua volta, essere in contatto con la propria esperienza interna e presente in un rapporto diretto e totale con il paziente. Per quest'ultimo non si tratta tanto di cercare le radici remote delle proprie "interruzioni" (i traumi infantili, che sono, secondo Perls, in gran parte immaginari), quanto di prendere coscienza acutamente, immediatamente, nel proprio comportamento, del loro processo attuale e assimilare creativamente l'energia in esse contenuta.

Per facilitare questa presa di coscienza ci si serve a volte di drammatizzazioni, "mettendo in scena" conflitti interni o esterni del paziente sotto forma di dialoghi fra persone o, per esempio, fra cose e personaggi di un suo sogno. In queste drammatizzazioni il paziente dà voce a tutte le parti in causa, che sono sempre viste anche come sue parti, prendendo di volta in volta il posto di ciascuna, per esempio sedendosi su diverse sedie o cuscini. Ed è sempre la scoperta che avviene nel processo reale di questi dialoghi immaginari che conta, non un'astratta comprensione di qualcosa che è avvenuto altrove nel passato.

Scegliere lo psicoterapeuta

Scegliere lo psicoterapeuta può essere complicato quanto scegliere la terapia. In effetti, il termine "psicoterapeuta" non dice niente sul tipo di formazione ricevuta dal singolo professionista. L'elenco che segue può aiutare a comprendere le differenze esistenti tra i molti specialisti.

- Gli psichiatri sono medici specializzati in problemi mentali. Essendo medici possono prescrivere medicinali. Molti conoscono e utilizzano la psicoterapia.

- Gli psicologi sono laureati con una preparazione in psicologia sperimentale, test della personalità e varie forme di terapia.

- Gli psicanalisti possono essere o non essere medici, ma hanno avuto una formazione rigorosa presso un istituto o un'associazione riconosciuta ufficialmente.

- Gli assistenti sociali possono avere conseguito diplomi diversi e molti hanno una formazione specifica nella pratica psicoterapica.

- I consulenti psicologici presenti in scuole, carceri e varie aziende offrono una guida riguardo a problemi specifici, ma in genere non sono qualificati per una valutazione psicologica più approfondita.

Rispecchiarsi negli altri

*La psicoterapia di gruppo è un laboratorio di situazioni di vita
che facilita l'esplorazione dei propri problemi, particolarmente quelli di relazione,
e offre un ambiente protetto per sperimentare nuovi comportamenti.*

La terapia di gruppo
*in genere non è utilizzata
con i ragazzini, ma quelli
della foto, guidati da una
psicologa, cercano di
imparare a convivere con
genitori alcolisti o
tossicodipendenti. Quasi
sempre i bambini si sentono
responsabili del
comportamento dei genitori:
parlare di questi problemi
con un gruppo di ragazzi
nella stessa situazione può
aiutare a vedere le cose con
maggiore realismo.
La terapia incoraggia anche
a esprimere apertamente
i sentimenti invece
di trasformarli in
comportamenti distruttivi.*

NEL CORSO DEGLI ULTIMI VENT'ANNI la psicoterapia di gruppo ha conosciuto uno sviluppo straordinario. Spesso è un processo intenso e impegnativo, che richiede onestà e disponibilità a mettere a nudo parti di noi che solitamente non mostriamo volentieri. Che cosa attrae tante persone verso quest'avventura insieme intima e collettiva? E in che cosa consiste?

Un gruppo terapeutico è composto da un numero variabile di persone, da pochi individui a qualche decina di partecipanti, ed è guidato da uno o più terapisti, a volte coadiuvati da assistenti. Cruciale in questa forma di terapia, oltre al rapporto con il o la terapista, è l'interazione fra i partecipanti. La tematica del gruppo, la sua struttura, la sua durata, le tecniche utilizzate variano ampiamente.

Ma una caratteristica comune alla maggior parte di queste esperienze è il fatto di essere uno spazio particolarmente protetto, dove la persona è stimolata e sorretta nell'esplorazione di parti di sé che ha difficoltà a contattare o che non ha la possibilità di esprimere nel proprio ambiente quotidiano.

Il gruppo: sostegno e provocazione I partecipanti a un gruppo terapeutico si sollecitano e si sostengono a vicenda e si specchiano l'uno nell'altro. Quando una persona "lavora" su un certo suo problema il gruppo generalmente le dà tutta la propria attenzione. Questo non solo intensifica il processo per chi sta al centro dell'attenzione, ma anche per tutti gli altri che hanno tematiche affini. Un effetto di questa specie di "risonanza" è quello di contribuire a rompere il senso di isolamento che a volte proviamo riguardo ai nostri problemi e di aiutarci ad acquisire una prospettiva più reale sui problemi stessi.

Per esempio, coloro che hanno subìto molestie sessuali da bambini, sovente si portano dentro una profonda ferita e un grande senso di vergogna. Spesso la bambina o il bambino si colpevolizza per ciò che è successo, in particolare se l'adulto coinvolto è una persona di famiglia, e rimuove il ricordo o lo porta dentro di sé come un segreto vergognoso. Questi eventi lasciano strascichi profondi nella vita adulta e non di rado la persona si sente portatrice di una "macchia", parti-

colare e unica. Condividere la propria esperienza in un ambiente disponibile e amorevole, e ascoltare altri raccontare esperienze analoghe può avere un effetto liberatorio e contribuire a correggere questa errata percezione di colpevolezza e di unicità. La realtà è che il bambino o la bambina non è affatto colpevole e un'altra amara verità è il fatto che queste esperienze, purtroppo, sono molto più frequenti di quanto solitamente si creda.

Una persona che è stata fortemente condizionata dalla sua educazione a reprimere ogni moto di rabbia, tende comunque a esprimerla in modi indiretti che possono essere particolarmente velenosi per gli altri e insoddisfacenti per sé. Per esempio, la persona può sorridere e parlare educatamente mentre dentro ribolle d'ira. Il gruppo terapeutico, essendo animato da uno spirito di autenticità, è in genere un meraviglioso specchio per situazioni di questo genere. La persona che (più o meno consciamente) nasconde la rabbia dietro un sorriso scoprirà, magari con meraviglia, che il suo comportamento non funziona come normalmente accade al di fuori del gruppo. Incontrerà negli altri partecipanti risposte che si rapportano molto più alle sue emozioni reali che alla sua maschera.

La terapia famigliare Una forma particolare di terapia di gruppo è costituita dalla terapia famigliare, in cui i partecipanti sono i membri di una famiglia. La molla che spinge verso una terapia famigliare è il fatto che una persona, spesso un figlio o una figlia adolescente, presenta un serio problema di comportamento. Questo primo "paziente individuato" entra in terapia, ma ben presto si chiarisce che egli è portatore, e in qualche modo "capro espiatorio", di dinamiche che appartengono in realtà a tutta la famiglia. Ciascun membro della famiglia è coinvolto e influisce su tutti gli altri: non è possibile risolvere la situazione "curando" un singolo individuo. Quando la famiglia è disposta a sottoporsi a una terapia di questo tipo, il processo può facilitare il riconoscimento delle dinamiche nascoste che minano la coesione e la felicità di tutti i suoi componenti, e l'instaurarsi di rapporti più autentici e più solidi.

La **"posizione di nascita"** dell'individuo all'interno della famiglia è determinante per capire meglio la sua personalità. Così, per esempio, tutti i figli unici (o i primi figli maschi con un fratello, o le seconde figlie femmine con un fratello minore e uno maggiore... e via di seguito) hanno alcuni tratti psicologici e comportamentali simili. Questa teoria, detta della "costellazione famigliare", è stata messa a punto dallo psicologo tedesco Walter Toman e viene utilizzata soprattutto nelle terapie famigliari.

L'arte-terapia

La creatività ha un ruolo significativo in molte cure per malattie fisiche e mentali. Spesso l'espressione artistica ha successo là dove altri metodi hanno fallito. La sensazione di aver "creato" qualcosa può fare miracoli.

Creazione e rivelazione.
Questa figura d'argilla è stata modellata da una donna con l'intenzione di ritrarre una persona «capace di arrangiarsi e di piacere». Benché inizialmente scontenta del suo lavoro, la donna finì poi per accettarne i capelli in disordine, le mani goffe e l'aspetto deprimente, ma soprattutto comprese qualcosa di se stessa: quanto le pesassero le domeniche. «Mi sono resa conto di ciò che erano per me le domeniche solo dopo aver realizzato questa figura. Ed è qualcosa che non puoi capire finché non l'hai dipinta o fatta con le tue mani.»

IN UNA SEDUTA DI ARTE-TERAPIA presso un ospedale psichiatrico, Enrico, diciotto anni, dipinge una casa con due lati distinti e molto diversi. Sotto la guida del terapeuta, comincia a collegare il disegno con le sue difficoltà scolastiche. Come la casa, Enrico sente di avere due lati: uno calmo e controllato, l'altro, quello che mostra a scuola, disorganizzato e molto ansioso. Aiutati dall'opera di Enrico, altri pazienti del gruppo riescono ad ammettere di sentirsi anche loro scissi. Nelle mani di uno psicoterapeuta esperto, l'argilla, gli acquerelli, i pennarelli e i colori a olio possono diventare efficaci strumenti di guarigione. Dipingere può, per esempio, aiutare un paziente a esprimere ricordi dolorosi che ha chiuso dentro di sé. Con l'aiuto del terapeuta, dall'interpretazione delle immagini dipinte può scaturire la soluzione di un problema nascosto.

Oltre alle arti figurative, come la pittura e la scultura, anche danza, recitazione, musica e scrittura possono essere impiegate a fini terapeutici per una varietà di problemi, da certe malattie

mentali, come la schizofrenia e l'autismo, ai disturbi della sfera emotiva, come la depressione e l'ansia, dalle difficoltà di apprendimento alle dipendenze di vario tipo, e in caso di handicap.

Tutte queste forme di cura sottolineano l'importanza del *fare*. Il semplice atto di creare qualcosa può infatti produrre un senso di realizzazione e di sicurezza che già di per sé ha effetti positivi sulla salute. Non occorre essere dotati di talento artistico: l'obiettivo non è produrre opere d'arte, ma coinvolgere il paziente. Il successo della terapia si misura solo sul suo miglioramento fisico ed emotivo.

Dare e avere Un altro obiettivo dell'arte-terapia è l'interazione. Recitare una parte o suonare il tamburo sono, per il paziente, occasioni di imparare a comunicare con gli altri. Spesso la danza, la scultura e altre forme di espressione artistica consentono di liberare pensieri ed emozioni che non verrebbero mai rivelati a parole.

I benefici della musica Non vi siete mai sentiti invadere dall'energia ascoltando per radio una canzone con un ritmo veloce? O molto calmi dopo aver ascoltato un brano di musica classica? Proprio come sull'umore e sull'atteggiamento, la musica agisce anche sulle funzioni fisiologiche, come la respirazione e la frequenza cardiaca. È stato dimostrato che, negli ospedali, trasmettere una musica rilassante fa diminuire la pressione sanguigna nei pazienti affetti da patologie coronariche. La musica più indicata sarebbe quella con un ritmo corrispondente a settanta, ottanta battiti al minuto, cioè quelli del polso a riposo.

Molto usata per rompere l'isolamento di chi ha un handicap fisico o mentale, la musicoterapia può rappresentare per i bambini con difficoltà visive, uditive o di linguaggio un modo diverso di comunicare e, per chi si occupa di ragazzi autistici o schizofrenici, una possibile via di accesso al loro mondo privato. Inoltre può aiutare i soggetti molto introversi a sentirsi più sicuri di sé e aperti agli altri.

La gioia del movimento Morena, una bambina cerebrolesa di nove anni, si muove goffamente nella palestra. Il suo fisioterapista le dà incoraggiamento e una mano alla quale appoggiarsi quando inciampa o perde l'equilibrio. La ragazzina ride eccitata quando lei, il terapista e un altro bambino fanno il trenino per la stanza. A fine seduta Morena si lascia andare su un'enor-

Gioia e soddisfazione sono evidenti sul volto di questo ragazzo con le mani e la tuta imbrattate di colori quanto la tela. L'atto stesso di dipingere può essere una chiave per la guarigione. Attraverso l'arte il paziente è libero di lasciar emergere pensieri ed emozioni che non esprimerebbe mai a parole.

me palla di gomma e cerca allegramente di prendere la mano del terapista. Si abbracciano, poi Morena torna a casa con sua madre.

La danzaterapia aiuta Morena ad acquisire più equilibrio e senso del ritmo. Le consente di toccare gli altri, di sentire la musica e di fare qualcosa di piacevole con il suo corpo, senza paura di sbagliare. A livello puramente fisico, le permette di diventare più forte, coordinata e sciolta. La danza viene usata efficacemente anche per la cura di diversi problemi mentali ed emotivi, dalle dipendenze alla depressione. Una donna che da piccola era stata vittima di abusi sessuali riuscì, per esempio, a riconoscere e a superare i propri sentimenti di rabbia e di vergogna. Un'altra, la cui incapacità di esprimere sentimenti influiva pesantemente sulle sue relazioni, raccontò di essersi sentita "bloccata" nella terapia fino al momento in cui aveva provato la danza. Per molti, la combinazione di contatto fisico, movimento e ritmo apre porte inaccessibili alla terapia della parola.

Attraverso la musica *questa bambina cieca riesce a comunicare con il mondo. Strumenti semplici come le campane a piastra possono rivelarsi efficaci mezzi terapeutici.*

La recitazione come terapia Recitare è un atto spontaneo per molti. Nell'infanzia si fa esperienza dei ruoli adulti giocando a fare le infermiere, i pompieri e gli astronauti. Nella recitazione, il mondo della finzione diventa un mezzo di esplorazione dei problemi della vita reale e della psiche. Alcune tecniche impiegate, come il "gioco di ruolo", sono comuni anche a forme più tradizionali di psicoterapia, come la Gestalt e lo psicodramma, ma la terapia della recitazione dà maggiore importanza all'aspetto teatrale vero e proprio, arrivando a servirsi anche di maschere, burattini, materiale scenico e autentici testi teatrali. I terapeuti hanno in genere una formazione tecnica teatrale (hanno avuto esperienze come registi, attori, costumisti, scenografi) accanto a quella in psicologia o psicoterapia.

La terapia della recitazione dà risultati notevoli. Insieme con programmi d'istruzione specifici, facilita l'apprendimento del linguaggio e delle abilità motorie nei bambini con un handicap mentale. Improvvisazione e interpretazione di un ruolo si sono rivelati efficaci anche per preparare i detenuti alla vita fuori dal carcere. Il metodo funziona bene con bambini e adulti emotivamente o evolutivamente disturbati, che abbiano difficoltà a stabilire relazioni con gli altri. Nella recitazione possono infatti provare su di sé, senza esporsi troppo, emozioni, pensieri e comportamenti diversi.

Interpretando un ruolo, il paziente può riuscire a manifestare sentimenti o azioni che non esprime mai nella vita reale.

L'espressione creativa, *che può derivare da una lezione di piano come da un disegno, fa sentire particolarmente realizzati i bambini disabili.*

Spesso, ai pazienti si racconta una storia, in genere semplice e nota a tutti, che abbia una relazione con il problema da affrontare. Favole e leggende rappresentano quasi sempre situazioni e personaggi che rispecchiano il mondo reale: per un individuo che si sente abbandonato da un genitore, per esempio, andrà benissimo una favola come *Hänsel e Gretel*.

I partecipanti al gruppo di terapia mettono in scena la storia e, nel modo particolare di interpretare il loro ruolo, rivelano spesso qualcosa di loro stessi che ancora non si è manifestato.

Il terapeuta aiuta allora i pazienti a comprendere che cosa hanno in comune le azioni dei personaggi con le loro vite.

Scrivere con il cuore Tenere un diario aiuta a dare sfogo alle frustrazioni, a individuare i problemi e, con tutta probabilità, a star bene. Diversi studi indicano che le persone abituate a prender nota delle questioni importanti della loro vita sono più sane di quelle che non esprimono mai i loro sentimenti.

Per avere effetti terapeutici il diario non può essere solo riempito con annotazioni sulle semplici attività quotidiane; i sentimenti, le sensazioni, la rabbia, il furore, oppure l'amore, sono importanti quanto e più dei "fatti".

Provate a scrivere su di un problema che negli ultimi tempi vi ha causato preoccupazione: descrivete nei minimi dettagli la situazione e registrate ogni emozione provata allora e anche adesso, mentre ne scrivete.

Le riflessioni scritte possono aiutare a vedere il passato in una luce del tutto diversa, perché razionalizzano le esperienze vissute. Se poi un giorno pensate di non aver nulla da dire, mantenete comunque l'impegno di scrivere un diario. Ne vale sempre la pena.

Una coperta in memoria delle vittime dell'AIDS è stata stesa di fronte al Campidoglio di Washington, suscitando grandi emozioni. Ogni pezzo della coperta (di due metri per uno), creato da parenti e amici, aveva lo scopo di commemorare una vittima dell'AIDS in modo semplice e personale, e con vere e proprie opere d'arte. In alcuni casi sono stati aggiunti anche messaggi scritti a mano durante la manifestazione. Fare un pezzo della coperta, secondo un partecipante, è stato come «un atto di guarigione».

Fughe dalla realtà

L'alcolismo e le altre forme di dipendenza (dal fumo, da droghe, da psicofarmaci, dal cibo) hanno conseguenze gravi, a volte drammatiche per la nostra vita. Quali sono le origini di questi comportamenti e quali le possibilità di uscirne?

Non di rado gli adolescenti si lasciano influenzare dagli amici a far uso, come molti adulti, di alcol o droghe per affrontare determinate situazioni sociali o problemi emotivi. Naturalmente non tutti i ragazzi che sperimentano alcol o droghe finiscono per diventarne dipendenti, ma è certo che l'abuso di queste sostanze interferisce profondamente con lo sviluppo sociale ed emotivo dell'individuo. La dipendenza è un problema grave a qualsiasi età e quasi tutti i programmi di recupero sono studiati per mettere il soggetto dipendente in condizione di affrontare la realtà e di modificare le sue abitudini.

IL TERMINE "DIPENDENZA" viene oggi usato per indicare un'ampia gamma di comportamenti negativi, che vanno dall'alcolismo all'uso di sostanze stupefacenti, al fumo, agli eccessi alimentari, al gioco, ad atteggiamenti autolesivi di vario genere nelle relazioni affettive o sessuali eccetera. La ragione di questo uso generalizzato della parola è il fatto che ci si è sempre più resi conto che le dinamiche psicologiche sottostanti a tutti questi comportamenti apparentemente diversi hanno in realtà molti aspetti in comune.

Visto in questa prospettiva il fenomeno della dipendenza riguarda in misura maggiore o minore quasi tutti noi. Ma per alcuni esso costituisce un vero e proprio cataclisma, che porta lo scompiglio nella loro vita personale e famigliare, nel lavoro, nelle relazioni.

Il dramma della dipendenza Negli ultimi decenni la tossicodipendenza ha assunto proporzioni allarmanti fra gli adolescenti e i giovani, con tutta una serie di conseguenze che vanno dal disadattamento sociale al rischio dell'AIDS. La sola repressione di questi comportamenti da parte della legge o dell'autorità non sembra essere particolarmente efficace e vi è perfino chi sostiene che essa sia controproducente, facilitando l'espansione della criminalità organizzata e lasciando il tossicodipendente in balìa di forze distruttive.

Ma se queste forme illegali di tossicodipendenza sono quelle che attraggono maggiormente l'attenzione dei mezzi di informazione, sono probabilmente le droghe legali e socialmente accettate, come per esempio l'alcol e il tabacco, a produrre i danni su più larga scala. In alcuni paesi l'alcolismo coinvolge una percentuale pericolosamente elevata della popolazione e gli incidenti e i crimini legati a uno stato di intossicazione alcolica hanno un peso notevole, addirittura preponderante, nelle statistiche.

Ancora, malgrado il rapporto tra fumo e malattie polmonari, per esempio cancro al polmone, sia ormai solidamente accertato, la dipendenza dal tabacco, che pure non produce un'alterazione dello stato di coscienza particolarmente marcata, continua a essere per moltissime persone un'abitudine di cui è difficilissimo disfarsi.

Essere accettati Quali sono le origini dei fenomeni di dipendenza, per i quali paghiamo un prezzo tanto alto, come individui e come società? La risposta a questa domanda è indubbiamente complessa. Il problema può essere affrontato da vari punti di vista: sociale, esistenziale, psicologico, medico.

Da un punto di vista sociale non c'è dubbio che la disgregazione delle forme tradizionali di collettività, delle comunità di paese, di quartiere, della famiglia allargata, e la situazione di isolamento e di alienazione di gran parte della vita urbana contemporanea mettono le persone in una condizione particolarmente vulnerabile. A questo si aggiunge il progressivo disfacimento dei valori tradizionali e il crescente predominio di una cultura dei consumi, delle cose, delle immagini, che lascia l'individuo in una

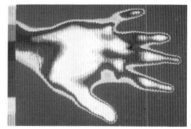

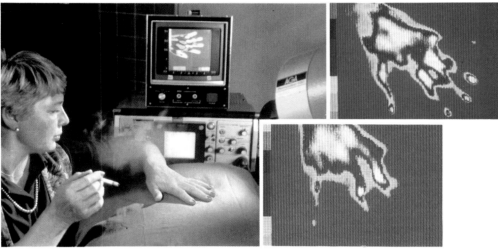

situazione di vuoto di significato e di povertà esistenziale. In molti casi, come è stato evidenziato per esempio dalle esperienze di Alcolisti Anonimi (un'associazione, nata in America ma diffusa in tutto il mondo, di persone impegnate ad aiutarsi reciprocamente per superare la dipendenza dall'alcol), i comportamenti dipendenti sono allora un mezzo per ottenere un senso di appartenenza, una certa, indispensabile, accettazione sociale, che manca nella vita quotidiana dell'individuo. Il bere, per esempio, è considerato un tipico comportamento socializzante.

Un "buco" psicologico Quali sono le circostanze psicologiche che rendono una persona particolarmente esposta al rischio della dipendenza? Certe caratteristiche dell'ambiente famigliare e delle esperienze vissute nell'infanzia hanno indubbiamente un peso notevole. In genere la persona dipendente, durante l'infanzia, non si è sentita accettata e amata e non ha imparato ad accettarsi e a darsi valore per se stessa.

Quando uno dei genitori è affetto da una dipendenza grave, per esempio dall'alcol, e magari nell'ambiente famigliare c'è violenza, il bambino o la bambina può convivere con la situazione

Mentre fuma, questa donna è in grado di vedere chiaramente gli effetti della nicotina sulla sua circolazione sanguigna. All'inizio (foto in alto), un apparecchio sensibile al calore mostra tutta la mano tendente al bianco, cioè calda. Via via che la nicotina entra in circolo (foto in centro), c'è una costrizione dei vasi che riduce il flusso sanguigno nelle dita. Dopo pochi tiri (foto in basso), la mano irradia così poco calore che le dita sembrano scomparse.

solo mettendo in atto meccanismi di fuga dalla realtà che lo predispongono a sua volta alla dipendenza. E il genitore dipendente ovviamente fornisce un modello di comportamento da imitare. In questo senso, al di là della dibattuta questione se esista o meno una predisposizione alla dipendenza a livello genetico, la dipendenza tende a essere ereditaria in senso psicologico.

Uscire dal tunnel Come si esce dalla dipendenza? Liberarsi da un comportamento dipendente non è mai facile e, se si tratta di una dipendenza grave, è uno dei compiti più impegnativi che ci possa capitare di affrontare nella vita, ma anche uno dei più preziosi e potenzialmente fonte di crescita personale e spirituale.

L'esperienza di Alcolisti Anonimi ha rappresentato un modello per molti altri gruppi di lavoro sulla dipendenza. Un elemento importante che questa associazione ha messo in evidenza è il fatto che la sospensione del comportamento dipendente è essenziale per un efficace lavoro di risoluzione del problema. Altrimenti gli effetti biochimici (se si tratta di una sostanza) e psicologici di tale comportamento tendono a perpetuarne la necessità. È un circolo vizioso da cui si può uscire solo con uno stacco netto. Una sospensione del comportamento dipendente, ovviamente, non è ancora una risoluzione della dipendenza. Per non ricadervi occorre che la persona trovi il modo di riempire il "buco" che ha dato origine alla dipendenza, e questo spesso richiede una trasformazione esistenziale.

Il sostegno di persone che hanno vissuto esperienze analoghe e condividono l'impegno verso la guarigione è particolarmente utile: un gruppo di questo tipo rappresenta in un certo senso l'opposto della pressione sociale che facilita l'instaurarsi della dipendenza. Preziosa è anche la presenza, accanto a chi sta cercando di uscire dalla dipendenza, di persone che le vogliono bene. Queste persone non avranno vita facile. Spesso l'individuo dipendente ha sofferto tanto acutamente della mancanza di amore e si è tanto drasticamente difeso da questa sofferenza, che vive l'aprirsi su questo piano come un mortale pericolo e si circonda di comportamenti di difesa che non rendono affatto facile agli altri entrare con lui o con lei in un rapporto di intimità.

A volte la psicoterapia aiuta a prendere coscienza della dinamica essenziale che ha prodotto la dipendenza e a modificarla, imparando a soddisfare i propri bisogni in modi più costruttivi. Nel caso di dipendenze lievi, buoni risultati sono stati ottenuti anche con l'ipnosi e con l'agopuntura.

Anche i giocatori d'azzardo sanno che il banco vince sempre; eppure, dopo aver perso milioni e contratto infiniti debiti, non fanno che sognare una rivincita. Gli psicologi trattano il gioco d'azzardo alla stregua di qualsiasi altra dipendenza e insistono sull'importanza di aiutare i giocatori a uscirne con psicoterapia e gruppi di sostegno.

In cerca di gratificazione

Dipendere da qualcosa o da qualcuno può anche farci sentire bene, scrive Andrew Weil. Ma il sollievo è solo temporaneo. In realtà si demanda all'esterno il controllo della propria personalità.

La dipendenza è un problema umano diffusissimo: tutti, uomini e donne, la sperimentano in qualche forma. Rifiuto l'idea di una "personalità dipendente", a meno che non sia estensibile a chiunque. L'unica ragione per cui non ci si rende conto dell'universalità del problema è che certi tipi di comportamento ossessivo, come il bisogno di guadagnare, di bere caffè, di innamorarsi, di fare movimento e di lavorare troppo, sono socialmente accettabili e non attirano l'attenzione.

La dipendenza non è un problema psicologico o farmacologico e non si può curare con la psicologia o con i farmaci. È fondamentalmente una preoccupazione spirituale, è un tentativo distorto di sentirsi integri, completi e interiormente soddisfatti. Ma perché questa soddisfazione richiede sempre qualcosa di più? Un'altra fetta di pizza, un pezzo di cioccolato, una sigaretta, un bicchierino, un amante, un oggetto... C'è un modo per sentirsi appagati in se stessi senza accedere a fonti esterne di soddisfazione?

Dato che le radici della dipendenza stanno nel profondo della nostra personalità, cambiare abitudini non è facile. Per alcuni è un impegno che si protrae per tutta la vita. Non avere cattive abitudini sembra la soluzione migliore per star bene. Ma visto che tutti siamo soggetti alla dipendenza, per lo meno si può cercare di esserne consapevoli e di scegliere "droghe" meno nocive. Il fumatore accanito che smette di fumare e si dà con la stessa foga all'esercizio fisico non è meno dipendente, ma sarà certo più sano.

Veniamo tutti al mondo con qualche ferita, indipendente dalla famiglia nella quale nasciamo e cresciamo e dalla società in cui viviamo. Gran parte della nostra umana ricerca è legata al bisogno di sanare queste ferite. Abbiamo un profondo bisogno di completarci e di porre fine a questa ricerca. Quasi sempre cerchiamo la soddisfazione fuori di noi: da qui nasce la dipendenza.

Per ironia della sorte, qualunque sia la soddisfazione che riusciamo a procurarci con cibo, droga, sesso, soldi e altre "fonti" di piacere, in realtà si tratta sempre di una soddisfazione che viene da dentro.

Proiettiamo il nostro potere su sostanze e attività esterne e permettiamo

Appesi all'amo di una dipendenza.

loro di farci sentire momentaneamente meglio.

È una strana forma di magia: diamo via il nostro potere per ottenere un fuggevole senso di completamento e poi soffriamo perché l'oggetto del desiderio sembra avere il controllo di noi.

Le dipendenze finiscono solo quando si sperimenta consapevolmente questo processo, ci si riprende il potere e ci si rende conto che le ferite vanno guarite dall'interno. La sofferenza e la nostalgia ci incitano ad agire, ci forzano a scoprire chi siamo e a identificare il nostro vero io.

Tratto da Natural Health, Natural Medicine (*Salute naturale, medicina naturale*), *di Andrew Weil.*

«Siamo tutti nella stessa barca»

I gruppi di self-help (cioè di mutuo soccorso) sono fonte di supporto per milioni di persone con problemi fisici o emotivi. Molti si basano sul programma in dodici punti elaborato dagli Alcolisti Anonimi.

CHE IL PROBLEMA RIGUARDI il bisogno ossessivo di alcol, di eroina, o di affetto, quasi sicuramente esiste un gruppo di persone con esperienze simili, disposto a fornire aiuto e sostegno. Assai diffusi in tutto il mondo, i gruppi terapeutici di *self-help* rappresentano uno dei sistemi più efficaci per la cura di una vasta gamma di disagi. Gruppi di questo tipo non forniscono la supervisione medica della quale possono aver bisogno alcolisti cronici, tossicodipendenti e bulimici, ma danno un fondamentale supporto emotivo, costante e non certo acritico. Molti gruppi di *self-help* sono nati sull'esempio di quello degli Alcolisti Anonimi (AA), il più antico e forse quello che miete più successi.

Robert Smith, un medico di Akron, e Bill Wilson, un agente di cambio di New York, fondarono gli Alcolisti Anonimi nel 1935, dopo essersi reciprocamente aiutati a smettere di bere. Gli AA vedono la dipendenza dall'alcol come una malattia della mente, del corpo e dello spirito. La guarigione si raggiunge attraverso un programma in "dodici passi", che parte dal riconoscimento della propria mancanza di controllo nei confronti dell'alcol. L'alcolista riconosce di aver bisogno dell'aiuto degli altri membri del gruppo e di quello di un "potere superiore".

Tutti sono i benvenuti Chiunque pensi di avere un problema con il bere e desideri risolverlo può unirsi agli Alcolisti Anonimi, che oggi sono presenti ovunque, anche in Italia. «Ci vuole un ubriaco per capire un ubriaco» è il loro motto. Agli incontri i vari membri offrono testimonianze della loro esperienza e raccontano come sia cambiata la loro vita da quando hanno smesso di bere. Sentimenti ed esperienze belle e brutte vengono messi in comune allo scopo di riuscire a rimanere sobri «un giorno alla volta». A tutti i membri del gruppo è garantito l'anonimato.

I nuovi arrivati vengono incoraggiati a sceglersi nel gruppo un amico più esperto al quale fare riferimento. Questo amico, disponibile giorno e notte per un consiglio, è fondamentale all'inizio, quando occorre imparare a evitare i vecchi compagni di bevuta. L'ultimo dei "dodici passi" degli Alcolisti Anonimi consiste nel portare il messaggio della guarigione ad altri alcolisti, una via attraverso la quale molti riescono a modificare modelli di vita completamente centrati su se stessi.

Un movimento in crescita Sono assai numerosi, e in continua crescita, i programmi di *self-help*. Vi sono gruppi per chi ha un rapporto ossessivo con il fumo, il gioco d'azzardo, il cibo, il sesso... Ve ne sono anche per chi vive un diverso tipo di proble-

---

I DODICI PASSI

1 Noi abbiamo ammesso la nostra impotenza di fronte all'alcol e che le nostre vite erano divenute incontrollabili.

2 Noi siamo giunti a credere che una Potenza più grande di noi può riportarci alla ragione.

3 Noi abbiamo deciso di sottomettere la nostra volontà e di affidare le nostre vite alla cura di Dio, *"quale noi potemmo concepirLo"*.

4 Noi abbiamo proceduto a un inventario morale profondo e coraggioso di noi stessi.

5 Noi abbiamo ammesso di fronte a Dio, di fronte a noi stessi e di fronte a un altro essere umano, la natura esatta dei nostri torti.

6 Noi ci siamo trovati pronti ad accettare che Dio eliminasse tutti questi difetti del nostro carattere.

7 Noi Gli abbiamo umilmente chiesto di rimediare alle nostre deficienze.

8 Noi abbiamo fatto una lista di tutte le persone che avevamo leso e abbiamo deciso di fare ammenda verso tutte queste persone.

9 Noi abbiamo fatto direttamente ammenda verso tali persone, per quanto possibile, eccettuati quei casi in cui, così facendo, avremmo potuto recar loro danno, oppure nuocere ad altri.

10 Noi non abbiamo cessato di fare il nostro inventario personale e quando ci siamo trovati in torto, lo abbiamo subito ammesso.

11 Noi abbiamo cercato, attraverso la preghiera e la meditazione, di rendere più intenso il nostro contatto cosciente con Dio, *"quale noi potemmo concepirLo"*, pregandoLo solo di farci conoscere la Sua volontà e di darci la forza di eseguirla.

12 Avendo ottenuto, attraverso questi passi, un risveglio spirituale, noi abbiamo cercato di trasmettere questo messaggio ad altri alcolisti e di mettere in pratica questi principi in tutti i campi della nostra vita.

L'approccio in "dodici passi"
degli Alcolisti Anonimi ha aiutato migliaia di persone a smettere di bere. Anche se molti gruppi di self-help *lavorano su dipendenze e comportamenti coatti con tecniche diverse, quasi sempre queste si sono sviluppate a partire dal programma originale degli Alcolisti Anonimi.*

In un centro per il trattamento dell'alcolismo e delle tossicodipendenze giovanili, i pazienti si aiutano reciprocamente ad affrontare il dolore e il travaglio della guarigione. Molti dei consulenti sono usciti personalmente da situazioni analoghe e sono consapevoli delle difficoltà incontrate durante l'astinenza.

Nel corso del trattamento, i pazienti vengono incoraggiati a dare voce ai propri sentimenti, per quanto spiacevoli o disturbanti possano essere. Dato che il primo passo per guarire consiste nel riconoscere il problema, i pazienti si incitano l'un l'altro a dire sinceramente chi sono, come si sentono e ciò che hanno fatto. Molte persone con una dipendenza sono abituate a mentire a se stesse e agli altri, un espediente che però non inganna chi ha avuto la stessa esperienza.

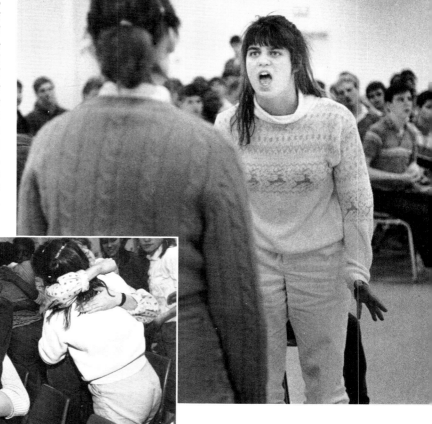

Il sostegno del gruppo impedisce di sentirsi soli. Un abbraccio caldo e affettuoso aiuta a superare i momenti duri sulla via della guarigione.

mi, come i famigliari di tossicodipendenti, i malati di AIDS, le vittime di incesto o di abusi sessuali, le persone con vari tipi di handicap, quelle che hanno a che fare quotidianamente con malati cronici o terminali e quelle coinvolte in disgrazie collettive (naufragi, disastri aerei, stragi in seguito ad attentati eccetera).

A differenza di quanto avviene nelle terapie di gruppo, guidate da professionisti, nei gruppi di *self-help* si incontrano solo individui con un problema comune. L'obiettivo è aiutarsi l'un l'altro a riprendere il controllo della propria vita con l'aiuto e il sostegno reciproci. Parlare con chi vive un problema simile, o ascoltarlo, aiuta a trovare il conforto e l'incoraggiamento necessari per cambiare e una soluzione alle proprie difficoltà.

Il primo passo Che cosa, in questo tipo di approccio, risulta tanto interessante? In parte, probabilmente, la sensazione di condivisione e di fratellanza che il gruppo inevitabilmente genera. Molti partecipanti trovano conforto nello scoprire che altre persone sanno esattamente quello che stanno provando e la drammaticità del momento che stanno vivendo, perché ne hanno fatto esse stesse esperienza. In più, i gruppi di sostegno sono strutturalmente contrari all'espressione di giudizi, e per questo molti scoprono di poter rivelare all'interno di essi paure e segreti assai profondi, senza vergogna né imbarazzo. Nell'aprirsi e nel confessarsi, anche chi si è sempre sentito isolato nel suo dolore o bloccato in un comportamento distruttivo trova la forza di operare cambiamenti importanti nella propria vita.

Alcuni esperti sottolineano il fatto che i gruppi di *self-help* offrono un approccio preciso ma non rigido o minaccioso alla soluzione dei problemi e al superamento delle dipendenze. Le crisi di astinenza possono essere terribili, ma la regolarità degli incontri e il sostegno del gruppo aiutano i nuovi arrivati (e tutti gli altri) a continuare sul cammino che li porterà alla guarigione.

Altri segnalano la possibilità che questi gruppi vadano a riempire un vuoto sociale determinato dalla complessità del mondo moderno. Così, per certi individui, avrebbero la funzione di recuperare il senso di calore, di partecipazione e di supporto che un tempo veniva fornito dalla famiglia, dalla chiesa e dalla comunità. Per molti, i gruppi di *self-help* sono un luogo sicuro dove sperimentare il senso di appartenenza. E nella condivisione del dolore, i membri condividono anche la speranza di un cambiamento e di una crescita possibile per tutti.

I gruppi di sostegno per gli ammalati di cancro aiutano molti pazienti a superare la depressione e l'isolamento che quasi sempre accompagnano una malattia grave. In effetti, molti scoprono che ridere, anche di sé, può essere di grande aiuto. Comunicarsi il dolore, e l'allegria, dà a molti uno straordinario sollievo.

Quando occorre cercare l'aiuto di un gruppo di sostegno? Probabilmente quando ci si sente sopraffatti da un problema o isolati nella propria disperazione. C'è bisogno però di essere pronti ad accettare l'assistenza di altri e ad assumersi, almeno all'inizio, l'impegno di frequentare gli incontri con regolarità. Chi non abita in una zona sperduta non dovrebbe avere difficoltà a trovare un gruppo di sostegno per il suo problema. Nella ricerca è possibile chiedere aiuto ai servizi sociali locali.

Una spinta per il sistema immunitario Per gli ammalati di cancro sono disponibili diversi gruppi di sostegno. Alcune ricerche indicano che i pazienti che vi partecipano non stanno meglio solo psicologicamente ma hanno un'aspettativa di vita più lunga degli altri. Nonostante lo scetticismo di alcuni ricercatori, sembra plausibile che il cambiamento di atteggiamento e di umore riesca a potenziare il sistema immunitario.

Come avviene nei programmi in "dodici passi", molti dei gruppi di sostegno per malati di cancro sottolineano l'importanza di prendere la vita giorno per giorno. In questo modo i pazienti riescono a godersi maggiormente i piccoli piaceri della vita e soccombono meno facilmente alla depressione e allo sconforto.

"Caso clinico"

OBESI ANONIMI

Il consumo spropositato di cibo è da considerarsi una vera e propria dipendenza. E come tale influisce negativamente sulla salute e sulle relazioni. Come illustra questa storia, i gruppi di sostegno possono essere di grande aiuto.

Fin da piccola mia madre mi ha insegnato il ruolo di grassona. Anche lei sovrappeso, sapeva già come si sarebbe svolta la mia vita. Mi disse cosa aspettarmi dagli altri: scherzi, rifiuti, crudeltà. «Usa il cervello», mi diceva. «Quello non potranno mai portartelo via.» Mi sposai non appena conclusi, diplomandomi, le scuole superiori, ma non riuscii a entrare nel ruolo di moglie. Stavo a casa, mi annoiavo, mi deprimevo e mangiavo. Lentamente il mio peso aumentò; quattro, cinque chili l'anno. Dedicavo tempo e pensieri allo studio di ricette speciali. La cena era una grande occasione. Spendevo moltissimo e presto ci ritrovammo indebitati. Ma non sopportavo l'idea di non saper fare i conti. Fu allora che cominciai a fare piccoli furti e fu sin dall'inizio un'esplosione emotiva. Poi i furti si concentrarono sul cibo. Non mi vedevo come una ladra, cercavo solo di sopravvivere. Mio marito mi convinse a uscire di casa e a cercarmi un lavoro. Nei cassetti della mia scrivania c'erano sempre tre o quattro merendine. Mangiavo in macchina, mi alzavo a mangiare nel cuore della notte. Alta un metro e mezzo, pesavo 116 chili, e continuavo a ingrassare. Non riuscivo ad allacciarmi le scarpe. I piedi mi si gonfiavano e mi facevano male le gambe. Dovetti acquistare delle cavigliere.

Poi vidi un annuncio sul giornale che parlava di un gruppo di sostegno per obesi. Lo ritagliai, lo misi in un cassetto in cucina e lo lasciai lì per quattro mesi.

L'annuncio diceva che avrei trovato aiuto, ma io avevo seri dubbi. Un club di grassoni mi sembrava avvilente. E sapevo che avrei avuto difficoltà a stare con gli altri. Però ci andai: non avevo alternative. Mi fissarono un incontro per il giorno successivo. Mi presentai. Pesavo 110 chili.

Vorrei poter dire che una volta iniziato il programma tutti i miei problemi sono svaniti, che sono riuscita a stare a dieta e che la vita è diventata meravigliosa. Ma non è stato così. Decisi di partecipare e sapevo che era giusto. Ma in certi momenti volevo fare a modo mio, e quello non era un programma che si poteva modificare a piacere.

Così la mia esperienza è stata piena di alti e bassi. Sempre di più. Certe volte non è facile, mi sento come un aquilone in balìa del vento. Certe volte resisto, poi ricado e mangio. Ma mi riprendo e ricomincio.

È già un anno che frequento il gruppo e ho perso 40 chili. Capisco quanto sono stata malata e quanta strada mi resta da fare. Ma va bene così, la direzione è quella giusta.

Tratto da Overeaters Anonymous *(Obesi Anonimi), dell'Overeaters Anonymous, Inc.*

Le terapie della rinascita

Primal *e* rebirthing *sono tecniche per entrare in contatto con esperienze profonde, dei primissimi anni di vita e perfino della nascita, e per guarire le ferite che sovente queste esperienze ci hanno lasciato.*

L'IMPORTANZA DELLE ESPERIENZE dei primi anni di vita è stata riconosciuta da tutta la psicoterapia moderna, a partire da Freud. E molte forme di terapia riconoscono anche il valore dell'espressione catartica, del lasciare libero corso all'esternazione delle emozioni più intense. In questo senso la *primal* (terapia janoviana o primordiale), creata dall'americano Arthur Janov nel 1970, che porta il paziente a rivivere intensamente le esperienze traumatiche della prima infanzia e a volte anche il trauma della nascita e a dar sfogo a un "dolore primario" mai espresso fino in fondo, non è un'idea originale. Così come non è del tutto originale neppure l'idea di entrare in contatto con queste esperienze per mezzo di una particolare tecnica respiratoria, che sta alla base del *rebirthing* (terapia della rinascita), introdotto dall'americano Leonard Orr nel 1974. Ma queste due forme di terapia hanno in comune, oltre al fatto di porre l'accento sull'esperienza della nascita, la caratteristica di una particolare radicalità. Esse si situano in un certo senso al polo opposto rispetto al lungo e lento lavoro di elaborazione verbale della psicanalisi: sono scorciatoie per contattare e, sperabilmente, trasformare i traumi dell'infanzia e della nascita.

Un ingresso traumatico La maggior parte di noi è entrata in questo mondo in maniera non particolarmente piacevole. Per nove mesi viviamo nell'ambiente totalmente protetto dell'utero, galleggiando nel liquido amniotico. La madre ci nutre e respira per noi. Poi un giorno, improvvisamente, in questa nostra perfetta dimora che è anche il nostro universo, si produce un terremoto. Il paradiso uterino comincia a contrarsi energicamente e ad espellerci. Passiamo a forza attraverso uno stretto canale ed emergiamo in un ambiente radicalmente diverso da quello in cui abbiamo vissuto finora. Spes-

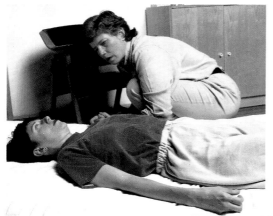

All'inizio di una seduta di rebirthing *il paziente si stende su un materassino e cerca di rilassarsi profondamente. Poi, incoraggiato dal terapeuta, comincia a respirare in un modo particolare, inspirando ed espirando senza pause.*

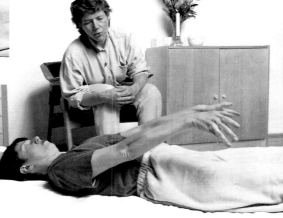

Le braccia stese sono *considerate un segno di coinvolgimento nel processo di* rebirthing, *simile a quello sperimentato dal bambino al momento della nascita. Questa fase del* rebirthing *è spesso la più difficile.*

so ad accoglierci ci sono luci abbaglianti, voci e rumori assordanti, mani frettolose. Il delicato passaggio alla respirazione autonoma viene stimolato appendendoci a testa in giù e sculacciandoci. Il cordone ombelicale, che è stato finora la nostra sorgente di vita, viene sbrigativamente tagliato. Questa che gli adulti chiamano "nascita" deve apparire al neonato piuttosto come una "morte".

Il "dolore primario" L'intuizione di Janov che ha dato origine alla *primal* è che la risoluzione delle ferite che si sono prodotte a uno stadio preverbale dello sviluppo può avvenire solo rivivendo l'esperienza traumatica in modo viscerale. L'origine di tutte le nevrosi, a suo avviso, è la rimozione di un radicale "dolore primario" legato a esperienze di vita molto precoci e particolarmente a una sostanziale assenza affettiva dei genitori. Questa rimozione può venire superata solo attraverso una radicale espressione catartica, attraverso l'esplosione di un lacerante "grido primario". Per Janov, inoltre, l'adulto nevrotico continua disperatamente (e inconsciamente) a cercare l'amore che non ha ricevuto da bambino e il superamento della nevrosi avviene solo tramite una radicale "rottura" con l'immagine interna dei genitori.

La terapia del respiro Il *rebirthing* ha avuto origine da esperimenti che tendevano a ricreare condizioni simili a quelle della vita intrauterina tramite l'immersione in un bagno tiepido. Orr si rese conto che un certo modo di respirare, detto "respirazione circolare", era particolarmente efficace nell'attivare esperienze interne profonde. La respirazione circolare consiste in un ciclo regolare e ininterrotto di inspirazione ed espirazione, con frequenza e intensità variabili. Una caratteristica importante del processo è il fatto che, perseverando nella respirazione, si attraversano momenti tempestosi e drammatici e si giunge a uno stato di rilassamento e benessere a volte estatico. La persona emerge dal processo rinfrescata e rinnovata e in questo senso, indipendentemente dal fatto che ciò che ha vissuto abbia più o meno a che fare con la nascita, l'esperienza è comunque una specie di "rinascita".

Completamente rilassati
e tuttavia ancora pieni di energia,
al termine della seduta
di rebirthing *ci si prende*
un momento di riposo, durante
il quale molti riescono a vedere con
chiarezza dentro di sé e si sentono
pronti a ripetere l'esperienza.
I sostenitori dicono che a ogni
seduta si raggiunge
un livello più profondo
di consapevolezza e si allentano
sempre di più le tensioni emotive.

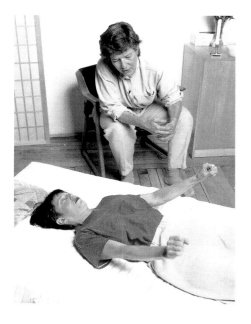

Per superare la "fase di resistenza", il paziente viene
incoraggiato a concentrarsi sul respiro per tutta
la seduta, che può durare da cinque a trenta minuti.

CAPITOLO 3

Lavorare sul corpo

Oltre che un delicato gesto di cura, di calore,
di comunicazione e di attenzione, l'atto
di toccare o essere toccati costituisce un bisogno
universale che viene sempre meno soddisfatto
dalla medicina moderna e dalla vita di oggi.
In tutto il mondo moltissimi terapeuti lavorano

sul corpo, affidandosi al potere curativo delle
mani. Dal massaggio svedese allo shiatsu, dalla
riflessologia alla tecnica di Alexander, numerosi
sono gli approcci alla cura dei dolori muscolari,
alla correzione dei problemi posturali
e dei disturbi circolatori, al rilassamento
di corpo e mente. Alle terapie corporee
si rifanno numerosi metodi diversi,
di derivazione orientale e occidentale.
Chi li pratica usa talvolta associare alle tecniche
manuali anche consigli dietetici, esercizi
o terapie psicologiche; altri affrontano solo
i problemi muscolari. In ogni caso, il risultato
è sempre un senso di rilassamento,
di rinnovamento, di benessere complessivo.

L'arte di lavorare sul corpo

*Quasi tutte le terapie corporee mirano ad allentare la tensione creata
dallo stress e dai traumi emotivi e producono in chi vi si sottopone
un grande senso di benessere fisico e psicologico.*

Il lavoro sul corpo nell'antichità

Questi dipinti ritrovati nella "tomba del medico" di Ankhmahor, presso Saqqara, in Egitto, mostrano un medico (la figura più scura) nell'atto di massaggiare il piede e poi la mano di un paziente. Le manipolazioni che esegue somigliano in modo stupefacente a quelle di pratiche assai più moderne e in particolare della riflessologia. L'iscrizione riferisce il dialogo: «Non farmi male» dice il paziente, al quale il medico risponde: «Agirò in modo da guadagnarmi le tue lodi».

CON IL TERMINE "TERAPIE CORPOREE" si indicano cure diverse, tutte più o meno collegate al massaggio. C'è chi utilizza queste tecniche per curare disturbi specifici o per migliorare il tono muscolare, la circolazione, la postura, chi per incrementare l'efficienza del proprio corpo.

Anche se i trattamenti a disposizione sono pressoché infiniti, dalla manipolazione profonda di muscoli e legamenti al massaggio superficiale della pelle, la maggior parte di essi è riconducibile a quattro categorie di base: terapie basate sulle zone riflessogene; rieducazione del movimento; manipolazione dei tessuti profondi; tecniche miste, che integrano i tre diversi approcci.

Zone riflessogene Shiatsu, riflessologia e terapia della polarità incorporano concetti derivati dalla medicina cinese e da quella ayurvedica e mirano a eliminare i blocchi di energia tramite la manipolazione di punti specifici del corpo. Ma mentre il terapista shiatsu applica una pressione su molti punti in varie parti del corpo, il riflessologo lavora soprattutto sui piedi o sulle mani; il terapista della polarità, invece, riequilibra con il tatto il flusso di energia elettromagnetica che scorre in tutto il corpo.

Rieducazione del movimento Una delle discipline più note è la tecnica di Alexander che, attraverso una discussione sugli schemi acquisiti di movimento, l'esercizio pratico e "rieducativo", e una forma leggera di manipolazione fisica, insegna a migliorare la postura e la respirazione, oltre che a usare il corpo in modo più appropriato.

Manipolazione dei tessuti profondi Il *rolfing* e la tecnica di Heller sono terapie basate sulla manipolazione della fascia, cioè dei tessuti connettivi fibrosi che tengono insieme i muscoli. L'obiettivo è riportare il corpo in linea con la forza di gravità e ridurre gli stress cronici.

Tecniche miste Molti di coloro che praticano le terapie corporee conoscono e usano più di una tecnica e spesso associano approcci diversi per ottenere risultati migliori. Non di rado integrano le tecniche manuali con la meditazione, la dieta, la psicoterapia e gli esercizi fisici, fornendo un trattamento globale.

Scegliere una terapia e trovare un terapeuta non è sempre facile. La cosa migliore è probabilmente chiedere il maggior numero di informazioni possibili e lasciarsi guidare dalla raccomandazione di un medico, di un fisioterapista o di un amico che abbia avuto un'esperienza positiva. Le forme più accreditate di lavoro sul corpo fanno capo, di solito, a istituti o associazioni che, offrendo corsi di formazione e certificati ufficiali di riconoscimento, normalmente sono in grado di segnalare terapisti qualificati.

Il massaggio praticato in un ambiente tranquillo *e confortevole aumenta i suoi effetti benefici.*
E se è davvero raro poter godere di un paesaggio lussureggiante come quello fotografato qui sopra, quasi
sempre il terapista cerca di mettere il paziente a proprio agio con strutture comode, luci morbide
e musica rilassante di sottofondo. Anche nella desolazione delle nostre metropoli, il massaggio rimane
comunque uno strumento prezioso per rimetterci in contatto con noi stessi e con gli altri, una forma
di comunicazione potente e delicata.

I molti benefici del massaggio

Se non vi siete mai fatti massaggiare da un esperto, è sicuramente giunto il momento di provare. Ci sono molti tipi di massaggio (antistress, antifatica eccetera), tutti in grado di procurare un senso di benessere.

«IL MEDICO DEVE ESSERE ESPERTO IN MOLTE ARTI», sosteneva Ippocrate, il padre della medicina occidentale, nel V secolo a.C., «e certamente in quella di massaggiare [...] perché il massaggio può rinforzare un'articolazione troppo debole così come scioglierne una troppo rigida.»

E in effetti al massaggio sono stati sempre riconosciuti notevoli benefici a livello fisico ma anche mentale.

Nelle culture orientali il massaggio si pratica fin dall'antichità. Un testo cinese del 2700 a.C., il *Canone di medicina interna*

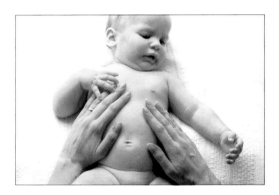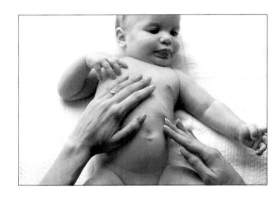

I neonati hanno un estremo bisogno di essere toccati e il massaggio fornisce ai genitori un modo speciale per confortarli e soddisfare le loro esigenze. Massaggiare regolarmente il neonato lo aiuta a dormire meglio e a sopportare il mal di pancia. Prima di cominciare, assicuratevi che la stanza sia ben calda, poi, con un po' di olio vegetale, massaggiate il piccolo sul davanti con movimenti circolari, lenti, delicati e ritmici; sull'addome muovetevi in senso orario.

dell'Imperatore Giallo, raccomanda «esercizi di respirazione, massaggio della pelle e della carne ed esercizi di mani e piedi» come trattamento per «paralisi, colpi di freddo e febbre».

Il massaggio svedese, metodo assai diffuso in Occidente, fu sviluppato nel XIX secolo da un medico svedese, che era anche poeta ed educatore, di nome Per Henrik Ling, in base a studi di ginnastica e di fisiologia, oltre che di tecniche cinesi, egizie, greche e latine.

Tecniche diverse Dalle tradizioni orientali e occidentali si sono sviluppate varie forme di massaggio che, pur con filosofie e stili diversi, condividono l'intenzione di mobilitare le naturali proprietà autocurative dell'organismo per mantenere o ripristinare la salute in modo ottimale.

Le forme orientali, come lo shiatsu, si concentrano sull'equilibrio della forza vitale del corpo (*Qi*) nel suo passaggio attraverso quei canali, o "meridiani", che lo percorrono.

I metodi occidentali, come il massaggio svedese, lavorano soprattutto sui muscoli e sui tessuti connettivi (tra i quali tendini e legamenti) e sul sistema cardiovascolare. Si servono di "sfioramenti", "impastamenti" e "percussioni" di vario tipo, oltre che di profondi movimenti circolari e di vibrazioni, per rilassare i muscoli, migliorarne la circolazione sanguigna e aumentarne la mobilità. Le tecniche variano in base agli scopi che si prefiggono: quando si intende soprattutto rilassare, le manipolazioni possono essere più leggere e scorrevoli; quando si desidera lavorare su un tessuto o sull'allungamento, le manipolazioni sono invece più accentuate.

Nuovi riconoscimenti Due pregiudizi hanno congiurato negli anni contro il successo del massaggio: il primo è che fosse qualcosa di morboso, un giochetto da fare in salottini con luci soffuse, e il secondo che fosse una pratica adatta per persone con parecchio tempo (e denaro) a disposizione. Con il superamento di questi falsi miti, al massaggio è stata riconosciuta efficacia a livello di terapia e come metodo rilassante. Chi si fa massaggiare riferisce quasi sempre di riuscire poi a dormire meglio, di avere più energia, meno dolori e un senso generale di benessere. Un numero sempre maggiore di chiropratici e fisioterapisti richiede l'aiuto di un massoterapista (terapista del massaggio) per il trattamento di diversi disturbi: problemi articolari, mal di schiena cronici, artrosi, sciatica, torcicollo, cefalee. Numerosi atleti, non solo professionisti, hanno scoperto i vantaggi del massaggio per la prevenzione dei traumi, per migliorare le prestazioni e per ridurre gli indolenzimenti dovuti al troppo esercizio. Non solo le squadre di calcio, ma anche le compagnie di ballo hanno sempre a disposizione un massaggiatore professionista.

Il massaggio fa bene a ogni età. Negli anziani, con l'aiuto di una dieta sana e di un'attività fisica regolare, può mitigare molti disturbi associati all'invecchiamento, come l'ipertensione e i dolori muscolari. Gli anziani preferiscono di solito farsi massaggiare da seduti, soprattutto nei casi in cui hanno le articolazioni rigide.

Come funziona Al massaggio sono stati attribuiti numerosi effetti fisiologici e psicologici, che ne spiegherebbero i vantaggi.

Quando i muscoli sono cronicamente contratti non riescono a eliminare le scorie e altri prodotti del metabolismo, come l'acido lattico, che si accumulano determinando dolori, rigidità e crampi. Migliorando la circolazione all'interno e all'esterno dei muscoli, il massaggio accelera l'eliminazione di queste tossine, riducendo il disagio. Allo stesso tempo, l'aumento della circolazione porta sangue fresco e ossigeno ai vari tessuti, favorendo il processo di guarigione dopo un trauma o abbreviando la convalescenza dopo una malattia. In più, i muscoli troppo contratti o tesi possono comprimere i vasi sanguigni, ostacolare il flusso regolare del sangue e influire sui nervi, causando dolore e perdita di funzionalità. Il massaggio aiuta a rilassare e ad allungare i muscoli contratti, a migliorare la circolazione, a liberare i nervi compressi e ad alleviare il dolore. Oltre agli effetti fisici, chi si fa massaggiare riferisce in genere di avere anche grandi benefici a livello psicologico.

Per molti, un massaggio in un ambiente tranquillo significa cogliere un'opportunità di eliminare lo stress e di concedersi uno dei piaceri più semplici, e più facilmente raggiungibili, della vita.

Che cosa aspettarsi In genere il massaggio dura circa un'ora. Il paziente, parzialmente o completamente svestito, si stende su un lettino, o comunque su una superficie rigida, e viene coperto con un lenzuolo o con un asciugamano. Restano scoperte solo le parti del corpo che vengono via via massaggiate. Dato che la tranquillità dell'ambiente è determinante, la stanza dovrebbe essere calda e silenziosa, non troppo illuminata.

Prima di cominciare conviene che il paziente dica al massaggiatore se ha avuto qualche trauma, qualche problema fisico, oppure se non si sente perfettamente a proprio agio. Quasi sempre il massaggiatore usa un olio leggero per lubrificare le mani e rendere i movimenti più fluidi.

Le tecniche di base del massaggio svedese Per curare e rilassare, il massaggio svedese tradizionale si serve di cinque tecniche fondamentali, con qualche variazione. Molti massaggiato-

Consigli per il massaggio della schiena

- **Fatelo in una stanza calda** e coprite il partner, lasciandogli scoperta solo la schiena.

- **Lavorate su un tavolo** a un'altezza comoda per voi, oppure a terra, su un materassino, inginocchiati accanto al partner. Il letto non è mai l'appoggio ideale.

- **Se il partner è scomodo**, provate a mettergli un cuscino sotto le caviglie e/o sotto la pancia.

- **Usate un olio vegetale** naturale per rendere il massaggio più fluido. Scaldatelo sfregandovelo prima tra le mani.

- **Usate il peso del corpo** quando esercitate una pressione, inclinandovi un po' in avanti. Lo sforzo non deve venire tutto dalle mani e dalle braccia.

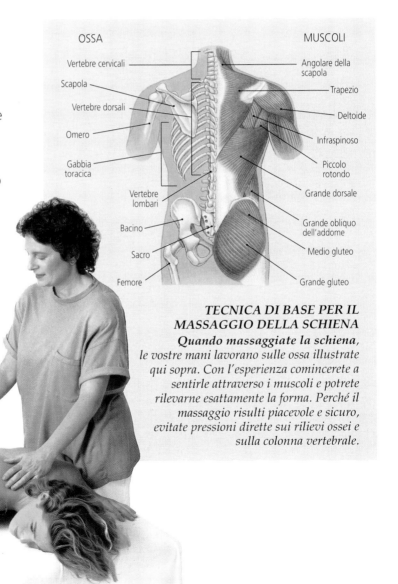

OSSA — MUSCOLI

Vertebre cervicali — Angolare della scapola
Scapola — Trapezio
Vertebre dorsali — Deltoide
Omero — Infraspinoso
Gabbia toracica — Piccolo rotondo
Vertebre lombari — Grande dorsale
Bacino — Grande obliquo dell'addome
Sacro — Medio gluteo
Femore — Grande gluteo

TECNICA DI BASE PER IL MASSAGGIO DELLA SCHIENA
Quando massaggiate la schiena, le vostre mani lavorano sulle ossa illustrate qui sopra. Con l'esperienza comincerete a sentirle attraverso i muscoli e potrete rilevarne esattamente la forma. Perché il massaggio risulti piacevole e sicuro, evitate pressioni dirette sui rilievi ossei e sulla colonna vertebrale.

EFFLEURAGE A MANO INTERA

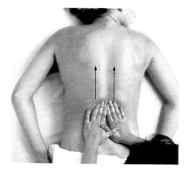

Appoggiate le mani ai lati della colonna nella regione lombare e fatele scivolare verso il collo, seguendone i contorni. L'unica pressione deve essere quella del vostro corpo che si appoggia sulle mani.

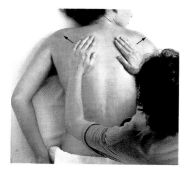

A due terzi del percorso, iniziate a far scivolare le mani lateralmente e in alto, verso le spalle. Alleggerite la pressione sui bordi delle scapole, mantenetela costante se procedete lungo la colonna.

Fate scivolare le dita al di là delle spalle verso il collo. Affondando la base delle palme nei muscoli posteriori, in particolare nei trapezi, portate le mani lentamente in direzione del collo.

EFFLEURAGE CON I POLLICI

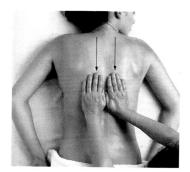

Quando le mani si incontrano alla base del collo, riportatele in giù lungo la colonna, fino al punto di partenza, con una pressione minore, in modo da far riposare le mani. Ripetete la sequenza tre o quattro volte.

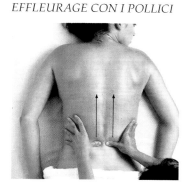

Questa tecnica somiglia alla prima, ma la pressione è più localizzata. Con i pollici, seguite i contorni della colonna dal basso verso l'alto. Le altre dita si mantengono piatte sulla schiena.

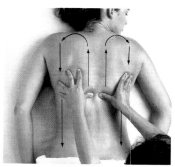

Proseguite fin quasi alla base del collo, poi fate scorrere i pollici lungo il contorno delle spalle e ritornate seguendo il bordo esterno della gabbia toracica. Ripetete la sequenza a qualche centimetro dalla colonna.

FRIZIONI A VENTAGLIO

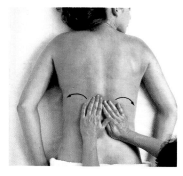

Cominciate con le mani piatte sulla zona lombare. Allontanatele dalla colonna descrivendo con ogni mano un arco, in direzione dei lati del tronco. Pensate di stendere i muscoli della schiena, allargandoli.

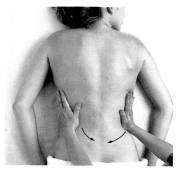

Proseguite il movimento circolare scendendo lungo i lati del tronco fino a toccare il tavolo con i mignoli. Poi risalite per la vita con un contatto deciso. Inarcate leggermente le mani per seguire la forma del corpo.

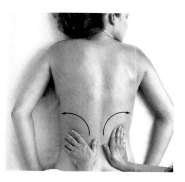

Riportate le mani al punto di partenza. Esercitate una pressione con la base delle palme e ripetete la sequenza diverse volte, partendo ogni volta da un punto più alto della schiena fino a che l'avrete massaggiata tutta.

ri usano una varietà di tecniche e chiedono ai pazienti di riferire se risultano spiacevoli.

L'*effleurage* è un passaggio lungo, scivolato, eseguito con tutta la mano o con la base della palma. Sugli arti, procede sempre dalla periferia verso il cuore, per incrementare la circolazione sanguigna e linfatica. Nel *pétrissage* la parte viene afferrata con un movimento simile a quello che si usa per impastare, quindi "arrotolata" e poi rilasciata. Favorisce la circolazione profonda.

La *frizione* è la tecnica più penetrante e si basa su profondi movimenti circolari o trasversali eseguiti con i polpastrelli delle

PÉTRISSAGE

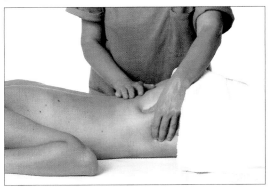

Cominciate sui glutei *e lavorate il fianco opposto a voi. Afferrate tra il pollice e le altre dita di una mano quanto più muscolo riuscite e strizzatelo, nello stesso movimento che si usa per "mungere".*

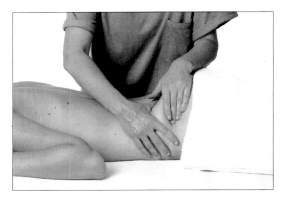

Mentre una mano rilascia il muscolo, *l'altra inizia il movimento. Continuate a lavorare sul muscolo con movimenti circolari. Mantenete un ritmo costante.*

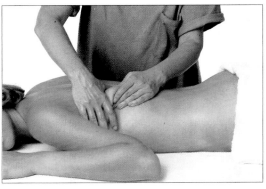

Una volta trovato il ritmo, *risalite lungo il fianco in direzione della spalla. Muovetevi piano, di pochi centimetri alla volta, facendo attenzione a ogni muscolo, fino all'ascella.*

Completate il massaggio *"impastando" l'area della spalla. Afferrate quanto più muscolo potete con ogni mano, ma senza che la presa risulti dolorosa. Ripetete poi la sequenza sul lato opposto.*

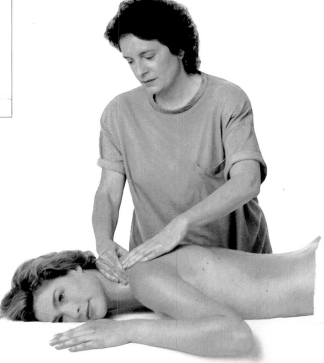

dita. Le *percussioni*, eseguite dalle due mani alternativamente e seguendo diverse metodologie, consistono in rapidi colpi con effetto energetico. La *vibrazione* è invece costituita da piccoli scuotimenti rapidi.

Controindicazioni Un massaggio ben fatto in genere non ha controindicazioni, mentre se è fatto male, o su persone che hanno subìto traumi o ammalate, può essere dannoso. Per questo è importante che il massaggiatore sia esperto. L'associazione americana di massoterapia, per esempio, chiede che i suoi soci ab-

ARROTOLAMENTO E TORSIONE

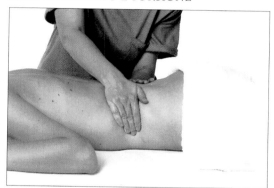

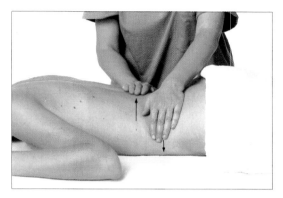

Appoggiate le mani *su due lati della zona lombare con le dita rivolte nella stessa direzione. Spostate le mani verso il centro, spingendone una e tirando l'altra, finché arrivano sulla colonna.*

Continuate il movimento *in modo da invertire la posizione iniziale. Ripetete la sequenza qualche centimetro più in alto. La pressione è decisa sui lati, mentre è leggera sulla colonna.*

EFFLEURAGE DALLA TESTA VERSO I FIANCHI

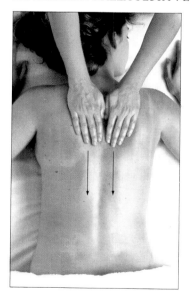

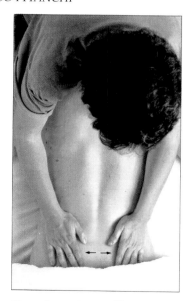

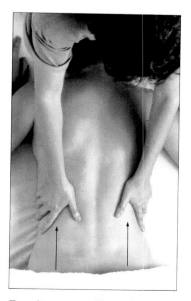

Posizionatevi *davanti alla testa del partner e appoggiategli le mani ai lati della colonna, proprio sotto il collo. Portatele verso la base della colonna con le dita unite, inclinandovi in avanti.*

Quando arrivate *all'osso sacro, portate le mani verso i fianchi con una pressione decisa sulla parte alta dei glutei, producendo un piacevole stiramento laterale della muscolatura lombare.*

Per ritornare *nella posizione di partenza, trascinate le mani lungo i lati del tronco. Ripetete questo movimento tre o quattro volte e, se volete, dopo ciascuna delle tecniche che seguono.*

PÉTRISSAGE CON I POLLICI

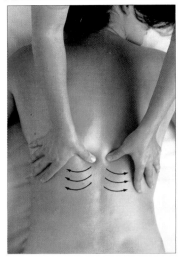 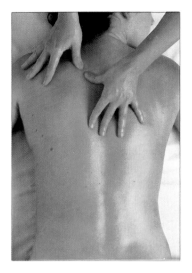 

Appoggiate i pollici *ai lati della colonna e lavorate lentamente verso il bacino, descrivendo dei cerchi con ogni pollice. La pressione va applicata solo mentre i pollici si allontanano dalla colonna.*

Appoggiate i pollici *su un lato della schiena e disegnate dei cerchi, facendo muovere alternatamente le dita, senza pause. Lavorate la zona tra la colonna e la scapola.*

Con la stessa tecnica *lavorate la parte alta della spalla. Muovetevi lentamente, sempre a piccoli cerchi, e cercate di individuare tensioni muscolari, sulle quali, poi, vi soffermerete. Ripetete sull'altro lato.*

FRIZIONE INTORNO ALLA SCAPOLA

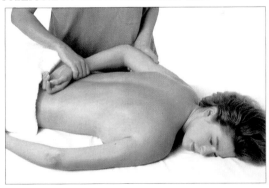 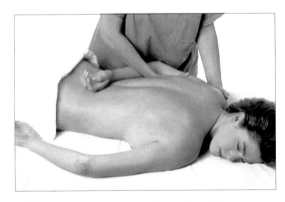

Per lavorare meglio sulla zona della spalla, *prendete l'avambraccio del partner e appoggiatelo con delicatezza sulla schiena per distinguere meglio i contorni della scapola. Evitate questa posizione se risulta eccessivamente fastidiosa.*

Infilate una mano sotto la spalla *del partner, in modo che vi si appoggi. Mantenetela in questa posizione per tutta la durata del massaggio, in modo da sostenere la spalla mentre lavorate con l'altra mano.*

Con i polpastrelli della mano libera, *disegnate lentamente dei cerchi intorno alla scapola. Per un effetto più penetrante, cercate di far muovere la pelle al di sopra dei muscoli, piuttosto di far scivolare i polpastrelli sulla pelle. Riportate il braccio del partner lungo il fianco e ripetete la sequenza sul lato opposto.*

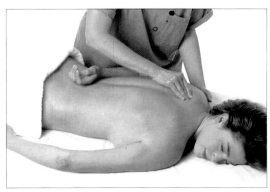

biano frequentato cinquecento ore di corso, comprensivo di studi di anatomia, di fisiologia e di varie patologie. I massoterapisti vengono così addestrati a individuare controindicazioni ed eventualmente a inviare i pazienti ad altri professionisti.

Il massaggio andrebbe evitato in presenza di febbre, di infiammazioni acute, di infezioni, di flebite, di trombosi, di processi tumorali maligni, di itterizia e non va eseguito su zone del corpo dove ci sia stato un trauma recente né su cicatrici, scottature, vene varicose, eruzioni cutanee. Con il permesso del medico, può essere utilizzato anche da chi soffre di disturbi cronici, come patologie cardiache o artrosi. Anche le donne in gravidanza possono essere sottoposte a massaggio solo se il parere del medico è favorevole.

STIRAMENTO DEI MUSCOLI DELLA SCHIENA

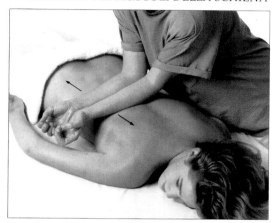

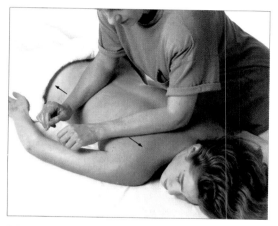

Per allungare piacevolmente i muscoli longitudinali della schiena, appoggiate gli avambracci, l'uno accanto all'altro, al centro del lato della schiena opposto a voi, con le palme all'insù. Lentamente e con una certa pressione, cominciate ad allontanarli.

Mentre li allontanate, gli avambracci ruotano fino a che le palme si trovano rivolte verso il basso. Ripetete qualche volta il movimento su questo lato, poi su quello dalla vostra parte. Potete concludere il massaggio in questo modo, oppure con l'esercizio che segue.

PERCUSSIONI

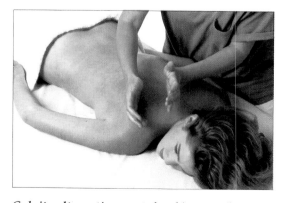

Se volete finire con una nota più energica, usate le cosiddette "percussioni": si tratta di movimenti rapidi e leggeri, eseguiti con mani e polsi rilassati, con le palme rivolte l'una verso l'altra.

Colpite alternativamente la schiena con il mignolo e il bordo esterno delle due mani. Il ritmo è rapido e regolare. Badate che i polsi restino rilassati e risollevate immediatamente le mani dopo ogni colpo. Evitate la zona dei reni e la colonna vertebrale.

Il massaggio shiatsu

Facendo pressione su determinati punti del corpo, i terapeuti shiatsu cercano di sbloccare i percorsi dell'energia vitale. In questo modo sollecitano anche le naturali difese dell'organismo.

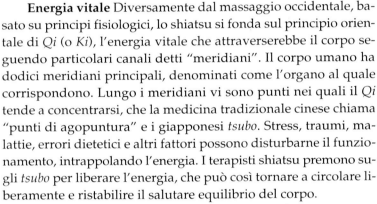

LO SHIATSU, PAROLA GIAPPONESE che significa "pressione con le dita", è una forma di massaggio utilizzato per stimolare e liberare i canali energetici del corpo. Come molti altri aspetti della cultura giapponese, anche lo shiatsu deve le sue origini alla Cina, alla sua filosofia della salute e della medicina, che integra massaggio, agopuntura e rimedi a base di piante. Associando digitopressione e massaggio tradizionale, i Giapponesi misero a punto una tecnica corporea mirata al mantenimento e al ristabilimento dell'equilibrio energetico del corpo.

Energia vitale Diversamente dal massaggio occidentale, basato su principi fisiologici, lo shiatsu si fonda sul principio orientale di *Qi* (o *Ki*), l'energia vitale che attraverserebbe il corpo seguendo particolari canali detti "meridiani". Il corpo umano ha dodici meridiani principali, denominati come l'organo al quale corrispondono. Lungo i meridiani vi sono punti nei quali il *Qi* tende a concentrarsi, che la medicina tradizionale cinese chiama "punti di agopuntura" e i giapponesi *tsubo*. Stress, traumi, malattie, errori dietetici e altri fattori possono disturbarne il funzionamento, intrappolando l'energia. I terapisti shiatsu premono sugli *tsubo* per liberare l'energia, che può così tornare a circolare liberamente e ristabilire il salutare equilibrio del corpo.

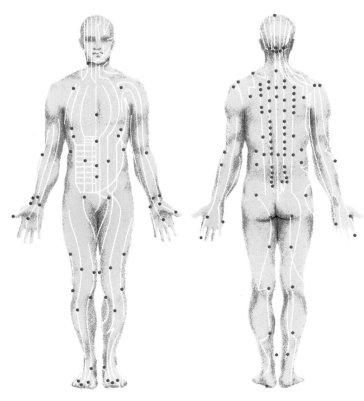

Gli tsubo sono i punti lungo i meridiani dove si concentra il Qi. *Di solito si trovano piuttosto vicini alla superficie della pelle, sia lungo la parte anteriore sia lungo la parte posteriore del corpo. Lo scopo dei terapisti shiatsu è di liberare da questi punti l'energia intrappolata. Secondo i terapisti, chiunque può imparare a trovare almeno alcuni di questi punti: schiacciandone uno, avvertirete una fitta dolorosa.*

Inoltre i terapisti shiatsu cercano l'equilibrio delle due forme di energia presenti nel corpo: yin, che è un'energia passiva e profonda, e yang, un'energia attiva e superficiale. A un paziente che riferisse segni di affaticamento o depressione, per esempio, verrebbe diagnosticato uno stato yin, che il terapista tratterebbe con una stimolazione dell'energia yang. Un paziente con sintomi yang, come irritabilità o tensione, avrebbe invece bisogno di un trattamento yin.

I Cinque Elementi Un altro obiettivo di questa terapia è quello di ristabilire l'equilibrio dei Cinque Elementi. Secondo la medicina tradizionale cinese, l'universo è composto da cinque elementi (o, meglio, cinque movimenti): Fuoco, Terra, Metallo, Acqua e Legno. Il corpo umano, modellato a somiglianza dell'universo, è formato dagli stessi Cinque Elementi.

Ogni elemento è associato a diversi

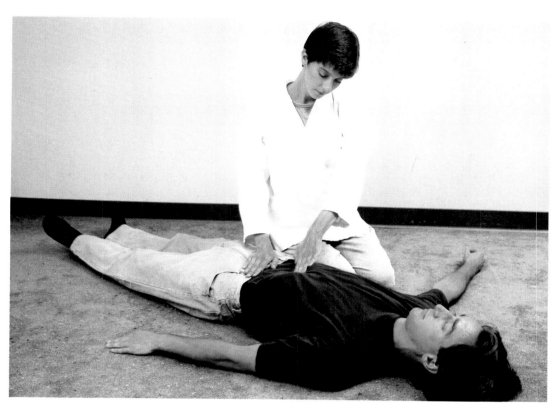

organi, meridiani e a determinate caratteristiche. Per esempio, l'elemento Legno è collegato alla collera, così un atteggiamento aggressivo verrebbe imputato immediatamente a uno squilibrio di quell'elemento. Per ridurre la collera e recuperare l'equilibrio verrebbero di conseguenza trattati i relativi meridiani.

Solo un massaggio? Lo shiatsu si differenzia dal massaggio occidentale non solo per la teoria, ma anche per la tecnica. Infatti, se chi fa un massaggio svedese usa movimenti lunghi e scorrevoli per "impastare" i muscoli, chi pratica lo shiatsu applica una pressione ritmica e graduale ai meridiani e agli *tsubo*. Benché si usino soprattutto le dita, il terapista shiatsu può servirsi anche di ginocchia, gomiti e vari punti del piede. La pressione applicata è di entità variabile, ma non dovrebbe mai procurare un dolore intenso o improvviso.

Che cosa aspettarsi Un massaggio shiatsu dura in genere da tre quarti d'ora a un'ora. Diversamente da quanto avviene nel massaggio svedese, le mani non vengono lubrificate e il paziente rimane vestito. Benché sia praticabile ovunque, l'ambiente ideale è una stanza calda e arieggiata, con moquette o tappeto sul pavimento. L'appoggio deve essere rigido, perché il terapista interviene sugli *tsubo* con tutto il peso del proprio corpo. Gli esperti di shiatsu dicono che l'operatore deve cominciare il massaggio in uno stato di consapevolezza e sensibilità, oltre che con il corpo rilassato.

Il paziente si stende a terra, supino. All'inizio della seduta il terapista tratta lo *Hara*, cioè l'area compresa tra la gabbia toracica e il bacino, considerata la zona di massima concentrazione del *Qi*.

Una tipica seduta di shiatsu inizia e termina trattando lo Hara, l'area compresa tra la gabbia toracica e il bacino, considerata l'area di massima concentrazione della forza e dell'energia del corpo, che serve spesso per diagnosticare lo stato di salute generale del paziente. La pressione esercitata dovrebbe essere dolce e graduale e le mani dovrebbero spostarsi in senso orario.

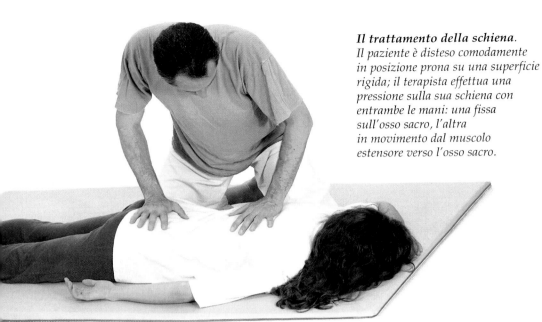

Il trattamento della schiena.
Il paziente è disteso comodamente in posizione prona su una superficie rigida; il terapista effettua una pressione sulla sua schiena con entrambe le mani: una fissa sull'osso sacro, l'altra in movimento dal muscolo estensore verso l'osso sacro.

Il trattamento del collo. *È molto utile per chi soffre d'asma. Il terapista si appoggia con tutto il suo peso sulla parte anteriore delle spalle del paziente, scaricando la pressione in particolare sulle cavità prodotte dalle giunture delle spalle.*

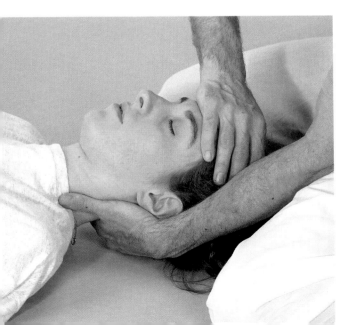

Il trattamento del capo.
È eccellente per combattere il mal di testa e l'insonnia, ed è per molti il trattamento più dolce e rilassante. Una mano del terapista è sotto la nuca del paziente, l'altra è posata sulla sua fronte.

Poi si occupa della parte anteriore del corpo: gambe, braccia, collo, testa, viso. Al paziente chiederà di adottare una respirazione lenta e ritmata, rilassante, ed eserciterà le pressioni solo durante l'espirazione. Lo shiatsu è considerato particolarmente efficace per mantenere il corpo sano e forte. Benché si tratti soprattutto di una tecnica preventiva, molti sostengono che dia buoni risultati anche nella cura di certi disturbi, come la stitichezza. Va comunque praticato con qualche precauzione in presenza di malattie infettive, fratture, cardiopatie, disturbi del fegato, dei reni o dei polmoni, cancro o infezioni della pelle. Naturalmente, in caso di malattia grave va sempre consultato un medico.

"Caso clinico"

SBLOCCARE L'ENERGIA

Gina Martin è una massoterapista diplomata che pratica lo shiatsu. Qui racconta la storia di una paziente che è riuscita a guarire da un prurito cronico dopo anni di sofferenze.

Fin da bambina, Margaret, una donna di quasi trent'anni, aveva sofferto di una forma di prurito, spesso così fastidiosa da impedirle di dormire. Più di una volta aveva passato la notte insonne a lottare contro il disperato bisogno di grattarsi, per addormentarsi, esausta, solo verso l'alba.

Negli anni gli attacchi erano diventati più frequenti e gravi. Margaret aveva consultato diversi medici, ma non era mai riuscita a ottenere una diagnosi e conseguentemente una terapia che avesse successo. Si era sottoposta a test allergologici e a cure cortisoniche, ma senza risultato. Alcuni medici, incapaci di riscontrare eruzioni o altri sintomi esterni, le avevano prescritto tranquillanti, pensando che si trattasse di un problema di origine nervosa. Margaret era però certa che il problema non fosse solo nella sua testa e infine, su consiglio di un amico, si rivolse a me per un ciclo di trattamenti shiatsu.

Nella prima seduta, dopo averla fatta stendere supina, le valutai le zone energetiche dell'addome, che sono strettamente collegate alla pelle e all'intestino, e le chiesi se andava di corpo regolarmente. Inoltre feci qualche domanda sul suo stile di vita, sul lavoro, sul livello di stress, sulle abitudini alimentari, sull'esercizio fisico, sulle malattie e

sul suo stato emotivo. Gradualmente cominciò a delinearsi un quadro clinico.

Un sintomo importante di Margaret era la stitichezza cronica: un problema che, come il prurito, risaliva alla sua infanzia, cui si era abituata, tanto che nemmeno si ricordava di parlarne. Fortunatamente lo fece. Per la medicina cinese, la presenza contemporanea di prurito e stitichezza va riferita a uno squilibrio dell'elemento Metallo, uno dei Cinque Elementi costitutivi dell'organismo. Un blocco di energia in un'area dell'intestino crasso influisce su un'altra area, la pelle. In altre parole era la stitichezza a causare il prurito di Margaret.

Curai Margaret con pressioni lungo i percorsi energetici chiamati meridiani. Con entrambe le mani, trattai i punti specifici contro la stitichezza. La pressione elimina i blocchi e consente all'energia di scorrere liberamente. Si può dire che "apre il corpo" e, diversamente dai medicinali, non ha effetti collaterali. Insegnai anche a Margaret tecniche di automassaggio per combattere da sola la stitichezza. In tre settimane tornò da me per tre sedute di un'ora. Alla fine non aveva più né stitichezza né prurito.

Come scoprì Margaret, il corpo vuole essere in equilibrio. Qualche volta ha solo bisogno di un po' d'aiuto.

La digitopressione

*È il più antico e naturale pronto soccorso. Con la semplice pressione
di un dito su alcuni punti del corpo si possono alleviare i dolori
alla schiena, il mal di testa, il mal di denti...*

DIGITOPRESSIONE E SHIATSU hanno molti tratti comuni, per esempio condividono un'identica filosofia, ma sono tecniche ben distinte. In particolare lo shiatsu è un trattamento relativamente nuovo, largamente impiegato a titolo di prevenzione, per mantenere il corpo in perfetta forma. La digitopressione (detta anche "agopressione" o "micromassaggio estremo orientale") è invece una tecnica terapeutica antichissima che, come l'agopuntura e parallelamente ad essa, fu probabilmente sviluppata nell'antica Cina per trattare sintomi e disturbi specifici, tanto da essere considerata quasi una forma di pronto soccorso, pur non escludendo affatto l'uso preventivo inteso ad armonizzare le varie funzioni e a riequilibrare la circolazione energetica.

La digitopressione è molto efficace per curare i più comuni disturbi dei bambini, i problemi legati alla sessualità e diversi dolori, che riesce a ridurre in breve tempo. Proprio perché è molto efficace sui sintomi si può correre il rischio di trascurare le cause che li hanno determinati: un errore da evitare sempre.

Consigli per la digitopressione

Secondo tutti gli esperti, il successo della digitopressione dipende in gran parte da una capacità tecnica. Prima di utilizzarla su di voi o su qualcun altro, leggete questi consigli.

- Porre la punta del dito sul punto su cui si vuole esercitare la digitopressione, assicurandosi che sia ad angolo retto con il corpo.

- Iniziare a stimolare il punto premendo con un movimento circolare, e aumentare gradualmente la pressione fino a che questa diventi profonda e costante.

- Non premere per più di quattro minuti.

- Non esercitare la digitopressione direttamente su ferite, infezioni o cicatrici.

Contro i dolori mestruali
*esercitate col pollice una pressione
sul punto interno della gamba
situato a circa 7,5 centimetri
dalla caviglia.*

Come praticare la digitopressione Con la semplice pressione di un dito o di un'unghia, si esercita una specie di massaggio sui punti dei meridiani usati in agopuntura. Senza aghi, tuttavia, l'azione è meno energica e non richiede particolari cautele. Il punto da trattare corrisponde quasi sempre a una piccola depressione o a una cedevolezza del muscolo che, con un po' di pratica, si impara ben presto a riconoscere. Si preme per due o tre minuti, una volta al giorno. Quando i punti sono bilaterali, la pressione va esercitata su entrambi i lati, meglio contemporaneamente.

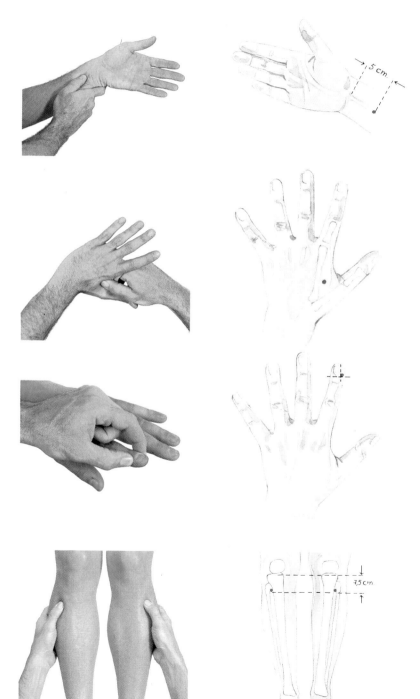
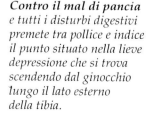

Contro la nausea *premete forte con la punta del pollice a circa 5 centimetri dall'articolazione del polso.*

Contro il mal di testa *esercitate una forte pressione nel punto situato tra il pollice e l'indice.*

Contro il mal di denti, *o anche per rendere meno doloroso un intervento del dentista, premete il punto situato sull'angolo alla base dell'unghia dell'indice.*

Contro il mal di pancia *e tutti i disturbi digestivi premete tra pollice e indice il punto situato nella lieve depressione che si trova scendendo dal ginocchio lungo il lato esterno della tibia.*

Che cos'è la riflessologia?

È la versione moderna di un'antica tecnica terapeutica e rilassante, che lavora solo su alcune parti del corpo. Con pressioni delicate sui piedi o sulle mani i riflessologi riducono dolori e tensioni e riequilibrano l'energia vitale.

La riflessologia *è una tecnica delicata per eliminare le tensioni. Il paziente è steso comodamente, la seduta inizia con una serie di esercizi di "riscaldamento".*

ARTE TERAPEUTICA USATA OVUNQUE per promuovere il rilassamento e la salute in generale, la riflessologia è una tecnica che interviene su alcuni punti specifici dei piedi, delle mani o delle orecchie (in questo caso è chiamata "auricoloterapia").

I piedi sono particolarmente indicati a questo scopo perché le loro molte terminazioni nervose li rendono assai sensibili al massaggio. I riflessologi considerano il piede come la riproduzione in miniatura del corpo intero, con zone o punti (chiamati "riflessogeni") che corrispondono ai vari organi, alle ghiandole e alle diverse parti del corpo.

SEQUENZA DI RILASSAMENTO

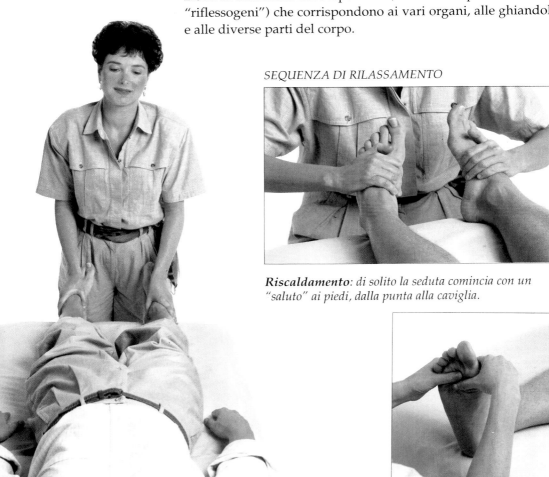

Riscaldamento: *di solito la seduta comincia con un "saluto" ai piedi, dalla punta alla caviglia.*

Partendo dai lati esterni *del piede, fate scivolare i pollici, con una certa pressione, attraverso la pianta. Poi ritornate nella posizione di partenza.*

Le dita dei piedi, per esempio, corrispondono alla testa e al collo; l'avampiede al torace e ai polmoni; l'arco plantare agli organi interni; il tallone al nervo sciatico e alla zona pelvica; le ossa dell'arco plantare alla colonna vertebrale.

Inoltre il lato destro del corpo è riflesso nel piede destro e il lato sinistro nel piede sinistro. Le varie zone riflessogene vanno dal dorso alla pianta del piede.

I sostenitori di questa tecnica credono che la pressione applicata in un punto specifico del piede provochi un movimento di energia nella parte del corpo corrispondente. Il processo dà benessere perché riduce lo stress, migliora la circolazione, elimina le tossine, accelera la guarigione e risulta riequilibrante ed energizzante per tutto l'organismo.

I riflessologi ne raccomandano l'uso per ridurre o controllare i sintomi di alcuni disturbi cronici come asma, cefalea, emicrania, stitichezza, sinusite, colite e calcolosi renale. Alcuni terapisti riferiscono anche di pazienti che, dopo una seduta, hanno perso peso o si sentono particolarmente creativi.

Per continuare il riscaldamento, *il riflessologo afferra le piante dei piedi e le preme con le mani.*

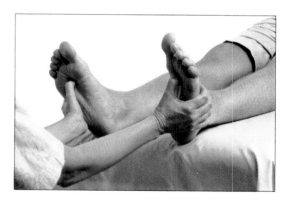

Nel punto del plesso solare, *sui due piedi, premete col pollice, lasciate, poi premete di nuovo, ruotando.*

Le rotazioni dei pollici
continuano sul dorso del piede, lavorando dalla punta verso la caviglia.

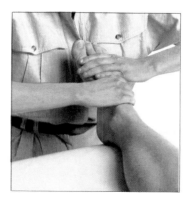

Strizzamenti. *Ruotate le mani in direzioni opposte, come per strizzare un asciugamano. Risalite verso il collo del piede.*

Far "danzare" il piede.
Appoggiate le palme ai lati del piede e quindi fatele oscillare ritmicamente in avanti e indietro.

Le origini Come tecnica terapeutica, la riflessologia è forse altrettanto antica dell'agopuntura, con la quale condivide alcuni elementi teorici; è praticata da secoli, in forme simili, in Egitto, India, Africa, Cina e Giappone. Come molte arti terapeutiche orientali, si basa sul principio della forza vitale (il *Qi* dei Cinesi, il *Ki* dei Giapponesi, il *prana* degli Indiani) che scorre attraverso il corpo lungo canali chiamati "zone" o "meridiani". Secondo tale teoria, la malattia sarebbe il risultato di un blocco o di un impedimento di questa energia, che la seduta di riflessologia cerca di far tornare a scorrere liberamente.

Punti situati sulle piante dei piedi

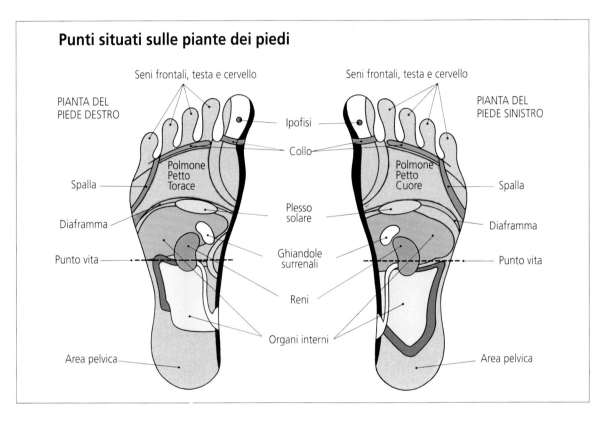

Punti situati sul dorso del piede

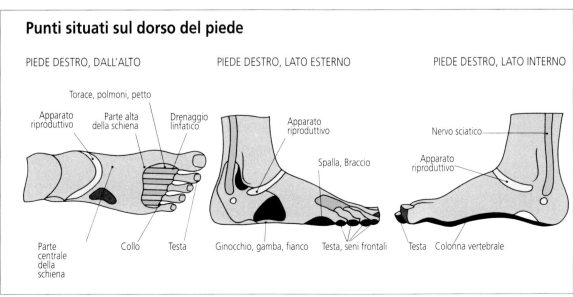

La riflessologia moderna In Occidente, la tecnica cominciò a diffondersi all'inizio del nostro secolo, quando William Fitzgerald, un otorinolaringoiatra americano, mise a punto una teoria delle "zone". Egli divise verticalmente il corpo in dieci zone, cinque per lato, che andavano dalla testa alle dita dei piedi e delle mani. Esercitando una pressione su alcune parti del corpo, soprattutto sulle mani e sui piedi, Fitzgerald sosteneva che era possibile migliorare il funzionamento e ridurre il dolore di diversi organi lontani da quelle parti. Il suo collega Edwin Bowers diede una dimostrazione della teoria mostrando che era in grado di infilare un ago nel viso di un volontario senza causare alcun male se prima esercitava una pressione su una zona riflessogena corrispondente, in un'altra parte del corpo.

La teoria di Fitzgerald fu ulteriormente affinata negli anni Trenta da Eunice Ingham, una fisioterapista che scoprì che i piedi costituivano il miglior punto di accesso a queste dieci zone. Elaborò una mappa nella quale mostrò quali zone dei piedi corrispondevano ai vari organi e ad altre parti del corpo. Dopo avere pubblicato le sue scoperte in un libro nel 1938, la Ingham fondò un istituto di riflessologia e continuò a insegnare e a tenere conferenze in tutto il mondo. Molti riflessologi oggi usano ancora il metodo Ingham.

Il massaggio delle mani Le zone riflessogene della mano mostrano un eccezionale parallelismo con quelle dei piedi, anche se hanno forma e dimensioni diverse. Rispetto ai piedi, le mani presentano il vantaggio di essere più accessibili per l'autotrattamento ma anche lo svantaggio di avere, in alcuni casi, una minore sensibilità. I punti riflessogeni delle mani risultano infati più profondi e quindi più difficili da individuare.

Per massaggiare i punti riflessogeni delle mani si esercita una pressione con il pollice o con l'indice fino a sentire l'osso o il muscolo sottostante. Talvolta può essere utile una pressione rotatoria del pollice sulla palma della mano, insistendo su tutti i punti che risultano dolorosi.

Un'altra tecnica efficace consiste nel premere col pollice e l'indice la punta delle dita dell'altra mano, sui lati e tra l'unghia e il polpastrello. Anche un elastico avvolto intorno alla punta di ciascun dito e lasciato in posizione alcuni minuti (facendo però attenzione che i polpastrelli non comincino a diventare bluastri) rappresenta una forma energica di stimolazione.

Che cosa aspettarsi I riflessologi sostengono che il trattamento può essere positivo per la maggior parte delle persone che non abbiano subìto traumi e non soffrano di malattie gravi. Se lo scopo è il rilassamento, dovrebbe essere sufficiente una seduta settimanale di mezz'ora o un'ora, mentre per un problema specifico possono esserne necessarie anche due o tre. Ci sono persone che notano subito un miglioramento, per altre occorrono invece diverse sedute.

Durante una seduta il paziente è solitamente steso su un lettino da massaggio, con la testa leggermente sollevata e i piedi, nudi, posti davanti al terapista. Dato che il rilassamento è indi-

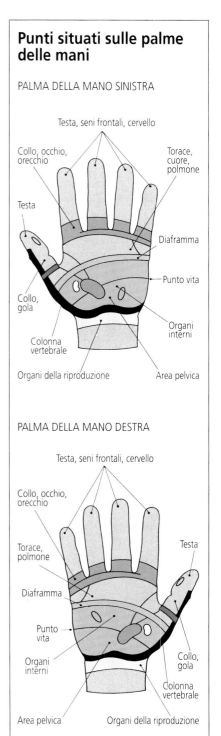

Punti situati sulle palme delle mani

PALMA DELLA MANO SINISTRA

Testa, seni frontali, cervello

Collo, occhio, orecchio

Torace, cuore, polmone

Testa

Diaframma

Punto vita

Collo, gola

Organi interni

Colonna vertebrale

Organi della riproduzione

Area pelvica

PALMA DELLA MANO DESTRA

Testa, seni frontali, cervello

Collo, occhio, orecchio

Torace, polmone

Testa

Diaframma

Punto vita

Collo, gola

Organi interni

Colonna vertebrale

Area pelvica

Organi della riproduzione

SETTE TECNICHE DI BASE

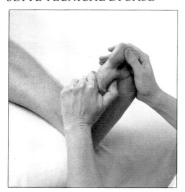

Camminare col pollice. *Premete il pollice piegando la falange, poi fatelo "camminare" come un bruco con una serie di pressioni ravvicinate.*

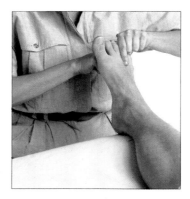

Camminare con l'indice. *Fate "camminare" l'indice allo stesso modo, flettendo e rilasciando la prima falange in sequenza.*

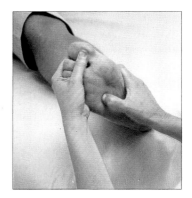

Rotazione su un punto. *Premete il pollice appena sotto l'avampiede, poi fate ruotare dolcemente il piede.*

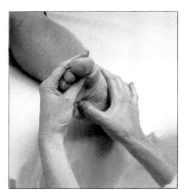

Flessione su un punto. *Premete il pollice in un punto della pianta e flettete diverse volte il piede.*

Far perno su un punto. *Mentre "camminate" lungo la pianta, usate l'altra mano per contrastare il movimento del piede.*

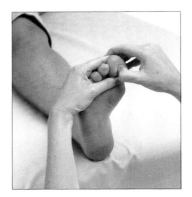

Tecnica "a uncino". *Esercitate una pressione decisa con la parte esterna del pollice e spingete indietro la pelle in quel punto.*

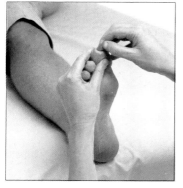

Rotazione delle dita. *Con una leggera pressione, fate ruotare la punta del vostro indice sulla punta di ciascun dito del piede.*

spensabile per l'efficacia del trattamento, il riflessologo invita il paziente a trovare un ritmo lento e regolare di respirazione; luci attenuate e una piacevole musica di sottofondo possono contribuire allo scopo.

La seduta comincia con un delicato massaggio dei piedi e prosegue con una serie di pressioni esercitate con i pollici e con gli indici prima su un piede, poi sull'altro. Alle aree più dolenti o cedevoli viene dedicata particolare attenzione. La pressione avvertita da chi viene massaggiato può anche essere notevole, ma non dovrebbe mai provocare dolore. Capita anche di sentire un pizzicore nella parte del corpo corrispondente alla zona trattata. Nel corso di un ciclo prolungato di trattamenti, il cliente può manifestare sintomi quali dolori articolari, mal di gola, diarrea o aumento della diuresi, che i riflessologi considerano come sintomi positivi del processo di eliminazione delle tossine. Se succede, in genere si consiglia al cliente di mangiare meno e di bere molto, per accelerare il processo.

Molti pazienti riferiscono comunque di effetti positivi immediatamente dopo la prima seduta: diminuzione dello stress, aumento dell'energia e una sensazione di piacevole benessere.

Riflessologia fai-da-te È possibile provare questa tecnica su di sé o su un amico, ma solamente per rilassare, non per curare un disturbo particolare.

Cominciate a massaggiare delicatamente un piede, poi l'altro. Partendo dal sinistro, applicate una pressione decisa e costante sulla zona riflessogena del plesso solare, appena sotto l'avampiede, sulla pianta. Fate avanzare il pollice, con un movimento simile a quello di un bruco, fino ad arrivare all'attaccatura delle dita, poi ripercorrete il piede in senso inverso. Massaggiate l'arco plantare e, quando arrivate al tallone, ripartite verso l'alto. Infine, massaggiate il dorso del piede e concludete con carezze prolungate fino alla caviglia e all'inizio del polpaccio. Per ottenere risultati migliori, ripetete per due volte il massaggio su ogni piede. Quando trovate un'area particolarmente cedevole o dolente, ritornatevi ancora dopo un po', ma state attenti a non lavorarla troppo perché ciò può causare un senso di disagio; in tal caso, è meglio che lasciate perdere.

La sequenza per il trattamento del piede Una volta studiata la mappa del piede e apprese le tecniche di base, potete provare a massaggiare un amico. Fatelo sedere o stendere comodamente, con la colonna allungata, su un letto, su una poltrona reclinabile o su un lettino da massaggio. Quella descritta nelle pagine che seguono è una sequenza completa per il rilassamento.

Il corpo "in un orecchio": l'auricoloterapia

Alcune zone del corpo sono considerate come vere e proprie riproduzioni in miniatura dell'intero corpo umano nelle sue varie parti. Iridi, mani, piedi e orecchi sarebbero altrettante "carte geografiche" dell'anatomia umana sulle quali verificare lo stato di salute dell'individuo e curare eventuali disturbi. L'antica medicina cinese, ma anche studi ed esperimenti effettuati in Occidente nella seconda metà del nostro secolo, confermano l'efficacia della stimolazione dei punti riflessi dell'orecchio.

L'auricoloterapia consiste nella stimolazione dei punti riflessi con aghi da agopuntura simili a puntine da disegno, che possono anche essere semipermanenti se applicati con un piccolo cerotto.

Con l'auricoloterapia si ottengono buoni risultati contro le dipendenze (da fumo, alcol, farmaci), i disturbi alimentari (bulimia, anoressia), l'emicrania, l'asma, i dolori articolari e certe forme di artrite.

La tecnica giusta

"Camminare col pollice" è un'importante tecnica riflessologica che richiede un po' di pratica.

- Con una pressione decisa, fate avanzare il pollice come un bruco, flettendo e rilasciando la prima falange.

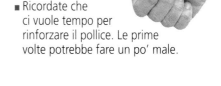

- Non raddrizzate completamente il pollice: trascurereste troppe zone riflessogene.

- Ricordate che ci vuole tempo per rinforzare il pollice. Le prime volte potrebbe fare un po' male.

*La **riflessologia** aiuta a combattere lo stress. Pensate a una zona del corpo dove sentite più tensione e trovate sul piede il punto riflessogeno corrispondente. Trattatelo finché vi sentite rilassati.*

POLMONI E TORACE

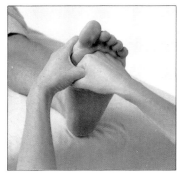

Pressione del polmone.
*Spingete le nocche del pugno
nell'avampiede e nell'attaccatura
delle dita del piede.*

Per prepararvi e mettere il vostro compagno a proprio agio, cominciate con gli esercizi di rilassamento descritti a pag. 182. Lavorate su un piede alla volta e terminate con la pressione del pollice nel punto del plesso solare, sui due piedi.

Prima di eseguire la sequenza descritta dalle fotografie, fate avanzare il pollice col movimento del bruco lungo tutto il piede, dal tallone alla caviglia. Ricordate che la riflessologia serve soprattutto a calmare e a rilassare, quindi evitate di intervenire su vesciche, calli e altri punti che possono essere dolorosi.

La seduta dovrebbe durare venti, trenta minuti, ma smettete prima se voi o il vostro amico siete stanchi. Cominciando dal piede sinistro, seguite la sequenza, poi passate al piede destro. Terminate la seduta con le tecniche di rilassamento.

SPALLA

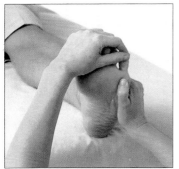

Avanzando con il pollice,
*seguite il bordo esterno del piede,
dal tallone al mignolo.*

COLLO

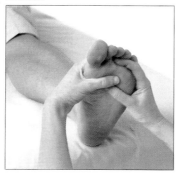

Seguendo la linea *di attaccatura
delle dita, avanzate lungo tutta
la pianta con il pollice e l'indice.*

"Aggrappatevi" con la mano
*alla base delle dita dei piedi
e "tirate" verso il tallone.*

COLLO E TESTA

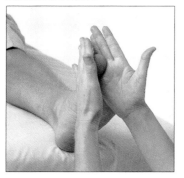

"Arrotolamento" delle dita
*del piede. Tenete ogni dito tra le
mani e "arrotolatelo", facendolo
oscillare da un lato all'altro.*

SENI FRONTALI E OCCHI

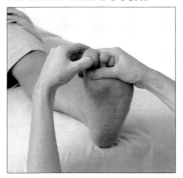

Tenendo il piede *con una
mano, fate avanzare il pollice
sotto ciascun dito, partendo
dalla punta.*

Fate avanzare l'indice *lungo
ciascun dito dei due piedi,
nella parte superiore, partendo
dalla punta.*

IPOFISI

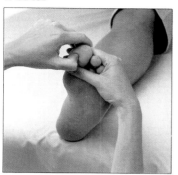

Con la tecnica a uncino, lavorate la zona centrale del polpastrello dell'alluce. Spingete verso l'esterno.

COLONNA VERTEBRALE

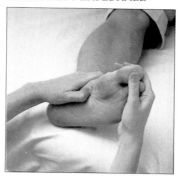

Fate avanzare il pollice lungo il bordo interno del piede, dal tallone verso l'alto, fino al centro dell'alluce.

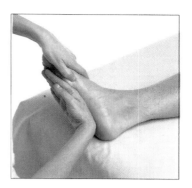

Premendo con il dorso della mano sulla pianta del piede, rifate il percorso esattamente nella direzione opposta.

RENI

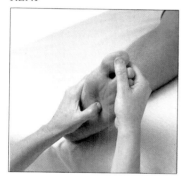

Tenendo premuto il punto dei reni nella zona centrale della pianta, ruotate il piede verso l'interno.

GHIANDOLE SURRENALI

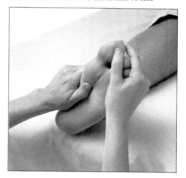

Premete il punto delle ghiandole surrenali, leggermente al di sopra di quello dei reni, e ruotate il piede.

TUTTO IL PIEDE

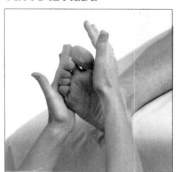

Per rilassare tutto il corpo, fate "danzare" il piede facendolo oscillare avanti e indietro tra le vostre mani.

PLESSO SOLARE

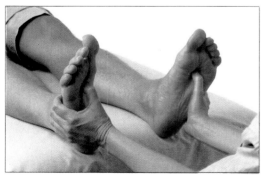

Premete i pollici nella zona del plesso solare su entrambi i piedi. È la zona morbida situata proprio sotto l'avampiede.

SFIORAMENTI
Concludete la seduta con sfioramenti di entrambi i piedi. Accarezzateli delicatamente sul dorso, dalla caviglia verso le dita.

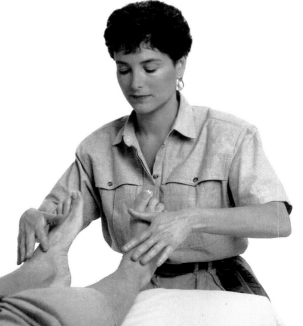

Energia in movimento

La terapia della polarità ha lo scopo di rilassare il corpo e di ricaricarlo. Associando delle leggere manipolazioni alla dieta e all'esercizio fisico, i terapisti offrono ai pazienti un approccio più equilibrato alla vita.

LA TERAPIA DELLA POLARITÀ è un metodo di cura per corpo e mente basato sul presupposto che l'energia vitale permea ogni muscolo, osso, organo e cellula del corpo umano. Questa energia circolerebbe all'interno e intorno al corpo seguendo specifiche correnti e modalità, più o meno come avviene quando l'energia elettrica passa attraverso un cavo. Finché il flusso di energia scorre senza intoppi rimaniamo mentalmente e fisicamente in equilibrio, in uno stato di massima salute.

Messa a punto da Randolph Stone, osteopata, naturopata e chiropratico, la terapia della polarità si fonda su quattro approcci complementari: leggere manipolazioni, esercizi di *stretching*, dieta, atteggiamento mentale e stile di vita positivi. Il concetto di energia è attinto dalle tradizioni mediche cinese e indiana; il principale scopo della terapia è di ristabilire la giusta direzione dell'energia, toccando delicatamente zone specifiche del corpo.

Caricare il corpo Secondo il principio della polarità formulato da Stone, il movimento dell'energia nel corpo è il risultato di due campi energetici opposti, uno positivo e uno negativo, come avviene ovunque ci sia energia in movimento, dalla comune pila alla fissione nucleare. Nel caso del corpo umano, che è bipolare, la testa ha carica positiva e i piedi hanno carica negativa. Allo stesso modo, il lato destro sarebbe caricato positivamente e il sinistro negativamente. Quando la polarizzazione è in equilibrio dinamico ci troviamo in uno stato di armonia e di benessere; stato che, secondo i sostenitori della terapia, si raggiungerebbe

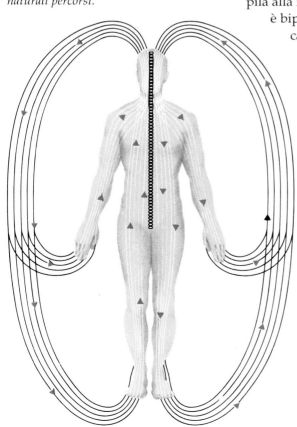

I terapisti della polarità
sono convinti che l'energia circoli intorno e attraverso il corpo umano, donando vitalità a tutto ciò che incontra. Secondo questa teoria, i canali energetici possono subire blocchi a causa di stress, malattia o altro. Scopo della terapia della polarità è far sì che l'energia torni a scorrere lungo i suoi naturali percorsi.

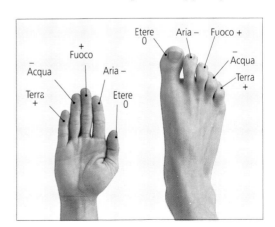

Ogni corrente di energia *è dotata di carica positiva, negativa e neutra e scorre attraverso il corpo a partire da un particolare dito della mano o del piede. Le correnti hanno il nome dei cinque elementi della medicina ayurvedica.*

quando l'energia vitale è in grado di muoversi liberamente attraverso il corpo. Allora ci sentiamo rilassati e il nostro sistema di difesa è in perfetta forma. Molti fattori però, dallo stress alle tossine, possono provocare una deviazione o un blocco dell'energia e mettere a repentaglio le nostre risorse immunitarie.

La terapia della polarità mira a riportare alla normalità e all'equilibrio le correnti energetiche. Nel farlo, sostengono i terapisti, si ricaricano e rivitalizzano gli organi più importanti, si rinvigorisce il sistema nervoso e si promuove la stabilità mentale ed emotiva. «Meglio scorrono le nostre correnti energetiche, più siamo in grado di attrarre ciò di cui abbiamo bisogno per essere sani» afferma un terapista della polarità.

I Cinque Elementi dell'equilibrio dinamico Per ristabilire l'equilibrio, i terapisti della polarità individuano cinque lunghe correnti verticali che percorrono il lato sinistro del corpo e cinque che percorrono il lato destro, nella parte anteriore e in quella posteriore. Ciascuna di queste correnti è messa in relazione con uno dei Cinque Elementi della medicina ayurvedica: Etere, Aria, Fuoco, Acqua e Terra. Ognuno è associato a un particolare centro energetico (o *chakra*) situato nel corpo, e ogni *chakra* governa un particolare sistema corporeo.

Il *chakra* dell'Etere si trova nell'area della gola e governa la voce, l'udito e le articolazioni. Poi viene il *chakra* dell'Aria, che controlla respirazione, circolazione e sistema nervoso. Il *chakra* del Fuoco, situato proprio sotto l'ombelico, governa la digestione e il metabolismo; quello dell'Acqua controlla il sistema linfatico e l'apparato riproduttivo, oltre che i fluidi corporei. Infine, il centro di energia situato più in basso è il *chakra* della Terra, che governa lo scarico, l'eliminazione e l'apparato scheletrico.

In una seduta-tipo, il paziente siede su un lettino da massaggio e il terapista cerca di individuare blocchi e aree di tensione. Quasi tutte le manipolazioni che pratica sono molto semplici e leggere, mirate sostanzialmente a far rilassare il paziente. Normalmente il terapista pone entrambe le mani sul corpo, per instaurare un "rapporto di polarità" con carica positiva e negativa, che stimola il flusso dell'energia vitale. Aumentando la quantità di energia disponibile (grazie alla combinazione delle energie del terapista con quelle del paziente), le aree dolenti o sede di blocchi vengono rivitalizzate e l'energia intrappolata viene liberata. Spesso è sufficiente una sola seduta per far ritrovare l'equilibrio e dare una sensazione di profondo benessere. Tuttavia i terapisti affermano che disturbi gravi o cronici possono richiedere una serie di sedute e ottenere un miglioramento assai più graduale.

Dieta, esercizi di stretching, supporto psicologico I consigli dietetici, legati alla teoria dei Cinque Elementi, sono una parte importante anche della terapia della polarità. Oltre che a provocare l'eliminazione delle tossine, servono a instaurare migliori abitudini alimentari nei pazienti.

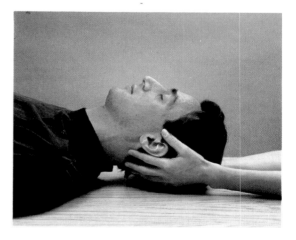

Una seduta di "polarizzazione" comincia di solito "cullando" la testa. Con le dita sul collo e presso le orecchie, il terapista culla delicatamente la testa del paziente, senza esercitare alcuna pressione. La posizione può essere mantenuta finché risulta piacevole per entrambi. Le sedute di polarizzazione dell'energia hanno lo scopo di ricaricare la forza vitale aiutando il paziente a rilassarsi e ad abbandonare i dolori, di natura sia emotiva sia fisica.

Lo "scalatore" lavora sull'area del petto e delle scapole. In piedi, con un tavolo dietro la schiena, allargate le gambe a una distanza pari a quella delle spalle e appoggiate le palme delle mani sul bordo del tavolo per sostenervi. Inspirate profondamente e, mentre espirate, abbassate lentamente tutto il corpo, mantenendo la schiena diritta. Lasciate uscire la voce per scaricare le tensioni. Rimanete abbassati per circa mezzo minuto, poi risalite piano piano.

L'accovacciamento di base, qui osservato da tre punti di vista, aiuta ad allungare la colonna e a liberare le tensioni pelviche. Abbassatevi piano, accovacciandovi, e fermatevi in una posizione che riuscite a mantenere comodamente, con i talloni a terra o appoggiati su un libro o su un cuscino. Ora fate ruotare e oscillare il bacino, respirando lentamente e profondamente. Fate pure i versi che vi vengono spontanei: vi aiuterà a scaricare le tensioni. Tenete la posizione per un paio di minuti e ripetetela ogni giorno.

Si comincia con un programma di disintossicazione: una "lavanda del fegato" costituita da una bevanda tonificante a base di succo di limone, olio di oliva, succo di arancia o di pompelmo e aglio, spesso seguita da una dieta vegetariana.

Anche gli esercizi di *stretching* e il sostegno psicologico sono d'aiuto. Gli esercizi, che associano movimenti ritmici e respirazione profonda, possono essere quasi tutti appresi con facilità e fatti a casa propria. Il sostegno psicologico ha la funzione di promuovere nel paziente uno stato mentale positivo, che la maggior parte dei terapisti ritiene sia essenziale per la salute. Durante le sedute il terapista aiuta quindi il paziente a riconoscere e a risolvere quelle emozioni fortemente caricate in modo negativo, come la rabbia o la tristezza.

La terapia della polarità non è pensata per curare malattie gravi, ma molti la trovano estremamente rilassante e confortante e la usano a titolo preventivo nella speranza che il corpo riesca a non perdere mai il proprio equilibrio, e quindi a mantenersi in buona salute. Oltre a ciò, c'è chi la ritiene utile contro dolori come il mal di testa, il mal di schiena e i crampi muscolari. Altri la trovano efficace contro l'indigestione, la stitichezza e i disagi normalmente prodotti dallo stress e dall'ansia della vita quotidiana.

Una sana consapevolezza di sé

L'obiettivo delle tecniche terapeutiche corporee, scrive Deane Juhan, è portare corpo e mente, insieme, verso la piena armonia. Queste tecniche non curano direttamente, ma aiutano a trovare la strada della guarigione.

Prima ancora che una cura o un procedimento terapeutico, la tecnica corporea è una sorta di educazione sensomotoria. Non c'è nessuna sostanza da assumere o da evitare, non ci sono dosaggi ai quali attenersi strettamente, così come non ci sono statistiche sui successi ottenuti con una particolare manipolazione.

Se uno studente ha difficoltà di apprendimento, non servirà a nulla inculcargli le nozioni che gli verranno chieste all'esame. La natura del suo problema è che non assimila le nozioni come dovrebbe. Prima di tutto bisognerà capire ciò che sa e poi scoprire che cosa gli impedisce di imparare il resto. Sarà necessario entrare con lui in un rapporto attivo, considerare che forma devono assumere le informazioni perché le possa assimilare e applicare correttamente.

È un processo in parte oggettivo e in parte soggettivo, e il vero maestro sa come trovare la via giusta tra oggettività e soggettività.

Allo stesso modo procede il lavoro corporeo, individuando innanzi tutto i modelli inconsapevoli di risposta attivi in un determinato momento e poi cercando quali possono essere i messaggi sensoriali capaci di cominciare a modificarli in positivo.

Vale la pena di ricordare che in questa esperienza di apprendimento non è l'operatore che "aggiusta" il paziente. L'operatore non attacca un problema localizzato con strumenti particolari, sicuro di ottenere determinati risultati. Si dedica piuttosto a produrre una sequenza di esperienze sensoriali diretta alla mente del paziente, fornendo informazioni che vanno oltre il suo limitato repertorio di movimenti, in quanto incorporano suggerimenti nuovi, che la mente può utilizzare per riempire i vuoti e instaurare le connessioni mancanti nella sua percezione dei processi fisiologici. È quindi la mente del paziente ad "aggiustarsi", a eseguire i necessari adattamenti posturali, a conquistare un rapporto più pieno e più flessibile tra risposte neurologiche e muscolari.

L'operatore non interviene direttamente, piuttosto fa da mediatore tra i processi fisiologici che hanno perso di vista le rispettive funzioni e gli obiettivi reciproci, tra una mente che ha dimenticato che cosa occorre sapere per avere un controllo armonioso e una politica corporea che protesta con dimostrazioni distruttive e addirittura con la minaccia di una guerra civile totale, pur di riguadagnarsi l'attenzione del governatore.

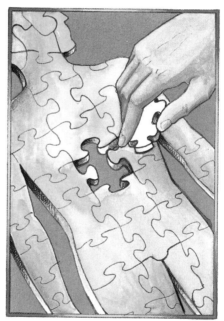

Una tecnica corporea è la somma di tanti tasselli diversi.

Le mani che toccano non sono scalpelli né medicinali. Sono come lampi di luce in una stanza buia. La "medicina" che somministrano è consapevolezza di sé. E per molti dei nostri dolorosi disturbi è il conforto del quale abbiamo più urgente bisogno.

Tratto da Job's Body: A Handbook for Bodywork *(Il corpo di Job: un manuale di tecnica corporea), di Deane Juhan.*

La tecnica di Alexander

Apprezzata da attori e ballerini, è una ginnastica che ha aiutato molti a scoprire come usare il corpo in modo più efficiente. Una postura migliore è la chiave e il risultato che si ottiene praticandola.

L'uomo al di là del metodo: Alexander

Veterano della scena teatrale australiana, F.M. Alexander aveva una preparazione adeguata per diffondere tra la gente la sua tecnica. Già nel 1904 i medici gli inviavano i loro pazienti. Incoraggiato dai suoi successi, partì per Londra con il fratello per poter parlare a un pubblico più vasto. In breve divennero suoi pazienti alcuni tra i più famosi attori del tempo.

INTERVENENDO SULLA POSTURA, la tecnica di Alexander risolve o allevia dolori cronici e tensioni muscolari, e amplia le possibilità di movimento. Attraverso istruzioni verbali e fisiche, i pazienti imparano a superare problemi comuni: la schiena storta, le spalle curve o in perenne (e negativa) tensione. Molte sono le cattive abitudini che il corpo prende in risposta allo stress, agli sforzi ma anche solo alla forza di gravità. Col tempo si cominciano a sperimentare tensione, dolore, affaticamento e rigidità. Secondo i suoi sostenitori, la tecnica di Alexander insegna a usare meglio il corpo e a contrastare questi sintomi.

Utilizzata dopo eventuali traumi per la riabilitazione dei muscoli e delle articolazioni, secondo molti terapeuti sarebbe efficace anche contro disturbi cronici quali dolori alla schiena e al collo, asma, mal di testa, ulcera, colite spastica e sindrome temporo-mandibolare (un disturbo doloroso della mandibola, che può provocare una serie di complicazioni).

Ma chi pratica questa tecnica sa che chiunque può trarre vantaggio dal suo apprendimento perché promuove il benessere fisico e mentale sotto ogni aspetto. Da anni è utilizzata da cantanti, ballerini, musicisti, attori e atleti che vogliono migliorare le proprie prestazioni ed evitare effetti negativi.

Un'osservazione minuziosa Intorno al volgere del secolo, F. Matthias Alexander, un attore australiano, cominciò a soffrire di crisi di afonia durante le recite.

Il medico gli prescrisse riposo e medicinali, ma i sintomi non diminuirono. Fu solo quando cominciò a studiare se stesso davanti allo specchio che Alexander scoprì l'origine del suo problema: quando cominciava a recitare tendeva i muscoli e spingeva la testa all'indietro e verso il basso, schiacciando la laringe. Il respiro poteva così passare solo a fatica e la voce usciva sforzata. L'abitudine era tanto radicata che fino a quel momento Alexander non se ne era mai reso conto.

Gradualmente Alexander comprese che poteva liberarsi di questa cattiva abitudine e che, riducendo la tensione, il problema dell'afonia si risolveva. Il suo successo fu tale che altri si rivolsero a lui per ottenere un aiuto, e tra questi personaggi importanti come il commediografo George Bernard Shaw e lo scrittore Aldous Huxley. Negli anni Trenta Alexander avviò un programma per la formazione di insegnanti della tecnica, oggi diffusa in tutto il mondo.

Sostituire le cattive abitudini Gran parte della tecnica di Alexander si fonda sulla guida manuale dell'insegnante. Una delle convinzioni del suo fondatore era che la posizione scorretta della testa rispetto al collo e al tronco producesse uno sforzo mu-

La postura perfetta. Alexander riteneva che per molta gente fosse necessario imparare di nuovo a stare in piedi. Quando la colonna non è allineata (sinistra), la parte bassa della schiena si curva in modo innaturale. Alexander suggerì ai suoi pazienti di immaginare la testa agganciata a un uncino che tirava la colonna riportandola al corretto allineamento (destra). La visualizzazione di questa immagine stimola ad allungare il tronco e a fornire alla curva lombare il sostegno necessario.

SBAGLIATO   GIUSTO

Quando siete seduti a un tavolo o a una scrivania evitate di curvare la schiena, il collo, le gambe. Anche in questo caso il corpo dev'essere bene allineato: la schiena è appoggiata e ben dritta, il collo eretto ma non rigido, le gambe in squadra. Eventualmente aiutatevi ponendo un supporto sotto i piedi.

SBAGLIATO   GIUSTO

scolare negativo e un'inutile tensione. Una volta ristabilito l'allineamento di testa, collo e tronco, il resto del corpo si adegua riducendo le sensazioni di dolore, le tensioni e una quantità di altri problemi. Con questo in mente, l'allievo ascolta le istruzioni verbali, che ripete tra sé mentre l'insegnante lo guida manualmente nel movimento. Per esempio, la tendenza a far rientrare il collo comprimendo la colonna vertebrale può essere contrastata dal pensiero: "Lascia che la testa si sciolga dalla colonna e che la colonna si allunghi". L'abitudine a incurvare e contrarre le spalle si corregge invece con il pensiero: "Lascia che le spalle si abbandonino verso i lati del corpo".

Gli esercizi di Alexander aiutano gli allievi a diventare coscienti del proprio corpo e quindi a cambiare la postura consapevolmente. Ma nessun insegnante della tecnica dirà mai a un allievo «stai dritto con la schiena» o «tira indietro le spalle». Gli allievi vengono piuttosto sollecitati a "sciogliere" i muscoli, non a tenderli. I muscoli rilassati lavorano in modo efficiente e non si affaticano nello svolgere il loro compito. Per ironia della sorte,

Portare *valige pesanti può costringervi ad abbassare collo e spalle, causando uno sforzo alla regione lombare.*

SBAGLIATO

Per reggere *un peso senza sforzo, immaginate l'energia che sale nel tronco e nella testa. Cambiate spalla di tanto in tanto, per equilibrare le tensioni.*

GIUSTO

molte cattive abitudini posturali sembrano corrette perché vi si è ormai abituati da anni. Uno degli scopi della tecnica è quindi di rinunciare a ciò che sembra giusto in cambio di ciò che, per lo meno all'inizio, può sembrare sbagliato o goffo.

Un rilassamento duraturo Per rinforzare le tecniche apprese durante la lezione, agli allievi si chiede di tenere a mente le istruzioni durante le attività quotidiane. Col tempo, i nuovi benèfici schemi di movimento cominciano a sostituirsi impercettibilmente a quelli dannosi. Alcuni allievi trovano utile stendersi per quindici, venti minuti e visualizzare le loro istruzioni. Come la meditazione, questa pratica aiuta a rilassarsi mentalmente e fisicamente, soprattutto alla fine di una giornata faticosa. Vi sono inoltre varie tecniche di visualizzazione particolarmente indicate per incrementare la consapevolezza del proprio corpo. In un esercizio molto semplice, all'allievo viene detto di immaginare un filo d'oro, attaccato alla sommità del capo, che tira il tronco verso l'alto allungando la colonna vertebrale e liberando così il corpo dal peso della gravità.

Un altro esercizio, che può essere praticato sotto la guida di un insegnante o da soli, prevede che ci si stenda sul pavimento, con le ginocchia flesse e la testa leggermente sollevata, in quella che viene definita la "posizione semisdraiata". Obiettivo dell'esercizio è di abbandonare e rinforzare tutti i muscoli del corpo, dalla testa ai piedi, non attraverso il movimento, ma con la visualizzazione. Per esempio, se l'allievo sente tensione nelle gambe, può immaginare di rilassare i muscoli dalle anche alle ginocchia. In breve comincerà a sentire che la gamba si rilassa completamente e che l'anca "si apre" lasciando scendere un po' il ginocchio. Tutto il resto del corpo può essere liberato dallo stress in modo analogo.

Molti praticano la tecnica di Alexander non solo per avere un benessere maggiore e una postura corretta ma anche per migliorare la propria qualità della vita. Imparando a tenere una postura e uno stile di movimento più rilassati e naturali, molti riescono a vivere per anni liberi da qualsiasi dolore cronico.

Quando sollevate un peso, *non piegatevi mai sulla vita (sinistra): rischiate di farvi male alla schiena. Provate invece a piegare le ginocchia e a tenere la schiena diritta, mantenendovi vicini all'oggetto da sollevare.*

SBAGLIATO   GIUSTO

Una vita trasformata

Nella lettera che segue, uno scrittore descrive i benefici che ha tratto dalla tecnica di Alexander. La lettera è indirizzata a Lulie Westfeldt, una delle prime insegnanti della tecnica negli Stati Uniti.

La prima volta che sentii parlare di F.M. Alexander fu nel 1938. Col passare degli anni, la mia curiosità in proposito crebbe e nel 1955 dovetti ricorrere alla tecnica da lui messa a punto trovandomi a soffrire di prolungata insensibilità alla gamba sinistra, abbastanza grave da farmi camminare con difficoltà. Fortunatamente, nel novembre di quell'anno incontrai un suo allievo e feci i passi necessari per prenotare un ciclo di lezioni con lei nel gennaio successivo.

Spogliarsi delle cattive abitudini.

Il disturbo alla gamba sparì e si ripresentò solo in due o tre occasioni di particolare stanchezza, ma se ne andava subito con qualche esercizio di Alexander. A parte questo, ho registrato un notevole aumento del benessere fisico e non ho più avuto i periodi di esaurimento e di malessere nervoso che solitamente seguivano quelli di intenso lavoro.

Il mio lavoro di scrittore mi costringe a passare molte ore, spesso anche dieci al giorno, seduto a tavolino, a leggere o a scrivere. Solo qualcuno che l'abbia fatto per vent'anni sa quanto possa essere debilitante a livello fisico il fatto di stare immobili a lungo; in realtà non si tratta di vera e propria immobilità, ma di un ripetersi infinito di torsioni, irrequietezza e scatti causati da muscoli e nervi contratti.

Le lezioni svolte con lei, e la pratica quotidiana secondo le sue preziose istruzioni, hanno migliorato considerevolmente la mia condizione fisica.

Continuo a sedere tutto il giorno e parte della notte alla scrivania, ma lo faccio in modo assai diverso. Camminare costituisce ora un piacere nuovo. Non sono più sofferente e pianifico meglio il mio lavoro, riuscendo a farne di più con meno fatica.

So che lei chiede ai suoi allievi di non parlare dei cambiamenti psicologici che subentrano in coloro che hanno seguito la tecnica di Alexander, e apprezzo molto il suo desiderio di scoraggiare cialtroni e falsi profeti.

Non di meno, devo aggiungere che nei trenta mesi trascorsi da allora ho trovato in me nuove risorse e una maggiore resistenza, non solo fisica.

Tutti, quando passano i quarant'anni, cercano il vento buono per lanciarsi nella traversata della seconda metà della vita; alcuni lo trovano, in un modo o nell'altro; altri no, purtroppo, e si lasciano andare al passare degli anni.

Se io sia riuscito a trovarlo nelle lezioni di tecnica Alexander non posso affermarlo con assoluta certezza, ma certamente esse mi hanno indicato la strada verso uno sviluppo che andavo cercando e che da solo, ne sono certo, non avrei potuto raggiungere.

Come lei stessa ha detto, la tecnica mette in luce e svela ciò che l'allievo essenzialmente *è*; nel mio caso, vedo il lavoro fatto come un mezzo di autoesplorazione, come una tecnica di riaddestramento fisico.

Tratto da F. Matthias Alexander: The Man and His Work *(F. Matthias Alexander: l'uomo e il suo lavoro), di Lulie Westfeldt.*

Le nuove tecniche corporee

Molti operatori delle tecniche corporee hanno messo a punto, negli anni, nuovi approcci specifici. Benché i loro metodi abbiano molto in comune, ciascuno ha qualcosa di unico da offrire.

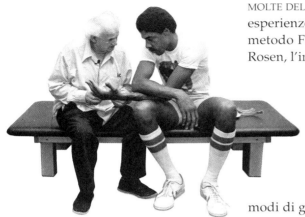

Il campione di basket Julius Erving si rivolse a Feldenkrais quando problemi di tendini minacciarono la sua carriera.

MOLTE DELLE PIÙ RECENTI TECNICHE CORPOREE riflettono le esperienze personali dei loro ideatori. Tra i più noti, il metodo Feldenkrais, la sinergia Rubenfeld, il metodo Rosen, l'integrazione psicofisica di Trager e la bioenergetica di Lowen, sono nati dall'integrazione di diverse altre tecniche, ma le loro caratteristiche li rendono del tutto peculiari.

Quasi tutte le tecniche terapeutiche corporee partono dal presupposto che gli stress emotivi influiscano sul corpo provocando dolore, tensione e altri sintomi fisici cronici, e per questo presentano a chi li pratica nuovi modi di gestire la tensione e lo stress, insegnando loro a sentirsi bene e a rendere meglio.

Il metodo Feldenkrais Un dolore cronico acutissimo al ginocchio fu la molla che negli anni Quaranta spinse il fisico israe-

Guidati da Moshe Feldenkrais, *in una lezione di gruppo, gli allievi imparano nuovi modi di usare il corpo e la mente. «Conoscersi attraverso il movimento» è la sintesi dell'insegnamento di Feldenkrais.*

liano di origine russa Moshe Feldenkrais (1904-1984) a sviluppare un metodo personale di riabilitazione. Stanco degli interventi chirurgici, studiò un sistema che gli permettesse di ricominciare a camminare senza provare dolore. Secondo Feldenkrais, la chiave della propria guarigione fu l'imparare a lavorare *con l'aiuto* della forza di gravità invece che contro di essa.

Obiettivo del metodo Feldenkrais è aiutare gli allievi a diventare consapevoli delle cattive abitudini fisiche che impongono un inutile sforzo a muscoli e articolazioni, e quindi a correggerle. Diventando consapevoli si è in grado di imparare nuovi modi di usare il corpo senza danneggiarlo.

Nelle sedute individuali, dette "Integrazione funzionale", il terapista guida con le mani il paziente in una serie di movimenti lenti e rilassati, che consentono di prendere coscienza delle diverse sensazioni che accompagnano ciascun movimento. Nelle lezioni di gruppo, dette "Conoscersi attraverso il movimento", gli allievi eseguono invece da soli dei movimenti assai comuni (come sedersi o stare in piedi) finché trovano il modo più agevole di eseguirli, con il minimo sforzo.

La sinergia Rubenfeld Ideata dall'americana Ilana Rubenfeld, una ex musicista e direttrice d'orchestra, questa tecnica è un misto di lavoro corporeo e psicoterapia. Insoddisfatta delle tecniche basate unicamente sul tatto o sull'effetto della parola, la Rubenfeld decise di integrare i due approcci. Formatasi alla tecnica di Alexander, al metodo Feldenkrais e alla terapia della Gestalt, associò il tocco delicato e i leggeri movimenti per correggere la postura dei primi due alla liberazione dei sentimenti insegnata dall'ultima, una moderna scuola fondata da Fritz Perls (*vedi* pag. 147).

La sinergia Rubenfeld si svolge in sedute singole o di gruppo. Durante il trattamento, i sinergisti (come vengono detti gli operatori di questa tecnica) muovono dolcemente

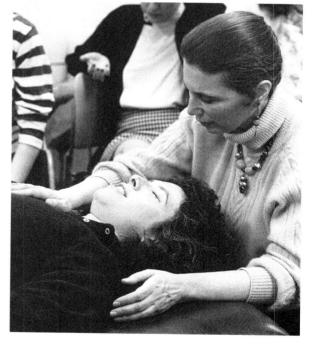

le mani lungo il corpo del paziente per individuare aree di tensione o altre zone problematiche. Ma invece di "sciogliere" il disturbo, incoraggiano i pazienti a parlare dei problemi emotivi che possono aver prodotto tensione e dolore. Per dirlo con le parole della stessa Rubenfeld, il metodo aiuta i pazienti a «liberarsi coscientemente di tutto ciò che trattengono nel corpo».

Ilana Rubenfeld, con il suo metodo e la sua presenza confortante, aiuta i pazienti a scaricare le tensioni, a liberare ricordi a lungo repressi e ad esprimere sentimenti profondi.

Il metodo Rosen Come la maggior parte delle più recenti tecniche corporee, il metodo Rosen tratta mente e corpo come un tutto unico. La fisioterapista americana Marion Rosen aveva osservato che durante i suoi trattamenti quei pazienti che parlavano dei loro problemi miglioravano assai più rapidamente di coloro che non lo facevano. Secondo la Rosen, la tensione muscolare cronica è causata dalla repressione dei conflitti emotivi.

Durante la seduta, l'operatore individua le aree in cui si concentra la tensione con una pressione delicata ma profonda, intesa a far rilassare il paziente. Nello stesso tempo commenta ciò che avverte col tatto, per esempio zone di tensione, e incoraggia il paziente a esprimere ciò che sente a sua volta. Poiché le emozioni evocano quasi sempre risposte corporee, l'operatore avverte i cambiamenti di tensione nei muscoli o nel ritmo della respirazione. Ponendo qualche domanda per sondare la situazione può notare, per esempio, che la schiena si inarca un po' o che un muscolo teso improvvisamente si rilassa. Facendo presente questi cambiamenti al paziente può richiamare alla sua mente qualche ricordo represso, che secondo la Rosen si esplica a livello soma-

"Caso clinico"

CONSAPEVOLI DEL PROPRIO CORPO

Nel suo libro The case of Nora *(Il caso di Nora), Moshe Feldenkrais descrive come ha aiutato una paziente colpita da ictus a riprendere possesso del proprio corpo. Come un neonato che deve imparare tutto, Nora fece progressi lenti ma importanti.*

Nei primi anni Settanta, mentre Moshe Feldenkrais si trovava a Zurigo, in Svizzera, per una serie di trasmissioni radiofoniche, si rivolsero a lui i parenti di Nora, una donna intelligente e colta che aveva avuto un ictus l'anno precedente. Secondo Feldenkrais «Non riusciva a scrivere il proprio nome [...] non riusciva a camminare nella direzione voluta e spesso inciampava nei mobili. Nonostante ciò, la sua intelligenza era rimasta intatta».

Dopo un esame iniziale, Feldenkrais stabilì che ci sarebbe voluto un anno o più di lezioni quotidiane perché Nora potesse fare progressi di qualche rilievo.

«La consapevolezza si impara. Occorre imparare che ci portiamo appresso la nozione di destra e di sinistra. La consapevolezza fisica aveva abbandonato Nora, facendola regredire a uno stato infantile» scriveva Feldenkrais. I bambini, teorizzava, imparano gradualmente questa consapevolezza, crescendo. «Possiamo ben immaginare, o anche vedere direttamente, come un bambino viene aiutato o impara da sé a prendere coscienza del proprio naso, dei propri occhi e del resto del corpo. Personalmente credo che il bambino tenuto tra le braccia della madre e allattato al suo seno non faccia che sperimentare cambiamenti sensoriali [...] e che questi cambiamenti vengano registrati nel suo sistema nervoso dando luo-go alla sua consapevolezza.» Nel caso di Nora la regressione era al punto tale che la donna non riusciva a infilarsi correttamente una scarpa né a sedersi su una sedia e neppure a girarsi quando era sdraiata.

Feldenkrais cominciò a ridurre la tensione nei muscoli di Nora con delle manipolazioni e scoprì che il corpo rispondeva solo con deboli movimenti. Il primo passo fu aiutarla a riapprendere la differenza tra lato destro e sinistro del corpo; un processo che, con molte regressioni, richiese due mesi.

Quando venne il momento di insegnare a Nora a leggere e scrivere, Feldenkrais le fece fare una visita di controllo agli occhi, per accertarsi che da un punto di vista fisiologico non avessero subìto danni. Quindi le insegnò a leggere e a scrivere il suo nome. Dopo circa tre mesi, Nora riusciva a tenere bene in mano la penna. Un giorno scrisse "Nora" cinquanta volte. Un po' alla volta la donna recuperò la padronanza del proprio corpo, oltre alla capacità di leggere e scrivere.

Un anno dopo l'ultimo trattamento Feldenkrais tornò a Zurigo e incontrò casualmente Nora, in giro per la città a fare compere. «Una lieta sorpresa» ricorda Feldenkrais «e nessuna domanda. Solo i convenevoli di rito: "Ah, che piacere rivederla" sono stati la conclusione della nostra comune, o forse non comune, avventura.»

tico sotto forma di tensione muscolare. Lavorando sui sentimenti repressi molti pazienti trovano sollievo a tensioni croniche e ad altri sintomi.

L'integrazione psicofisica di Trager La terapia approntata dal medico statunitense Milton Trager si concentra sulle origini subconsce della tensione muscolare. Il trattamento prevede una serie di movimenti intesi a promuovere il rilassamento complessivo e ad aumentare la flessibilità e l'ampiezza dei movimenti.

Secondo Trager, sviluppiamo schemi fisici e mentali che possono limitare i nostri movimenti o contribuire a produrre dolore e tensione. Questi schemi restrittivi possono essere il risultato dello stress quotidiano oppure di un trauma. Durante una seduta-tipo, il terapista culla, fa dondolare e muove delicatamente e ritmicamente il corpo del paziente per incoraggiarlo a sperimentare come la libertà di movimento e il rilassamento siano possibilità reali, alla sua portata.

Scopo del trattamento non è manipolare o massaggiare articolazioni specifiche, ma promuovere una sensazione di leggerezza, libertà e benessere.

Ai pazienti viene anche insegnata una serie di esercizi da fare a casa. Si tratta di movimenti semplici, che assomigliano a una danza, studiati per aiutarli a mantenere e migliorare il senso di scioltezza sperimentato durante le sedute. Secondo Betty Fuller, collaboratrice di Trager, l'integrazione psicofisica, associata agli esercizi, offre «un approccio di tipo sperimentale all'uso corretto del proprio corpo [...] e alla sensazione che tutte le parti del corpo siano ben integrate e coordinate».

La bioenergetica Creata da Alexander Lowen, un medico americano allievo dello psicanalista Wilhelm Reich, la bioenergetica integra la psicoterapia e il lavoro sul corpo.

Wilhelm Reich teorizzava che tensioni e rigidità fisiche potessero causare problemi psicologici e viceversa; Lowen approfondì e ampliò queste idee.

Secondo Lowen, le emozioni represse creano tensioni muscolari croniche che egli (come Reich) paragonò a una "corazza". L'energia impiegata per creare questa corazza diminuisce le forze necessarie ad affrontare la vita di tutti i giorni. In una seduta-tipo il paziente assume una quantità di posizioni diverse, che aiutano il terapista a individuare le aree di tensione. Quindi, associando la respirazione profonda, gli esercizi fisici e occasionalmente il massaggio, il paziente e il terapista lavorano per eliminare le tensioni e liberare le emozioni represse. Quando serve, i pazienti sono incoraggiati a urlare, piangere, scalciare o a colpire con i pugni (per esempio un cuscino). I pazienti imparano anche una serie di esercizi semplici, da eseguire a casa, che hanno lo scopo di scaricare la tensione.

Oltre a usare la manipolazione, i terapisti del metodo Rosen insegnano una serie di esercizi vivaci, simili a una danza, intesi ad aumentare le possibilità di movimento. In gruppo o singolarmente, i pazienti eseguono piacevoli allungamenti, oscillazioni e salti. Secondo Marion Rosen gli esercizi incoraggiano a divertirsi, facendo così riscoprire la gioia di muoversi.

Un po' sotto la pelle

*I terapeuti che lavorano sui tessuti connettivi profondi cercano di eliminare,
con un massaggio vigoroso, tensioni e rigidità.
Lo scopo è quello di restituire al paziente la scioltezza e il piacere del movimento.*

Il temibile "Dottor Gomito": Ida P. Rolf

L'anticonvenzionale modo di sciogliere i nodi profondi della fascia muscolare fece guadagnare a Ida P. Rolf l'affettuoso nomignolo di "Dottor Gomito". La Rolf scoprì che con gomiti e ginocchia era in grado di massaggiare più in profondità che con le sole mani. Negli anni Sessanta, Fritz Perls, fondatore della terapia della Gestalt, invitò Ida Rolf a presentare la sua tecnica presso l'Esalen Institute della California, e la stimolò a riflettere sulle profonde connessioni esistenti tra corpo e mente.

IL ROLFING, LA PIÙ NOTA tra le terapie dei tessuti profondi, è un metodo inteso a potenziare e a riallineare il corpo attraverso un vigoroso massaggio. Noto anche come "integrazione strutturale", fu sviluppato da Ida Rolf (1896-1979), una biochimica americana che praticava anche l'omeopatia, la chiropratica, lo yoga e la tecnica di Alexander. A differenza di altri operatori di tecniche corporee, la Rolf, anziché sui muscoli o sulla colonna vertebrale, si concentrò principalmente sulla fascia, il tessuto connettivo che tiene insieme le fibre muscolari, collega i muscoli alle ossa e ricopre organi, nervi e vasi sanguigni.

La fascia dà forma e sostegno al corpo e mantiene la coesione tra i capi articolari che costituiscono le articolazioni. Ma secondo i rolfer (gli operatori del rolfing) può danneggiarsi in seguito a un trauma fisico o emotivo, o per atteggiamenti posturali scorretti. Se questo avviene, lo scheletro perde il suo naturale allineamento, con conseguente comparsa di dolore e problemi vari. Il rolfing cerca di riallineare il corpo al fine di ristabilire l'efficienza e l'ampiezza dei movimenti.

La colonna stabile Nel rolfing il corpo umano è concepito come un insieme di "blocchi", testa, spalle, tronco, bacino e gambe, tenuti insieme dalla fascia. La forza di gravità esercita una trazione su ogni blocco cosicché, quando tutti si trovano allineati e bene in equilibrio, la colonna risulta stabile. Se invece un blocco va fuori squadra, gli altri devono compensare lo squilibrio indebolendo l'intera struttura. La forza di gravità in questo caso lavora contro il corpo, intralciandone i movimenti e richiedendo più energia per ogni azione.

Massaggiando la fascia, il rolfer la riporta alla condizione ottimale. Nel contempo riallinea anche i principali segmenti del corpo, trasformando una torre pericolante in una colonna stabile, in perfetto equilibrio. Il rolfing però non è solo una tecnica corporea: Ida Rolf si rendeva perfettamente conto dello stretto legame tra emozioni e benessere fisico. Dal suo punto di vista, la tensione cronica irrigidisce la fascia, interrompendo l'allineamento del corpo. Molti rolfer affermano che spesso il trattamento di alcune parti del corpo fa riemergere ricordi dolorosi o traumatici.

Uno strato alla volta Un ciclo di rolfing prevede dieci sedute di un'ora, un'ora e mezzo. Dopo avere preso nota della storia clinica e psicologica del paziente, il terapeuta passa all'osservazione visiva e fa delle fotografie che serviranno a documentare in seguito i cambiamenti fisici prodottisi.

Il rolfing procede secondo una sequenza stabilita. Nella prima seduta si lavora sullo strato più esterno della fascia, proprio sotto la pelle. Il massaggio viene eseguito con la punta delle dita, con le nocche e perfino con i gomiti, "impastando" i tessuti come fossero pasta per il pane. In ciascuno dei trattamenti successivi il massaggio si fa più profondo, tanto da poter risultare anche doloroso. Comunque, al termine della seduta di massaggio il dolore scompare.

A chi serve? Il rolfing non cura malattie specifiche, ma influisce positivamente sulla respirazione e sulla postura. Riduce lo stress e dà molta energia. I suoi sostenitori affermano che chiunque, dal giovane all'anziano, può sottoporvisi. L'obiettivo è ridare al corpo resistenza, efficienza e vitalità. Per chi tende a trattenere i sentimenti dolorosi può rappresentare un aiuto alla risoluzione dei conflitti interiori.

Altri trattamenti dei tessuti profondi Il rolfing ha aperto la strada a diverse discipline simili, come l'Aston-Patterning e la terapia della polarità del tessuto connettivo.

La tecnica di Heller è stata messa a punto negli anni Sessanta da Joseph Heller, ex ingegnere aerospaziale e presidente dell'Istituto Rolf del Colorado, che abbandonò il rolfing per creare un proprio stile di manipolazione dei tessuti profondi.

Come il rolfing, la tecnica di Heller si occupa della fascia, ma il terapeuta, convinto che gli effetti della sola manipolazione non possano durare nel tempo, insegna al paziente una serie di movimenti intesi a rendere più duraturi l'allineamento e la sciolteza acquisiti, oltre che a eliminare atteggiamenti posturali scorretti e a insegnare un modo più efficiente di stare in piedi, camminare, sedersi e muoversi.

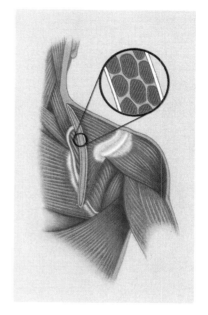

La fascia è il tessuto che ricopre e protegge i muscoli. Come questi è soggetta a traumi, affaticamento, tensioni pericolose.

Questa tecnica può essere utilizzata a scopo preventivo contro dolori e rigidità, oltre che per raggiungere il benessere. In più, le sedute prevedono un aiuto psicologico per affrontare le questioni emotive che dovessero emergere nel corso del trattamento. Un ciclo completo prevede undici sedute di un'ora e mezzo. Come il rolfing, la tecnica di Heller comincia dagli strati più esterni della fascia per passare a quelli più profondi «come quando si sbuccia una cipolla», per usare le parole di Heller.

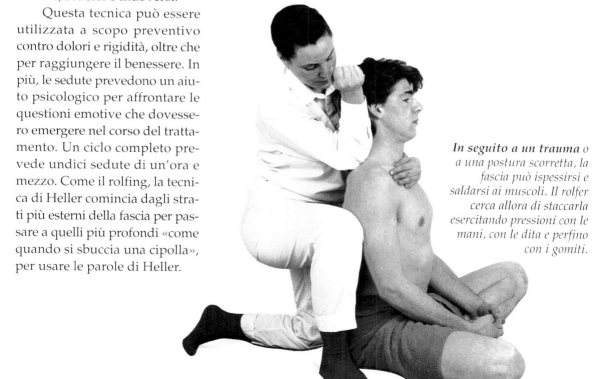

In seguito a un trauma o a una postura scorretta, la fascia può ispessirsi e saldarsi ai muscoli. Il rolfer cerca allora di staccarla esercitando pressioni con le mani, con le dita e perfino con i gomiti.

CAPITOLO 4

Il movimento

Che cosa ha a che fare l'attività fisica
con la medicina naturale? Tutto. Usare il corpo
in conformità con le sue funzioni non è solo
un rimedio contro lo stress e la fatica fisica ma
anche una stimolazione per il sistema
immunitario, un utile allenamento per il cuore
e i polmoni e un incentivo per la salute

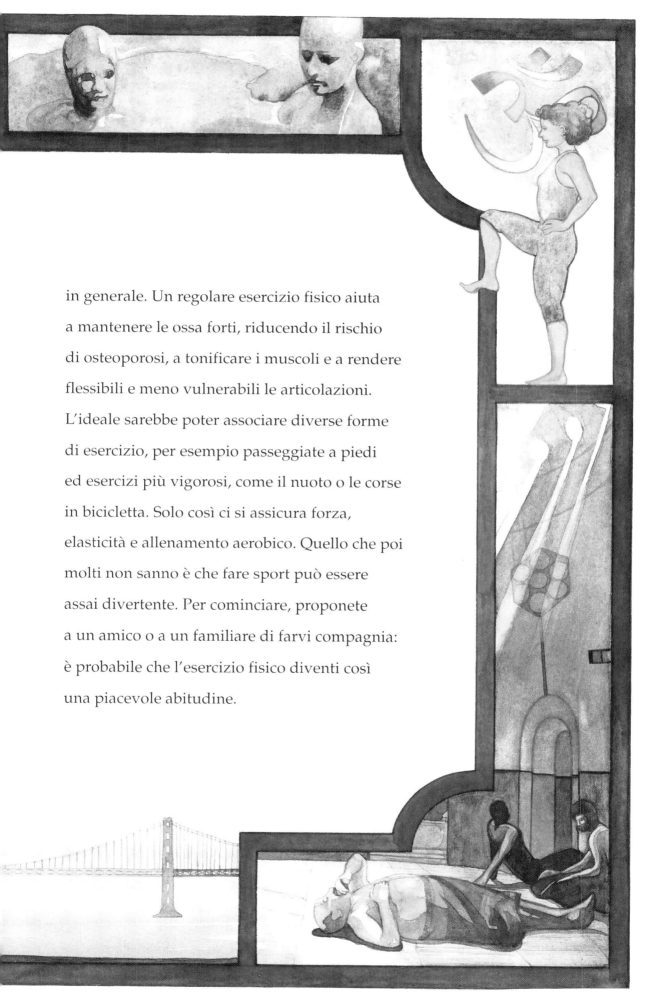

in generale. Un regolare esercizio fisico aiuta
a mantenere le ossa forti, riducendo il rischio
di osteoporosi, a tonificare i muscoli e a rendere
flessibili e meno vulnerabili le articolazioni.
L'ideale sarebbe poter associare diverse forme
di esercizio, per esempio passeggiate a piedi
ed esercizi più vigorosi, come il nuoto o le corse
in bicicletta. Solo così ci si assicura forza,
elasticità e allenamento aerobico. Quello che poi
molti non sanno è che fare sport può essere
assai divertente. Per cominciare, proponete
a un amico o a un familiare di farvi compagnia:
è probabile che l'esercizio fisico diventi così
una piacevole abitudine.

Perché fare sport?

I vantaggi di una vita attiva sono così numerosi che riesce difficile capire perché non tutti diano al benessere fisico l'importanza che merita.
Eppure è proprio questo benessere che può garantire una lunga giovinezza.

TUTTI I SISTEMI E GLI APPARATI DEL CORPO – circolatorio, respiratorio, digerente, nervoso, scheletrico – funzionano meglio se esercitati regolarmente. Benché qualsiasi attività fisica possa essere definita esercizio (andare a piedi al lavoro, salire e scendere le scale, fare i lavori di casa, curare il giardino), ciò che conta è la proporzione tra il tempo di attività e quello passato seduti, sdraiati o su un mezzo di trasporto. Più si è attivi, più aumentano le possibilità di rimanere in buona salute.

I pazienti ricoverati negli ospedali vengono fatti scendere dal letto il più presto possibile, perché si sa che i malati confinati a letto hanno maggiori probabilità di sviluppare polmonite, trombi e infezioni urinarie. Ma da non molto si conosce un altro pericolo della sedentarietà: la perdita di densità delle ossa, alla quale sono soggetti perfino gli astronauti di ritorno dallo spazio. In orbita, infatti, il corpo non è sottoposto agli effetti della forza di gravità, e proprio grazie alla possibilità di studiare cosa avviene in queste condizioni si è scoperto che se le ossa non devono vincere alcuna resistenza si indeboliscono. Tuttavia l'attrazione gravitazionale da sola non basta: per avere ossa forti e corpi sani occorre fare esercizio fisico.

Il corpo e l'attività Un tempo la sopravvivenza degli esseri umani dipendeva dall'abilità di sfuggire ai pericoli e alla capacità di sopportare lavori faticosi. In tali condizioni, è logico che il corpo fosse sempre in forma. Oggi, invece, gli agi della vita moderna hanno modificato sostanzialmente l'uso del nostro corpo. Non lavoriamo duramente nei campi né cacciamo per procurarci il cibo, ma la maggior parte della giornata viene trascorsa a una scrivania e la serata davanti al televisore. Gli ascensori hanno sostituito le scale, gli aspirapolvere i battipanni. L'automobile è diventata una parte tanto importante della nostra vita che in alcune metropoli chiunque cammini sul marciapiede è guardato con sospetto. Così, visto che la routine quotidiana non ci richiede la quantità di movimento necessaria a restare in forma, occorre trovare valide alternative.

Praticare un'adeguata attività fisica è indispensabile per mantenersi in salute. James Rippe, della facoltà di Medicina dell'Università del Massachusetts ha osservato: «Ci sono prove scientifiche a sostegno di ciò che abbiamo sempre, intuitivamente saputo: l'esercizio fisico regolare aiuta a prevenire le malattie, allunga la vita e ne migliora la qualità».

I fattori di rischio delle "malattie da civilizzazione" diminuiscono quando si pratica regolarmente uno sport: si riduce la

Accaldati ed esausti dopo una maratona su strada, i corridori fanno una pausa tra i vapori prodotti dalla pioggia sull'asfalto. Viste da fuori, soprattutto in giornate di caldo soffocante, corse come questa sembrano prove destinate a pochi, o ad atleti professionisti, eppure il numero dei partecipanti e la quantità di manifestazioni testimonia la popolarità di questo sport in ogni parte del mondo. Anche se alcuni sono forse spinti dal solo piacere della competizione, molti di più sono coloro che traggono soddisfazione semplicemente dal fatto di essere in forma e attivi.

Non occorre essere atleti per fare tutti i giorni un buon allenamento aerobico: il jogging, per esempio, è un tipo di attività fisica praticabile da chiunque e a qualunque età. Fondamentale è però darsi degli obiettivi raggiungibili, che siano compatibili con il proprio stato fisico. Un accurato controllo medico può essere d'aiuto.

pressione del sangue e il livello di colesterolo, aumenta la massa muscolare e diminuisce il grasso, migliora l'efficienza del cuore, riducendo il rischio di morte per infarto. Più recentemente, gli scienziati hanno osservato anche un possibile collegamento tra inattività e certi tipi di cancro. E infine, esercizio e dieta equilibrata sono ottimi rimedi contro l'obesità.

Nelle donne, in particolare, l'esercizio fisico riduce il rischio di osteoporosi dando impulso alla calcificazione e rallentando la perdita di densità ossea. A chi già soffre di osteoporosi l'esercizio consente di contrastare l'evolversi della malattia. Poiché l'attività fisica "brucia" gli zuccheri presenti nel nostro organismo, un esercizio regolare è utile per tenere sotto controllo il diabete, o per prevenire la comparsa di questa patologia in età adulta. L'attività fisica stimola inoltre la secrezione di altri ormoni in grado di ridurre i sintomi ansiosi e depressivi.

In più, migliorando la circolazione del sangue nei tessuti, l'esercizio fisico consente di migliorare l'ampiezza di movimento delle articolazioni, riduce gli effetti dello stress e della tensione e combatte l'insonnia. Naturalmente, con qualsiasi forma di ginnastica si corre il rischio di farsi male, ma l'aumento di forza, di equilibrio e di coordinazione che deriva da un'attività fisica svolta con regolarità riduce sensibilmente un tale rischio.

Un programma sportivo Quasi ogni attività può migliorare la forma fisica, ma alcune possono farlo meglio di altre. Un programma corretto dovrebbe mirare al miglioramento di tre aspetti: la resistenza cardiovascolare, il potenziamento muscolare e la flessibilità nei movimenti. Per questo deve comprendere esercizi aerobici destinati a incrementare la capacità cardiaca e polmonare, esercizi di allungamento (*stretching*) per i gruppi muscolari contratti e di potenziamento per quelli deboli.

Se l'apparato cardiorespiratorio funziona bene, i polmoni cedono ossigeno al sangue, mentre cuore e circolazione portano sangue e nutrienti in tutto il corpo. I programmi che sviluppano la capacità cardiaca e polmonare vengono detti "aerobici": il loro scopo è di aumentare il battito cardiaco per un periodo di tempo sostenuto. Gli esercizi aerobici sono alla base di molti programmi di allenamento, perché qualsiasi attività sportiva può essere praticata con sicurezza solo se cuore e polmoni sono in buona salute.

A seconda del vostro livello di forma e dell'obiettivo che intendete raggiungere, gli esperti raccomandano un minimo di venti minuti di esercizi aerobici da tre a cinque volte la settimana. Scegliete una qualsiasi attività che coinvolga i grandi gruppi muscolari, che possa essere eseguita a livello cardiorespiratorio: marcia, nuoto, jogging, corsa, bicicletta, sci di fondo, pattinaggio a rotelle, danza, calcio, pallacanestro, tennis, ma anche una camminata in montagna, l'uso delle scale anziché dell'ascensore, una passeggiata in centro... L'intensità dell'allenamento è fondamen-

L'isostep, la macchina "per fare le scale", costituisce una buona opportunità di allenamento aerobico se non avete problemi alle ginocchia. Ma non imbrogliate: se vi appoggiate in avanti o curvate la schiena, annullate lo sforzo (sinistra). State invece eretti e lasciate che siano le gambe a lavorare (destra).

SBAGLIATO

GIUSTO

Quando usate una cyclette, evitate gli errori tipici di chi è inesperto (sinistra). Per sfruttare al meglio l'allenamento, assicuratevi che il sellino sia all'altezza giusta per sedervi comodamente ed evitare tensioni inutili.

SBAGLIATO

GIUSTO

tale e si misura in base al ritmo cardiaco: in genere l'obiettivo è raggiungere dal 65% al 90% della frequenza cardiaca massima.

Gli esercizi di potenziamento muscolare e di resistenza utilizzano lo sforzo progressivo offerto da speciali attrezzi, o dal peso del corpo, per incrementare la mole e la forza delle fibre muscolari e aumentare la capacità di eseguire l'attività fisica. Nonostante i pregiudizi esistenti, il lavoro di potenziamento muscolare e di resistenza non serve solo a chi fa sollevamento pesi, pugilato o body building, ma costituisce un mezzo efficace per migliorare lo stato fisico nel suo complesso, per trasformare il grasso in muscoli e per sollecitare il metabolismo.

"Caso clinico"

INDIETRO NEL TEMPO

All'età di cinquantadue anni, Elliott Galloway, atleta ai tempi del liceo, era obeso e conduceva una vita sedentaria. Riprese a correre e tornò gradualmente in forma, arrivando a sentirsi più giovane di vent'anni.

Ho visto un bambino non proprio dotato diventare uno dei massimi fondisti juniores del paese. Ho visto casalinghe diventare maratonete di livello mondiale e il mio vecchio amico Frank Shorter campione olimpionico. Ma la persona che mi ha colpito di più non è un campione bensì un uomo che ha cominciato a correre a cinquantadue anni.

A quell'età, Elliott si rese conto che oltre la metà dei suoi compagni di football del liceo erano morti per malattie degenerative. Dal canto suo, pesava quasi cento chili, mangiava una quantità esorbitante di grassi e non faceva alcun esercizio fisico. Il suo medico gli disse che, se intendeva continuare a vivere, doveva muoversi. Il grande giocatore di football dei tempi del liceo era convinto che trent'anni di inattività non gli avrebbero impedito di battere facilmente tutti quelli che facevano jogging nel parco. Ma la realtà fu assai più dura: quando cominciò il suo programma di allenamento, non riuscì a raggiungere nemmeno il primo palo della luce.

Elliott decise di spingersi ogni giorno fino al palo successivo. In quattro o cinque mesi fu in grado di correre per quasi un chilometro e mezzo: perdeva peso e tutto diventava più facile. All'inizio lo feriva dover ogni tanto camminare, ma scoprì che interrompere la corsa con brevi camminate faceva aumentare la sua resistenza e riduceva lo stress.

Continuò il suo programma e presto si rese conto di poter gareggiare sui cinque chilometri, poi sui dieci. Imparando a correre in modo efficiente si accorse che i suoi tempi erano ora assai vicini a quelli del college.

Lentamente il suo corpo si ricordò come correre. Nel 1978, dopo aver perso ventidue chili, Elliott si qualificò per la maratona di Boston, e qualche giorno prima del suo cinquantanovesimo compleanno corse la maratona di Callaway Gardens, in Georgia.

Questa storia mi coinvolge particolarmente, perché Elliot Galloway è mio padre. Vedere giorno per giorno la sua disciplina e il suo atteggiamento positivo e salutare, che lo hanno reso più giovane di vent'anni, è per me fonte continua di ispirazione. E lo è anche per mio figlio, che conoscendo il nonno si avvia a conoscere meglio se stesso.

Ci sono migliaia di storie come quella di mio padre e ciascuna è un atto di coraggio. Chi ce la fa, ha un significativo vantaggio psicologico nella battaglia contro l'invecchiamento. A che serve starsene seduti ad aspettare che le cose peggiorino? La scelta spetta solo a noi.

Tratto da On Running *(La corsa), di Jeff Galloway.*

La flessibilità è l'aspetto più trascurato della forma fisica. Quasi tutti si dedicano ad attività destinate ad accrescere la forza e la capacità aerobica, in parte anche perché molti dati scientifici esaltano questi due aspetti.

Gli esperti tuttavia sanno bene che la flessibilità è un elemento chiave, non solo per raggiungere un duraturo benessere generale, ma anche per ottenere prestazioni sportive di alto livello. Anche se il grado di flessibilità varia moltissimo da persona a persona, tutti, per evitare strappi o lesioni, dovrebbero eseguire degli stiramenti lenti anche se sostenuti.

Gli esercizi servono sostanzialmente a incrementare l'ampiezza di movimento dell'articolazione, che è determinata da molti fattori: la struttura stessa dell'articolazione e l'elasticità dei muscoli e dei tessuti connettivi (fascia, legamenti e tendini) che ad essa sono legati. Se non si lavora anche sulla distensione, con l'esercizio fisico i muscoli diventano non solo più forti ma anche più rigidi. Per questo ogni allenamento dovrebbe prevedere una serie di esercizi di *stretching*, non troppo impegnativi ma regolari. In questo modo si riduce la contrazione prodotta dal potenziamento muscolare, dalla corsa e da altre attività di resistenza, e si riduce anche il rischio di lesioni.

Il piacere di muoversi Tutte le informazioni tecniche sui vantaggi dell'esercizio fisico tendono a trascurare un aspetto importante: la gioia che si prova nel muoversi bene e nel sentirsi in forma. Per cominciare una nuova attività fisica o sportiva occorre armarsi di pazienza e di costanza, ma molti scoprono ben presto anche il piacere. C'è chi apprezza i vantaggi estetici che derivano dal miglioramento della circolazione e del tono muscolare; chi invece trova piacevole incontrare altre persone durante i corsi di ginnastica; chi infine scopre con entusiasmo di avere molta più energia di quanta ne aveva prima.

Rimanere in forma anche in età avanzata è diventato un obiettivo prioritario per un numero sempre crescente di persone. Secondo gli esperti, l'esercizio fisico regolare permette di sottrarsi a molti dei problemi legati all'invecchiamento. Per esempio, tanti dolori attribuiti all'artrosi sono in realtà il risultato dell'indebolimento muscolare, un problema che può essere efficacemente contrastato con esercizi di potenziamento adatti.

Lo sci è uno sport divertente per tutta la famiglia e i bambini sono sempre felici di provare a fare ciò che piace ai loro genitori. Fateli cominciare presto: sarà . più facile che sviluppino buone abitudini salutiste.

Le escursioni a piedi sono, per tutta la famiglia, un modo per fare esercizio in allegria. I percorsi ben segnalati in molte zone di montagna non richiedono alcun addestramento: un po' di cautela, scarpe adatte e un buon rifornimento di acqua è tutto ciò che occorre.

Camminare è forse l'esercizio più indicato per iniziare: non richiede equipaggiamento né abilità specifiche. Cominciate con calma, per esempio camminando a passo sostenuto per una quindicina di minuti e poi aumentando gradualmente la velocità e la distanza, via via che vi sentite di farlo. Perché l'allenamento sia completo, aggiungete qualche esercizio di potenziamento e un po' di *stretching*.

Valutare i rischi Anche se l'esercizio fisico regolare è essenziale per il benessere, ogni attività comporta qualche rischio. Nessuno che abbia più di quarant'anni dovrebbe cominciare un allenamento senza essersi sottoposto a un elettrocardiogramma sotto sforzo e a una visita medica completa. Chi intende impegnarsi senza il consenso del medico in un'attività aerobica, dove frequenza cardiaca e capacità polmonare vengono spinte al massimo, si espone a un serio rischio per la propria salute. Molti cominciano un'attività con entusiasmo e pensano che se un po' di esercizio fa bene, un esercizio più intenso deve fare ancora meglio. Attenzione: chi ha fretta è più esposto al rischio di lesioni. Indipendentemente dall'attività scelta, all'inizio andateci piano e usate l'equipaggiamento adatto. Certe attività aerobiche, come il tennis e il salto della corda, possono danneggiare le articolazioni. Scarpe alte e imbottite possono aiutare, ma una buona postura e una muscolatura addominale forte sono più importanti. Se lavorate sul potenziamento muscolare e sulla resistenza è indispensabile cominciare piano e aumentare molto gradualmente i pesi e la ripetizione degli esercizi. Se si ha fretta, il risultato finale è spesso uno stiramento doloroso e lento a guarire. Ma anche gli esercizi per la flessibilità possono provocare dolore e talvolta, se l'allungamento supera un certo limite, perfino un danno permanente al tessuto connettivo.

Meglio in compagnia Anche se sempre più persone cominciano a fare un'attività fisica, vari studi mostrano che la metà di esse smette dopo meno di un anno. Molti rinunciano per noia e scoraggiamento, ma poiché la forma fisica si mantiene solo con l'esercizio frequente e regolare, la motivazione a continuare è essenziale. Per questa ragione molti si iscrivono a palestre o centri dove possono lavorare in gruppo; altri invece convincono familiari, amici o colleghi di lavoro a far loro compagnia. Quasi tutti trovano che esercitarsi in compagnia rende più facile mantenere l'impegno preso.

I risultati costituiscono certamente una forte motivazione, ma il successo è più probabile quando si sceglie un'attività sportiva che piace davvero. Molti esperti consigliano di includere nel proprio allenamento sport ed esercizi diversi, per variare la propria attività e renderla più divertente. In più, nessun esercizio singolo può coprire tutti gli aspetti di una preparazione fisica globale: allenamento aerobico, potenziamento muscolare e flessibilità. Per esempio, la corsa sviluppa la capacità aerobica, ma tende a ridurre la flessibilità. La varietà riduce quindi il rischio di quei traumi, come le tendiniti, che sono spesso la conseguenza di un'attività singola.

Chi vuole trarre il meglio dal proprio allenamento può rivolgersi a un istruttore specializzato presso una palestra o a uno studio di medicina dello sport. Questi professionisti della forma fisica possono mettere a punto programmi di allenamento personalizzati, che tengano conto di ogni vostro punto debole. Molti hanno anche una buona conoscenza di anatomia, fisiologia, chinesiologia e prevenzione oltre che di vari sport, così da assicurare a ciascuno l'opportunità di conseguire il livello desiderato di forma fisica nel modo più sicuro possibile.

Andare in bicicletta è un'ottima attività aerobica, facile da fare in compagnia. Gli esperti suggeriscono di usare biciclette con i cambi, per poter affrontare più agevolmente le salite. Ricordatevi di usare un casco da ciclista per evitare le ferite alla testa in caso di caduta.

L'allenamento settimanale

Gli esercizi che proponiamo consentono di aumentare la forza e la flessibilità.
Associati a un'attività aerobica costituiscono un allenamento completo.
Per sentirsi pieni di energia occorre però trovare il proprio ritmo e adeguarvisi.

FATTI CON REGOLARITÀ, gli esercizi illustrati in queste pagine sviluppano la forza fisica e la flessibilità delle articolazioni. Perché l'allenamento sia completo si consiglia però di integrarli, a giorni alterni, con un'attività di tipo aerobico.

Frequenza cardiaca d'allenamento Come essere certi che l'intensità dell'attività aerobica che avete scelto è giusta? Una possibilità consiste nel determinare la "frequenza cardiaca d'allenamento", che si calcola sottraendo la vostra età da 220 e ricavando poi il 65% e il 90% del risultato. Quando fate un esercizio aerobico il numero delle pulsazioni al minuto dovrebbe trovarsi tra questi due valori. Se per esempio avete 50 anni, la vostra frequenza cardiaca d'allenamento sarà compresa tra 111 (220 – 50 x 65%) e 153 (220 – 50 x 90%) pulsazioni al minuto. Così, se durante l'allenamento il polso scende a meno di 111 battiti significa che non lavorate abbastanza sodo, mentre se sale oltre 153 vi conviene rallentare.

Come cominciare Il riscaldamento è parte essenziale di qualsiasi allenamento, perché consente al corpo di sintonizzarsi con

STIRAMENTO DEL TRONCO

Terminate *con uno stiramento verso l'alto. Portate le braccia ben tese sopra la testa, sentendo la colonna che si allunga. Inspirate mentre sollevate le braccia, espirate quando le abbassate.*

Con i piedi *paralleli e le ginocchia leggermente flesse, contraete gli addominali. Portate il mento verso il petto, curvando la parte alta della schiena.*

Raddrizzandovi *lentamente, stendete le braccia in fuori. Le ginocchia restano sciolte e gli addominali contratti.*

SCIOGLIERE IL COLLO E LE SPALLE

Sempre con i piedi paralleli e gli addominali contratti, descrivete lentamente un cerchio con la testa. Le spalle sono abbassate e i muscoli del collo si allungano. Ripetete più volte, invertendo il senso di rotazione.

Dalla stessa posizione, portate le spalle in avanti, in alto, all'indietro e verso il basso, descrivendo una rotazione fluida. Muovetevi lentamente, cercando di ampliare il movimento. Descrivete quattro rotazioni in ogni senso.

CURVARE LA COLONNA

Con le ginocchia leggermente flesse, abbandonatevi completamente in avanti e respirate profondamente per mezzo minuto. Ritornate in posizione eretta lentamente, vertebra dopo vertebra, modificando la posizione delle spalle e della testa solo alla fine.

Con i piedi paralleli, portate il mento verso il petto sentendo le prime vertebre che si arrotondano. Tenete gli addominali contratti, bene in dentro.

Lasciate andare in avanti le spalle curvando la schiena, una vertebra dopo l'altra, finché sentite di non poter andare oltre.

STIRAMENTI LATERALI

Sdraiatevi con le ginocchia flesse e le braccia oltre la testa. Afferrate il polso destro con la mano sinistra e, espirando, stirate tutto il lato destro.

Per stirare il lato sinistro, fate lo stesso movimento, invertendo semplicemente la posizione delle mani. Controllate che i muscoli addominali siano ben contratti.

ADDOMINALI

Stesi a terra, con le ginocchia flesse, le mani dietro la testa, e il mento sul petto, usate gli addominali per sollevare la parte alta della schiena. Espirate mentre vi sollevate e inspirate tornando lentamente a terra. Ripetete quindici volte, quindi aumentate gradualmente.

DISTENSIONE DELLA MUSCOLATURA LOMBARE

Stesi sul pavimento, con le ginocchia flesse e i piedi appoggiati a terra, abbracciate le gambe sotto le cosce e tirate le ginocchia verso il petto. Appiattite la schiena a terra e cercate di rilassare i muscoli intorno alle anche.

Allungate la gamba sinistra, continuando a tenere la destra. Descrivete dei piccoli cerchi col ginocchio destro, poi invertite la posizione.

il maggior dispendio energetico. Inoltre, sciogliendo i muscoli si prevengono affaticamento eccessivo e lesioni. *Sciogliere il collo e le spalle*, *curvare la colonna* e lo *stiramento del tronco* sono tutti esercizi di riscaldamento, ottimi anche per ridurre eventuali tensioni; per un effetto più intenso, respirate profondamente e con regolarità.

L'allenamento Una volta riscaldati, passate all'allenamento aerobico vero e proprio o agli esercizi a terra illustrati. Se fate un'attività aerobica, terminate riducendo gradualmente il ritmo per 5 o 10 minuti o con uno o più dei cinque esercizi a terra descritti qui.

Per lavorare sul potenziamento muscolare e sulla flessibilità occorrono almeno 30 minuti di esercizi a terra. Molti dolori di schiena sono dovuti alla debolezza della muscolatura addominale: la *bicicletta* e gli *esercizi per gli addominali* sono entrambi indicati. La *distensione della muscolatura lombare* aiuta invece a risolvere tensioni locali. In tutti gli esercizi a terra, fate attenzione a tenere gli addominali in dentro e la schiena piatta.

Gli *stiramenti con le braccia* e le *rotazioni delle gambe* aiutano a tonificare, allungare e potenziare la muscolatura dei fianchi e dei glutei. Gli *stiramenti con le braccia* andrebbero eseguiti con estrema gradualità, senza forzare mai se avvertite dolore. Nelle *rotazioni delle gambe*, concentratevi sull'allungamento e tenete le braccia, le spalle e la parte bassa della schiena ben appiattite a terra. Quando i *cerchi piccoli* diventano facili, cimentatevi in cerchi più ampi: più ampio il cerchio, più duro l'esercizio.

STIRAMENTO CON LE BRACCIA

ROTAZIONE DELLE GAMBE

Stesi a terra, *stendete la gamba e tiratela lentamente verso di voi. Lo stiramento non deve risultare doloroso, ma progressivo. Mantenetelo per circa mezzo minuto, poi cambiate gamba.*

Portate il ginocchio *verso il petto, poi stendete la gamba verso l'alto (se volete, flettete l'altra). Braccia, spalle e regione lombare esercitano una pressione verso terra.*

Con la punta del piede *tesa, disegnate dei piccoli cerchi, dieci in un senso e dieci nell'altro; poi cambiate gamba.*

BICICLETTA

Con la mano destra *sulla caviglia e la sinistra sul ginocchio, piegate la gamba destra e tiratela verso il petto. Il mento è sul petto e l'altra gamba è sollevata di quarantacinque gradi da terra.*

Ripetete venti volte, *alternando destra e sinistra. Gli addominali sono contratti e tengono la schiena premuta a terra.*

NUOTARE

Stesi *a pancia in giù, braccia e gambe allungate, sollevate la testa e stirate al massimo il braccio destro e la gamba sinistra, sollevandoli un po'.*

Mantenete *la posizione, poi riappoggiate braccio e gamba e scambiateli. Fate dieci ripetizioni, lente, da ogni lato.*

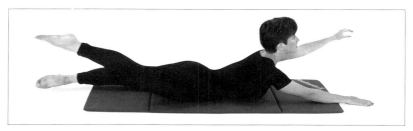

Con la testa *e il mento sollevati, alzate braccia e gambe. Fatele oscillare rapidamente, come nuotando.*

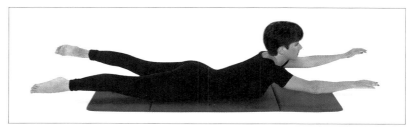

POSIZIONE DI RIPOSO

Portate il bacino *all'indietro, verso i talloni, allungate le braccia oltre la testa e rilassatevi.*

Anche l'esercizio che simula il *nuoto* aiuta a prevenire il mal di schiena. Eseguitelo molto lentamente, cercando di allungarvi sempre di più. Se la zona lombare vi crea qualche problema, meglio eseguirlo con un cuscino sotto i fianchi.

Stretching in coppia Prima di cominciare fate sempre gli esercizi di riscaldamento, da soli. La *trazione delle gambe* e gli *stiramenti laterali* si fanno in sequenza, senza cambiare posizione finché il compagno non li ha eseguiti entrambi. Ripetete cinque volte la *trazione delle gambe* e quattro volte per lato gli *stiramenti laterali*. Le *rotazioni dell'anca* andrebbero seguite subito dallo *stiramento con le braccia*. Chi le esegue deve disegnare lentamente dei cerchi completi; solo così renderà più sciolto il movimento dell'articolazione. Completate la sequenza con lo *stiramento dell'interno della coscia*, tirando piano e con delicatezza, finché il compagno vi dice di fermarvi; mantenete la posizione per trenta secondi. Chi si fa tirare deve cercare di rilassare la testa, la colonna vertebrale e i muscoli delle gambe, aiutandosi con respiri profondi.

STRETCHING IN COPPIA

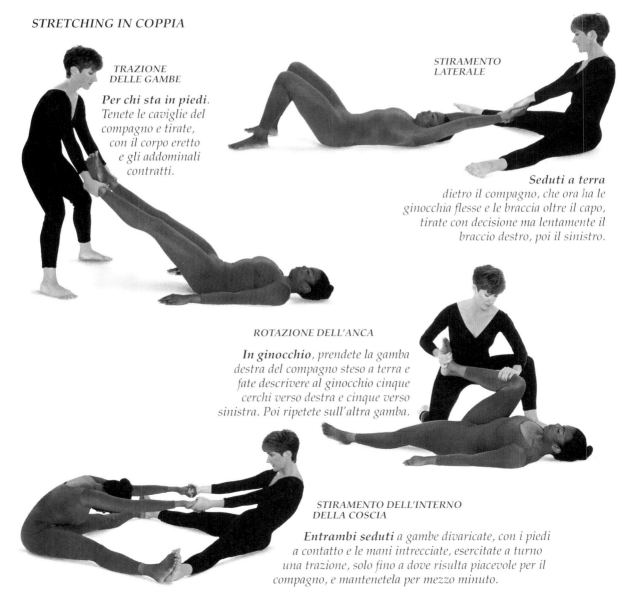

TRAZIONE DELLE GAMBE

Per chi sta in piedi. *Tenete le caviglie del compagno e tirate, con il corpo eretto e gli addominali contratti.*

STIRAMENTO LATERALE

Seduti a terra *dietro il compagno, che ora ha le ginocchia flesse e le braccia oltre il capo, tirate con decisione ma lentamente il braccio destro, poi il sinistro.*

ROTAZIONE DELL'ANCA

In ginocchio, *prendete la gamba destra del compagno steso a terra e fate descrivere al ginocchio cinque cerchi verso destra e cinque verso sinistra. Poi ripetete sull'altra gamba.*

STIRAMENTO DELL'INTERNO DELLA COSCIA

Entrambi seduti *a gambe divaricate, con i piedi a contatto e le mani intrecciate, esercitate a turno una trazione, solo fino a dove risulta piacevole per il compagno, e mantenetela per mezzo minuto.*

La miniginnastica

*Grazie alla ginnastica isometrica, o "statica", è possibile
trasformare i gesti quotidiani più abituali in veri e propri esercizi fisici,
di poco impegno ma di grande efficacia.*

TUTTI GLI ESERCIZI FISICI POSSONO ESSERE SUDDIVISI in due grandi categorie: quelli *isotonici*, detti anche "dinamici", e quelli *isometrici*, o "statici". I primi propongono movimenti che allungano il muscolo ma ne mantengono costante il tono (*iso* significa, appunto, uguale): per esempio la corsa, il nuoto... I secondi, al contrario, propongono posizioni "da fermo" che non allungano il muscolo ma ne aumentano la tonicità.

Negli esercizi isometrici i muscoli mantengono una posizione fissa, senza allungarsi né accorciarsi; il movimento viene arrestato in un dato punto o eseguito in opposizione a una resistenza, come quando si spinge con una mano contro un muro.

Facendo lavorare regolarmente i muscoli in posizione statica, con lentezza e concentrazione, si ottiene un effetto di rafforzamento e tonificazione dei tessuti. Non ci sono movimenti inopportuni ed è praticamente impossibile che si verifichino strappi o sovraccarichi. Un modo ideale per cominciare a vincere la sedentarietà.

COLLO, SPALLE

In bagno, con le braccia tese cercate di sollevare il lavabo senza flettere i gomiti. Mantenete la contrazione.

In autobus, afferrate la sbarra verticale con il braccio flesso. Senza cambiare posizione al braccio, spingete indietro il peso del corpo.

Tenendo una sedia dietro la schiena, spingetela verso l'esterno.

Dove si vuole, quando si vuole Si sa che l'automatizzazione e l'inattività che caratterizzano la vita moderna comportano un indebolimento fisico assai rischioso per la salute. Non tutti e non sempre, però, riescono a trovare il tempo e la buona volontà per praticare con costanza un'attività fisica. Uno degli aspetti più positivi della miniginnastica è che può essere eseguita praticamente ovunque e con poca fatica. La maggior parte degli esercizi può essere effettuata in ufficio, alla fermata del bus, in auto ai semafori rossi, in treno, durante una telefonata, facendo i lavori di casa, studiando, chiacchierando con un'amica. Non richiedono attrezzi specifici e quando occorrono dei pesi vanno benissimo gli oggetti di uso comune: le guide del telefono, le borse della spesa. Imparate a sfruttare i momenti e gli strumenti più impensabili, fate lavorare la fantasia.

Come eseguire gli esercizi Se imparate ad accentuare alcuni gesti naturali e a contrarre alternativamente alcuni gruppi muscolari, potete migliorare la vostra postura, eliminare le posizioni scorrette, ritrovare un portamento armonioso e soprattutto equilibrato. È importante inspirare mentre si contraggono i muscoli, mantenere la contrazione da cinque a venti secondi, ed espirare profondamente quando rilasciate i muscoli. Lavorate con gradualità, aumentando poco per volta la durata e l'intensità della con-

PETTORALI

Seduti a terra, *appoggiate i gomiti su due sedie e spingete i gomiti verso il basso.*

In automobile, *quando siete fermi a un semaforo o per un ingorgo, stringete il volante spingendolo verso il centro per qualche secondo. Poi tiratelo verso i lati, come se voleste allargarlo.*

SCHIENA E ADDOME

Seduti su una sedia, *sollevate le ginocchia il più in alto possibile e mantenete la posizione. Ripetete da cinque a venti volte.*

In ginocchio, *appoggiate entrambe le mani sul piano di una sedia e spingete verso il basso. Questo esercizio è efficace anche per le spalle e il collo.*

Ponete le mani *sul bordo di un tavolo appoggiato alla parete, contraete l'addome e cercate di spingere il tavolo verso la parete.*

ANCHE E GLUTEI

Appoggiatevi con un braccio *alla parete, portate indietro la gamba opposta, ben tesa, e mantenete la posizione per qualche secondo.*

Sul letto, o stesi a terra, *mantenete ben tese le gambe per cinque, venti secondi. Ripetete da cinque a venti volte. Oppure sollevate e riabbassate le gambe, sempre tese, da cinque a venti volte.*

Salite le scale *due gradini alla volta, senza reggervi al corrimano e facendo leva esclusivamente sulle gambe.*

trazione, e il numero delle ripetizioni: è sempre la scelta migliore! Durante l'esercizio può essere di aiuto lavorare d'immaginazione, pensando magari al risultato che si desidera ottenere.

Per rimanere in forma è essenziale che la pratica fisica sia costante: la regolarità conta infatti assai più dell'intensità dell'esercizio. Se i muscoli non vengono esercitati con costanza tendono ad atrofizzarsi e lasciano spazio agli accumuli di grasso.

Buone abitudini Anche la struttura ossea, se non è sollecitata regolarmente, può decalcificarsi a un ritmo più rapido del normale, dando luogo all'osteoporosi, che interessa in particolare le donne dalla menopausa in poi. Evitate di sedervi troppo spesso, fate una chiacchierata in piedi o andate a fare un giro di commissioni senza prendere l'automobile o l'autobus: sono tutte piccole azioni che combattono la fragilità ossea. Fare le scale a piedi invece che in ascensore (cominciando con gradualità, se sono anni che non lo fate e abitate a un piano alto) non solo dà vigore ai muscoli ma sollecita anche l'attività cardiaca. Respirare profondamente in momenti diversi della giornata ha un effetto calmante e dà all'organismo una salutare ventata di ossigeno.

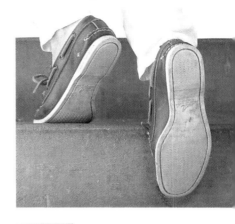

Appoggiando solo la punta del *piede su uno scalino, o sul bordo del marciapiede mentre aspettate il bus, flettete e poi sollevate il piede, mantenendo per qualche secondo l'allungamento.*

GAMBE

Seduti al tavolo, *per cinque o dieci secondi cercate di sollevarlo con le ginocchia.*

Se siete al telefono, *provate a stare seduti per qualche secondo senza la sedia, con la schiena appoggiata alla parete e le cosce ad angolo retto.*

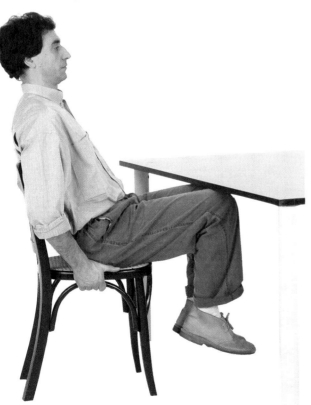

Quando siete al telefono, *seduti su una sedia, tenete un oggetto qualsiasi tra le ginocchia e stringete per almeno cinque secondi, da cinque a venti volte. Ripetete l'esercizio con le gambe allungate in avanti.*

La ginnastica nell'acqua

*Se la densità dell'acqua rappresenta una sfida per i muscoli dei nuotatori,
il suo sostegno facilita enormemente l'esercizio fisico nelle situazioni
più difficili o delicate: per esempio durante la gravidanza.*

L'USO DELL'ACQUA È OGGI ASSAI DIFFUSO nel trattamento di una varietà di problemi, non solo come vera e propria cura (ampiamente descritta nel capitolo sull'idroterapia, *vedi* pagg. 84-89) ma anche come spazio per il movimento.

Nella riabilitazione neuromotoria e articolare, così come nella preparazione al parto, l'acqua offre il vantaggio di un "sostegno" naturale che permette anche a chi è disabile, o particolarmente debilitato, oppure convalescente dopo un trauma, di muoversi più liberamente e con minori rischi. Nell'acqua, chi soffre di problemi articolari o muscolari può esercitarsi in modo da riprendere forza senza dover sottoporre la parte traumatizzata a uno sforzo eccessivo.

Al disabile, inoltre, l'acqua consente di sperimentare una libertà di movimento che è quasi altrettanto importante dei benefici fisici ricavabili dall'esercizio.

Un cuscino per il neonato Molte donne in gravidanza scoprono quanto può essere piacevole e confortevole, oltre che utile, fare ginnastica nell'acqua. Come chiunque altro, le donne incinte hanno bisogno di fare attività fisica, e molte desiderano arrivare fisicamente preparate al momento del parto. Ma con la parte centrale del corpo in crescita costante e il baricentro che si

Gli esercizi in acqua sono perfetti per mantenersi in forma nel corso di una gravidanza e prepararsi al parto. Il sostegno offerto dall'acqua al corpo rende più facile rimanere fresche e rilassate, nonostante l'aumento di peso. Per potenziare i muscoli addominali, in posizione supina tenetevi al bordo della piscina e muovete le gambe come se steste pedalando. Continuate così per qualche minuto.

sposta continuamente, esercitarsi nel modo abituale può diventare improvvisamente difficile, se non rischioso. In acqua, i problemi di stress circolatorio e di perdita di equilibrio sono praticamente inesistenti.

Partorire nell'acqua Anche il parto in acqua sta incontrando una popolarità crescente. In particolare si ritiene che il tepore dell'acqua e la possibilità di galleggiare liberamente nella fase dilatante del travaglio riducano notevolmente il dolore delle contrazioni. Per il neonato, poi, questa soluzione sembrerebbe la meno traumatica: il contatto delicato con l'acqua tiepida, infatti, suscita in lui sensazioni simili a quelle già vissute nella pancia della mamma. Anche in Italia, come nel resto del mondo, va aumentando il numero delle associazioni che si occupano della preparazione "acquatica" al parto, e degli ospedali dotati di piscinette per passare almeno una parte del travaglio in acqua.

Il nuoto Gli esercizi acquatici di qualsiasi tipo stanno incontrando un buon successo ovunque. Il nuoto ha da sempre i suoi sostenitori ed è spesso considerato l'esercizio ideale perché, a differenza di molte altre attività, causa pochissimi traumi. Nel

Che si tratti del mare, di un lago o di una piscina, la resistenza offerta dall'acqua a chi cammina immerso fino all'altezza della coscia è una grande risorsa per potenziare i muscoli e bruciare le calorie. Ma non solo: garantisce anche un buon allenamento aerobico senza affaticare le articolazioni.

ADDOMINALI

Con le spalle verso la parete *della piscina, nella zona in cui l'acqua è poco profonda, tenendovi al bordo unite i piedi e sollevate entrambe le gambe.*

Flettete *le ginocchia e portatele verso il petto. Stendete di nuovo le gambe e lasciatevi galleggiare. Ripetete tutto l'esercizio tre o quattro volte.*

contempo costringe i muscoli a lavorare contro la resistenza dell'acqua, che è dodici volte superiore a quella dell'aria. A ogni bracciata i muscoli vengono allungati e potenziati. A seconda della potenza con la quale nuotate, lo sforzo richiesto a cuore e polmoni può rendere l'esercizio decisamente aerobico.

Il nuoto sincronizzato Tuttavia il nuoto non è più l'unico sport che si può praticare in piscina. Il nuoto sincronizzato, anche se non è esattamente un'attività aerobica, accresce la resistenza e il controllo del respiro, tonifica e rinforza tutto il corpo e in particolare la muscolatura delle spalle, delle gambe, degli addominali. Le sequenze di esercizi da eseguire nell'acqua rappresentano un nuovo tipo di allenamento. Il lavoro fisico acquatico può essere mirato alla flessibilità, al potenziamento o alla preparazione aerobica: a seconda degli stili usati si ottengono infatti risultati diversi.

Potenziamento e resistenza Anche marciatori e corridori sono ormai entrati in acqua. Concepite in origine solo come tecniche di riabilitazione, la marcia e la corsa nell'acqua sono diventate, a pieno titolo, parti integranti dei programmi di allenamento degli atleti.

FIANCHI

1. Stiramento dei fianchi. In piedi, tenetevi al bordo della piscina con il braccio teso; l'altro braccio galleggia sull'acqua con il palmo verso l'alto. Spostate il bacino verso la parete, inspirando.

2. Espirate e allontanate il bacino dalla parete. Contemporaneamente piegate il busto sollevando sopra la testa il braccio libero. Inspirate riportando il braccio e il bacino nella posizione di partenza. Ripetete tre o quattro volte.

Anche i salutisti più entusiasti cominciano ad apprezzare questa attività, in parte perché è facile e, ammesso di avere accesso a una spiaggia o a una piscina pubblica, relativamente economica.

Camminare immersi nell'acqua fino ai fianchi non richiede una particolare abilità, e grazie alla resistenza offerta dall'acqua ci si muove lentamente ma, rispetto a una corsa o a una passeggiata, si brucia un'uguale quantità di calorie.

Per un bambino l'acqua è l'elemento più naturale. Quando ha almeno tre mesi potete cominciare a portarlo in piscina, e frequentare con lui un corso di nuoto per mamme e bambini. Sono sempre più diffusi e con istruttori specializzati: informatevi presso le piscine della vostra città.

GAMBE

1. Stiramento delle gambe. *In piedi, appoggiate al bordo della piscina, il peso è caricato sulla gamba parallela alla parete. Sollevate l'altra gamba prima in avanti quindi indietro, fin dove potete, tenendo il busto eretto. Alternate i due movimenti tre o quattro volte, poi esercitatevi sull'altra gamba.*

2. Ripetete l'esercizio *sollevando la gamba lateralmente, fin dove vi è possibile. Mantenete sempre il busto ben eretto.*

L'antica pratica dello yoga

*L'approccio orientale alla salute e al benessere è ormai diffusissimo
anche in Occidente. La pratica regolare dello yoga migliora la forma fisica,
ma aiuta anche a combattere lo stress e a concentrarsi meglio.*

*La meditazione aggiunge
una dimensione diversa
alla pratica dello yoga che,
per contro, favorisce il
rilassamento fisico totale
necessario per accedere agli
stati meditativi più profondi.
Qui, alcuni allievi di livello
avanzato eseguono
la classica posizione yoga
della* Candela.

LO YOGA NON È SOLO UNA GINNASTICA per la
disciplina del corpo e della mente, ma una
vera e propria filosofia. Sorto in India circa
cinquemila anni fa, da un punto di vista tecnico consiste in un'associazione di posizioni stilizzate, respirazione profonda e meditazione. Yoga è una parola che in sanscrito
significa "unione": lo yoga si propone come
fine ultimo appunto il ricongiungimento,
l'unione dell'anima dell'uomo con lo spirito dell'universo.

A dispetto dell'obiettivo, che può suonare ambizioso, oltre che decisamente impegnativo, molti hanno scoperto che i più
semplici esercizi di yoga sono eccellenti per
combattere lo stress e migliorare la condizione fisica nel suo complesso. Spesso lo yoga viene descritto unicamente come una serie di esercizi simili allo stretching, ma se
eseguito correttamente consente di aumentare la forza oltre alla flessibilità; ciò nonostante è così delicato da poter essere praticato da chiunque, a qualsiasi età. Una volta
appresa la tecnica di respirazione, lo yoga
diventa un potente mezzo per tenere sotto
controllo lo stress.

Una pratica antica Secondo alcuni documenti indiani lo yoga era già praticato nel
3000 a.C. La prima descrizione di questa disciplina, però, la troviamo in un testo parzialmente attribuito a Patanjali, medico indiano e studioso di sanscrito: anche se l'epoca non è certa, si ritiene che parti del
manoscritto risalgano al II secolo a.C. Nello yoga, l'importanza
di respirare correttamente ha origine nel concetto di *prana*, l'energia vitale che percorre tutto il corpo, dandogli vita e della quale la respirazione sarebbe la manifestazione fisica.

Controllando il proprio respiro una persona può controllare anche la propria energia.

Le posizioni yoga (chiamate *asana*) vengono accompagnate
in genere da una profonda respirazione che, facendo aumentare
il flusso di ossigeno al cervello e in tutto il corpo, riduce lo stress
e l'affaticamento e attiva l'energia.

Altro componente essenziale dello yoga è la meditazione.
Molti si affidano alla respirazione yoga come mezzo per rag-

RISCALDAMENTO: IL SALUTO AL SOLE

Inspirate *e alzate le braccia sopra la testa, con le palme delle mani a contatto. Guardate in alto, contraendo le cosce.*

Posizione di partenza: *piedi uniti, alluci a contatto.*

Espirando, *flettetevi in avanti e appoggiate le mani sul pavimento. Portate la testa verso le ginocchia.*

Completata l'espirazione, *alzate la testa e il tronco, con la schiena tesa. Guardate in avanti.*

Inspirate *e camminate all'indietro con i piedi, fino ad avere il corpo parallelo al pavimento.*

Se non ci riuscite, *o soffrite di dolori lombari, appoggiate leggermente le ginocchia a terra.*

Con il dorso dei piedi a terra, *sollevate la parte anteriore del corpo e guardate in su, senza lasciare andare la schiena. Se non ci riuscite, e se avete schiena o braccia deboli, tenete le ginocchia a terra e sollevate le anche.*

SALUTO AL SOLE (cont.)

Espirando, *spingete il bacino all'indietro e verso l'alto, in modo che il corpo formi una V rovesciata. Con i talloni premuti a terra, mantenete la posizione per cinque respirazioni complete.*

Inspirando, *piegate le ginocchia e portate i piedi fino alle mani. Guardate in avanti e sollevate il tronco.*

Espirando, *appoggiate le mani a terra vicino ai piedi e portate la testa verso le ginocchia leggermente flesse.*

Inspirando, *portate le braccia tese sopra la testa, con le palme a contatto. Guardate in su contraendo le cosce e i glutei. Espirando, tornate alla posizione di partenza. Per riscaldarvi, ripetete la sequenza da tre a dieci volte.*

giungere uno stato di meditazione profonda. Praticata con regolarità, la meditazione placa la mente e instaura un profondo rilassamento, capace di protrarsi per lungo tempo. Gli esperti di yoga la paragonano a una vacanza per la mente e affermano che la meditazione quotidiana aiuta a ridurre l'impatto di emozioni quali la rabbia, la paura e la depressione.

Secondo la tradizione sono otto i livelli attraverso i quali si raggiunge lo stato di beatitudine completa. Alcuni sono ormai noti in Occidente come forme a sé di yoga, e tra essi il più diffuso è l'hatha yoga, il cui scopo è raggiungere, attraverso posizioni e respirazione, uno stato di salute ottimale.

Presupposto di tutti i tipi di yoga è che corpo e mente siano strettamente connessi e in perfetto equilibrio. Questo significa, per esempio, non cercare di eliminare una tensione fisica senza pensare anche ai fattori psicologici sottostanti che possono aver contribuito al problema. L'integrazione di mente e corpo si ottiene, in parte, attraverso l'esecuzione lenta e attenta di ogni esercizio. Concentrandosi su ogni movimento si entra così in sintonia con il proprio corpo.

La pratica regolare promuove il rilassamento mentre la mente rimane concentrata su ciò che accade nel corpo.

Come cominciare Lo yoga presenta il vantaggio di poter essere eseguito quasi ovunque, senza attrezzature particolari, da persone di ogni età. Occorrono solo una stanza calda e tranquilla e una coperta, un materassino o un asciugamano. Conviene indossare vestiti ampi o elastici, per esempio calzoncini, tuta o calzamaglia. Lo yoga si esegue tradizionalmente a piedi nudi, anche se alcuni preferiscono indossare calze o scarpette morbide.

Per alcuni fare yoga appena alzati è un modo eccellente per ridare vitalità a corpo e mente, mentre la sera induce un sonno profondo e riposante. Altri preferiscono invece praticare gli esercizi fisici la mattina e quelli di respirazione e meditazione la sera. Non occorre che le sedute siano lunghe, purché siano quotidiane. Un quarto d'ora di esercizi e un quarto d'ora di respirazione e meditazione al giorno sono sufficienti per ottenere effetti positivi.

Potete sempre cominciare e concludere le sedute con la posizione del *Cadavere* che, nonostante il nome non proprio invitante, aiuta a rilassarsi completamente e a dare un senso di assoluto benessere al corpo. Stendetevi a terra supini, con le braccia lungo i fianchi, le palme in su e le gambe divaricate. In questa posizione, dedicate qualche minuto a rilassare consapevolmente ogni parte del corpo, dalla fronte alla punta dei piedi, e nello stesso tempo cercate di visualizzare la tensione che abbandona ogni muscolo. Potete ripeterla anche nel corso della seduta, per riposare il corpo tra un esercizio e l'altro.

Dopo esservi rilassati fisicamente, provate a meditare, respirando in profondità per calmare la mente. Alcuni trovano che ripetere mentalmente un suono (come il tradizionale OM), o visualizzare un'immagine che infonda tranquillità (un prato o il cielo), renda la meditazione più facile. Dieci o venti minuti di meditazione al giorno sono quasi sempre sufficienti a creare un profondo stato di calma e di rilassamento. Secondo alcuni, con

LA POSIZIONE DELL'ALLUCE

Flettetevi in avanti e afferrate gli alluci con pollice
e indice delle mani. Alzate la testa, inspirate e guardate
in avanti. Le prime volte, fate l'esercizio con le
ginocchia flesse.

Espirando, accentuate la flessione e tirate le
gambe con le braccia. Abbandonate la testa e il
collo, fate cinque respiri, inspirate e guardate in
avanti. Poi tornate alla posizione di partenza.

IL TRIANGOLO

Con le gambe divaricate (destra) e il piede sinistro
perpendicolare rispetto all'altro, inspirate e stendete le
braccia in fuori. Espirando, flettete il tronco sul fianco
e, con la mano sinistra, afferrate l'alluce sinistro,
mantenendo la posizione per cinque, otto respiri completi.
Risalite inspirando e cambiate lato. I principianti possono
afferrare lo stinco o la caviglia. Poi (sotto), dalla stessa
posizione di partenza, inspirate e stendete le braccia in
fuori. Espirate e ruotate il tronco verso sinistra, in modo
che il braccio destro tocchi terra vicino al piede sinistro,
e il braccio sinistro si allunghi verso l'alto. Fate cinque,
otto respiri, rialzatevi e ripetete sull'altro lato.
Ai principianti basterà
arrivare allo stinco
o alla caviglia.

L'ANGOLO

In piedi, con le gambe divaricate, ruotate verso l'esterno il piede
sinistro e verso l'interno il destro. Inspirando, stendete le braccia
in fuori poi, espirando, flettete il ginocchio sinistro portandolo
sulla linea della caviglia e appoggiate la palma sinistra
oltre il piede. Alzate il braccio destro, portando il mento
verso la spalla destra. Mantenete la posizione
per cinque, otto respiri completi poi, inspirando,
rialzatevi e cambiate lato. I principianti
possono mettere la mano davanti al piede.

SOLLEVAMENTO DEL GINOCCHIO

Sollevate *il ginocchio sinistro, inspirando. Flettete il piede, fate cinque, otto respiri completi poi, espirando, ritornate alla posizione di partenza. Ripetete cambiando gamba e cercate di portare il ginocchio al petto, aiutandovi con le mani.*

la pratica della meditazione si riesce anche a sfruttare appieno il proprio potenziale di intuito e creatività e a migliorare la concentrazione.

Gli esercizi di yoga prevedono una serie di posizioni che vanno eseguite lentamente e con estrema cura. La sequenza completa fa lavorare tutte le parti del corpo, allunga e tonifica i muscoli e nel contempo mantiene flessibili le articolazioni. Le posizioni più complesse hanno anche lo scopo di "massaggiare" gli organi interni. Soprattutto per i principianti, è una buona idea quella di cominciare sotto la guida di un maestro esperto, che possa fornire incoraggiamento e consigli pratici. Eseguite male o con sforzo eccessivo, le posizioni possono causare strappi e stiramenti.

Quando si fa yoga, la concentrazione su ogni singolo movimento è importante quanto l'esatta esecuzione di ogni posizione. Se avvertite dolore, ricordatevi di non insistere nello stiramento dei muscoli, né nel mantenere la posizione. Lo yoga non è uno sport competitivo e il punto dove riuscite ad arrivare è meno importante della tecnica corretta. Ogni *asana* (posizione) va ripetuta fino a tre volte; ma conviene farla una volta sola, nel modo giusto, piuttosto che tre volte di fretta e senza impegno. Cercate di eseguire le posizioni nell'ordine descritto, perché la sequenza è pensata per equilibrare i diversi gruppi muscolari.

IL GUERRIERO

In piedi, *fate un passo avanti col piede sinistro (arrivando fin dove potete). Ruotate il piede destro in fuori, inspirate e portate le braccia in alto. Rimanete così per cinque, otto respiri completi, ritornate alla posizione di partenza e ripetete sull'altro lato.*

Volendo proseguire *la posizione descritta sopra, espirate e abbassate le braccia fino all'altezza delle spalle, in modo da allinearle con le gambe. Fate cinque, otto respiri e ripetete sul lato opposto.*

FLESSIONE IN AVANTI DA SEDUTI

Seduti *con le gambe stese in avanti (o appena flesse, se siete principianti), inspirate. Afferratevi gli alluci con pollice e indice di entrambe le mani. Espirate e rialzate il torace, allungando la schiena.*

Con la schiena allungata *espirate, poi flettetevi in avanti con le cosce e gli addominali contratti. Fate cinque, otto respiri completi: inspirate, alzate la testa ed espirate.*

SOLLEVAMENTO DELLA SCHIENA

Sempre da seduti, *appoggiate le mani dietro di voi. Sollevate tutto il corpo e lasciate cadere la testa indietro. Fate cinque, otto respiri e, espirando, tornate seduti.*

Se siete principianti, *l'esercizio sarà meno faticoso se tenete il mento basso e guardate davanti a voi. Sollevatevi più che potete.*

FLESSIONE IN AVANTI SU UNA GAMBA

Stendete in avanti *la gamba sinistra e appoggiate il piede destro all'interno della coscia sinistra. Flettetevi in avanti e afferrate il piede sinistro. Inspirate, rialzate il torace con la schiena allungata e guardate in su. I principianti possono afferrare il ginocchio.*

Senza lasciare la gamba, *espirate e tirate un po', flettendovi in avanti. Con la schiena allungata, rialzate il torace e guardate in su. Fate cinque, otto respiri, poi lasciate andare la presa e tornate a sedervi, espirando. Ripetete il movimento alternando le gambe.*

Uno stile di vita sano La pratica dello yoga non sostituisce una cura medica, ma interviene piuttosto sulla prevenzione delle malattie e sull'equilibrio tra corpo e mente. Tuttavia molti praticanti di yoga sostengono di aver osservato cambiamenti fisiologici positivi.

Alcune ricerche hanno dimostrato, per esempio, che la pratica dello yoga è efficace contro disturbi come il mal di schiena, l'emicrania e l'insonnia. Ma c'è chi trova che sia utile anche per ridurre la pressione sanguigna, la frequenza cardiaca e i dolori articolari, oltre che per potenziare le articolazioni. Chi pratica lo yoga con regolarità acquisisce spesso una maggiore concentrazione, aumenta il tono muscolare e corregge la postura, raggiunge

TORSIONE VERTEBRALE

Stendete la gamba sinistra in avanti tenendo il piede flesso. Piegate la gamba destra, con il piede a contatto del corpo. Inspirando, stendete il braccio sinistro. Espirando, giratevi verso destra, portando l'avambraccio sinistro verso la coscia. Guardate all'indietro, al di là della spalla destra. Tenete la schiena eretta. Le prime volte, arrivate fin dove potete.

LA FARFALLA

Seduti, con le piante dei piedi a contatto tra loro, afferratevi le caviglie e tirate i talloni verso l'inguine. Inspirando, allungate la schiena e aprite il torace. Espirando, flettetevi in avanti. Con delicatezza, spingete le ginocchia verso il basso flettendo i muscoli dell'interno coscia. La schiena deve rimanere diritta. I principianti si flettano in avanti con cautela.

IL CADAVERE

Rilassatevi, restando stesi, completamente immobili, per dieci, quindici minuti. Lasciate che la mente segua il corpo nel suo riposo. Poi, se lo ritenete opportuno, fate una pausa di meditazione e contemplazione.

il proprio peso-forma. Se però siete in sovrappeso o soffrite di ipertensione, artrosi o ernia del disco, fate una visita medica prima di dedicarvi a questa disciplina.

Secondo alcuni medici lo yoga sarebbe particolarmente efficace in combinazione con altre discipline. Dean Ornish, medico e ricercatore nel campo delle malattie coronariche, ha condotto uno studio nel quale i pazienti, tutti sofferenti di coronaropatie, hanno praticato yoga e una moderata attività fisica, si sono sottoposti a una dieta vegetariana e hanno partecipato a gruppi di *self-help* (cioè di mutuo soccorso): i risultati hanno messo in evidenza come uno stile di vita di questo tipo sia in grado di modificare positivamente il corso della malattia.

"Caso clinico"

L'INTUITO DI UNA TERAPISTA YOGA

Spesso la meditazione aiuta il terapista a individuare intuitivamente la causa di una malattia. Ecco come Maureen Lockhart racconta di aver curato un paziente con difficoltà respiratorie.

Non è raro che l'intuito e la perspicacia acquisiti con la meditazione indichino la via giusta per aiutare l'altro.

Quando un osteopata mi inviò un paziente con un problema respiratorio, istintivamente notai che l'uomo aveva "un torace a barile, duro fuori, molle dentro". Questo non significava niente per me, finché non scoprii che l'uomo era un giornalista con fama da duro ma cuore tenero, e che da piccolo, per uno scherzo idiota, era quasi affogato in un barile di acqua.

Alla prima seduta lo osservai fare degli esercizi di respirazione e di stretching piuttosto facili, dai quali risultò evidente che aveva difficoltà a respirare correttamente. Inspirare, per lui, significava respirare acqua e annegare. Ogni tentativo di approfondire l'inspirazione gli provocava una reazione di panico. Riuscivo a vedere abbastanza chiaramente il suo problema, ma non sapevo come aiutarlo a risolverlo. Per un po' gli dedicai qualche minuto della mia meditazione quotidiana, ma non accadde nulla. Poi, il quarto o il quinto giorno, mi apparve la sua immagine con in mano una bellissima rosa rossa a stelo lungo. Non avevo ancora colto il significato del messaggio quando il mio allievo si presentò per la lezione successiva.

Poi capii. Gli domandai se gli piacevano i fiori e, avendo avuto risposta affermativa, gli chiesi se aveva idea di come si potesse sentire il profumo di un fiore. Gli spiegai che "sforzarsi" di sentirlo era inutile: l'unico modo è rimanere passivi e lasciarsene inebriare. Gli suggerii di provare con un fiore vero, poi con uno immaginario. All'inizio fu difficile, ma con questa tecnica imparò a respirare passivamente e ad approfondire gradualmente il respiro in modo da inspirare senza sentirsi teso né minacciato. Alla fine bastava ricordargli il fiore per vederlo abbandonare ogni tensione.

Dopo aver lavorato un po' sulla concentrazione, fummo in grado di esplorare il trauma originario. Tornò il bambino che per poco non affogava nel barile pieno d'acqua, ma un bambino che, nonostante la brutta esperienza, era ancora vivo e addirittura era diventato un uomo, vivo e senza più alcuna paura di cadere nel barile. Superare il blocco richiese tempo ma, infine, quest'uomo coraggioso e gentile smise di portare il suo barile con sé. Perse peso, mangiò meglio, dormì meglio e, quando un giorno mi telefonò per dirmi che non aveva più bisogno di me, era un uomo migliore.

Tratto da The Art of Survival *(L'arte di sopravvivere), di M.L. Gharote e Maureen Lockhart.*

Le arti marziali

La padronanza delle arti di difesa personale non richiede tanto forza bruta quanto piuttosto autodisciplina e un'intensa concentrazione. Elementi, questi, che accrescono l'armonia e la sicurezza.

POPOLARI SOPRATTUTTO COME MEZZO DI DIFESA PERSONALE, le arti marziali (tra le quali karate, judo e tai chi) sono praticate sia come attività agonistica sia come esercizio fisico per mantenersi in forma. Come tecniche di combattimento sono strettamente difensive; ma agli allievi si insegna anche a evitare le situazioni più pericolose e a non utilizzare in modo aggressivo ciò che hanno imparato.

Un elemento comune a tutte le arti marziali, nate in Asia orientale secoli fa e ormai diffuse in tutto il mondo, è l'obiettivo di sviluppare non solo il fisico ma anche la mente e lo spirito. Con mosse rigorose, assai disciplinate e ripetitive, corpo e mente imparano ad agire in armonia, istintivamente e con naturalezza.

Nonostante l'elaborata gamma di calci, pugni e posizioni che le caratterizzano, la maggior parte delle arti marziali dà enorme importanza all'autocontrollo e alla nonviolenza. I praticanti aderiscono a rigide regole di condotta e si inchinano sempre ai loro avversari in segno di rispetto.

Nei tornei tradizionali di karate, per esempio, gli avversari si toccano raramente: i colpi arrivano fino a un paio di centimetri dal corpo dell'altro. Nell'aikido, i maestri imparano a evitare i colpi finché l'avversario è sfinito o ferito. E se in Occidente l'obiettivo di ogni gara è vincere, nelle arti marziali asiatiche la vittoria ha un ruolo di secondo piano. Padronanza nei movimenti e delle forme, osservanza dei rituali (come l'inchino), acquisizione della disciplina personale e rispetto per il maestro e gli avversari sono tutti obiettivi di per sé significativi.

Le origini È provato che le arti marziali si praticavano già in molte parti del mondo nel 2000 a.C. C'è chi pensa che si siano sviluppate da antiche danze rituali in onore di eroi popolari, animali o fenomeni naturali. In seguito, i movimenti sarebbero stati adottati dai medici taoisti per rilassare il corpo dopo le lunghe meditazioni e dai monaci come mezzo di difesa personale.

Più probabilmente le arti marziali asiatiche hanno avuto origine in India e in Tibet, per poi diffondersi in Cina, Giappone e Corea. Secondo la leggenda, il monaco buddista Bodhidarma, fondatore del buddismo zen, (che prevede lunghi periodi di meditazione), viaggiò

I monaci buddisti del monastero cinese di Shaolin, culla del kung fu, usano le arti marziali per prepararsi ai rigori della pratica ascetica. Nella foto, un monaco esegue un elaborato esercizio prima di dedicarsi alla meditazione. Il monastero di Shaolin, fondato nel 496 d.C., accetta solo otto nuovi allievi l'anno.

per migliaia di chilometri dall'India alla Cina, oltre 1500 anni fa, per poi fermarsi a insegnare la dottrina ai giovani monaci del monastero di Shaolin. Trovando che gli studenti erano talmente indeboliti dall'inattività da addormentarsi durante la meditazione, Bodhidarma studiò diversi esercizi per aumentare in loro la forza e la resistenza. Questi esercizi, si dice, sono alla base di molte moderne arti marziali.

Un'ampia gamma di discipline Le arti marziali condividono in gran parte la filosofia di fondo, alcune tecniche di base e i metodi di addestramento, anche se nei secoli si è andata formando una varietà di scuole e di stili. In genere vengono classificate come "esterne" o "dure" arti come il karate o il judo, che danno maggiore importanza alla resistenza fisica e alla forza muscolare; mentre "interne" o "morbide" sono l'aikido e il tai chi, più mirate al rilassamento e al controllo. Ma qualunque sia la loro classificazione, tutte le arti marziali richiedono un'attività fisica impegnativa: per un'esecuzione perfetta occorre un lungo periodo di serio addestramento. In queste pagine trovate descritti alcuni dei metodi più diffusi.

Kung fu Termine generico usato per descrivere molte arti di combattimento cinesi, è assai noto ma poco compreso. In Cina, una lunga tradizione di arti marziali ha garantito nei secoli alla

La pratica del karate può cominciare prestissimo. Siccome la perfezione richiede forza di volontà, più che forza fisica, l'età non rappresenta un ostacolo. Questo giovanissimo karateka, per esempio, ha cominciato a due anni: a otto era già cintura nera, secondo dan.

popolazione protezione in una terra frequentemente lacerata da guerre e conflitti.

In gran parte del paese, il kung fu viene ora chiamato *wushu*, termine del dialetto mandarino che in origine indicava diverse arti marziali cinesi. Il nome kung fu, che proviene dal dialetto cantonese, è invece più usato in Occidente.

Ma se le origini precise del kung fu si perdono nella notte dei tempi, si sa invece che il monastero cinese di Shaolin è stato a lungo il suo principale centro di diffusione. Anche quando gli invasori Manciù riuscirono a distruggerlo parzialmente (in seguito è stato restaurato), i monaci sfuggiti insegnarono clandestinamente le loro arti di difesa ai contadini e alla povera gente in tutto il paese.

L'addestramento al kung fu era allora rigorosissimo. Gli allievi affrontavano un lungo periodo di attesa e di lavoro manuale prima di iniziare la pratica con un maestro. Poi passavano mesi a esercitarsi sulle posizioni di base e solo in seguito cominciavano l'apprendimento dei movimenti stilizzati. Una volta padroneggiati gli aspetti fisici dell'arte marziale, gli studenti di livello superiore si dedicavano agli esercizi di meditazione e respirazione, per dirigere meglio le loro energie. Il *nai guang*, o forza interiore, era il prodotto, e in effetti anche il fine, di lunghi anni di disciplina e di pratica.

Anche se oggi l'allievo non affronta né la lunga attesa né il tirocinio manuale, l'addestramento è ancora molto simile a quello tradizionale. Ci sono decine di stili di kung fu, ma in tutti l'acquisizione della posizione ha un'importanza fondamentale e il raggiungimento della perfezione ri-

*Il **kendo**, un'arte marziale giapponese, è uno stile orientale di scherma. Protetti da un'armatura e da una maschera, gli allievi si impegnano in un duello rituale con armi di bambù.*

chiede anni di autodisciplina, di concentrazione e duro lavoro.

Gli allievi di livello superiore spesso proseguono con l'addestramento all'uso delle armi. Assai varie per misura, foggia e uso, le armi del kung fu sono considerate estensioni della mano; gli allievi praticano quindi gli stessi colpi e le stesse mosse di base dell'addestramento a mani nude. Un'altra tecnica avanzata è quella del "palmo di ferro": all'inizio gli allievi infilano le mani in un secchiello di sabbia fine, per rafforzarle; poi, quando si sono abituati alla resistenza della sabbia, affrontano gradi via via più difficili, dalla ghiaia ai sassi, per finire con limatura di ferro o cuscinetti a sfera. Si tratta ovviamente di un addestramento da non intraprendere mai senza la guida di un maestro.

Karate Un tempo la più nota fra le arti marziali, anche il karate, come già il kung fu, consiste in una varietà di stili di combattimento basati su colpi assestati con le mani e con i piedi. La leggenda vuole che sia nato nell'isola di Okinawa quando, proibito per legge il porto d'armi, gli abitanti dovettero mettere a punto forme segrete di combattimento disarmato per proteggersi dai conquistatori e dalle scorrerie dei pirati.

In Giappone si diffuse nel XX secolo, dopo che il principe Hirohito, avendo assistito a una dimostrazione di arti marziali di Gichin Funakoshi, ne rimase così impressionato da invitare il maestro a insegnare a Tokyo. Dal Giappone, il karate raggiunse

L'arte astuta di spingere a terra l'avversario è essenziale nel judo, una delle arti marziali più note al mondo. Qui un maestro mostra in che modo eseguire correttamente la mossa sul fianco.

Dopo avergli fatto perdere l'equilibrio, il maestro mette la mano intorno alla vita dell'avversario. Poi, con un ampio movimento circolare, lo fa scivolare sul proprio fianco.

Imparare ad atterrare bene è un altro elemento importante del judo. Ma nelle competizioni il punteggio viene attribuito in base alle mosse di attacco e non all'eleganza delle cadute.

la Corea, dove si sviluppò nel *tae kwon do*, che letteralmente significa "la via dei calci e dei pugni". Benché le due arti siano simili, il tae kwon do dà maggiore importanza all'uso delle gambe, mentre il karate si affida in misura uguale a braccia e gambe. Anche il pugilato thailandese è stato fortemente influenzato dal karate.

Esistono molti falsi miti su questa arte di combattimento. La pratica, per esempio, non prevede, come invece molti credono, la rottura di tavolette o mattoni: si tratta di prodezze fatte solo per dimostrazione. La "mano a coltello" è assai meno usata rispetto ai pugni, e anche i calci in volo sono piuttosto rari. Come per la maggior parte delle arti marziali, la pratica del karate è pensata soprattutto per sviluppare una tecnica corretta, per coordinare mente e corpo e dirigere l'energia. La concentrazione di un maestro di karate può essere tale che, a quanto si dice, un suo sguardo è sufficiente per mettere in fuga l'avversario.

Coloro che praticano il karate lavorano a piedi nudi e indossano un particolare kimono, il *karate-gi*, chiuso da una cintura colorata, a seconda del livello raggiunto. Prima di salire sulla pedana per la lezione, gli studenti si inchinano in segno di rispetto. Poi, dopo essersi allineati secondo il colore della cintura, fanno qualche minuto di meditazione per attivare l'attenzione. Il riscaldamento può comprendere esercizi di *stretching* o di ginnastica, quindi inizia la pratica delle tecniche di base, dei calci, dei pugni, dei colpi e delle parate. Terminata questa fase, gli allievi cominciano a eseguire tutti insieme un *kata* (forma), cioè una sequenza di movimenti. Sviluppate secoli fa, le forme sono difficili da imparare e possono richiedere anni di applicazione. Le lezioni finiscono con combattimenti liberi, a coppie. Il combattimento libero, energico e impegnativo, permette agli allievi di usare il loro repertorio di tecniche e forme; i colpi, però, si arrestano appena prima del punto di impatto con l'altro corpo.

In un centro di riabilitazione *californiano, i paraplegici apprendono l'antica arte del kung fu. Un istruttore in carrozzella (cintura nera, ottavo dan) mostra come il kung fu lo abbia reso pienamente sicuro di sé. In effetti il suo grado di preparazione è elevatissimo.*

Judo Più sport da competizione che mezzo di difesa personale, nel judo sono fondamentali la postura, l'equilibrio e la valutazione dell'avversario.

A chi non lo conosce, la lezione può sembrare simile a quella di karate. Gli allievi indossano kimono simili (chiamati però *judo-gi*) chiusi dalle stesse cinture colorate, si inchinano l'uno verso l'altro e si muovono in rigorose sequenze. Scopo del judo però è proiettare a terra l'avversario e trattenervelo per un certo tempo, immobilizzandolo con le braccia. La padronanza di questa arte dipende più dall'equilibrio e dall'agilità che dalla forza: imparando a piegarsi quando un avversario spinge e a muoversi verso di lui quando tira, gli si fa perdere l'equilibrio e risulta così più facile metterlo a terra.

Nonostante lo scopo sia di atterrare l'avversario, per evitare di farsi male gli allievi devono apprendere l'arte sottile della caduta. Durante l'*ukemi* (la pratica della caduta), si impara ad assorbire con le mani l'impatto al suolo.

Tai chi chuan Descritto ampiamente nelle pagine che seguono, il tai chi dà grande importanza alla respirazione e alla meditazione, oltre che alla forza e alla flessibilità. Basandosi sul presupposto che l'energia vitale circola lungo i canali del corpo detti meridiani, i movimenti del tai chi fanno circolare questa energia stimolando i vari organi. Per questa ragione nella medicina cinese il tai chi è considerato come una vera e propria terapia.

Aikido Arte marziale giovanissima, l'aikido è una disciplina sottile e stilizzata, nata in Giappone negli anni Venti. Anche se gli allievi imparano a sottomettere l'avversario con centinaia di movimenti, prese, leve, tecniche di fuga, l'essenza dell'aikido è profondamente non competitiva. In pratica si tratta di una tecnica di ribaltamento dell'avversario come il judo, ma molti dei

Tutte le arti marziali sono anche tecniche per combattere la tensione e lo stress. Alcuni allievi che hanno già appreso le mosse di base dell'aikido si allenano con bastoni leggeri detti jo. L'aikido è una felice combinazione di sport e di filosofia, di movimenti armoniosi e di disciplina.

suoi movimenti assomigliano alle sequenze fluide e quasi danzate del tai chi. Scopo dell'aikido è armonizzare l'energia (*Qi*) dei due contendenti, in modo che entrambi si trovino disarmati sia fisicamente sia emotivamente.

Scegliere un metodo Le arti marziali non sono adatte a chi cerca un modo rapido e facile per stare in forma o per difendersi. Quasi tutte, infatti, richiedono mesi o anni di allenamento disciplinato con un maestro (un *sensei* in giapponese, un *sifu* in cinese). La frequenza delle lezioni può variare: da settimanale a quotidiana. La durata media degli allenamenti è di un'ora. La sala dove si svolgono è detta in giapponese *dojo*, che significa "sala consacrata all'apprendimento", e in cinese *kwoon*.

Un maestro di arti marziali dimostra la sua forza infilando il braccio in un barilotto stipato di semi di soia secchi. Non è una spacconata né una dimostrazione di forza bruta: l'abilità del maestro è il frutto di lunghi anni di addestramento fisico e mentale.

In molte città, oggi, ci sono diverse scuole di arti marziali. Nella scelta, lasciatevi guidare dai vostri interessi e dal vostro temperamento. Se vi piacciono gli sport competitivi, potete prendere in considerazione il judo.

Se desiderate un buon esercizio fisico e qualche tecnica di difesa personale, kung fu e karate sono più adatti. Tai chi e aikido sono più gentili, quasi forme di meditazione in movimento che, secondo coloro che li praticano, avrebbero un effetto calmante su mente e corpo, senza affaticare le articolazioni.

La ricerca della salute e del benessere Come ogni attività fisica, le arti marziali fanno bene alla salute se sono praticate con regolarità. Molti stili sono ideali non solo per sviluppare la forza ma anche per accrescere flessibilità e tono muscolare, soprattutto nella parte inferiore del corpo, nella schiena e nell'addome. Per l'attenzione che rivolgono alla concentrazione e al rilassamento, costituiscono anche un ottimo antidoto contro lo stress. È ovvio che alcune arti si prestino ad essere usate soprattutto come mezzi di difesa. Benché questo risulti più evidente in quelle "dure", come il karate, anche un'arte marziale "morbida" come il tai chi chuan può risultare inaspettatamente utile.

Alcuni esperti, tuttavia, sottolineano che il vero vantaggio delle arti marziali è la sicurezza di sé che gli allievi acquisiscono con la pratica; una sicurezza tale da farli sentire a proprio agio praticamente in ogni situazione.

Qualunque sia il metodo scelto, le arti marziali richiedono sempre di essere praticate solo quando si è in buona salute: prima di cominciare, pertanto, scegliete bene la tecnica che volete seguire (frequentando magari qualche lezione di prova) e fate due chiacchiere con il vostro medico di fiducia circa gli eventuali rischi cui potete andare incontro.

La porta dello spirito

Don Ethan Miller ha cominciato a studiare le arti marziali come mezzo di difesa personale. Ma via via che la sua abilità fisica aumentava, ha scoperto anche le dimensioni spirituali di questa antica pratica.

Ho cominciato a studiare le arti marziali orientali vent'anni fa, quando ero un ragazzino furbo e occhialuto, basso e grassottello, dell'Upper West Side di Manhattan. Odiavo non riuscire a difendermi dalle bande di ragazzacci, per evitare le quali e arrivare a scuola incolume avevo dovuto organizzare un vero labirinto di percorsi alternativi. Benché la mia motivazione originaria fosse l'autodifesa, qualcos'altro s'impossessò di me fin dalla prima volta che misi piede in una palestra di judo, nel 1960.

Alla conquista dei poteri della mente.

Mi affascinò l'ambiente: un immenso spazio aperto, coperto di stuoie, con le scarpe allineate fuori dalla porta. C'era un mistero che superava il fascino per l'esotico, un mistero al quale oggi posso dare un nome: le arti marziali hanno rappresentato per me il passaggio verso esperienze che vanno al di là dei normali "limiti", verso regni dove categorie comuni come conflitto e paura, sforzo ed energia venivano ribaltate e completamente ridefinite.

Così, quando oggi mi accingo a spezzare in un colpo solo tre blocchi di calcestruzzo di cinque centimetri, uno sopra l'altro, non chiamo a raccolta tutta la mia forza. Piuttosto mi rilasso, porto la mia attenzione al ventre e alle gambe. Respiro profondamente e mentalmente, porto l'aria nel tronco, nelle gambe e nelle braccia. Immagino una linea di forza che da terra mi sale attraverso le gambe, poi scende dal braccio e infine esce dalla palma della mano, attraversa i blocchi e ritorna a terra. Non sono più uno scrittore di trentadue anni in scarpe da tennis nel cortile di casa; sono un esploratore spirituale che si prepara a un viaggio in un mondo diverso.

Non colpisco i mattoni, non li rompo. Invece faccio un profondo respiro, lo trattengo per mezzo secondo, poi lo lascio andare improvvisamente ma con naturalezza, concentrandomi su questa linea di forza e consentendo al mio braccio di esprimerla. La mia palma passa proprio dove si trovano i blocchi, ma è come se si fossero aperti proprio l'istante prima di essere raggiunti dalla mano. Non avverto nemmeno l'impatto, la reazione, il dolore. Ore dopo, ciò che resta non è la sensazione di aver distrutto qualcosa, ma piuttosto di essere in armonia con la forza misteriosa ma molto reale della vita stessa. Passare attraverso i mattoni è solo la via che conduce a un mondo diverso.

Il vero significato delle arti marziali, in altre parole, non ha tanto a che fare con prodezze fisiche come la rottura dei mattoni e nemmeno con il combattimento, quanto, piuttosto, con una profonda conoscenza di noi stessi. Non abbiamo bisogno di avere paura, il nostro potenziale di energia, di consapevolezza, di coraggio e di compassione è assai maggiore di quanto ci abbiano fatto credere. Le arti marziali ci dicono che tutti i nostri limiti personali possono essere superati, a cominciare dal prossimo respiro, purché sia profondo.

Tratto da un saggio di Don Ethan Miller apparso in The Overlook Martial Arts Reader (Il lettore distratto di arti marziali), *a cura di Randy F. Nelson.*

Tai chi: il fine supremo

I movimenti lenti e quasi danzati di quest'arte marziale attraggono, per diversi motivi, numerosi allievi. Molti lo praticano per puro piacere, altri per sviluppare al massimo autocontrollo, concentrazione e armonia.

In molte città orientali *non è raro incontrare qualcuno che pratica il tai chi al parco o in altri spazi aperti, in particolare al sorgere del sole. Secondo la filosofia cinese, infatti, il Qi della natura circola con la massima intensità all'alba. Per questo i praticanti si ritrovano spesso in gruppo per salutare l'inizio del nuovo giorno.*

ARTE MARZIALE TRA LE PIÙ NOTE, il tai chi chuan (detto più semplicemente tai chi) è sia una strategia di difesa personale sia, soprattutto in Occidente, una tecnica di ginnastica dolce. Il suo nome cinese significa "pugno del fine supremo", in riferimento al particolare status che gli viene riconosciuto tra tutte le arti marziali.

Il tai chi è una sequenza di posture che si evolvono l'una nell'altra. Le sequenze o forme variano per complessità: alcune prevedono diciotto, altre più di cento posture diverse. Gli studenti si muovono da una postura all'altra in un movimento fluido, simile a una danza. Benché apparentemente non si tratti di un esercizio impegnativo, come il karate o il judo, occorrono anni per impararlo. I movimenti si apprendono con lentezza e concentrazione, in uno stato di azione riposante nella quale la mente può soffermarsi su ciascun gesto. Ma il ritmo della lezione può accelerare via via che gli allievi acquistano maggiore abilità e agilità.

Le radici del tai chi Le origini del tai chi sono oscure. Da alcuni documenti risulta che fosse già praticato cinquemila anni fa: in alcuni antichi disegni cinesi si possono vedere infatti dei monaci che eseguono movimenti assai simili a quelli del tai chi. Secondo altre fonti l'iniziatore del tai chi sarebbe un monaco del XIII secolo, studente di kung fu presso un monastero cinese, che avendo assistito alla lotta tra un uccello e un serpente, notò come quest'ultimo riuscisse a evitare gli attacchi dell'uccello con movimenti sottili e rapidi. Proprio da queste osservazioni scaturì l'arte del tai chi.

Come l'aikido, l'arte marziale giapponese, anche il tai chi è influenzato dalla filosofia del Tao, "la Via". Lao-tze, il filosofo cinese fondatore del taoismo, sottolineava come il genere umano dovesse cercare l'armonia con la natura e con tutto l'universo. Quando c'è piena armonia, le cose funzionano senza sforzo e spontaneamente, in accordo con le leggi naturali. Anche il corpo segue gli stessi principi. «L'uomo, quando è vivo, è morbido e duttile» scriveva Lao-tze «e l'albero è tenero e fragile.» Chi pratica il tai chi sa che morbidezza e duttilità si sviluppano coltivando la forza vitale, il *Qi*, che scorre attraverso il corpo.

La chiarezza nella contraddizione Tra gli aspetti più affascinanti del tai chi sono le contraddizioni e gli apparenti paradossi, radicati nel concetto cinese di yin e yang, la legge degli opposti complementari. Lo stato di vigile rilassamento, per esempio, è essenziale per l'esecuzione di ogni movimento. Il corpo dovrebbe rimanere morbido, ma non fino al punto di afflosciarsi. Così, in ogni movimento è contenuto un accenno di segno opposto. Una svolta a destra, per esempio, comincia sempre con un'impercettibile rotazione a sinistra; un movimento verso l'alto comincia sempre con un leggero abbassamento. Le stesse spinte riescono meglio se non si applica alcuna forza: le braccia e le spalle sono rilassate, i gomiti ricadono liberamente e i palmi dei due avversari si incontrano senza toccarsi. Ogni movimento, nel tai chi, descrive un cerchio, una spirale o un arco, con un effetto definito talvolta come "ricerca curva della linearità", in riferimento all'indispensabile curvatura degli arti.

Il paradosso più grande del tai chi è quello relativo al principio di duttilità. Elasticità esteriore e fermezza interiore, insieme, possono avere la meglio contro la forza bruta. Nelle tecniche di autodifesa, i praticanti di tai chi non cercano mai lo scontro fra due forze ma piuttosto cedono per evitare il colpo dell'avversa-

Una sequenza di base

Le posture presentate in queste pagine illustrano una delle sequenze di base del tai chi. Anche se destano il vostro interesse, ricordate che quest'arte può essere appresa solo con l'aiuto di un maestro.

1a

Partenza
*State comodamente
in posizione eretta,
con le mani lungo
i fianchi e i piedi uniti.*

1b

Spostate *il piede sinistro
verso sinistra e alzate
lentamente le braccia fino
all'altezza delle spalle.*

1c

Fate scorrere *le mani
verso le spalle con un
movimento lento,
continuo e fluido.*

1d

Ora, *flettendo
leggermente le gambe,
riabbassate le mani
verso i fianchi.*

CAREZZARE LA CRINIERA DEL CAVALLO

2a

Con il peso *caricato sulla gamba destra e la punta del piede sinistro a terra, "tenete la palla" tra le mani.*

2c

Spostate il peso *sulla gamba sinistra. Alzate la mano sinistra in diagonale e spingete verso il basso con la palma destra.*

2b

Avanzate *con la gamba sinistra, descrivendo un angolo di 45° e appoggiate il tallone.*

TENERE LA PALLA

3a

Con il peso *sulla gamba che sta dietro, "tenete la palla" con la mano sinistra sopra e la destra sotto.*

rio e poi si servono della spinta ricevuta per restituirlo. Come avverte una massima popolare: "Quattro once possono farne ruzzolare mille".

Movimento concentrato I movimenti del tai chi si imparano quasi sempre in lezioni collettive, da ripetere a casa una volta memorizzate. Non ci sono divise particolari: bastano vestiti comodi e piedi scalzi o scarpe morbide. In genere le lezioni non sono competitive e non sono previste cinture colorate per indicare il livello di esperienza, come avviene in altre arti marziali. Sono però in corso trattative per includere il tai chi tra le specialità olimpiche: in tal caso sarebbe necessario studiare e applicare standard oggettivi di valutazione.

Le lezioni iniziano di solito con qualche minuto di meditazione, allo scopo di calmare la mente e risvegliare l'energia; poi gli allievi praticano le forme, sia per sviluppare equilibrio e coor-

AFFERRARE LA CODA DELL'UCCELLO

3b

Spostate il peso *in avanti sulla sinistra, la punta del piede destro è vicino al sinistro, voltate il corpo verso destra.*

4a

Fate un passo *verso destra con la gamba destra e spingete in avanti l'avambraccio. Premete con la mano sinistra verso il basso.*

4b

Sollevate *la mano sinistra fino all'altezza della destra e, nello stesso tempo, ruotate la palma destra in giù.*

AFFERRARE LA CODA DELL'UCCELLO (continua)

Spostatevi all'indietro caricando il peso sulla gamba sinistra e trascinando le mani nel movimento.

4c

Spostate il peso in avanti sulla gamba destra. Con la palma sinistra sul polso destro, spingete l'avambraccio in avanti.

4d

Separate le mani, sempre continuando a mantenere il peso in avanti, caricato sulla gamba destra.

4e

Riportate il peso indietro sulla gamba sinistra e trascinate le mani indietro, verso il petto.

4f

Infine spostate il peso del corpo in avanti spingendo in fuori anche le palme delle mani.

4g

MUOVERE LE MANI COME NUVOLE

Voltate il corpo verso sinistra. La palma destra ruota in senso orario e la sinistra in senso antiorario.

5a

COLPO DI FRUSTA

5b

Voltatevi verso destra e fate un mezzo passo verso sinistra col piede destro. Invertite la rotazione delle braccia. Ripetete quattro volte.

La mano destra è in posizione "a becco d'uccello"; appoggiate le dita della sinistra sul polso destro. Fate un passo verso sinistra e spostate il peso in avanti, flettendo il ginocchio. Allungate il braccio sinistro in avanti, con le dita rivolte in alto.

SPAZZOLARE IL GINOCCHIO E PREMERE (lato destro e sinistro)

6a

6b

6c

Fate un passo all'indietro, sollevando la palma destra; appoggiate la sinistra vicino al gomito destro.

Fate un passo in fuori con la gamba sinistra. Spingete in avanti la mano destra, mentre la palma sinistra passa sopra ("spazzola") il ginocchio corrispondente.

Fate un passo all'indietro e alzate la palma sinistra, appoggiando la palma destra vicino al gomito opposto.

6d

Fate un passo in fuori con il tallone destro. Mentre la mano sinistra viene spinta avanti, la destra "spazzola" il ginocchio corrispondente.

FERMATA, PARATA E PUGNO

Questa fotografia mostra, di seguito, la sequenza descritta qui sotto. Anche se le posizioni vanno imparate separatamente, una per una, quando il movimento viene eseguito deve risultare fluido e aggraziato.

7a   7b

7c   7d

Appoggiatevi all'indietro sulla gamba sinistra flessa, abbassate il pugno sinistro e appoggiate la mano destra presso la spalla. Fate un passo in avanti con il tallone sinistro e colpite con il pugno corrispondente. Appoggiate la mano destra vicino al gomito sinistro.

Accostate il piede destro al sinistro, sul quale è caricato il peso. Con il pugno sinistro accanto alla vita, parate un colpo immaginario con la palma destra. Fate un passo in avanti col piede destro e sferrate un pugno con la mano sinistra.

TENERE LA PALLA   **AFFERRARE LA CODA DELL'UCCELLO**

8

Appoggiatevi all'indietro
sulla gamba sinistra flessa e
"tenete la palla" con la mano
sinistra sopra e la destra sotto.

9a

Fate un passo in fuori con la
gamba sinistra e spingete in avanti
l'avambraccio sinistro. Premete con
la mano destra verso il basso.

9b

Sollevate la mano destra
fino alla sinistra. La palma
della mano sinistra ruota
verso il basso.

9c

Sedetevi leggermente
all'indietro sulla gamba destra
e portate le mani verso di voi.

9d

Spostate il peso sulla sinistra.
La palma destra sul polso sinistro,
spingete l'avambraccio in avanti.

9e

Portate le mani verso
il petto caricando il peso
sulla gamba destra flessa.

dinazione, sia come mezzo di meditazione in movimento. Per rilassare completamente corpo e mente, gli allievi imparano a concentrarsi su un punto situato circa sei centimetri sotto l'ombelico, detto in cinese *tan tien*. Si dice che questa zona corrisponda al punto di maggior concentrazione energetica del corpo, quello dal quale irradia tutta l'energia *Qi*.

La concentrazione sul *tan tien* è un principio essenziale del tai chi, a beneficio dell'equilibrio sia fisico sia mentale. Gli allievi vengono incoraggiati a "cedere alla forza di gravità", usando i muscoli solo quel tanto che occorre per eseguire il movimento. Molti movimenti hanno nomi derivati dalla natura, come "il serpente striscia nell'erba", "l'ago in fondo al mare" o "l'airone bianco apre le ali", che riflettono i legami del tai chi con il mondo vegetale e animale. I movimenti sono circolari e ritmici; le posture si trasformano impercettibilmente l'una nell'altra. Tutte si eseguono con grazia e lentezza, prestando attenzione alla posizione del corpo e alle tecniche di respirazione; solo integrando armo-

9f

Spostate il peso in avanti
sulla gamba sinistra,
spingendo in avanti con
entrambe le mani.

MUOVERE LE MANI COME NUVOLE

La teoria cinese degli opposti, *yin e yang, è ben presente nella pratica del tai chi: a ogni movimento verso destra ne segue uno diretto a sinistra e viceversa. Per questo la sequenza di questa pagina ripete le posizioni illustrate da 5a a 7d, con i movimenti invertiti. Il movimento complementare aiuta a dirigere il* Qi *in ciascuna area del corpo. Nell'esecuzione del tai chi gli allievi vengono incoraggiati a rilassarsi completamente. Anche se il processo può apparire estremamente lento e frazionato, con la pratica le posture diventano assolutamente naturali e fluide.*

COLPO DI FRUSTA

SPAZZOLARE IL GINOCCHIO E PREMERE (lato sinistro)

SPAZZOLARE IL GINOCCHIO E PREMERE (lato destro)

FERMATA, PARATA E PUGNO

niosamente forma e respiro si ottiene infatti la perfezione del movimento.

Gli allievi vengono incoraggiati a respirare in modo naturale e profondo, con la bocca chiusa, partendo più dal diaframma che dal torace. A livello fisiologico, la respirazione profonda garantisce un aumento dell'ossigeno nel sangue, con un effetto energetico su tutto il corpo.

Lavorare in coppia Dopo la pratica delle forme, che durano circa venticinque minuti ciascuna, gli allievi lavorano in coppia. In un esercizio detto "spingersi con le mani", i partner stanno uno di fronte all'altro, con polsi e avambracci tesi in avanti. Dopo una serie di mosse prescritte, entrambi cercano di tenere le braccia in contatto costante. Se uno spinge, l'altro si ritrae. Gli allievi diventano sensibili alla pressione che va e viene, rimanendo sempre in equilibrio, attenti e rilassati. Gli allievi di livello superiore fanno un analogo esercizio: le "mani aderenti", dove lo

CALCIO CON IL TALLONE DESTRO

10a

Caricate il peso *sulla destra e portate le mani in alto, disegnando un cerchio.*

CALCIO CON IL TALLONE SINISTRO

10b

Fate un passo *in avanti con la punta del piede destro, abbassate le braccia eseguendo un movimento circolare, incrociatele davanti a voi e fatele risalire verso l'orecchio sinistro.*

10c

Completate il cerchio, *separando le mani. Sollevate la gamba destra e date un calcio in avanti con il tallone.*

11a

Abbassate la gamba *destra, ruotate verso sinistra di 180° e disegnate con le braccia un cerchio verso il basso. Riportate ora le braccia nella direzione dell'orecchio destro.*

scopo è mantenere il contatto col compagno cercando però di fargli perdere l'equilibrio. Gli allievi possono usare qualsiasi mossa, ma interrompere il contatto dà un vantaggio all'altro.

I vantaggi della pratica protratta e regolare del tai chi sono molteplici: miglioramento del tono muscolare, della postura, della flessibilità, dell'equilibrio e della coordinazione, dell'agilità, della resistenza, dell'acutezza dei riflessi, dell'energia e del benessere. È una forma di esercizio assai raccomandata per chi soffre di artrite, soprattutto alle ginocchia, e di dolori lombari.

L'effetto calmante e meditativo del tai chi agisce anche contro lo stress. Diversi medici ne indicano l'utilità, in combinazione con altre terapie, per il trattamento dell'ulcera e di vari disturbi digestivi. Chi si cura con la medicina tradizionale cinese afferma che la pratica regolare del tai chi, favorendo l'equilibrio dell'energia, è un'ottima forma di prevenzione.

11b

Separate le mani *e sferrate un calcio con il tallone sinistro. Tornate in posizione di partenza.*

CAPITOLO 5

Mangiare bene

Mentre la medicina ortodossa la relegava in secondo piano, la medicina naturale ha sempre considerato l'alimentazione come uno strumento per mantenere la salute o avviare

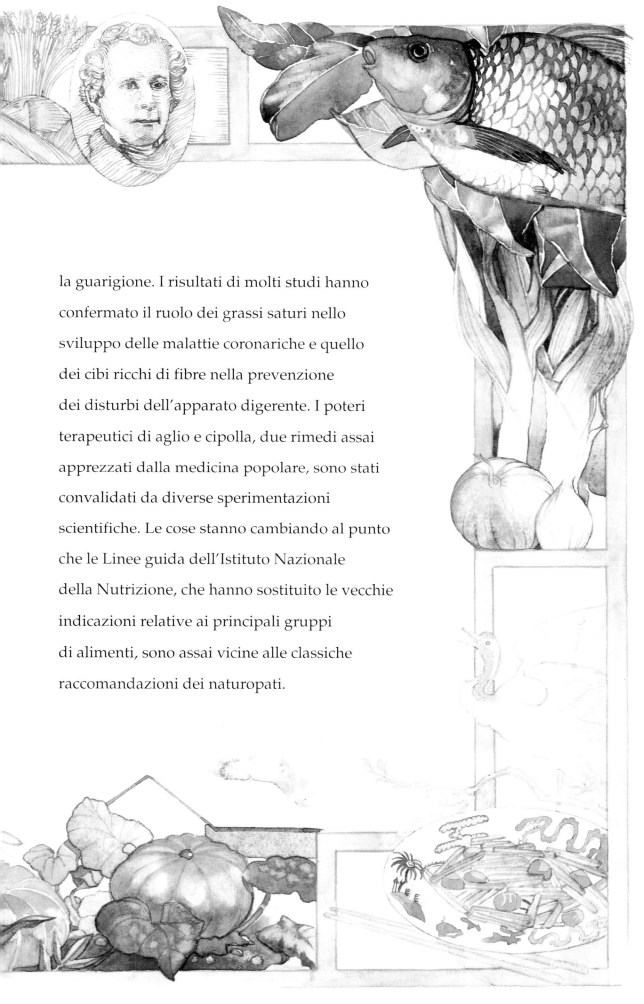

la guarigione. I risultati di molti studi hanno confermato il ruolo dei grassi saturi nello sviluppo delle malattie coronariche e quello dei cibi ricchi di fibre nella prevenzione dei disturbi dell'apparato digerente. I poteri terapeutici di aglio e cipolla, due rimedi assai apprezzati dalla medicina popolare, sono stati convalidati da diverse sperimentazioni scientifiche. Le cose stanno cambiando al punto che le Linee guida dell'Istituto Nazionale della Nutrizione, che hanno sostituito le vecchie indicazioni relative ai principali gruppi di alimenti, sono assai vicine alle classiche raccomandazioni dei naturopati.

La salute in cucina

Le cure alimentari non sono solo facili e convenienti, ma più di ogni altra terapia naturale garantiscono ottimi risultati attraverso minimi cambiamenti nella vita di ogni giorno. Mangiar bene, poi, riduce il rischio di malattie croniche.

«SIAMO CIÒ CHE MANGIAMO» è il motto di chi si cura naturalmente, oggi confermato da un rapporto scientifico del governo degli Stati Uniti. Il *Surgeon General's Report on Nutrition and Health* (Rapporto delle autorità sanitarie su nutrizione e salute) afferma che: «Per la maggior parte di coloro che non fumano e non consumano alcolici in eccesso, la scelta personale che più di ogni altra sembra influire sulle prospettive di salute a lungo termine è quella del tipo di alimentazione».

Il nostro corredo genetico, l'ambiente in cui viviamo e lavoriamo e la nostra capacità di convivere con lo stress sono tra i fattori che determinano la durata della vita. La medicina naturale ci spinge a occuparci in prima persona della nostra salute, elaborando attivamente un piano per il mantenimento del benessere e per la prevenzione delle malattie. Il detto: «Un grammo di prevenzione vale un chilo di cure» in cucina assume un significato ancora più preciso.

È fondamentale cambiare Per molti, qualche aggiustamento nella dieta quotidiana non è sufficiente a garantire una buona salute. Non di rado il problema è sintetizzabile in quattro parole: *troppi grassi, poche fibre*. Occorre allora intervenire in profondità sulle abitudini alimentari che hanno ormai preso piede nel mondo occidentale a favore di una dieta povera di sostanze grasse e ricca di fibre.

Migliaia di studi condotti nel mondo indicano un collegamento tra l'eccessivo consumo di grassi e l'aumento delle malattie cardiache e coronariche, dei casi di infarto, di diabete, di ipertensione e di cancro al seno e al colon. Secondo gli studiosi basterebbe diminuire il consumo di grassi (soprattutto quelli saturi) per ridurre il numero delle persone colpite da queste malattie, e i relativi casi di morte. "La salute in cucina" significa concedersi pasti abbondanti, con pane e pasta integrale a volontà, molta frutta e verdura e altri alimenti a basso tenore di grassi e a elevato contenuto di fibre. Molti di coloro che modificano la loro dieta in questo modo perdono il peso in eccesso senza bisogno di conteggiare le calorie ingerite e senza crearsi nuove fonti di stress.

Bisogni che cambiano, strategie che cambiano Nella prima metà del XX secolo, la strategia nutrizionale della maggior parte dei paesi occidentali mirava prevalentemente a combattere le diffusissime carenze nutritive. Nella seconda metà del secolo, non solo l'obiettivo è stato in gran parte raggiunto, ma in diversi stati largamente superato. È tempo di ristabilire un equilibrio. Sono molti gli occidentali che mangiano più del necessario, e soprattutto mangiano troppi grassi.

Con gusto e senza alcun senso di colpa

Mangiare è bello, e un'alimentazione sana non è priva di piacere. Sono piuttosto sciocchezze come la paura di certi cibi o le privazioni immotivate ad allontanare le gioie della tavola. Per questo motivo nutrirsi in modo corretto significa, prima di tutto, abbattere alcuni vecchi pregiudizi.

Ciò che l'alimentazione può fare per la vostra salute dipende in gran parte proprio da voi. Ricordate che l'alimentazione è il primo mezzo per realizzare al meglio le vostre potenzialità. Senza una quantità sufficiente ed equilibrata di nutrienti non è possibile vivere sani e affrontare la vecchiaia in modo efficiente; sono infatti proprio i nutrienti che vi aiutano a combattere un'infezione oppure a vincere una malattia.

— Tratto da *The California Nutrition Book* (Il libro della nutrizione californiana), di Paul Saltman, Joel Gurin e Ira Mothner.

È più facile cambiare abitudini *alimentari quando si è in compagnia. All'insegna di questo slogan, l'intera città di Wremen, in Germania, ha cominciato a prendere salutari misure preventive. Il nuovo stile di vita cittadino, incoraggiato da un medico locale, prevede un regolare esercizio fisico e un'alimentazione ricca di fibre e povera di grassi. Un provvedimento analogo è stato adottato anche in Italia, a Martignacco, in provincia di Udine. Qui il professor Giorgio Antonio Feruglio, primario dell'istituto di cardiologia dell'Ospedale di Udine, ha avviato un "progetto alimentare" di massa il cui scopo è quello di attuare un piano di prevenzione delle malattie cardiovascolari. Il Friuli, infatti, è la regione italiana in cui più alto è il numero di morti per infarto.*

Nell'espansione economica del dopoguerra, i paesi più ricchi hanno cominciato a consumare quotidianamente succulenti tagli di carne nei quali il grasso contava anche per il 70% delle calorie totali. Chi pensava che mangiare carne equivalesse ad assumere molte proteine e pochi grassi è stato ingannato. Anche la moda del *fast food* (il pranzo veloce a base di panini imbottiti e patatine fritte) ha contribuito a far lievitare in modo sostanziale la quantità totale di grassi ingeriti.

Nello stesso periodo, negli stessi paesi, l'incidenza di problemi cardiovascolari è cresciuta in modo preoccupante. A partire dal 1950 circa, gli studiosi americani hanno cominciato a valutare fino a che punto l'assunzione di grassi fosse responsabile delle malattie cardiache e coronariche, cioè di quelle di carattere circolatorio che possono causare angina (dolori acuti al petto), attacchi cardiaci e morte improvvisa.

Elogio della varietà alimentare Chi vuole una dieta sana deve innanzi tutto sforzarsi di renderla anche più varia. William

Castelli, medico e direttore del Framingham Heart Study, il più antico istituto che studia con continuità lo stato della salute cardiovascolare della popolazione americana, afferma a questo proposito: «Quasi tutte le famiglie americane basano la loro alimentazione su non più di dieci ricette. E per tre quarti di noi la dieta

La dieta mediterranea
è l'alimentazione tradizionale di paesi quali l'Italia, la Spagna, la Grecia e di tutto il Nordafrica: ricca di verdure e di frutta di stagione, ha tra i suoi componenti fondamentali pasta, pane, riso, miglio, legumi, pesce, olio d'oliva… Varia e al tempo stesso equilibrata, negli Stati Uniti la dieta mediterranea è indicata come la più valida e sana alternativa alla tipica dieta americana, che è eccessivamente grassa e calorica.

è troppo ricca». La realtà italiana, purtroppo, in questo caso non è poi così lontana da quella americana.

La soluzione del problema non sta nel rinunciare ai piatti favoriti, ma piuttosto nell'aggiornare la nostra dieta prestando maggiore attenzione ad alcuni criteri nutrizionali.

Alcune vecchie indicazioni dietetiche invitavano a scegliere gli alimenti in base ai "quattro grandi gruppi": carni, latticini, frutta/verdura e cereali. Questa classificazione trascurava il fatto che la composizione di ogni cibo è in realtà assai complessa. La carne, per esempio, era classificata esclusivamente in rapporto al suo contenuto proteico, mentre in realtà oltre il 50% delle sue calorie è dato dalla presenza di grassi. Molti formaggi (categoria "latticini") sono composti per tre quarti di grassi contro un solo quarto di proteine. Le uova, "parenti strette" della carne, del pollame, del pesce e di altre fonti proteiche, contengono quasi una quantità doppia di grassi rispetto a quel-

SUGGERIMENTI
PER L'ALIMENTAZIONE QUOTIDIANA

Colazione (indispensabile)	Latte o yogurt naturale o succo di frutta fresco con pane integrale o fette biscottate, marmellata o miele.
Spuntino (facoltativo)	Frutta fresca o yogurt naturale.
Pranzo	Iniziate il pasto con della verdura possibilmente cruda, seguita da un primo piatto composto da pasta o riso o amidi con legumi (pasta e fagioli, riso e lenticchie, patate, piselli).
Merenda (facoltativa)	Frutta fresca o yogurt naturale.
Cena	Iniziate il pasto con della verdura possibilmente cruda, seguita da un piatto composto da proteine, per esempio carne (meglio se "bianca": pollo, tacchino, coniglio; fra le carni "rosse", scegliete quelle di cavallo o di manzo). Consumate pesce piuttosto che carne. Non mangiate uova più di due o tre volte la settimana. Fra i formaggi scegliete quelli freschi (come mozzarella, ricotta, caciotta) e il parmigiano.
Cosa preferire	L'olio (da preferire sempre al burro) deve essere usato possibilmente crudo. Non usate l'olio di semi per la cottura: è più indicato l'olio extravergine di oliva. Il pane deve essere ben cotto. Il vino va consumato con moderazione. Caffè e tè, non più di una tazzina al giorno.
Cosa evitare	Gli insaccati (cioè tutti i salumi), i dolci (soprattutto quelli preconfezionati), gli alimenti a lunga conservazione, gli alcolici, le bevande gassate, la cacciagione, i formaggi troppo grassi e piccanti.

la di proteine: circa il 65% contro il 32% di proteine e il 3% di carboidrati.

Per chi sceglie un cibo particolare, convinto che contenga un solo tipo di nutriente, la classificazione dei "quattro gruppi di alimenti" è fuorviante, oltre che incompleta: non cita nemmeno i dolciumi (biscotti, torte, merendine o dessert), tutti ipercalorici; inoltre non suggerisce le quantità dei diversi nutrienti necessari per una dieta corretta ed equilibrata.

Troppe persone hanno così disimparato le regole di un sano equilibrio dietetico in favore di eccessi vari, soprattutto (ancora una volta) di grassi. È necessario dunque abbandonare le vecchie dottrine nutrizionistiche: mangiare in modo sensato significa in-

"Caso clinico"

I RISCHI DI UNA DIETA MODERNA

Prima di avvicinarsi ai moderni regimi alimentari delle civiltà occidentali, gli indiani Pima del deserto dell'Arizona godevano di ottima salute. Oggi presentano la più alta incidenza mondiale di diabete.

Per migliaia di anni gli indiani Pima del deserto di Sonora, in Arizona, si sono procurati direttamente il cibo raccogliendo baccelli di algaroba (*Prosopis juliflora*) ricchi di nutrienti, frutti di vari tipi di cactus, ghiande e altri semi di piante locali. Una dieta integrata con fagioli e mais, che piantavano durante la breve stagione delle piogge.

Oggi, un indiano Pima in buona salute è una rarità. Secondo Native Seeds/Search, un'organizzazione americana che esegue ricerche in campo genetico, oltre il 50% dei Pima al di sopra dei 35 anni soffre di diabete secondario (mellito), una malattia che insorge nell'età adulta.

«Abbandonando le loro antiche abitudini alimentari per una dieta moderna ricca di grassi, zucchero e cibi industriali» afferma John Willoughby, «tra i Pima ha avuto un'impennata l'incidenza del diabete e dei casi di obesità grave.»

Gli scienziati hanno stabilito che il diabete secondario è sì geneticamente determinato, ma è anche scatenato dal sistema alimentare. I Pima hanno un cosiddetto "gene economo" che trasforma, con efficienza superiore alla norma, il cibo in eccesso in depositi di grasso. Questa caratteristica è stata essenziale per consentire la sopravvivenza agli antenati dei Pima, per i quali una bella mangiata era spesso seguita da lunghe carestie. Nei secoli, gli indiani Pima, come altre popolazioni indigene,

dalle isole Hawaii all'Australia, hanno assunto pochissimi grassi e zuccheri, metabolizzati però con grande efficienza dall'organismo.

Oggi, con le nuove abitudini alimentari, il vantaggio genetico dei Pima può rappresentare una minaccia. Proprio l'efficienza del gene economo ha infatti contribuito a diffondere l'obesità e il diabete secondario nella tribù. Ma c'è chi, come Adrian Hendricks, comincia a comprendere il valore del cibo tradizionale: «Quest'uomo coltiva nel suo orto le piante che costituivano l'alimentazione tradizionale dei Pima e con esse si ciba» scrive Willoughby. «È una dieta povera di grassi e ricca di carboidrati, che comprende zucca, fagioli, mais, cocomeri e semi di girasole; una dieta che non solo lo mantiene in splendida forma fisica, ma lo fa sentire meglio anche a livello metabolico.

«Addentrandosi nel labirinto dei legami tra cibo, genetica e clima, può darsi che gli scienziati scoprano che per tutti una dieta primitiva, pensata per i geni particolari di ogni singola etnia, sia più indicata delle generiche raccomandazioni dietetiche, e può diventare un'arma efficace contro il diabete, gli attacchi di cuore, l'infarto e altre analoghe malattie tipiche della nostra epoca.»

Adattamento da Primal Prescription *(Ricette primitive), di John Willoughby, per gentile concessione di "Eating Well".*

fatti, per prima cosa, sapere che cosa contiene veramente ciascun alimento.

Tre principi alimentari fondamentali Proteine, carboidrati e grassi, oltre all'acqua, sono le molecole quantitativamente più importanti per la nostra alimentazione. Non meno importanti, anche se presenti in quantità minime nell'organismo, sono le vitamine, i minerali e gli oligoelementi. A parte vanno considerate sostanze non digeribili, come le fibre alimentari, e tutti gli additivi e i residui chimici della coltivazione dei vegetali e dell'allevamento del bestiame, che pure ingeriamo senza rendercene conto.

Quasi tutti gli alimenti contengono una combinazione di due o tre delle molecole principali. Fanno eccezione burro, oli, margarine e lardo, che sono grassi al cento per cento, e miele e zucchero che sono carboidrati puri. Oltre a seguire strettamente i fondamentali principi della moderazione, della varietà e dell'equilibrio, la dieta ideale dovrebbe fornire tutti i nutrienti necessari alla vita. Con dosi adeguate di acqua, proteine, carboidrati, grassi, vitamine, minerali e oligoelementi, avrete sempre a disposizione il materiale necessario alla costruzione e alla riparazione dei vari tessuti corporei (ossa, muscoli eccetera). Avrete energia sufficiente per le attività quotidiane e molta altra ancora per fare esercizio fisico.

Quasi tutti mangiamo almeno il doppio delle proteine necessarie. Decisamente troppe, anche se una dieta molto proteica può essere raccomandabile in alcuni casi: dopo una malattia, dopo un'ustione grave o un intervento chirurgico. Sono gli amminoacidi, gli elementi-base delle proteine (animali e vegetali), a fornire la materia prima per la costruzione e il mantenimento di cellule e tessuti corporei. Oltre a ciò, le proteine accelerano alcune reazioni biochimiche e garantiscono un buon funzionamento del sistema immunitario.

E i carboidrati? Fino a non molto tempo fa i carboidrati erano considerati il nemico numero uno: pasta, pane e patate erano ritenuti gli unici colpevoli del grasso in eccesso. In realtà i carboidrati, che attraverso il processo digestivo si trasformano in zuccheri, sono la principale fonte di energia dell'organismo.

A secondo della loro struttura molecolare, i carboidrati possono essere semplici o complessi. I carboidrati semplici, come per esempio zucchero e miele, sono spesso accompagnati da molti grassi (pensate al gelato), quindi sono presenti in cibi molto calorici e quasi privi di vitamine e minerali.

Unica eccezione di rilievo è la frutta che, benché ricca di fruttosio (un carboidrato semplice), contiene anche una quantità di preziosi elementi nutritivi.

Le combinazioni alimentari

Secondo alcuni dietologi, per rendere il pranzo o la cena più leggeri e al tempo stesso ricchi di nutrienti, i diversi componenti dovrebbero essere associati tra loro in modo tale che favoriscano, o almeno non ostacolino, la reciproca digestione. A questo proposito è stata compilata una lista di alimenti ritenuti tra loro "amici", la cui "combinazione" durante un pasto è cioè consigliata, e di altri ritenuti "nemici", la cui associazione in uno stesso pasto è invece sconsigliata.

- **Combinazioni consigliate** sono quelle tra *cereali e legumi*: per esempio pasta e ceci, riso e piselli;
cereali e latticini: per esempio pasta o riso al burro, polenta e formaggio;
cereali e verdure: pasta e pomodoro, risotto con la zucca;
proteine e verdure: carne (o pesce o uova) con insalata o verdure cotte;
latticini e verdure: per esempio l'insalata greca (cioè con l'aggiunta di formaggio), la "Caprese".

- **Combinazioni sconsigliate** sono, in particolare, quelle tra
proteine e legumi: per esempio zampone e lenticchie, tonno e fagioli;
carne e latticini: quindi attenzione alla besciamella con ragù di carne, alla "Valdostana", alle insalate di riso con tonno e formaggio;
carne e cereali: il ragù con la pasta, i tortellini di carne, un primo piatto di cereali seguito da un secondo di carne o pesce.

La verità sul colesterolo

Le notizie allarmanti riportate dalla stampa inducono nella gente una diffusa paura del colesterolo. Tuttavia il colesterolo è indispensabile per mantenere una buona salute; ma attenzione agli eccessi.

Nonostante le crociate intraprese in questi anni da numerosi organi di stampa, il colesterolo non è veramente "cattivo". In realtà il colesterolo costituisce la struttura di alcuni importanti ormoni, compresi quelli sessuali come il testosterone e gli estrogeni, oltre ad essere un componente dei più importanti delle membrane cellulari.

L'organismo umano produce tutto il colesterolo del quale ha bisogno, anche quando l'alimentazione ne fosse carente. Tre quarti di quello presente nel sangue sono in realtà prodotti dall'organismo, che fra l'altro è dotato di sensibilissimi meccanismi di supervisione che, per così dire, avvertono il fegato circa la necessità di aumentarne oppure ridurne la produzione.

Le verdure aiutano a ripulire le arterie.

Entro certi limiti, se assumete troppo colesterolo (attraverso un'alimentazione eccessivamente ricca di grassi) il vostro organismo ne produce meno.

Se però l'eccesso di colesterolo e grassi saturi nel sangue oltrepassa il limite, l'organismo non è più in grado di farvi fronte, con il risultato di aumentare considerevolmente il rischio di contrarre cardiopatie.

Anche il grasso, di per sé, non è "cattivo". In media un individuo ha bisogno di una quantità di grassi inferiore ai 14 grammi al giorno, per soddisfare il bisogno di acidi grassi essenziali attraverso i quali l'organismo sintetizza una quantità di sostanze utili. Purtroppo la nostra dieta è spesso troppo ricca di grassi, che pian piano si accumulano nelle arterie.

Tutti gli oli sono *grassi al 100%*, in altre parole sono *grassi liquidi*. La convinzione di poter ridurre il proprio livello di colesterolo solo usando olio di oliva anziché olio di semi, purtroppo non corrisponde a verità. *Qualunque olio fa aumentare il livello di colesterolo.*

Anche se alcuni oli contengono più grassi saturi di altri, nessuno ne è privo. Così, più olio si usa più grassi saturi si assumono.

Negli studi epidemiologici, gli scienziati tengono sotto osservazione larghe fasce di popolazione, spesso per molti anni, senza intervenire. Che cosa ci dicono sul colesterolo questi studi?

In generale, quanto più colesterolo e grassi saturi si assumono, tanto più alti sono il livello di colesterolo nel sangue e la pressione arteriosa, quindi i rischi di malattie coronariche. Quanto più colesterolo e grassi saturi consumate, tanto maggiore è il rischio di avere prima o poi un problema cardiaco o coronarico, anche se il livello di colesterolo nel sangue e la pressione arteriosa non sono troppo alti.

Da questi studi si rileva invece che chi si attiene a una dieta vegetariana a basso tenore di grassi ha pressione arteriosa bassa, bassi livelli di colesterolo nel sangue e anche bassa incidenza di cardiopatie.

Tratto da Dr. Dean Ornish's Program for Reversing Heart Disease (*Il programma del dottor Dean Ornish per vincere le malattie cardiache*), di Dean Ornish.

I carboidrati complessi comprendono ortaggi, legumi, pasta, cereali e pane che, nella loro versione integrale, sono anche ricchi di fibre. Nella dieta ideale, sul totale delle calorie assunte quotidianamente i carboidrati dovrebbero contare almeno per il 55%. Di questi, l'80% dovrebbe essere rappresentato da carboidrati complessi.

Riducendo il consumo di carne e aumentando i piatti a base di cereali e verdure potreste riuscire a perdere peso praticamente senza privazioni. Oltre a essere poveri di calorie, questi cibi contengono infatti parecchie fibre, che danno un senso di sazietà. In ogni caso è bene ricordare che una caloria è una caloria indipendentemente dalla sua origine, e assumerne più di quanto serva produce sempre un aumento di peso.

Un'occhiata al passato Se confrontiamo la dieta dei nostri nonni con la nostra, le differenze saltano all'occhio. I genitori dei nostri genitori mangiavano molti più cibi di origine vegetale e meno grassi. Ancora più indietro nel tempo, diciamo quattro milioni di anni fa, i nostri progenitori addirittura si nutrivano esclusivamente di vegetali.

Anche se è certo che i grassi aggiungono sapore a molti piatti e danno un senso di sazietà, il prezzo che paghiamo quando ne abusiamo è caro. I grassi alimentari contengono infatti una combinazione di tre tipi di acidi grassi: saturi, monoinsaturi e polinsaturi. Quando prevalgono gli acidi grassi saturi, metabolizzati diversamente da quelli insaturi e presenti soprattutto in cibi di origine animale, è facile che vadano a depositarsi sulle pareti delle arterie, producendo un danno alla circolazione sanguigna e quindi al cuore.

Il grasso presente nell'organismo, che non dipende solo da ciò che si mangia ma anche dalla propria struttura fisica e da altri fattori genetici, ha una serie di importanti funzioni. È una barriera protettiva per gli organi, una forma concentrata di energia e un mezzo per l'assorbimento delle vitamine liposolubili (cioè quelle che si sciolgono nei grassi). Il grasso sottocutaneo, poi, ha anche la funzione, non certo secondaria, di isolarci dal freddo.

Controllare il consumo di grassi Le associazioni per la ricerca sulle malattie cardiache e sul cancro suggeriscono di limitare l'assunzione quotidiana dei grassi al 30% delle calorie totali. Sapere quali sono i cibi più ricchi di grassi (soprattutto saturi) è importante: carni rosse, pollame, alcuni pesci, burro, latte, uova e panna sono i più grassi tra gli alimenti di base. Inoltre, tutti i cibi industriali contengono quantità notevoli di grassi saturi come margarina, olio di cocco e di palma.

Alcune informazioni sui grassi

I grassi alimentari sono una fonte concentrata di energia ma anche di acido linoleico, un nutriente essenziale, e delle vitamine liposolubili A, D, E e K. Anche se tutti abbiamo bisogno di assumere quotidianamente una certa quantità di grassi, un cucchiaio è in genere più che sufficiente. Prima di ridurre i grassi nella dieta, può essere utile conoscerli un po' meglio.

- **I trigliceridi** sono grassi che contengono, in proporzione variabile, i tre gruppi degli acidi grassi: saturi, polinsaturi e monoinsaturi.

- **I grassi saturi** sono gli unici acidi grassi che fanno aumentare il colesterolo. Il burro, la margarina e il grasso contenuto nelle carni e nei latticini contengono tutti molti grassi saturi.

- **I grassi monoinsaturi e polinsaturi** non fanno aumentare i livelli di colesterolo nel sangue. L'olio d'oliva è quello che contiene la più alta percentuale di grassi monoinsaturi rispetto agli altri oli da cucina. Quelli con la massima concentrazione di grassi polinsaturi sono l'olio di cartamo e quello di mais.

- **Il colesterolo** è un grasso essenziale prodotto dal fegato, al quale si aggiunge quello contenuto nella carne e nei latticini. Un eccesso di colesterolo nell'alimentazione può riflettersi in un livello alto di questa sostanza nel sangue e di conseguenza può causare le malattie cardiache. Il colesterolo circola nell'organismo sotto forma di lipoproteine.

Le lipoproteine ad alta densità (HDL) sono complessi di grassi e proteine considerati "buoni" perché asporterebbero il colesterolo dalle pareti delle arterie riportandolo al fegato.

Le lipoproteine a bassa densità (LDL) sono considerate "cattive" perché contribuirebbero a mantenere il colesterolo in circolo nel sangue, causando un intasamento delle arterie.

Proteggere la salute in modo naturale

Recenti ricerche mettono in evidenza la presenza in alcuni alimenti di sostanze farmacologicamente attive. Ma i benefici delle proprietà terapeutiche del cibo si manifestano dopo una vita intera di buon senso a tavola.

La ricetta di Bircher-Benner

Max Bircher-Benner (1867-1939), medico svizzero, è stato tra i pionieri dell'approccio terapeutico naturista, basato soprattutto sul consumo di alimenti non denaturati, pasti semplici, giusta masticazione e inoltre luce, aria, movimento. Una sua "ricetta" è oggi nota in tutto il mondo, il Birchermüsli: una combinazione di cereali integrali, latte fresco, semi oleosi, frutta fresca e secca. Altamente energetico, il Birchermüsli è particolarmente indicato per la colazione mattutina.

QUASI TUTTI I MEDICI CONVENZIONALI invitano a prestare maggiore attenzione a ciò che mangiamo, in modo da assumere i nutrienti necessari, ma pochissimi, oggi, giungono ad affermare che un'alimentazione corretta aiuta a prevenire numerose malattie. A parte riconoscere scherzosamente che forse il brodo di pollo aiuta a sopportare meglio il raffreddore, la moderna scienza medica tende a considerare irrazionale l'idea che il cibo possa costituire una forma vera e propria di terapia. Ma le cose stanno cambiando e in un futuro non lontano centinaia di alimenti comuni potrebbero trovarsi su tutti i tavoli degli istituti di ricerca: in laboratorio, non in mensa.

Ricerche promettenti L'Istituto Statunitense per la Ricerca sul Cancro ha avviato uno studio sul potere curativo di alcune sostanze vegetali. Si tratta di elementi fitochimici che, presenti nelle piante (alle quali forniscono il loro particolare odore e sapore), le proteggono anche dalle infezioni batteriche. È stata questa particolarità che ha spinto gli scienziati a chiedersi se gli stessi elementi fitochimici non potrebbero offrire un'analoga protezione anche agli esseri umani. «Stiamo studiando i fenomeni antitumorali che si verificano spontaneamente negli alimenti» dice Carolyn Clifford, che dirige il dipartimento di Dietologia dell'Istituto. I cibi che destano le maggiori attenzioni da parte dei ricercatori sono l'aglio, le carote, il sedano, il prezzemolo, gli agrumi, la soia, i semi di lino e la radice di liquirizia.

Alcuni esperti sperano di poter presto disporre di alimenti "geneticamente manipolati" per obiettivi specifici; alimenti, cioè, arricchiti, per esempio, con agenti antitumorali. Come l'indolo, una sostanza chimica presente nei cavoli, nei broccoli, nei cavolini di Bruxelles, nelle verze e nelle altre piante della famiglia delle crucifere, che sembra essere molto efficace nella prevenzione dei tumori al seno. C'è chi ipotizza che l'indolo funzioni bloccando i siti dei recettori di estrogeno presenti nei tessuti del seno (l'estrogeno è un ormone femminile che può promuovere, in alcuni individui, la crescita di un tumore). Un'altra ipotesi è che l'indolo sopprima la secrezione dell'ormone estrogeno. In attesa di poter (e voler) scegliere un giorno cibi artificialmente arricchiti con questa sostanza, le donne ad alto rischio di tumore al seno possono cominciare a inserire nella loro dieta quegli ortaggi in cui l'indolo è già naturalmente presente.

Le cure popolari diventano "maggiorenni" Tutti, anche chi rifiuta la medicina ortodossa in favore di un approccio più naturale, hanno un debito di gratitudine nei confronti del chimico francese Louis Pasteur (1822-1895). Fu lui a indicare nei germi la causa di molte malattie, fatto che ha segnato per sempre il destino di molti rimedi tradizionali. Attrezzarsi per combattere i microrganismi è stato tutt'uno, per molti medici, col ritenere superati e pericolosamente non scientifici altri approcci alla salute.

Per ironia della sorte, nonostante il ruolo avuto nel cambiare radicalmente le prospettive della medicina, fu lo stesso Pasteur a dimostrare l'efficacia di una delle più antiche materie prime della medicina popolare: l'aglio. Nel 1858 osservò che, mettendo aglio in una coltura batterica, i batteri morivano. Pasteur diede in questo modo dignità scientifica a un rimedio usato da secoli in tutto il mondo, dall'Egitto al Giappone, per la cura di malattie diverse, come quelle dell'apparato gastrointestinale e di quello respiratorio, ma anche per i problemi della pelle e per le ferite.

L'aglio continuò a essere usato in terapia fino al XX secolo. All'inizio del Novecento era indicato contro la tubercolosi, poi, nel corso della prima guerra mondiale, fu usato soprattutto come rimedio per la dissenteria e il tifo, e nel corso della seconda guerra mondiale fu adottato dai medici britannici per prevenire infezioni e cancrene tra i feriti.

Anche se è impensabile, oggi, prescrivere aglio invece di antibiotici per la cura di infezioni gravi, come quelle da streptococchi e da stafilococchi, è però appropriato il suo uso per combattere o prevenire molti malanni comuni, come appropriato era l'uso contro i problemi digestivi che ne facevano gli antichi. L'aglio possiede anche dimostrate proprietà anticoagulanti, efficaci almeno quanto quelle dell'aspirina, e può essere utile per le persone a rischio di attacchi cardiaci.

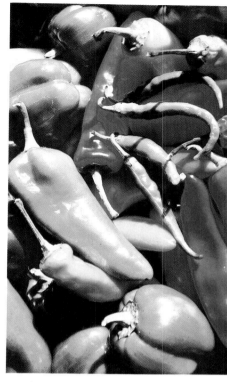

I cibi dai colori intensi sono quasi sempre molto vitaminici: speziate i vostri piatti con i peperoncini per arricchirli di vitamina A e C.

Il pane di cereali integrali è naturalmente ricco di fibra, componente che viene eliminata nel processo di raffinazione dei prodotti a base di farina bianca.

L'aglio, tuttavia, non è l'unica terapia alimentare convalidata dalla moderna ricerca scientifica. Ricordate il vecchio adagio «Una mela al giorno leva il medico di torno»? Anche se letteralmente può essere inesatto, la fibra delle mele è stata riconosciuta utile per chi ha valori elevati di colesterolo nel sangue, come per chi è a rischio di tumori al colon.

E ricordate il tempo in cui l'olio di fegato di merluzzo era presente in tutti gli armadietti dei medicinali? Oltre a essere una fonte ricca di vitamina A, sembra che gli acidi grassi omega-3 in esso rinvenuti ridurrebbero il colesterolo con grande vantaggio per chi soffre di malattie cardiovascolari. Così, nonostante seguano una dieta ricchissima di grassi, gli Esquimesi hanno un'incidenza incredibilmente bassa di malattie cardiache, forse proprio perché si nutrono prevalentemente di pesce d'acqua fredda, che contiene quantità elevatissime di acidi grassi omega-3.

Lo yogurt, *prodotto aggiungendo al latte speciali colture di batteri, è da sempre usato come rimedio naturale contro i disturbi più vari, dalla diarrea alle micosi. È inoltre un'ottima fonte di proteine, vitamine del gruppo B, calcio e potassio. Lo yogurt che contiene fermenti lattici vivi aiuta a ricostruire la flora batterica intestinale.*

Antiossidanti e radicali liberi Le vitamine C ed E e il betacarotene, che il corpo trasforma in vitamina A, vengono attualmente studiati per il loro potenziale protettivo nei confronti del cancro e delle malattie cardiache. Tutte e tre queste sostanze sono dette "antiossidanti".

Gli antiossidanti sono gli "spazzini" dei radicali liberi, cioè di quelle molecole instabili che possono scatenare un tumore alterando il codice genetico delle cellule. I radicali liberi possono anche peggiorare i disturbi di ordine cardiovascolare, sia danneggiando le pareti arteriose sia ossidando il colesterolo LDL (cioè quello "cattivo", formato da lipoproteine a bassa densità) che in questo modo si attacca più facilmente alle pareti stesse.

Elevati livelli di betacarotene, che è presente negli ortaggi di colore giallo, arancio o verde scuro (carote, zucca, spinaci, broccoli e verze), possono prevenire certi tipi di cancro e di malattie cardiache. Uno studio a lungo termine condotto su circa duemila pazienti ha rivelato che chi assume col cibo una quantità relativamente bassa di carotene ha più probabilità, rispetto a chi mangia regolarmente queste verdure, di morire per un cancro al polmone. Tuttavia il betacarotene è solo uno dei cinquecento carotenoidi conosciuti e la ricerca in questo campo è solo ai primi passi.

La vitamina E, un potente antiossidante presente nei grassi vegetali, nel germe di grano, nel pane integrale e nei cereali, può rallentare i danni prodotti alle cellule dai radicali liberi e ritardare gli effetti dell'invecchiamento. Recentemente la vitamina C è stata associata a una riduzione del rischio di cancro allo stomaco, all'esofago e al collo dell'utero. Anche se le ricerche sono incoraggianti, è comunque prematuro trarre la conclusione che una dieta ricca di agrumi o di altri alimenti con un elevato contenuto di vitamina C può abbassare il rischio di ammalarsi di cancro.

La rivoluzione vitaminica A parte quelle antiossidanti, altre vitamine sono oggi studiate per individuarne le possibili pro-

Il Festival dell'aglio *di Gilroy, in California, attrae ogni anno migliaia di "fanatici" sostenitori di questa pianta aromatica dai poteri anticoagulanti, utile contro il colesterolo e l'ipertensione.*

Le cipolle *sono tra i più popolari rimedi della farmacopea alimentare. Molti le usano con successo contro la pressione alta e il colesterolo "cattivo" (mentre alzerebbero il livello di quello "buono"). Come l'aglio, le cipolle fluidificano il sangue, riducendo il rischio di coaguli e quindi di ictus. Va comunque ricordato che danno più benefici se consumate crude.*

Tutta la frutta è ricchissima di vitamine e inoltre permette di arricchire in modo piacevole la propria dieta con fibre alimentari. Di numerosi frutti si stanno studiando le proprietà terapeutiche, ma comunque vadano le ricerche, la frutta dovrebbe essere sempre presente in qualsiasi dieta variata ed equilibrata, per il suo contenuto di vitamine e di carboidrati complessi.

prietà preventive e terapeutiche. Ad ogni modo, il ruolo delle vitamine nella prevenzione delle malattie dovute a carenza, come lo scorbuto e il beri-beri, è ormai una certezza. Ma poiché le reazioni che avvengono nell'organismo sono molto complesse, potrebbero passare anni prima che gli scienziati stabiliscano se davvero sono le vitamine, e non altre sostanze, le vere responsabili dei risultati sperimentali raggiunti.

Negli ultimi decenni, l'impiego di integratori vitaminici e minerali ha sollevato vivaci discussioni e dibattiti. Effettivamente la questione merita un discorso a sé e per questo l'affrontiamo in modo esauriente più avanti (*vedi* "Il ruolo delle vitamine e dei minerali", pag. 288).

Buon senso e vitamine Se è ormai assodato che assumere molte fibre, frutta o verdura ricche di vitamine non può fare che bene, è ancora presto per affermare con certezza che queste sostanze sono, di per sé, un elisir di lunga vita o di benessere duraturo. Ciò che invece tutte le ricerche indicano chiaramente è come un'alimentazione sensata sia il primo passo nella prevenzione. In effetti gli studi sui diversi alimenti convalidano la raccomandazione di mangiare soprattutto una grande varietà di cibi, perché ciascuno contiene sostanze (forse ancora sconosciute) che possono ridurre il rischio di contrarre certe malattie. Esistono pochi dubbi che una dieta equilibrata e povera di grassi sia il miglior "rimedio naturale" disponibile. Più presto si stabiliscono sane abitudini alimentari, meglio è. Ricordate però che se adottare una nuova dieta è l'obiettivo prioritario, non rappresenta quasi mai un rimedio istantaneo per le malattie croniche.

Nuove ricerche, sapienza antica

L'esperta di nutrizione Jean Carper suggerisce di considerare le infinite risorse terapeutiche disponibili in qualsiasi supermercato prima di affidarsi ai medicinali, e in particolare agli antibiotici, per ogni piccolo malanno.

Per migliaia di anni l'alimentazione è stata considerata un'efficace medicina. Nell'ultimo secolo, invece, i prodotti farmaceutici hanno fatto dimenticare gran parte della nostra sapienza relativa agli usi terapeutici del cibo. L'idea che gli alimenti abbiano proprietà medicinali efficaci per promuovere la salute può sembrare irrazionale e decisamente lontana dalle prove scientifiche sbandierate da ogni farmaco del XX secolo. O per lo meno può sembrare così finché non si va a osservare da vicino.

Mai prima d'ora la comunità scientifica si era unita per studiare con attenzione l'impatto dell'alimentazione sulla salute umana. L'idea che il cibo possa costituire la nostra più ampia e completa farmacia, con interi scaffali di "medicinali da banco" messi a disposizione dalla natura, è stata ritenuta finora un'eresia dalla scienza medica ufficiale. Oggi viene invece considerata con grande serietà.

Parliamo di una "farmacia alimentare" di inimmaginabile versatilità e complessità, costituita da lassativi, tranquillanti, betabloccanti, antibiotici, anticoagulanti, antidepressivi, analgesici, antinfiammatori, ipotensivi, decongestionanti, digestivi, espettoranti, antitumorali, antiossidanti, contraccettivi, vasodilatatori e vasocostrittori, anticarie, antiulcerativi, regolatori di insulina, tutti prodotti letteralmente naturali.

Gli studi mostrano che gli alimenti e i loro costituenti agiscono in modo simile alle medicine moderne, e talvolta meglio, poiché non hanno pericolosi effetti collaterali. Per esempio: quando un antibiotico non cura una ferita, quasi sempre ci riesce lo zucchero. Lo yogurt attiva le funzioni immunitarie meglio di un farmaco messo a punto con lo stesso scopo, cura la diarrea più rapidamente di un antidiarroico e contiene sostanze con un'azione antibiotica più efficace di quella esercitata dalla penicillina. Le cipolle fanno aumentare il colesterolo HDL nel sangue più

È giunto il momento di valorizzare il potenziale terapeutico degli alimenti.

efficacemente della maggior parte dei farmaci per il cuore. Nella prevenzione di coaguli di sangue che potrebbero condurre a infarto o ictus, l'aglio è efficace quanto l'aspirina.

Il pesce (e in particolare lo sgombro) vale quanto la maggior parte dei diuretici per abbassare un leggero rialzo di pressione.

Lo zenzero è più efficace dei farmaci contro la nausea da viaggio, mentre un paio di cucchiaiate di zucchero prima di andare a letto sono un discreto sonnifero. Il vino rosso uccide i batteri quasi come la penicillina.

Questa indagine globale sui poteri terapeutici del cibo non è una perdita di tempo: è materiale scientifico di primaria importanza, al quale dedicano attenzione ed energia alcuni tra i più importanti scienziati e medici del mondo. E sta già fornendo nuove interessanti conoscenze sulle proprietà dell'alimentazione nella cura e nella prevenzione di numerose malattie.

Tratto da The Food Pharmacy (La farmacia alimentare), *di Jean Carper.*

Che altro c'è negli alimenti?

Oltre ai nutrienti principali e ad alcune sostanze utili per mantenere una buona salute, nel cibo si trovano anche "ingredienti" dei quali la maggior parte di noi preferirebbe fare a meno: zucchero, sale, conservanti e coloranti artificiali.

ACQUA, FIBRE ALIMENTARI, AROMI, COLORANTI, agenti cancerogeni e antitumorali, residui di pesticidi... sono tra le migliaia di componenti presenti nel cibo che non hanno valore nutritivo. Fatta eccezione per l'alcol, che ha un valore calorico ma nessun nutriente, tutto ciò che mangiamo o beviamo può essere definito un "non-nutriente" se non fornisce energia o calorie.

Molti dei non-nutrienti che si trovano nel cibo possono essere individuati facilmente, mentre altri cominciano solo ora ad essere scoperti. Di questo gruppo fanno parte centinaia di composti fitochimici presenti naturalmente nelle piante, i cui effetti su di noi possono essere positivi o negativi: alcuni possono modificare la struttura delle nostre cellule dando origine a un tumore, mentre altri possono contrastare l'inizio della malattia.

Acqua, bevanda vitale Chiunque si sia trovato a lavorare all'aperto in una giornata afosa o a fare un'attività fisica pesante in estate, conosce il disagio della disidratazione: bocca asciutta, vampate di calore, mal di testa. Come l'ossigeno, l'acqua è essenziale alla sopravvivenza. In effetti tra il 55 e il 65% del peso corporeo è costituito da acqua. Questo elemento è essenziale in diverse funzioni organiche quali la circolazione del sangue e della linfa e la secrezione di sudore, succhi gastrici e altri fluidi corporei. Inoltre permette ai nutrienti di penetrare nelle cellule e rimuove i prodotti di scarto.

I medici che seguono i principi della medicina naturale raccomandano in genere di bere da sei a otto bicchieri d'acqua al giorno. Bere molta acqua ed evitare bevande alcoliche e caffè sono tra le prescrizioni di ogni sano regime naturista.

Il ruolo fondamentale delle fibre alimentari Parte importante ma non assimilabile di molti cibi di origine vegetale, le fibre alimentari rimangono nel colon dopo che grassi, carboidrati e proteine sono stati digeriti.

Qui, a contatto con i liquidi intestinali, le fibre si gonfiano contribuendo ad aumentare la massa fecale e accelerando l'evacuazione. Alcuni tipi di fibra, come la crusca d'avena, la pectina contenuta in mele e uva, e la gomma dei semi di guar, possono determinare una riduzione del colesterolo nel sangue. Con l'aiuto di alcuni batteri, le fibre possono anche ostacolare la formazione di cellule cancerose all'intestino.

Una differenza integrale

Molti hanno solo una vaga idea di come siano gli alimenti al loro stato "originario". Tra un alimento fresco, naturale, integrale e un suo derivato commerciale raffinato e frazionato, c'è una quantità enorme di nutrienti andati persi; persino quando il prodotto raffinato è arricchito artificialmente. Nei cibi naturali le calorie sono in equilibrio con gli altri nutrienti, e formano un insieme di elementi nutritivi impensabile in molti cibi raffinati. Per vivere, l'essere umano ha fondamentalmente bisogno di acqua, carboidrati, proteine e di una vasta gamma di vitamine e minerali, oltre che di modiche quantità di grassi. Se un cibo integrale soddisfa contemporaneamente molti di questi bisogni, uno raffinato può soddisfarne al massimo uno o due.
— Da *Laurel's Kitchen* (La cucina di Laurel), di Laurel Robertson, Carol Flinders e Bronwen Godfrey

Data la difficoltà di calcolare le fibre contenute in ogni cibo, il modo migliore di assicurarsene un buon apporto giornaliero consiste nel mangiare le quantità raccomandate di frutta e verdura, sia cotta sia cruda, possibilmente con la buccia. Cereali integrali, o raffinati il meno possibile, e legumi secchi sono tra le migliori fonti di proteine e fibre a basso contenuto di grassi. Le noci, le mandorle e gli altri semi commestibili (come quelli di girasole, sesamo e zucca) contengono molta fibra ma anche una quantità non trascurabile di grassi.

Da anni le aziende del settore alimentare aggiungono fibre naturali e sintetiche ai loro prodotti per migliorarne la composizione: per esempio la crusca d'avena rende certi alimenti adatti a chi ha il colesterolo alto.

Additivi diretti e indiretti Nel mondo le aziende alimentari utilizzano circa 3 000 additivi per conservare, colorare, aromatizzare, abbellire, mantenere asciutti, sbiancare, rendere soffici o sodi gli alimenti. La presenza di additivi nella comune dieta è oggi assai maggiore di trent'anni fa. Ma in termini di quantità, se non consideriamo zucchero e sale (due sostanze presenti praticamente ovunque) tutti gli altri additivi aggiunti di proposito (come la caffeina e il BHT, un conservante diffusissimo) ammontano a circa l'1% dell'apporto alimentare.

Gli additivi indiretti, cioè non aggiunti di proposito, possono invece provenire da diverse fonti: dai 12 000 prodotti chimici usati nel confezionamento che, in talune condizioni, passano dall'involucro al cibo; oppure dalle migliaia di sostanze chimiche usate dagli agricoltori durante la coltivazione o sul raccolto, per tener lontani i parassiti, far maturare la frutta al momento

Molti ritengono essenziale per la salute bere almeno sei, otto bicchieri d'acqua al giorno. L'acqua purificherebbe l'organismo eliminando le tossine accumulate. Se non siete certi della purezza dell'acqua corrente di casa vostra, meglio usare acqua minerale o installare un depuratore adeguato.

*Le tecniche di lotta integrata
e i moderni "aspirainsetti" sono
due alternative all'uso di pesticidi
potenzialmente tossici. La prima
foto, qui sotto, illustra una
"consociazione" (cioè una coltura
mista a file alternate) tra grano
e trifoglio violetto, una pianta
da foraggio che gli afidi trovano
repellente ma che in compenso
arricchisce il suolo d'azoto.
La macchina agricola della seconda
foto viene invece sperimentata
con successo per aspirare
la dorifera, un coleottero che è
il principale parassita delle patate.*

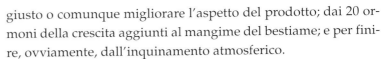

giusto o comunque migliorare l'aspetto del prodotto; dai 20 ormoni della crescita aggiunti al mangime del bestiame; e per finire, ovviamente, dall'inquinamento atmosferico.

Gli additivi alimentari utilizzati in Italia devono far parte di una lista approvata dalla Comunità Economica Europea, ed è per questo che la loro sigla è sempre preceduta da una E (*vedi* la tabella di pag. 271).

Molti naturopati, erboristi e altri terapisti di medicina naturale consigliano di mangiare solo alimenti integrali non trattati. Il timore è che si sappia ancora poco sull'impatto a breve e a lungo termine che gli additivi hanno sulla salute umana. Ma quel poco che si conosce in fatto di pesticidi e altri inquinanti ambientali non è certo rassicurante.

Dubbi che persistono Anche se molti governi hanno proibito l'uso di alcuni coloranti alimentari rivelatisi cancerogeni, le organizzazioni in difesa dei consumatori sono convinte che in questo settore ci sia ancora tanto lavoro da fare, e non solo sui coloranti non ancora messi fuori legge.

Per esempio sul modo in cui conservanti, pesticidi e altri additivi possono interagire pericolosamente fra loro: ci sono prove che mostrano come l'acido sorbico e i suoi sali, comunemente usati come conservanti, si possano combinare con i nitriti, additivi alimentari assai diffusi, e produrre un composto chimico che può causare mutazioni genetiche.

Eppure gli additivi offrono anche vantaggi al consumatore

attento alla salute. Permettono di mangiare cibi più vari di quelli prodotti stagionalmente e localmente.

Mantengono gli alimenti freschi più a lungo, preservandoli dalla proliferazione batterica. Consentono di inviare il cibo a distanze considerevoli senza che si guasti o inacidisca.

Scegliere cibi freschi Per ridurre il potenziale tossico derivante dall'assunzione di vari additivi il primo suggerimento è quello di consumare una grande varietà di alimenti, soprattutto di stagione e, se possibile, non trattati. Mangiare poi pochi grassi e molte fibre significa già evitare i cibi con un eccesso di sostanze "estranee".

Acquistare direttamente dal produttore consente di mangiare vegetali raccolti al massimo da un giorno, quindi probabilmente non trattati con pesticidi o coperti di cera per "abbellirli" e prolungarne la conservazione, come avviene invece quando passano attraverso la grande distribuzione. Le verdure fresche, leggermente cotte al vapore, sono quelle che contengono la minima quantità di sodio naturale, mentre quelle in scatola sono quasi sempre trattate con sale e altri additivi. Il pane integrale, ricco di fibre, acquistato presso il panettiere sotto casa ha probabilmente meno conservanti, sbiancanti e altre sostanze chimiche del pane bianco prodotto industrialmente.

Quando botanica e tecnologia alimentare convergono Nel giro di pochi anni, gli scienziati potrebbero essere in grado di dirci molto di più sul modo in cui i cibi, i loro componenti e gli additivi che l'uomo vi aggiunge possano contribuire a sviluppare, o a inibire malattie come il cancro.

E sarà solo l'inizio. Herbert Pierson, un tossicologo che ha lavorato all'Istituto Statunitense per la Ricerca sul Cancro, non vede l'ora di poter produrre, con le nuove tecnologie, «succo d'arancia con il contenuto chimico di venti arance o bistecche prive di grassi ma con elevate concentrazioni di allicina, il potente composto presente in aglio e cipolle».

I coloranti, i conservanti... e poi?

La maggior parte di noi reputa sano e sicuro il cibo che consuma, ma ci sono anche coloro che si preoccupano, e sono sempre di più, degli effetti a lungo termine dei pesticidi e degli additivi presenti negli alimenti più comuni. Una sicurezza certa è rappresentata dai prodotti coltivati organicamente (cioè senza fare uso di agenti chimici), un'altra consiste nell'evitare quei prodotti che contengono sostanze potenzialmente nocive. In ogni caso è bene che tutti i consumatori sappiano qualcosa dei conservanti e degli altri additivi presenti in ciò che mangiano.

- *Prodotti lucidati.* La cera usata per lucidare (per esempio le mele) può sigillare all'interno i pesticidi, che così non vengono eliminati col semplice lavaggio. Inoltre, le sostanze antimicotiche impiegate per ritardare i processi di imputridimento possono combinarsi con la cera. Per togliere la cera dalla frutta e dagli ortaggi, lavateli con acqua calda e sale.

- *Ormoni e antibiotici.* Gli ormoni sono risultati implicati nello sviluppo del cancro al seno e di altre forme tumorali. Gli antibiotici presenti nei mangimi del bestiame (e di conseguenza in molti prodotti di origine animale) possono rendere alcuni ceppi batterici resistenti all'attuale arsenale terapeutico, e gli esseri umani a rischio di pericolose infezioni.

- *Additivi.* Sono presenti in quasi tutti gli alimenti conservati. Per riconoscerli fate attenzione alle etichette dei prodotti, sulle quali sono indicati con lettere e numeri: la lettera E seguita da un numero a tre cifre indica un additivo alimentare regolato dalla Comunità Economica Europea. I numeri specificano il tipo di additivo: per esempio, quelli che incominciano con 1 (da E100 a E199) sono coloranti; quelli che incominciano con 2 sono conservanti; da E300 a E321 sono antiossidanti; mentre da E322 a E472 sono emulsionanti. I danni che possono recare alla salute sono assai discussi, in ogni caso è bene evitarli tutti, in particolar modo i coloranti.

- *Nitriti.* Il nitrito di sodio è un sale aggiunto a quasi tutti i salumi, per conservare, dare sapore ed esaltare i colori. Quando viene riscaldato (anche nello stomaco), tende a combinarsi con altri composti (le amine secondarie) formando potenti sostanze cancerogene: le nitrosamine. Quando fate la spesa, abituatevi a chiedere salumi privi di nitriti.

Allergie, intolleranze, ipersensibilità

*Alcuni alimenti possono scatenare nel nostro organismo reazioni negative,
che però non sono sempre di tipo allergico. Eliminare dalla dieta i cibi sospetti,
e poi reintrodurli uno alla volta, è un buon metodo per identificare i "colpevoli".*

NON TUTTI REAGISCONO allo stesso modo a certi alimenti. Le reazioni negative possono essere: prurito, vertigini, emicrania, gonfiori... Manifestazioni comunemente considerate di tipo allergico. Ma se nella popolazione adulta le allergie alimentari vere e proprie sono piuttosto rare, e solo poco più frequenti tra i bambini, allora da che cosa sono causate le spiacevoli reazioni provocate in alcuni dall'assunzione di certi cibi?

Allergie alimentari Ciò che distingue un tipo di reazione da un'altra è il modo specifico in cui l'organismo cerca di espellere la sostanza incriminata. In una reazione allergica il sistema immunitario scambia un cibo particolare per una sostanza nociva (come un virus o un batterio) e l'attacca producendo una quantità di anticorpi, le immunoglobuline E (IgE).

Anche le istamine e altri composti chimici si riversano nel sistema circolatorio, dando luogo a una serie di sintomi allergici che possono andare dal gonfiore all'eritema, dai crampi a reazioni anafilattiche anche mortali.

Ma a volte non c'è nemmeno bisogno di mettere in moto il sistema immunitario per scatenare effetti negativi. Molte persone manifestano reazioni di ipersensibilità a certi cibi, caratterizzate da sintomi come irritabilità, mal di testa o ottundimento, naso chiuso.

Quando si sospettano un'allergia o un'ipersensibilità, molti medici raccomandano una dieta che escluda tutti gli alimenti "sospetti". Se i sintomi spariscono, i cibi vengono reintrodotti uno alla volta, per osservare quando e se il problema si ripresenta. Se questo avviene, il colpevole è identificato e viene eliminato permanentemente dalla dieta. Un'altra soluzione, che non tutti però considerano valida, consiste nel "desensibilizzare" i pazienti, cioè nel far sì che il loro organismo arrivi ad accettare, mediante assunzioni progressive, l'alimento "incriminato".

Intolleranze alimentari Emicranie croniche, diarrea, meteorismo e altri sintomi spiacevoli sono talvolta il risultato di un'incapacità dell'organismo di assimilare il lattosio, lo zucchero del latte; incapacità dovuta all'assenza di un enzima nell'apparato digerente, che normalmente interviene per elaborarlo. Al-

Crostacei, latte, uova e arachidi sono frequentemente responsabili di intolleranze alimentari. A seconda del tipo di reazioni che provocano può essere necessario eliminarli, totalmente o parzialmente, dalla propria tavola. Non è difficile nel caso delle aragoste, ma latte, uova e olio di arachidi compaiono come ingredienti in numerosi prodotti alimentari e da forno.

cune persone con questa carenza possono tollerare piccole quantità di latte, mentre altre hanno problemi con qualsiasi alimento che contenga lattosio, compresi i gelati, molti prodotti da forno e le salse diluite con la panna.

Evitare l'alimento è la "cura" principale contro l'intolleranza. Esiste però anche un additivo a base di lattosio, che contiene una dose dell'enzima e che dunque può aiutare chi ne è privo. Inoltre è bene ricordare che lo yogurt, i formaggi stagionati, il latte acido e altri prodotti caseari i cui zuccheri siano stati distrutti durante la fermentazione sono spesso meglio tollerati anche dalle persone ipersensibili.

"Caso clinico"

SCOPRIRE UN'INTOLLERANZA ALIMENTARE

Capita a volte che un alimento, consumato abitualmente per anni senza reazioni apparenti, improvvisamente si rivolti contro di noi. Per individuarlo, scrive il medico John Postley, occorre una scrupolosissima ricerca.

La complessità delle allergie alimentari è entrata in casa di John Postley il giorno in cui sua moglie Elaine, che non si ammalava mai, cominciò a non sentirsi troppo bene e ad avere un senso di vertigine. Il fastidio venne prontamente eliminato con una cura a base di antistaminici. Qualche anno dopo, però, la sua misteriosa malattia si ripresentò sotto forma di frequenti cefalee con naso chiuso.

«Inizialmente attribuii i problemi allo stress dovuto ai suoi impegni di lavoro e alla gravidanza in corso» scrive Postley. «Non collegai certo quei sintomi alle nostre frequenti capatine in gelateria, dove Elaine si concedeva regolarmente una coppa di vaniglia e cioccolato.»

Il mal di testa e le infezioni ai seni nasali di Elaine però peggiorarono. Cominciò a stare veramente male per periodi sempre più lunghi. Secondo Postley «passava interi fine settimana a letto, con una borsa dell'acqua calda sulla testa, cercando di recuperare per potersi ripresentare al lavoro il lunedì».

La specializzazione medica di Postley era l'asma degli adulti, una malattia spesso scatenata da fattori allergici. Cercò di analizzare più a fondo i sintomi che sua moglie manifestava: «Studiavo e sperimentavo. Cominciai a individuare un legame tra alcuni cibi e sintomi come l'emicrania e la rigidità delle articolazioni. Presto capii che l'unico modo per risolvere i problemi di Elaine era scoprire empiricamente quali fossero i cibi che le facevano male. Preparai una lista di ingredienti sospetti e li provai uno per uno».

I Postley studiarono attentamente la dieta di Elaine, soffermandosi in particolare sugli additivi alimentari "nascosti" ed esaminando tutte le etichette con estrema cura. Poi cominciarono ad eliminare, uno alla volta, tutti gli alimenti e gli additivi incriminati, che dopo un certo periodo di tempo venivano reinseriti nella dieta per verificarne l'eventuale intolleranza.

Emerse che latticini e cioccolato erano la causa della malattia di Elaine. «Questo ci colpì, perché mia moglie per tutta la vita li aveva mangiati senza alcun problema. L'esperienza di Elaine è un esempio vivente di un'intolleranza a uno o più cibi comuni acquisita attraverso il loro consumo prolungato e ripetuto. Per Elaine» scrive ancora Postley «questo ha significato niente più gelati al cioccolato. Così, mentre i periodi di salute cominciavano a diventare più lunghi di quelli di malattia (e ne guadagnava anche la linea), Elaine ha dovuto ammettere che ne valeva la pena.»

Tratto da The Allergy Discovery Diet *(La dieta per smascherare le allergie), di John E. Postley e Janet Barton.*

Acquistare, conservare, cucinare

Chi decide di mangiare in modo più sano deve fare attenzione a quello che compera, scegliere i cibi più nutrienti, conservarli e cucinarli in modo da non disperderne il sapore e i componenti più preziosi.

GLI ORTAGGI FRESCHI cotti a vapore, anziché bolliti, mantengono gran parte dei loro nutrienti. Le varietà di insalata color verde scuro forniscono più sostanze nutritive della lattuga verde chiaro. Se i latticini vengono conservati a una temperatura che supera i 10° C, la loro durata si riduce della metà. Una patata cotta al forno intera e con la buccia trattiene quasi il 90% della sua vitamina C; solo il 30% se viene tagliata in due.

Come mostrano questi esempi, scegliere i cibi più nutrienti non basta, è necessario anche sapere come cucinarli e conservarli per non rischiare di impoverirli.

Il pane e i cereali integrali non sono solo ottime fonti di fibra ma forniscono elevate concentrazioni di vitamine del gruppo B e diversi minerali. Nell'acquisto lasciatevi guidare più dalla consistenza che dal colore: il pane veramente integrale (che non è quello fatto con farina raffinata e solo un cucchiaio di crusca) tende ad essere scuro, sodo e un po' gommoso. Il

L'olio impedisce all'ossigeno di raggiungere l'alimento. Poiché i microorganismi necessitano dell'ossigeno per svilupparsi, le verdure, le erbe o i formaggi conservati in questo modo si mantengono integri e il loro sapore è intatto. Ma attenzione: anche per la conservazione è bene utilizzare olio d'oliva di prima qualità.

*Il **cavolo** non è solo una ricca fonte di vitamina C: è versatile, a buon mercato, disponibile tutto l'anno. Un prezioso alleato per la preparazione di piatti gustosi.*

pane scuro ma soffice al tatto può essere stato colorato con caramello o altri additivi e ovviamente non possiede grandi qualità nutrizionali. I cereali in grani poco o per nulla trattati, come l'orzo, il bulgur (grano duro germinato, precotto e spezzettato) e il riso integrale, sono più nutrienti del riso bianco raffinato.

Evitate le carni venate di grasso. Quando poi comprate pesce, controllate che abbia branchie rosse, carne soda e occhi sporgenti. Se non intendete cucinare la carne, il pollame o il pesce subito dopo l'acquisto, surgelateli.

Bistecche e tagli di carne si conservano, tenuti in frigorifero, per quattro o cinque giorni, la carne macinata e il pollame fresco solo per uno o due e il pesce per uno.

Fare la spesa con attenzione Per quanto riguarda la frutta e la verdura, ricordate che il colore intenso è spesso una buona indicazione dell'elevato contenuto nutrizionale. Per esempio, le migliori fonti di betacarotene, una sostanza che l'organismo trasforma in vitamina A, sono le arance, le verdure color giallo-arancio, come le carote, e le verdure a foglia verde.

I prodotti ortofrutticoli raccolti di fresco sono quelli che contengono la quantità massima di nutrienti. Conservateli nel congelatore, in buste di plastica o in contenitori a tenuta d'aria. Anche i cibi in scatola dovrebbero essere tenuti al fresco, per ridurre al minimo la degradazione delle vitamine.

Si stima che in Italia, nonostante il prosperare di supermercati e ipermercati, un terzo di tutte le vendite al dettaglio avvenga nei mercati rionali. Oltre a essere convenienti, offrono una vasta scelta di frutta e verdure fresche.

Quando scegliete delle carote fresche, preferitele di forma regolare e di un bel colore arancio brillante e, possibilmente, con il loro ciuffo di foglie. Evitate quelle con spaccature e radicette, che sono segni di invecchiamento. Prima di mangiarle, lavatele e strofinatele con un panno ma non raschiatele: perdereste una parte preziosa di vitamine.

La frittura alla cinese richiede un'apposita pentola di forma vagamente conica: il wok. Con poco olio, che in questa pentola raggiunge una temperatura elevatissima, gli alimenti, mescolati con costanza, cuociono rapidamente. La cottura rapida assicura una minima perdita di vitamine rispetto ad altri metodi. Inoltre, gli ortaggi cucinati così rimangono croccanti e colorati, più allettanti e meglio presentabili in tavola.

Se non vi è possibile acquistare pesce e frutti di mare freschi, cercate almeno un fornitore di prodotti surgelati: i contenuti nutrizionali di carni, pesci e pollame surgelati sono quasi gli stessi dei corrispettivi freschi.

Nel caso di alimenti che perdono molto in fretta le loro proprietà, la surgelazione può addirittura risultare più indicata della conservazione per qualche giorno in frigorifero. Molti surgelati si mantengono bene per diversi mesi, ma qualora la data di scadenza sia poco leggibile, per non sbagliare, può essere una buona idea segnare sulle confezioni la data di acquisto.

Un cibo più sano Se vi preoccupa la quantità di additivi presente nei prodotti ortofrutticoli, cercate di acquistare quelli di origine organico-biologica. Le etichette che recano la dizione «prodotto biologico» o «biodinamico» oppure «organico» certificano che i prodotti provengono da coltivazioni dove non si fa uso di pesticidi o di fertilizzanti chimici e sintetici. Tali alimenti sono venduti in genere nei negozi di cibi naturali, direttamente presso alcuni coltivatori e, sempre più spesso, nei supermercati. Cercate anche carne e pollame provenienti da allevamenti dove non si utilizzano né antibiotici né additivi alimentari.

Conservare i nutrienti, evitare i grassi L'esposizione all'aria e all'acqua degli alimenti provoca una perdita di minerali, oligoelementi e vitamine, specialmente di quelle idrosolubili come la vitamina C. Per preservare questi nutrienti, tagliate le verdure solo al momento di prepararle o, quando è possibile, cucinatele intere e con la buccia. Frutta e verdura non dovrebbero essere tenute a bagno a lungo (sciacquarle è sufficiente per eliminare i residui di terriccio e di pesticidi dalla superficie) e nemmeno lessate in grandi quantità di acqua.

Le verdure crude o cotte per poco tempo a vapore conservano molti nutrienti. La cottura a vapore è assai indicata anche per il pesce. L'uso della pentola a pressione, del *wok*, la speciale pentola per la "frittura alla cinese" con poco olio, sono tutti sistemi di cottura che riducono al minimo l'impoverimento dei cibi.

Per cucinare la carne, grigliare e arrostire (pennellando con olio la carne o il tegame) è meglio che brasare o stufare. Prima di cuocere, eliminate il grasso visibile dalla carne e la pelle dal pollame tutte le volte che è possibile. Togliere la pelle da mezzo petto di pollo arrosto può ridurre il contenuto di grassi da 8 a 3 grammi.

Anche le padelle antiaderenti possono aiutare, ma per ridurre al minimo il consumo di grassi sarebbe meglio evitare del tutto le fritture.

Prevenire le intossicazioni alimentari Anche se molti preferiscono la carne non troppo cotta, che in effetti può essere più ricca di preziosi nutrienti, la cottura completa ad alta temperatura offre maggiore protezione dall'eventuale presenza di batteri nocivi. Per maggiore sicurezza, la carne rossa dovrebbe raggiungere una temperatura interna di almeno 70° C, il pollame di 80° e il pesce di 60°.

Il batterio della salmonella, la causa più comune di infezione alimentare, viene trasmesso dai prodotti crudi o solo parzialmente cotti di origine animale, e scatena sintomi quali: diarrea, crampi e mal di testa. Il botulismo, causato da un batterio che si sviluppa negli alimenti in scatola o negli insaccati, può essere mortale: non consumate mai prodotti conservati le cui confezioni presentino rigonfiamenti o altri difetti visibili, anche se il contenuto sembra normale.

Per conservare ciò che a tavola non è stato del tutto consumato, dividete gli avanzi in piccole porzioni, così da accelerarne il raffreddamento, e metteteli subito in frigorifero. Non lasciate mai carne, pollame, pesce e latticini a temperatura ambiente per più di due ore: il cibo caldo e umido rappresenta un ottimo terreno di coltura dei batteri. Per la stessa ragione i surgelati andrebbero sgelati nel frigorifero invece che sul piano della cucina.

Come si calcola la percentuale di grassi

La percentuale di grassi di un alimento è facilmente calcolabile a partire dalle calorie totali e dai grammi di grasso presenti. In termini scientifici, la caloria è il calore necessario a far salire di un grado la temperatura di un grammo di acqua.

- Un grammo di grasso sviluppa circa 9 calorie, mentre un grammo di proteine o di carboidrati 4 calorie. L'etichetta di un pacchetto di würstel dice, per esempio, che il valore calorico di ogni pezzo è di 170 calorie, e che contiene 7 grammi di proteine, 1 grammo di carboidrati e 15 di grasso.

- Moltiplicate 15 grammi di grasso per 9 (calorie per grammo di grasso). Il risultato dice che 135 sono le calorie dei grassi.

- Dividete ora le calorie totali (170) per le calorie di grasso (135). Il risultato è 0,79.

- Moltiplicate per 100: verrete così a sapere che il 79% delle calorie di un würstel deriva dai suoi grassi.

Quali diete?

Sembra strano, ma gli atleti hanno esigenze nutrizionali simili a quelle di chi vuole dimagrire. Per raggiungere i loro obiettivi, gli uni e gli altri devono attenersi alle regole fondamentali di una sana alimentazione.

GLI ATLETI, PROFESSIONISTI E DILETTANTI, sono sempre alla ricerca di alimenti che facciano migliorare le loro prestazioni e diano energia senza turbare la condizione fisica generale. Anche chi fa una dieta dimagrante, sia che debba perdere qualche chilo sia che combatta contro una reale obesità, deve pianificare la sua alimentazione. Che cos'hanno in comune un atleta in perfetta forma e un signore sedentario e in sovrappeso? Entrambi hanno bisogno di alimenti poveri di grassi ma ricchi di fibra e carboidrati complessi. La grande differenza tra loro è il fabbisogno calorico totale: un atleta che si allena per una maratona può aver bisogno di mezzo chilo di pasta, a pranzo o a cena, per compensare l'energia consumata; chi sta a dieta deve invece limitarsi a una piccola porzione per pasto.

Una dieta a base di carboidrati *è indispensabile per chiunque pratichi un'attività sportiva. Il classico piatto di spaghetti è in grado di fornire all'organismo l'energia necessaria per intraprendere uno sforzo di lunga durata.*

Naturalmente nessuna dieta dà a tutti gli stessi risultati. Fattori come l'età, il sesso, la corporatura e il livello di attività influenzano il fabbisogno individuale di determinati elementi. Gli adolescenti e le donne al disotto dei cinquant'anni, per esempio, hanno bisogno, più di chiunque altro, di alimenti ricchi di calcio. Le donne che per anni consumano quantità ridotte di calcio sono infatti più esposte al rischio dell'osteoporosi, una malattia che assottiglia e indebolisce la struttura ossea, facilmente riscontrabile dalla menopausa in poi. Gli adolescenti e le donne in gravidanza hanno invece un fabbisogno elevato di ferro.

Tutti, però, abbiamo bisogno degli oltre quaranta nutrienti presenti nel cibo. L'Istituto Nazionale della Nutrizione ha stabilito alcune linee-guida per i livelli di vitamine e minerali essenziali che assicurino il benessere agli individui sani. Si tratta dei Livelli di Assunzione giornalieri Raccomandati di energia e Nutrienti (LARN), dei quali qualsiasi dieta varia, equilibrata e moderata deve tenere conto.

Il carburante "fantasma" dello sportivo Per anni le proteine sono state il cibo prediletto da chi voleva "farsi i muscoli". Gli atleti, e soprattutto i frequentatori delle palestre di *body-building*, compravano integratori proteici, convinti che le proteine si trasformassero in muscoli direttamente dopo essere state ingerite. Una convinzione priva di fondamento, perché l'organismo usa sì le proteine per la crescita, la sostituzione e la riparazione dei tessuti, ma immagazzina le eccedenze sotto forma di grasso, non di massa muscolare.

I carboidrati sono probabilmente il miglior carburante per gli atleti e per chi fa attività fisica. Prima di un allenamento o di una gara, gli atleti è bene che consumino soprattutto carboidrati, che dovrebbero rappresentare, nella dieta, il 60-70% delle calorie totali. Secondo l'esperta Nancy Clark, l'apporto di grassi non dovrebbe invece superare, nella dieta dello sportivo, il 25% e quello di proteine conviene sia modesto. Come chi conduce vita sedentaria, anche i corridori, i ciclisti, i nuotatori e tutti gli altri atleti devono assicurarsi un consumo di carboidrati complessi e ricchi di fibra e proteine con pochi grassi.

Un confronto fra queste percentuali e quelle delle linee-guida per una sana alimentazione mostra che la differenza è minima: 10-12% di proteine, 25% di grassi e il resto carboidrati. Per gli individui a rischio di malattie coronariche il consumo di grassi non dovrebbe comunque superare il 20-25%. E tutti dovrebbero mangiare quantità modeste di proteine, scelte solo tra gli alimenti meno grassi.

Il buon senso prima di tutto Molti dietologi, e numerosi ex obesi, hanno scoperto che mangiare in maniera variata, con pochi grassi e molti carboidrati, e praticare una costante attività fisica è più efficace di tante diete. Un'alimentazione equilibrata, ricca di carboidrati, è infatti in grado di modificare la proporzione tra massa corporea magra e grassa. L'esercizio fisico agevola ulteriormente l'operazione: si perdono più grassi in palestra o in piscina che stando semplicemente a dieta.

Le perdite di peso non hanno niente di misterioso. Quando il corpo brucia più energia (cioè consuma più calorie) di quella assunta attraverso il cibo, deve utilizzare quella immagazzinata nei tessuti. Un chilo di grasso corporeo equivale a 7000 kcal. Per perderne mezzo chilo la settimana occorre quindi bruciare con l'esercizio fisico, oppure ridurre l'apporto alimentare, di 500 calorie al giorno.

Le drastiche riduzioni caloriche, però, non sono consigliabili. Una dieta che scende sotto le 1200 kcal giornaliere per le donne e sotto le 1400 kcal per gli uomini può procurare gravi carenze nutrizionali. Inoltre, le rapide perdite di peso ottenute con diete troppo ipocaloriche (cioè con poche calorie) e quasi prive di carboidrati danneggiano in larga parte i tessuti magri e le riserve di liquidi: infatti il corpo, per eseguire le funzioni normalmente alimentate dai carboidrati, è costretto a bruciare le proteine. Se invece la dieta è equilibrata, l'organismo utilizza le scorte di grasso. I carboidrati complessi, inoltre, occupano nello stomaco uno spazio maggiore rispetto ai grassi e alle proteine, quindi saziano di più e apportano meno calorie.

Agli studenti di una scuola superiore era stato chiesto di aggiungere alla loro dieta abituale, ricca di calorie, dodici fette di pane integrale (ipocalorico) al giorno: ebbene, dopo un certo periodo, tutti calavano di peso. Evidentemente il pane li saziava e rendeva meno appetibili gli alimenti più calorici.

Il fardello dell'obesità A volte le persone in sovrappeso non mangiano più degli altri ma, avendo una proporzione di grasso

I calciatori hanno bisogno di cibo energetico per arrivare in buone condizioni fisiche fino alla fine della partita. Gli alimenti più adatti sono i carboidrati complessi, vale a dire la materia prima delle moderne diete ad alto tenore di fibre e basso tenore di grassi.

corporeo superiore a quella della massa magra, metabolizzano diversamente il cibo. Il flaccido dirigente di 110 chili non ha bisogno delle stesse calorie di un muscoloso lottatore dello stesso peso, perché il grasso si mantiene anche con un modesto apporto calorico.

Un ulteriore problema per gli individui in sovrappeso è l'enzima responsabile del deposito dei grassi (trigliceridi) nelle cellule: la lipoproteina lipasi. Quando si perde più del 15% del peso corporeo, questo enzima viene sollecitato a funzionare al massimo. Mesi o anche anni dopo la fine della dieta, l'enzima può ancora essere attivo in modo eccezionale. Ciò fa sì che, una volta tornati a un'alimentazione normale, si corra seriamente il rischio di recuperare tutto il peso perso.

"Caso clinico"

PIENO E VUOTO

Nancy Clark, esperta di alimentazione sportiva, racconta la vicenda di un atleta che, nel tentativo di dimagrire ad ogni costo, arriva a sconvolgere tutti i ritmi alimentari: con la conseguenza di fallire ogni obiettivo che si è dato.

Gli atleti ossessionati dal loro peso e perciò perennemente a dieta, sono coloro che maggiormente rischiano pericolosissimi disordini alimentari. Per loro il cibo non è più un carburante ma "il nemico calorico" che ostacola il bisogno di essere magri a tutti i costi, anche pagando con angosce le preparazioni sportive mediocri.

Pete, un atleta di 42 anni, non si era mai preoccupato del suo peso fino al momento in cui cominciò a correre. Confrontando il proprio corpo con quello dei compagni si scoprì grasso e decise di mettersi a dieta. Faceva 15 chilometri al giorno di allenamento, non mangiava quasi niente e poi, la sera, divorava qualsiasi cosa trovasse in casa. Mi disse: «Mi sento così in colpa per tutte quelle scatole di cereali, di cracker e di biscotti che ingoio... Dopo, invece di cenare con mia moglie e con i bambini vado di nuovo a correre, per bruciare le calorie ingoiate. I bambini si arrabbiano perché finisco sempre i biscotti e mia moglie perché trascuro la famiglia. E anch'io sono deluso di me stesso: mi sembra tutto un fallimento. Mi imbarazza non essere capace di perdere qualche chilo. Ormai non riesco più a mangiare normalmente: o sto a dieta o mi abbuffo».

Per aiutare Pete a riformulare i suoi obiettivi dietetici e a normalizzare i suoi sconvolti ritmi alimentari, misurai la sua percentuale di grasso corporeo (un eccellente 8%), determinai il suo fabbisogno calorico giornaliero in base anche alla sua attività sportiva, e studiai un piano applicabile. Come molti miei clienti, Pete si imponeva privazioni insensate per chi ha solo qualche chilo di troppo. Il peso al quale mirava era assai al di sotto del peso ideale che poteva mantenere senza fatica.

Pete aveva ridotto troppo drasticamente le sue calorie. Correva per 15 chilometri ogni mattina, con un dispendio di circa 1000 calorie, e non mangiava nulla fino all'ora di pranzo, quando se ne concedeva al massimo 450. Ovvio che prima di cena mangiasse di tutto: moriva di fame! Gli consigliai di cominciare a fare regolarmente colazione e pranzo, per poi finire con una cena dettata dal buon senso. Cambiò abitudini e le abbuffate cessarono. Secondo le mie raccomandazioni, Pete suddivise in modo più uniforme nel corso della giornata 2600 calorie.

«Davanti al frigorifero non mi comporto più come un maniaco che fa man bassa di tutto quello che trova» mi ha confermato Pete. «E ho deciso di non perdere più peso: il mio corpo non desidera affatto essere più magro. Mi sento benissimo così: pieno di energia al lavoro e meno irritabile. Anche la corsa migliora e, soprattutto, sono io a decidere che cosa voglio mangiare.»

Tratto da Nancy Clark's Sports Nutrition Guidebook *(Guida all'alimentazione dello sportivo), di Nancy Clark.*

L'ossessione della dieta Secondo una ricerca condotta dal governo degli Stati Uniti, la metà di tutte le donne e un quarto degli uomini sono o sono stati a dieta. Da noi il problema non è di così vasta portata, ma certo l'ossessione per il proprio corpo, il mito pericoloso della magrezza a tutti i costi e alla portata di tutti non ci ha risparmiati. Dunque non stupisce che tanti, illusi dalla falsa equazione "bellezza uguale magrezza", si attacchino all'ultima dieta che promette risultati immediati senza alcuno sforzo. Praticamente chiunque mangi meno riscontra inizialmente una perdita di peso, ma attenzione: i primi chili persi sono costituiti prevalentemente da acqua, che il corpo rilascia non appena il dispendio energetico si rivolge alle riserve di proteine e di grassi.

La "sindrome dello yo-yo" Mantenere un certo peso dopo una dieta è tanto importante, e spesso tanto difficile, quanto raggiungere quel peso. Una dieta costante e prolungata nel tempo porta a dividere la vita in periodi di ferree privazioni alternati a periodi di abbandono di ogni restrizione. In effetti, più spesso una persona si mette a dieta più è probabile che riacquisti il peso perso: un fenomeno che i nutrizionisti chiamano la "sindrome dello yo-yo". L'organismo, per alimentare le proprie attività, trasforma le calorie del cibo in energia. Ma se l'apporto calorico cala di colpo, il metabolismo basale (cioè il dispendio energetico a riposo) rallenta per consentire la conservazione di una riserva minima di energia. Sollecitato da continue diete, il corpo impara a rallentare il metabolismo in modo sempre più efficiente, rendendo così sempre più difficile la perdita di peso.

Sul versante opposto, l'attività fisica dovrebbe invece essere un impegno per tutta la vita. Allenarsi tre o più volte la settimana non solo brucia calorie e potenzia i muscoli, ma dona una sensazione di benessere tale da incoraggiare a perseverare negli sforzi anche dopo l'iniziale entusiasmo per i primi chili persi. In più, l'attività fisica accelera il metabolismo anche nelle due o tre ore che seguono l'allenamento.

Un'attività fisica moderata ma costante aiuta chi si mette a dieta a perdere peso. Il movimento sollecita un'accelerazione del metabolismo che consente di bruciare le calorie più rapidamente e con maggiore efficacia.
La moderna alimentazione, ricca di grassi nocivi e povera di fibre, sta creando una vera e propria generazione in sovrappeso. Non è mai troppo presto per affrontare il problema: abitudini alimentari più sane e attività sportive possono risolverlo. Ma attenzione al buon senso. Soprattutto i ragazzini devono essere incoraggiati a seguire la nuova strada, non obbligati.

La dieta vegetariana

Una scelta che molti consideravano ormai superata torna oggi prepotentemente alla ribalta. La dieta vegetariana è una variante della dieta sana: pochi grassi e molte fibre. Come raccomandano i moderni nutrizionisti.

CHI DI NOI NON HA MAI AVUTO IL SOSPETTO che una dieta priva di carne potesse, alla lunga, danneggiare l'organismo? Che il rifiuto delle proteine animali fosse suicida? Che il mangiare soltanto verdure fosse un insulto per il palato? Eppure moltissime persone in tutto il mondo non mangiano carne per motivi economici, religiosi o culturali, e così è sempre stato nel corso della storia. In effetti, i fondamenti della nostra cultura alimentare hanno più a che fare con la prosperità che con un reale bisogno di cibi di origine animale.

C'è chi sostiene che gli esseri umani sono "naturalmente" vegetariani: a differenza dei leoni, infatti, ci mancano i denti adatti a lacerare la carne, mentre in comune con gli erbivori abbiamo canini di dimensioni ridotte. In più, abbiamo molari piatti, per masticare a lungo il cibo, e mascelle mobili, per triturare le fibre vegetali. Anche il nostro apparato digerente sembrerebbe adatto più per digerire alimenti vegetali che animali. L'intestino è molto lungo, per demolire completamente gli alimenti fibrosi e assorbirne ogni nutriente, mentre i carnivori hanno tratti intestinali corti, per digerire rapidamente la carne ed eliminare i prodotti di scarto prima che le tossine abbiano la possibilità di accumularsi.

Una questione di salute Una ragione più pressante a favore di una scelta vegetariana riguarda la salute. Alcune ricerche dimostrano che i vegetariani hanno livelli ridotti di colesterolo nel sangue e una bassa pressione sanguigna. Quindi rischiano meno dei carnivori di contrarre malattie cardiache. Inoltre mangiano grandi quantità di broccoli, carote, agrumi e altri alimenti che, allo stato attuale delle ricerche, sembrano proteggere nei confronti dello sviluppo e della crescita dei tumori.

Una dieta con pochi grassi e molti agenti protettivi può determinare una minore incidenza di certi tipi di cancro?

Molti pensano che, poiché il nostro corpo è predisposto per una digestione lenta, una prolungata permanenza nell'intestino della carne, ricca di grassi saturi, provocherebbe un accumulo di tossine e quindi lo sviluppo di tumori al colon e al retto. In effetti, tra le popolazioni la cui dieta è priva di carne (per esempio i giapponesi) tumori di questo tipo sono assai rari.

Vegetariani a tempo pieno o parziale Una dieta strettamente vegetariana (detta più propriamente "vegetaliana" o "vegan") è priva di qualsiasi prodotto animale, anche derivato. Quindi niente pesce, pollame, latticini e uova. I cosiddetti "ovolattovegetariani" si concedono invece i latticini e le uova, mentre i "lattovegetariani" evitano le uova e mangiano i latticini. Ma c'è anche chi è vegetariano a tempo parziale oppure mangia pesce ma nessun altro tipo di carne.

Chi considera la possibilità di rinunciare alla carne si chiede come assumere le proteine necessarie. Le recenti scoperte nel cam-

po della nutrizione suggeriscono che il fabbisogno proteico è sempre soddisfatto se la dieta comprende tipi vari di verdura, legumi, cereali e frutta.

Molti vegetariani sottolineano l'importanza di associare i cibi tra loro in modo da assicurarsi proteine complete. Una combinazione tipica è la tradizionale pasta e fagioli. Ciascuno dei suoi ingredienti si completa a vicenda in quanto fornisce l'amminoacido di cui l'altro è privo, col risultato di formare, insieme, una proteina completa. I nutrizionisti sottolineano tuttavia che, anche se combinazioni di questo tipo (cereali più legumi: per esempio riso e piselli, polenta e lenticchie) garantiscono un adeguato apporto proteico, praticamente qualsiasi altra associazione di cibi nutrienti è in grado di fornire il fabbisogno proteico medio di un adulto.

L'unico problema potrebbe riguardare i vegetaliani che, consumando esclusivamente prodotti vegetali, corrono il rischio di una carenza di vitamina B_{12}, presente quasi esclusivamente in prodotti animali. Questa vitamina è essenziale per il funzionamento della maggior parte delle cellule e una sua carenza protratta può provocare gravi danni al sistema nervoso centrale. L'organismo tende però a conservare la vitamina B_{12}, per questo i sintomi della sua carenza possono manifestarsi anche dopo due o tre anni. I nutrizionisti in genere raccomandano ai vegetaliani di assumere integratori a base di vitamina B_{12}.

Fare una scelta Se decidete di passare a una dieta vegetariana, la prima cosa da ricordare è che la riduzione della carne non vi autorizza a trangugiare formaggi e budini, o altri cibi ricchi di grassi saturi. Detto questo, non c'è nessun pericolo nell'abbandonare la carne, nemmeno se lo fate di punto in bianco. Tuttavia, se desiderate "convertire" tutta la famiglia è opportuna una certa gradualità, in modo che tutti possano adattarsi: incominciate a togliere dai vostri menù la carne rossa, poi il pollame e infine il pesce.

I cuochi vegetariani si rivolgono spesso ad altre culture per ispirarsi. Tagliatelle, riso e tofu (sopra) sono la base di molti pasti senza carne, che vengono presentati con ortaggi, legumi e numerosi altri ingredienti. La pizza però (sotto) resta probabilmente il piatto unico più amato dagli italiani, un piatto che può essere decisamente nutriente. Aumentate la proporzione di fibre e di vitamine usando, per esempio, farina integrale per la pasta e decorando il tutto con della verdura fresca.

Macrobiotica: il cibo in equilibrio

Questo approccio all'alimentazione sana si basa sugli antichi principi della filosofia cinese. Scegliendo con cura i cibi e associandoli tra loro in modo corretto, la macrobiotica cerca di trovare l'equilibrio più salutare.

PIÙ CHE UNA SEMPLICE SCELTA ALIMENTARE, la macrobiotica è un approccio alla salute nel quale prevale il concetto di equilibrio. Come filosofia, la macrobiotica (termine che deriva dal greco *makrobiótes*, longevità) si basa liberamente sull'antico principio cinese di yin e yang, la legge delle forze antagoniste e complementari che dominano la natura.

Secondo questa legge l'universo è un equilibrio di qualità yin (morte, freddo, buio, femminile) e yang (vita, caldo, splendente, maschile). Non può esistere buio senza luce, freddo senza caldo, vita senza morte, maschile senza femminile. Anche gli alimenti possono essere classificati in base alla loro natura yin o yang; i criteri che determinano l'appartenenza a un campo o all'altro sono diversi: per esempio il clima (le regioni tropicali produrrebbero cibi molto yin, quelle fredde cibi molto yang), il pH (acido-yin o alcalino-yang) e il gusto (dolce-yin o salato-yang).

Scopo della dieta Per vivere bene occorre trovare l'equilibrio tra due estremi. Certi cibi, come lo zucchero o il miele, sono considerati molto yin, mentre altri, come la carne e le uova, molto yang. I cereali, in particolare quelli integrali (e tra questi soprattutto il riso), sono più vicini all'ideale armonia tra le due forze opposte e devono pertanto costituire la base della dieta ma-

Gli utensili prediletti dalla cucina macrobiotica sono i tegami di ferro smaltato, acciaio, coccio e le teglie di vetro o ceramica. I cuochi macrobiotici non usano rame né alluminio, che rilasciano tracce di metallo secondo loro sufficienti a modificare il contenuto vitaminico del cibo. Utilizzano cucchiai, spatole e mestoli di legno o di bambù e spazzole di setole naturali per pulire la verdura.

crobiotica. Mangiare in modo troppo squilibrato porta a scompensi emotivi: l'eccesso di cibi yin provoca preoccupazione e risentimento, mentre l'eccesso di cibi yang provoca ostilità e aggressività. Secondo i principi della macrobiotica, chi si sente caratterialmente un po' yin dovrebbe alimentarsi con cibi yang (e viceversa) per ritrovare l'equilibrio. Oltre che alla dieta, infatti, il concetto di yin e yang è esteso a ogni sfera della vita umana e comporta una ricerca del benessere fisico ed emotivo attuata attraverso l'equilibrio tra lavoro, esercizio, rilassamento, meditazione, rapporti umani.

Una falsa partenza Negli anni Sessanta alcuni fanatici estremizzarono i principi della macrobiotica giungendo a suggerire un regime alimentare basato esclusivamente sul consumo di riso integrale. Va da sé che un'alimentazione del genere può risultare d'una monotonia mortale, anche in senso letterale. Purtroppo furono proprio questi estremisti a portare la macrobiotica all'attenzione del pubblico. Anche se la macrobiotica consiglia di evitare gli eccessi di yin e yang, le sue linee-guida, in pratica, non sono poi molto diverse da quelle di molti regimi vegetaliani.

La dieta macrobiotica ideale si basa su pochi principi fondamentali più che su cibi particolari. Michio Kushi, uno dei suoi più noti divulgatori, sostiene che tale dieta debba tener conto del mutamento delle stagioni, del clima e delle esigenze personali. Questo significa consumare cibi prodotti nella zona in cui si vive, preferibilmente di stagione e soprattutto non trattati con prodotti chimici. In generale, i cereali integrali devono rappresentare il 50% della dieta e la verdura un altro 25%. Legumi e derivati della soia, come il tofu, contribuiscono per un ulteriore 10%, così come semi, noci e affini, frutta e pesce. L'ultimo 5% viene dal brodo preparato con un altro derivato della soia, il miso. Tra gli alimenti da evitare: le carni rosse, lo zucchero, i latticini, le uova e il caffè.

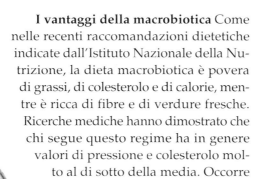

I vantaggi della macrobiotica Come nelle recenti raccomandazioni dietetiche indicate dall'Istituto Nazionale della Nutrizione, la dieta macrobiotica è povera di grassi, di colesterolo e di calorie, mentre è ricca di fibre e di verdure fresche. Ricerche mediche hanno dimostrato che chi segue questo regime ha in genere valori di pressione e colesterolo molto al di sotto della media. Occorre comunque dare molta importanza alla varietà degli alimenti, senza la quale si rischia una dieta povera di ferro, calcio e vitamine D e B_{12}. Per i bambini e le donne in gravidanza, inoltre, può essere più opportuna una dieta meno restrittiva.

Lo yin e lo yang degli alimenti

Vi sentite troppo yin? Mangiate cibi yang e viceversa.
Alimenti moderatamente yin sono: verdura a foglia larga, tofu, noci e semi, agrumi e marmellate senza zucchero.
Alimenti moderatamente yang sono: tuberi e radici, pesci e crostacei, formaggio fresco, fagioli e piselli.
Il riso e altri cereali integrali sono gli alimenti più equilibrati: per questo formano la base della dieta macrobiotica.
Evitate gli eccessi e quindi lo zucchero e i dolci, le spezie forti, gli alcolici, il tè e il caffè (troppo yin), la carne, il pollame, i formaggi stagionati e le uova (troppo yang).

Cibi sani di tutto il mondo

Un pasto consumato in famiglia rappresenta per il bambino il luogo ideale dove scoprire il piacere di cibi freschi e naturali. I bambini non sono immuni dagli effetti del grasso alimentare in eccesso, che può anzi accumularsi nelle arterie già in tenera età. La soluzione è insegnare loro ad apprezzare pasti e merende più genuini, con pochi grassi e scarsamente elaborati.

Molti bambini storcono il naso davanti a un piatto di verdura: una cattiva abitudine per la loro salute, presente e futura. Ma anche il più schizzinoso ama il mais da sgranocchiare direttamente dalla pannocchia lessata o abbrustolita.

In Cina, dove l'incidenza di malattie cardiache è tra le più basse del mondo, gli spinaci piacciono anche ai bambini! Con il riso, le verdure verdi costituiscono qui la base della dieta.

La buccia del cocomero è così spessa che il rischio di contaminazione da pesticidi è scarsissimo. Quando si offre ai bambini più piccoli questo frutto è bene togliere i semi, per evitare ogni possibile rischio di soffocamento. O, meglio ancora, scegliere una varietà priva di semi.

Gli spaghetti costituiscono una vera sfida per i piccoli, che tuttavia si divertono a mangiarli. Cercate però di condirli nel modo più leggero e naturale possibile.

I pranzi di famiglia sono sempre occasioni per far festa con i sani piatti della cucina mediterranea.

Il ruolo delle vitamine e dei minerali

Le vitamine e i minerali consentono all'organismo di utilizzare l'energia fornita dal cibo. Che cosa fare perché non manchino mai nella nostra dieta? È sufficiente un'alimentazione equilibrata o servono anche degli integratori?

Al biochimico americano *Elmer McCollum si deve la scoperta della prima vitamina, la A, nel 1913. Una volta in grado di isolare queste sostanze presenti nel cibo, gli scienziati hanno potuto dedicarsi con successo allo studio dei rapporti tra dieta e salute.*

UN NUMERO PERICOLOSAMENTE ALTO di persone prende ogni giorno integratori vitaminici o minerali, spesso senza capire come funzionano e cosa fanno. Nutrienti come la riboflavina, la vitamina C, lo zinco e molti altri sono essenziali per la salute ma non sostituiscono il cibo. Vitamine e minerali, infatti, sono solo intermediari che consentono al corpo di utilizzare l'energia presente negli alimenti.

Come agiscono Essenziali per mantenere in buone condizioni le cellule, le vitamine svolgono una straordinaria gamma di funzioni nel corpo umano. Non solo contribuiscono a trasformare il cibo in energia, ma partecipano alla produzione delle cellule, degli ormoni e dei composti chimici del sistema nervoso.

Le vitamine si dividono in due categorie: idrosolubili e liposolubili. Le quattro vitamine che appartengono alla seconda categoria (A, D, E e K) vengono assorbite nel grasso corporeo e immagazzinate come riserva per usi successivi; se prese in eccesso, però, possono diventare tossiche. La vitamina C e le otto vitamine del gruppo B sono tutte idrosolubili, si sciolgono nei liquidi corporei e se assunte in eccesso vengono eliminate attraverso l'urina o il sudore. È praticamente impossibile trovarne quantità massicce nell'organismo, ma dosaggi eccessivi di vitamina B_6 possono risultare tossici.

I minerali svolgono il compito di mantenere attive le difese immunitarie, intervengono nella coagulazione del sangue, nella sintesi dell'ossigeno, nella formazione delle ossa e in numerose altre funzioni. Alcuni, come il calcio, il fosforo e il magnesio, sono necessari in quantità non indifferenti, mentre gli altri, detti "oligoelementi", in dosi assai minori. Tra i minerali indispensabili al nostro organismo ricordiamo il ferro, lo zinco, il fluoro e il rame. Tutti i minerali, se ingeriti in quantità eccessiva, sono potenzialmente tossici.

Che cosa sono gli integratori? Come dice la parola, si tratta di sostanze assunte per integrare o completare la nostra normale alimentazione: per lo più micronutrienti in piccole quantità e cioè, secondo il tipo di integratori, in misura di pochi grammi o anche di milligrammi al giorno.

Alcuni alimenti particolarmente concentrati e ricchi di vitamine, sali minerali e altri micronutrienti possono essere utilizzati come integratori: un tipico esempio sono tutti i prodotti dell'arnia, dal miele al polline, alla pappa reale.

Altri integratori sono un concentrato di diversi nutrienti e derivano direttamente dalla preparazione degli alimenti: ne sono tipici esempi il lievito di birra e la lecitina di soia. Si tratta di

Al suo equipaggio *in viaggio verso l'Australia, intorno alla fine del XVIII secolo, il grande navigatore inglese James Cook serviva una versione di questo stufato di cavolo fermentato con altri ortaggi. Fu così il primo comandante di vascello a prevenire lo scorbuto, una malattia dovuta a carenza di vitamina C, che affliggeva di frequente i marinai per la mancanza di verdure fresche durante le lunghe traversate. Cook attribuì proprio alla razione giornaliera di cavoli, oltre che alla rigorosa pulizia della nave, il fatto di avere potuto compiere un viaggio di tre anni, attraverso i climi più diversi, senza perdere uno solo dei 118 uomini del suo equipaggio.*

Le combinazioni più vantaggiose

Si sa che vitamine e minerali si influenzano reciprocamente, ma alcune particolari combinazioni biochimiche possono facilitarne o inibirne l'assorbimento da parte dell'organismo. La vitamina C, per esempio, facilita l'assorbimento del ferro, ecco perché l'abbinamento di cereali, ricchi di questo elemento, e di kiwi, ricchi di vitamina C, risulta nutriente, oltre che gustoso. Altre combinazioni vantaggiose sono: vitamina D e calcio, vitamina E e selenio, vitamina B_{12} e acido folico, calcio e magnesio.

"complessi", cioè di un insieme di micronutrienti che come tali non rischiano di squilibrare il delicato meccanismo del "gioco di squadra" tra vitamine e sali minerali. Queste prime due categorie di integratori possono essere assunte liberamente; le uniche eventuali controindicazioni sono particolari intolleranze alimentari o disfunzioni metaboliche.

Vi sono poi degli integratori che derivano da estratti vegetali particolarmente ricchi di alcune vitamine e/o sali minerali. Dato che questi prodotti, pur essendo un concentrato, sono comunque un insieme di sostanze che si favoriscono a vicenda nell'utilizzo da parte dell'organismo (si parla, per esempio, di co-vitamine o co-fattori), essi non rappresentano solitamente un potenziale rischio per il consumatore. È tuttavia utile consultare un medico esperto in nutrizione per scegliere bene tempi, dosaggi ed eventuali associazioni tra integratori diversi.

Infine troviamo i minerali e le vitamine di sintesi, ottenute cioè attraverso un procedimento chimico. Si tratta di prodotti isolati, che vengono assorbiti in modo diverso dal nostro organismo. Per il loro impiego è sempre preferibile il consiglio del medico.

Secondo il loro contenuto, gli integratori si possono suddividere in: vitaminici, minerali, proteici, lipidici (per esempio gli acidi grassi essenziali), fibre. Un'ulteriore distinzione tra integratori può essere fatta in base alla loro funzione: lassativa, stimolante, digestiva, antiossidante e così via.

Quanto sono necessari gli integratori? Da tempo è aperto il dibattito sull'effettiva necessità degli integratori vitaminici e minerali e sulla loro innocuità. Con poche eccezioni (per esempio le vitamine D e K), il corpo umano non può produrre da sé vitamine e minerali, che devono quindi essere acquisiti attraverso gli alimenti.

Il maggiore argomento a favore dell'uso degli integratori è lo squilibrio di molte diete: in effetti, la moderna alimentazione è così ricca di cibi industriali e raffinati da non riuscire a fornire al corpo quantità adeguate di vitamine e minerali essenziali. Basti pensare al dilagare del *fast food*, lo spuntino sì veloce ma privo, il più delle volte, di qualsiasi valore nutritivo. Inoltre, secondo alcuni sostenitori dell'uso di integratori, lo stress cronico causato dai ritmi frenetici della vita quotidiana e l'inquinamento ambientale accrescono notevolmente il nostro fabbisogno di questi importanti nutrienti.

La medicina ortodossa ammette che alcuni individui in stato di carenze possono trarre vantaggio dal consumo di integratori alimentari: gli anziani, chi assume certi medicinali particolarmente debilitanti, i pazienti in cura per ustioni o gravi malattie, le donne in gravidanza o in allattamento. Sembra che anche il fumo e gli alcolici possano sottrarre nutrienti all'organismo, così come le diete rigide e protratte per lungo tempo.

In anni recenti gli scienziati hanno cominciato a studiare la possibilità di un uso terapeutico delle vitamine e dei minerali. Le vitamine A, B$_6$, C ed E, oltre allo zinco, si sarebbero tutte dimostrate efficaci per stimolare il sistema immunitario; betacarotene (vitamina A), vitamina C ed E e selenio hanno funzione antiossidante, combattono i radicali liberi e sembrano svolgere una funzione preventiva nei confronti di alcuni tipi di cancro. Ma se queste ricerche sembrano promettenti, i risultati finora conseguiti non sono ancora da considerarsi definitivi.

Che cosa dice (e non dice) l'etichetta Gli integratori alimentari che sono stati registrati presso il Ministero della Sanità al pari dei farmaci possono, come questi ultimi, contenere delle indicazioni sull'utilità in determinate patologie. Tutti gli altri (e sono la maggioranza) sono considerati alla stregua di alimenti e per legge non possono vantare proprietà farmacologiche o salutistiche. Ciò rende naturalmente più arduo il compito del consumatore, che deve rivolgersi a una persona esperta (medico, farmacista, erborista) per informazioni.

È comunque utile cercare sulla confezione l'esatta composizione del prodotto, la data di confezionamento e di scadenza e le indicazioni sulle modalità e le quantità di assunzione.

Scegliere un integratore Gli scaffali di molte farmacie, erboristerie e negozi di alimentazione naturale sono zeppi di integratori, tra cui quelli vitaminici e minerali, molti dei quali mirati a problemi o a stili di vita specifici. È importante però tenere presente, qualunque sia l'integratore, l'equilibrio delle vitamine e dei minerali che lo compongono, poiché questi agiscono tra loro in un complesso "gioco di squadra": alcuni minerali e vitamine possono infatti attivare o inibire la capacità del corpo di as-

I raggi del sole stimolano nell'organismo la produzione di vitamina D (calciferolo), indispensabile per la fissazione del calcio. Nei bambini, l'assenza di calciferolo può portare al rachitismo, malattia dovuta, appunto, alla carenza di calcio nelle ossa per insufficiente esposizione alla luce solare.

sorbire e utilizzare gli altri. La vitamina C, per esempio, migliora l'assorbimento di ferro, particolarmente quello inorganico di origine vegetale. Ma troppa vitamina C può interferire con l'assorbimento di rame. Il vostro medico nutrizionista vi indicherà, eventualmente sulla base di un "mineralogramma" (cioè di uno specifico esame che, analizzando il capello, dà un quadro completo della situazione metabolica; *vedi* pag. 301)), il vostro effettivo bisogno di singoli micronutrienti.

Tabella delle vitamine e dei minerali Consultate la tabella che segue per capire il ruolo principale che svolge ciascun nutriente e per scoprire in quale alimento è maggiormente contenuto. Ricordatevi che le vitamine liposolubili vengono trattenute nel fegato e nei tessuti grassi, quindi non occorre che siano assunte ogni giorno; quelle idrosolubili, invece, rimangono nel nostro organismo solo per poco e devono dunque far parte della nostra alimentazione quotidiana.

	Vitamina	Ruolo principale	Dove si trova
Liposolubile	**A** *(retinolo)*	Effetti benefici su pelle, mucose, ossa, denti e capelli; aiuta la vista e favorisce la riproduzione.	Vegetali color giallo-arancione, spinaci, fegato, latticini, uova.
	D *(calciferolo)*	Favorisce l'assorbimento di calcio e fosforo; necessaria per l'accrescimento e la rigenerazione delle ossa.	Latte e latticini, olio di fegato di pesce, uova, fegato.
	E *(tocoferolo)*	Stimola la produzione dei globuli rossi e ha funzione antiossidante.	Oli vegetali, noci e affini, semi, verdure a foglia larga, cereali integrali.
	K *(menadione)*	Favorisce i processi di coagulazione del sangue.	Verdure a foglia larga, oli vegetali, tuorlo d'uovo, fegato.
Idrosolubile	**B$_1$** *(tiamina)*	Necessaria per il funzionamento del sistema nervoso; favorisce la trasformazione dei carboidrati in energia.	Cereali integrali, fegato, legumi, semi, noci e affini, patate, lievito di birra, carne di maiale, rognone.
	B$_2$ *(riboflavina)*	Partecipa alle reazioni che trasformano il cibo in energia.	Verdure a foglia larga, carni (specialmente cuore, fegato, reni), pollame, pesce, uova, latte, latticini e vegetali.
	B$_3$ *(niacina)*	Necessaria per le funzioni del sistema nervoso e di quello digestivo; trasforma il cibo in energia.	Carne, pesce, uova, farina di grano, lievito, funghi.

La prevenzione *comincia dalla scelta di frutta e verdura fresca, in particolare delle varietà ricche di betacarotene (come le carote e i meloni) e di vitamina C (peperoni, pomodori, agrumi), che hanno ottime proprietà antiossidanti e sembrano in grado di proteggere da certi tumori e dalle cardiopatie.*

Ruolo principale	Dove si trova	Idrosolubile
Necessaria per il metabolismo; stimola la produzione di globuli rossi.	Carni di maiale e agnello, pesce, uova, patate, banane, noci e affini, legumi, cereali integrali.	B_6 *(piridossina)*
Stimola la produzione di globuli rossi; garantisce il buon funzionamento del sistema nervoso.	Fegato, carni, uova, frutti di mare, latte e latticini.	B_{12} *(cianocobalamina)*
Stimola la produzione di globuli rossi e l'assorbimento di proteine, grassi, carboidrati.	Verdure a foglia larga, frutta, cereali integrali, legumi.	B_9 *(acido folico)*
Aiuta a metabolizzare i nutrienti.	Cereali integrali, legumi, verdure a foglia larga, latte, uova, fegato, rognone.	B_5 *(acido pantotenico)*
Partecipa al metabolismo degli acidi grassi e aiuta a trasformare carboidrati e amminoacidi in energia.	Cavolfiore, fegato, tuorlo d'uovo, legumi, noci e affini.	H *(biotina)*
Promuove la formazione, la crescita e la conservazione di ossa e denti; cicatrizza i tessuti; difende dalle infezioni.	Tutta la frutta e in particolare agrumi, kiwi e fragole; pomodori, patate, cavoli, peperoni.	C *(acido ascorbico)*

	Elemento	Ruolo principale	Dove si trova
Sostanze minerali	**Calcio**	Formazione di ossa e denti; controllo della coagulazione sanguigna, delle funzioni cardiache e della contrazione muscolare.	Latte e derivati; sardine e acciughe con le lische; verdure a foglia larga.
	Fosforo	Partecipa alla costruzione di ossa e denti; aiuta a trasformare il cibo in energia.	Latte, formaggi, pollame, pesce, cereali integrali, noci e affini, carni, legumi.
	Magnesio	Formazione di ossa e denti; conduzione nervosa e contrazione muscolare; aiuta a produrre energia.	Verdure a foglia larga, noci e affini, cereali integrali, legumi, latte.
	Sodio	Regola l'equilibrio acido-basico e quello dei liquidi; agisce sulla funzione nervosa e muscolare.	Sale da cucina, cibi industriali, formaggi, cibi conservati, prodotti da forno.
	Potassio	Agisce sulla funzione nervosa e muscolare; favorisce il mantenimento della pressione arteriosa.	Banane, prugne secche, uvetta, patate, cereali, legumi.
	Cloro	Regola l'equilibrio dei liquidi e degli elettroliti; produce alcuni dei succhi gastrici.	Tutti i prodotti che contengono sale.
	Zolfo	Formazione di vari tessuti, capelli, unghie e cartilagini.	Pesce, tuorlo d'uovo, molluschi, germe di grano, legumi, carni.
Oligo-elementi	**Ferro**	Formazione di emoglobina; garantisce il trasporto di energia e promuove il metabolismo delle proteine.	Farina di soia, fegato, fagioli, molluschi, pesche, prugne secche, verdure a foglia larga, uvetta.
	Zinco	Entra nella composizione di vari enzimi e dell'insulina; stimola la cicatrizzazione; promuove la crescita e lo sviluppo sessuale.	Frutti di mare, uova, pesce, cereali integrali, carni, legumi.
	Iodio	Necessario per la produzione degli ormoni tiroidei.	Sale marino integrale o da tavola iodizzato; pesce, frutti di mare, alghe; carne.
	Rame	Attiva numerosi enzimi e l'assorbimento del ferro; favorisce la formazione di globuli rossi e fibre nervose.	Interiora, ostriche, noci e affini, legumi, semi.

Ruolo principale	Dove si trova	Oligoelementi
Necessario per la formazione delle ossa; partecipa a molte reazioni enzimatiche.	Tè, caffè, legumi, noci e affini.	**Manganese**
Formazione di ossa e denti.	Tè, caffè, acciughe e sardine con lisca, cereali, carne.	**Fluoro**
Consente all'insulina di intervenire correttamente nel metabolismo degli zuccheri.	Lievito, cereali integrali, arachidi, germe di grano.	**Cromo**
È in stretta correlazione con il metabolismo della vitamina E; partecipa ad alcune attività enzimatiche.	Cereali integrali, fegato, frutti di mare.	**Selenio**
Forma parte di un enzima.	Cereali integrali, legumi, fegato.	**Molibdeno**

I legumi secchi (sopra) forniscono fibra alimentare, ma anche zolfo, calcio e altri minerali essenziali. Quando acquistate un ortaggio (destra), ricordate che più verdi sono le foglie maggiore è il contenuto di nutrienti.

Le patate contengono ferro e vitamina C, due nutrienti che facilitano il reciproco assorbimento nell'organismo.

Curarsi con le vitamine e i minerali

Molti medici, soprattutto quelli orientati verso le terapie naturali, consigliano trattamenti a base di vitamine e minerali per curare numerosi disturbi.
Un sistema ancora sottoposto alla verifica della scienza ufficiale.

NON È INSOLITO CHE LA MEDICINA NATURALE prescriva vitamine e minerali per risolvere problemi come la depressione, il diabete, la trombosi e i dolori mestruali: disturbi per i quali un medico convenzionale prescriverebbe senza dubbio farmaci diversi. Non sorprende, quindi, che questo tipo di terapia sia oggetto di dibattito nel mondo scientifico.

La maggioranza dei medici ortodossi afferma che non esistono prove definitive a sostegno dell'uso di vitamine e minerali a scopo terapeutico; sulla base dei dati disponibili, nonché delle loro osservazioni cliniche, molti medici a orientamento naturale sono convinti del contrario.

Le megadosi In anni recenti ha preso piede una terapia basata sull'assunzione in grandi dosi di alcune vitamine e minerali; lo scopo non è solo quello di curare delle malattie specifiche, ma, più genericamente, di raggiungere un benessere complessivo. Il premio Nobel Linus Pauling, morto a 93 anni nel 1994, è stato uno dei suoi più noti sostenitori.

Linus Pauling era convinto che il consumo quotidiano di vitamine e minerali consigliato dai medici nutrizionisti fosse eccessivamente basso, totalmente inadeguato al fondamentale compito che questi preziosi elementi devono svolgere nell'organismo. Un'affermazione peraltro contestata dalla maggioranza dei medici e persino smentita dalle sperimentazioni scientifiche.

La proposta di Pauling si è poi concentrata sul consumo abbondante di vitamina C: lo scienziato spiegava che, mentre molti mammiferi producono da soli la loro vitamina C, ciò non accade con gli esseri umani che, quindi, devono assumerla attraverso gli alimenti. Ma questi non ci forniscono abbastanza nutrienti da garantirci la salute, che non è solo la semplice assenza di malattia ma uno stato complessivo, mentale e fisico, di benessere.

Nonostante le convinzioni di Pauling, quasi tutti i medici sostengono che le megadosi di vitamine rappresentano non solo uno spreco ma anche un pericolo: dosi eccessive di vitamina A, D, B_6 e di alcuni minerali come il selenio possono procurare, a breve termine, spiacevoli malesseri o problemi anche gravi, mentre mancano dati sugli effetti a lungo termine.

Le vitamine come terapia I medici naturali e i nutrizionisti non sono i soli a servirsi di vitamine e minerali per il trattamento di malattie specifiche. Tra i medici convenzionali è pratica comune prescrivere zinco ai pazienti che si sottopongono a diali-

Queste micrografie *presentano le coloratissime strutture cristalline della vitamina C. Gli scienziati studiano immagini di questo tipo nel tentativo di ricavare maggiori informazioni sul modo in cui la vitamina agisce nell'organismo.*

si, agli alcolisti che soffrono di cirrosi e hanno problemi di vista e a chiunque ne mostri una carenza. Altre terapie consolidate prevedono supplementi di ferro per l'anemia da carenza di questo elemento, la vitamina B_{12} per l'anemia perniciosa, la vitamina A per i casi gravi di acne, la niacina per abbassare i livelli di trigliceridi e di colesterolo nei pazienti sofferenti di problemi coronarici.

Tutto vero? Che dire della miriade di virtù terapeutiche attribuite in vario modo a vitamine e minerali? Le ricerche di cui si legge sulla stampa spesso portano a interpretare come definitivi risultati che sono solo preliminari, distorcendo ciò che in realtà possiamo aspettarci.

Prendiamo per esempio il calcio: mentre molti medici lo raccomandano ai pazienti per prevenire l'osteoporosi, sono scarse le prove definitive dell'efficacia di questo minerale su un adulto, specie quando la malattia è già manifesta. Eppure giornali e riviste non fanno che parlare dei suoi vantaggi. Allo stesso modo gli studi sull'uso della vitamina C nella prevenzione e nella cura del raffreddore non hanno prodotto risultati conclusivi: non di meno è diffusissima la pratica di assumerne quotidianamente dosi abbondanti quando il raffreddore è in arrivo.

Per i consumatori è difficile, e non sempre possibile, riuscire a distinguere i fatti dalle ipotesi; di sicuro, è sempre meglio astenersi dal cercare di curare una malattia con integrazioni di vitamine e minerali senza il consiglio di un esperto. Alan R. Gaby, medico e sostenitore dell'uso terapeutico degli integratori, ha po-

Dosi massicce di vitamine e minerali aiutano più di molti farmaci a mantenere la salute e a migliorarla: questa convinzione ha accompagnato Linus Pauling per tutta la sua vita. Premio Nobel per la chimica e per la pace, Pauling consumava 18 000 mg al giorno di vitamina C, cioè trecento volte il livello raccomandato per un adulto: è morto per un tumore a 93 anni. Quando gli fu diagnosticata la malattia commentò: «Senza le mie dosi di vitamina C sarei morto trent'anni fa».

Chi ne ha bisogno

Anche se seguite una dieta varia ed equilibrata, ci sono situazioni che possono determinare una carenza. Non tutti i medici sono d'accordo sull'utilizzo di integratori alimentari, ma c'è un consenso quasi unanime sul fatto che l'alimentazione non riesce quasi mai a soddisfare il fabbisogno di nutrienti nei casi descritti di seguito.

- Le donne in gravidanza e durante l'allattamento hanno bisogno di quantità maggiori di molti nutrienti.

- I malati cronici che assumono farmaci (molti dei quali inibiscono l'assorbimento dei nutrienti).

- I bevitori mostrano spesso una carenza di acido folico, tiamina e altre vitamine.

- I fumatori sono quasi sempre carenti di vitamina C.

- Chi sta a dieta. L'apporto alimentare quotidiano, infatti, può essere insufficiente a coprire il fabbisogno di elementi nutritivi.

- Gli anziani, che tendono ad assorbire i nutrienti dagli alimenti con più fatica.

- I convalescenti, dopo un'infezione o un intervento chirurgico. Gli integratori aiutano l'organismo a superare lo stress prodotto dalla malattia.

- Chi segue una dieta strettamente vegetariana (vegetaliana) può avere una carenza di vitamina B_{12}.

- Le donne in età fertile possono aver bisogno di ferro.

tuto verificare la loro efficacia: ecco i suoi suggerimenti sulle possibili proprietà curative di vitamine e minerali.

Tiamina (B_1) Spesso chiamata "la vitamina del morale", ha un ruolo importante per la salute mentale. Il fabbisogno di tiamina aumenta nei periodi di forte stress emotivo o fisico. I medici di orientamento naturale la raccomandano di frequente ai pazienti depressi. In più, la tiamina può essere utile contro il mal di montagna e il mal di mare, i postumi di una sbornia, l'herpes e vari tipi di nevralgia.

Riboflavina (B_2) Nella medicina naturale, la riboflavina viene impiegata per curare alcune psicosi indotte da sostanze chimiche, contro l'affaticamento visivo e nel trattamento degli alcolisti, che spesso ne sono carenti. Viene avanzata l'ipotesi che sia efficace anche per combattere la forfora.

Niacina (B_3) Utilizzata per contrastare l'accumulo di colesterolo e di trigliceridi nel sangue, anche la niacina rientra nel trattamento degli alcolisti, che spesso ne sono carenti. Inoltre è stata proposta come cura contro l'emicrania. Più controverso il suo uso come coadiuvante nelle terapie di schizofrenia, autismo, ansia, depressione, ipoglicemia, diabete e artrite.

Acido pantotenico (B_5) È utilizzato nel trattamento delle ghiandole surrenali e nella cura di vari sintomi allergici. L'acido pantotenico può attenuare la stitichezza, promuovere la guarigione delle ulcere peptiche e risolvere la paralisi intestinale che si verifica dopo molti interventi addominali. La vitamina B_5 è stata usata assieme ad altre del complesso B in ampi programmi di cura contro l'affaticamento, l'ansia, la depressione e l'ipoglicemia. Sembra inoltre che le pomate che la contengono possano incidere positivamente su una gamma di problemi cutanei, compresi gli eczemi.

Piridossina (B_6) È spesso raccomandata per attenuare i sintomi premestruali, tra i quali la tensione, l'acne, la ritenzione idrica e l'emicrania. Aiuterebbe inoltre a contrastare la depressione prodotta da alcune pillole contraccettive. In più, è stata usata nel trattamento di diabete, malattie cardiache, sindrome del tunnel carpale (un disturbo nervoso avvertito alle mani), artrite, iperattività, asma, problemi cutanei e malattie mentali.

Secondo alcuni la vitamina B_6 potrebbe anche prevenire la tossiemia gravidica, alcune forme di cancro alla vescica e i calcoli (depositi di ossalato di calcio) renali. Nella medicina convenzionale è invece utilizzata come coadiuvante nella cura di un raro tipo di anemia e nella prevenzione degli effetti collaterali provocati da alcuni farmaci antitubercolari.

Cianocobalamina (B$_{12}$) I medici naturopati iniettano dosi di questa vitamina ai pazienti affaticati, ansiosi, depressi, con cali di memoria, insonnia. La vitamina B$_{12}$ viene impiegata anche nel trattamento di neuriti e nevralgie. In certi casi sarebbe in grado di alleviare l'asma e di curare la dermatite seborroica, l'epatite e alcuni problemi oculari. Le iniezioni di vitamina B$_{12}$ sono una terapia riconosciuta contro l'anemia perniciosa, una rara malattia del sangue.

Biotina (H) Questa vitamina viene spesso prescritta ai neonati con eczema o altre malattie della pelle. Le ricerche suggeriscono che potrebbe essere efficace nella cura del diabete e aiutare i pazienti dializzati a combattere alcuni degli effetti collaterali di questa terapia.

Acido folico (B$_9$) Questa vitamina del complesso B favorisce il rinnovamento delle cellule dell'organismo e può essere utile contro la displasia cervicale, un disturbo che talvolta precede il tumore al collo dell'utero. In dosi elevate è stata usata per prevenire e curare le malattie cardiache, la psoriasi e la gotta. L'acido folico può essere utile nella prevenzione di alcune malformazioni congenite.

Gli anziani soffrono spesso di carenze di vitamine e di minerali. Ciò è dovuto all'età, ai medicinali assunti e a un'alimentazione non sempre corretta. Dopo i 55 anni, infatti, il metabolismo rallenta e i nutrienti vengono assorbiti con più difficoltà. Certi farmaci, poi, possono inibire l'assorbimento del calcio da parte dell'organismo, con conseguenze per tutto il sistema osteoarticolare.

Vitamina C (acido ascorbico) Noto antiossidante, può aiutare a prevenire alcuni tumori e a proteggere l'organismo dagli effetti dell'inquinamento, del fumo e della radioterapia. È allo studio il suo ruolo nel potenziamento delle funzioni immunitarie dell'organismo.

Alcune ricerche ritengono che potrebbe curare, o prevenire, malattie cardiovascolari, diabete, calcoli biliari, malattie degli occhi, infezioni virali e batteriche, disturbi mentali, asma, allergie e degenerazioni dei dischi intervertebrali. Nella medicina naturale, gli integratori a base di vitamina C sono prescritti per favorire la cicatrizzazione e aumentare la resistenza allo stress.

Vitamina A (retinolo) La medicina naturale sfrutta le sue proprietà nella cura delle infezioni acute, dell'acne e di altri problemi cutanei, per ridurre le mestruazioni troppo abbondanti, per prevenire e trattare le ulcere peptiche e per accelerare i processi di cicatrizzazione. Il betacarotene, precursore idrosolubile della vitamina A presente in certi prodotti ortofrutticoli, è un antiossidante utile per la prevenzione di alcuni tumori e delle malattie cardiovascolari; inoltre, contrasta gli effetti dell'invecchiamento.

Vitamina D (calciferolo) Le donne in menopausa possono trarre vantaggio da questa vitamina, che favorisce l'assorbimento del calcio. In combinazione con questo minerale, la vitamina D sarebbe in grado di alleviare le vampate di calore, i sudori notturni, i crampi alle gambe e altri sintomi della menopausa.

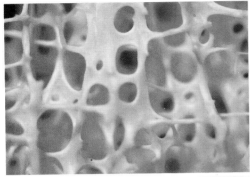
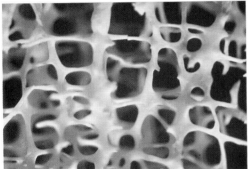

*Questi **ingrandimenti** fotografici di una vertebra mostrano la grande differenza tra un osso sano (sopra) e uno assottigliato e indebolito dall'osteoporosi (sotto). Anche se una terapia sicura non è stata ancora individuata, quasi unanime è l'accordo sulla prevenzione dell'osteoporosi. Due delle strategie raccomandate sono: dieta ricca di calcio e attività fisica durante l'adolescenza.*

Vitamina E (tocoferolo) Come antiossidante, la vitamina E può prevenire alcune forme di cancro e le malattie cardiovascolari. I medici attenti all'alimentazione la prescrivono nella cura di molti disturbi cardiovascolari per impedire al colesterolo e ai grassi polinsaturi di trasformarsi in sostanze pericolose per l'organismo.

Inoltre, la vitamina E sembra in grado di migliorare la circolazione e di prevenire la formazione di trombi. Le stesse virtù antiossidanti possono proteggere dai danni dell'inquinamento e di altre tossine, e rallentare il processo di invecchiamento.

Nelle donne, sembra che possa influire sul decorso della mastopatia fibrocistica, prevenire gli aborti spontanei e altre complicazioni della gravidanza, oltre che attenuare la tensione premestruale. Alcune ricerche sostengono che potrebbe prevenire la cataratta.

Vitamina K (menadione) Associata alla vitamina C può ridurre la nausea e il vomito durante la gravidanza. Inoltre, aiuta a ridurre le emorragie nasali e mestruali, probabilmente per il ruolo che svolge nella coagulazione del sangue.

Calcio Noto soprattutto per il ruolo che svolgerebbe nella prevenzione dell'osteoporosi, il calcio è impiegato nella cura dell'ipertensione e per la riduzione dei livelli di colesterolo e trigliceridi nel sangue. Anche se la causa dell'osteoporosi viene quasi sempre ricondotta a diete povere di calcio, alcuni nutrizionisti sono convinti che le responsabilità vadano condivise per lo meno con la vitamina D, che ne garantisce il corretto assorbimento.

Il calcio attenua i crampi mestruali e muscolari, l'ansia e l'insonnia. Studi recenti suggeriscono la possibilità di un collegamento tra questo minerale e la prevenzione del cancro al colon.

Ferro È impiegato normalmente nella cura delle anemie da carenza di ferro, un problema di molte donne in età fertile. Anche se è possibile che le integrazioni siano utili, farne uso senza necessità può determinarne un eccesso e quindi causare una serie di disturbi collaterali. Alcuni medici lo raccomandano in caso di forti perdite mestruali e nel trattamento del nervosismo avvertito a livello delle gambe.

Magnesio La magnesioterapia può essere utile in una vasta gamma di disturbi, dalla pressione alta alle malattie di cuore, dalla sindrome premestruale all'emicrania, all'asma, all'affaticamento. Questo minerale ha dimostrato effetti preventivi sulla formazione dei calcoli di ossalato di calcio nei reni e può attenuare alcuni dei sintomi associati al prolasso della valvola mitralica. Alcuni medici ritengono che il magnesio possa aiutare a ridurre l'ansia, la depressione e l'iperattività.

Selenio Antiossidante, il selenio sembrerebbe utile nella prevenzione del cancro. Anche se i risultati delle ricerche sono ancora contraddittori, è possibile associare la carenza di selenio a un maggior rischio di questa malattia. Le sue virtù antiossidanti possono ritardare l'invecchiamento.

La medicina naturale lo usa contro l'artrite e i problemi dei tessuti connettivi, oltre che per prevenire la cataratta e i cali di vista legati all'età. Gli shampoo che lo contengono sono generalmente usati per combattere la forfora.

Cromo I medici, di orientamento sia naturale sia convenzionale, ritengono che la carenza di cromo possa contribuire all'insorgere di diabete e ipoglicemia, quindi raccomandano un'integrazione per gli individui a rischio. Il cromo sembra essere utile anche per ridurre il colesterolo e per combattere ipertensione e malattie cardiovascolari.

Zinco È ampiamente utilizzato nella medicina naturale. Lo zinco aiuterebbe chi soffre di alcune forme di artrite, acne, eczemi, ulcere cutanee, ulcere peptiche, sterilità, perdita del gusto e dell'olfatto, ingrossamento della prostata.

Il mineralogramma

Per individuare la "situazione minerale" (cioè gli eventuali eccessi o le carenze) del nostro organismo, viene eseguita una particolare analisi di laboratorio del capello, detta "mineralogramma". Il capello è composto da una proteina, la cheratina, che, ricca com'è di zolfo, ha la proprietà di legarsi ai minerali presenti nel sangue. Il follicolo dal quale si sviluppa il capello è, come tutte le altre cellule del corpo, nutrito dal sangue; ecco perché il capello, in cui i minerali sono presenti in concentrazioni elevatissime (da cinquanta a cento volte maggiori di quelle del sangue), è considerato lo specchio più fedele della situazione minerale delle nostre cellule, ossia di tutto l'organismo.

Mirtillo

Amamelide

CAPITOLO 6

Curarsi con le piante

In un'èra tecnologica come la nostra, siamo
portati a credere che i farmaci di sintesi siano
più affidabili di quelli estratti dalle piante,
che ci sembrano antiquati e poco efficaci.
Ma la rinnovata attenzione verso le cure
naturali e la preoccupazione per gli effetti

Aglio

Melissa

collaterali che i farmaci moderni producono,
hanno portato a rivalutare i benefici delle
erbe. Bere una camomilla continua a essere
un aiuto eccellente per una buona notte
di sonno, mentre l'aloe è efficacissima contro
le ustioni. Molte piante comuni vengono usate
in maniera inconsueta: il luppolo ha un effetto
sedativo; un componente del peperoncino
viene utilizzato nelle pomate analgesiche...
Anche nella scelta dei rimedi erboristici
è comunque sempre bene affidarsi
alla guida di un esperto.

Le piante curative

Nonostante la fitoterapia venga utilizzata da secoli dalla medicina popolare contro i più vari disturbi, soltanto di recente la ricerca scientifica ha convalidato molti dei suoi effetti curativi.

Gli attrezzi del mestiere
di un farmacista del XIX secolo comprendevano barattoli di vetro con coperchi di latta per la conservazione a tenuta d'aria. Per polverizzare piante e medicinali si usavano il mortaio e il pestello, mentre il succo veniva estratto con la pressa. Spesso gli estratti venivano mescolati ad alcol per evitare che si deteriorassero.

L'USO DELLE PIANTE per curare o prevenire le malattie è probabilmente vecchio quanto l'umanità, fatto non certo ignorato dalla scienza medica. L'industria farmaceutica, infatti, è sorta proprio sulla base di questo sapere medico tradizionale: ancora oggi molti farmaci non sono che estratti vegetali somministrati in dosi controllate. E si è sempre in cerca di piante selvatiche le cui proprietà terapeutiche non sono ancora state sfruttate.

Ma secondo gli erboristi, che oggi associano le moderne conoscenze scientifiche con l'antica saggezza popolare, l'uso di potenti estratti vegetali va contro la vera essenza della fitoterapia. Nella pianta, infatti, le proprietà farmacologiche dei principi attivi vengono moderate da altri componenti, producendo gli effetti desiderati con un'azione più blanda e causando minori effetti collaterali.

Anni di uso, e abuso, ci hanno però insegnato che le piante non sono sempre benigne. Per comprendere appieno il giusto uso delle erbe curative, il folklore e l'aneddotica devono lasciare il posto alla scienza. Anche se la menta e la camomilla non sono certo piante tossiche come la digitale, qualsiasi trattamento che decidiamo di seguire deve iniziare con la conoscenza approfondita del rimedio scelto.

Storia delle piante curative In ogni parte del mondo, fin dalle epoche più remote, ci si è affidati al potere terapeutico di erbe e piante. Tavolette d'argilla del 4000 a.C. rivelano che già i Sumeri avevano speziali che preparavano e prescrivevano erbe medicinali, tra cui liquirizia e timo. Il *Pen Ts'ao*, testo cinese del 3000 a.C., conteneva circa 1000 formule di erboristeria, probabilmente usate già da migliaia di anni.

L'uso dei rimedi a base di erbe non è caratteristico solo delle popolazioni più antiche. Quando i Padri Pellegrini giunsero in America nel 1630, crearono subito orti per la riproduzione delle varietà di piante medicinali che avevano portato dall'Europa, ma ben presto scoprirono che gli indigeni ne avevano di proprie, come la cascara sagrada e l'idraste.

La storia delle piante officinali rivela come la loro scelta sia spesso stata determinata attraverso tentativi ed errori, con procedimenti irrazionali che, per esempio, individuavano il potere curativo delle piante in base alla loro forma o al colore: foglie a forma di fegato indicate per i disturbi del fegato, erbe di colore rosso per le malattie del sangue e così via. Con l'imporsi di un metodo scientifico anche in campo medico, la fitoterapia è finita nel limbo della magia.

Nonostante ciò, le proprietà di molte piante officinali non sono state sottovalutate. Anche oggi, malgrado la grande diffusione dei medicinali sintetici, oltre un quarto dei farmaci prescritti

*Il **Petersfield Physic Garden** nell'Hampshire, in Gran Bretagna: con le sole piante coltivate qui, un medico del XVII secolo avrebbe potuto coprire la totalità delle sue prescrizioni.*
Da millenni le piante vengono usate come medicinali per la cura dei più vari disturbi. Tutte le civiltà fiorite in India, in Cina e in Grecia prima dell'era cristiana ricorsero alle piante officinali, ancora oggi coltivate e conservate nei giardini botanici delle maggiori città del mondo.
Le più antiche piante officinali di cui si è a conoscenza sono state rinvenute nella Cina settentrionale circa 5000 anni fa; alla stessa epoca risale il primo papiro egizio che testimonia l'avvio della fitoterapia in Occidente.

è di derivazione vegetale; ma queste preparazioni non sono meno potenti, né meno pericolose di quelle di sintesi.

Proprio l'azione particolarmente violenta e l'elevata tossicità dei farmaci industriali (qualunque sia la loro provenienza) ha riavvicinato molti ai rimedi a base di erbe.

La fitoterapia oggi L'interesse per i rimedi vegetali è in costante aumento in tutti i paesi: ciò ha reso necessaria una regolamentazione aggiornata per il loro commercio. Da tempo tale regolamentazione viene discussa a livello di Comunità Europea e, una volta approvata, modificherà anche la legislazione italiana. Tra l'altro, potrebbero essere modificate le norme sulle etichette dei prodotti erboristici, i diplomi richiesti agli specialisti, l'elenco dei prodotti vendibili in erboristeria e di quelli riservati alla farmacia.

Per ora, un prodotto registrato come farmaco presso il Ministero della Sanità può riportare sulla confezione, e anche nella eventuale pubblicità, le "indicazioni", cioè gli usi specifici per la cura di determinati disturbi. Dato che le pratiche per ottenere la

registrazione sono lunghe e costose, molti prodotti fitoterapici non vengono considerati farmaci bensì alimenti, e pertanto non possono vantare proprietà terapeutiche né sulla confezione, né in pubblicità. Il consumatore è così costretto a documentarsi per conto proprio, oppure a chiedere consiglio al medico, al farmacista o all'erborista.

Piante officinali comuni Le oltre sessanta piante officinali presentate nelle pagine che seguono rappresentano una selezione di quelle più usate in Occidente. Tra di esse sono comprese alcune aromatiche, come il basilico, il timo e il rosmarino, utilizzate da sempre nella medicina tradizionale.

Le proprietà descritte per ciascuna pianta si riferiscono agli effetti farmacologici osservati sulla base sia di dati empirici ricavati nel corso della storia, sia di moderni studi clinici e di sperimentazioni farmacologiche condotte su uomini e animali.

Ma attenzione: anche se raramente le piante risultano dannose qualora vengano usate in quantità modeste, è sempre consigliabile un po' di buon senso.

Le lussureggianti foreste pluviali che si trovano a cavallo dell'Equatore nascondono piante medicamentose poco note. Nella foto piccola: un indiano Tirio mostra a un ricercatore americano una pianta che cresce nella foresta pluviale del Suriname, in Sudamerica. Sono sempre più numerosi gli scienziati che cercano di classificare migliaia di piante, animali e insetti prima che scompaiano definitivamente.

Guida all'uso delle erbe

Usate i rimedi a base di erbe solo in caso di effettiva necessità. Se non avete esperienze erboristiche specifiche, ecco qualche suggerimento da tenere in considerazione.

- **Occhio alle fonti** La legislazione attuale non obbliga un controllo delle piante medicinali simile a quello dei farmaci, perciò non è in alcun modo garantita né la loro purezza né la loro validità. Sta a voi selezionare i prodotti o i produttori più affidabili.

- **Scegliete la formulazione più sicura** Tinture e piante liofilizzate vengono preparate con tecniche che evitano il deterioramento e la perdita delle loro proprietà. Le erbe essiccate, vendute all'ingrosso polverizzate o incapsulate, perdono rapidamente le loro virtù per l'esposizione all'aria.

- **Non esagerate** Quando scegliete un rimedio vegetale, seguite le dosi e gli intervalli consigliati. Un dosaggio eccessivo può avere effetti dannosi quanto quelli di un farmaco prodotto in laboratorio.

- **Controllate le vostre reazioni** Al primo segno di reazione allergica interrompete la cura. Oppure, se il rimedio non sembra produrre alcun effetto, sospendetelo. Non tutti i preparati producono lo stesso effetto su persone diverse.

- **Non rischiate** Evitate di curare da soli malattie o lesioni serie; consultate un medico o andate al Pronto Soccorso. Le donne in gravidanza o che allattano, i giovanissimi e gli anziani, oltre a chi sta già assumendo dei farmaci, non dovrebbero mai usare rimedi a base di erbe senza l'approvazione del medico.

Assumere tisane per un tempo troppo prolungato può causare un'intossicazione. I fitoterapeuti invitano pertanto ad applicare la "regola dei venti giorni" che prevede un limite massimo di appunto venti giorni consecutivi nell'assunzione di infusi, decotti, macerazioni. Dopo una pausa di quindici giorni la cura può essere ripresa.

Uno dei falsi miti moderni sostiene che se un prodotto è "naturale" allora è anche innocuo. Si tratta di una convinzione pericolosa: alcuni veleni devastanti provengono proprio dal regno vegetale, e alcuni tra i più potenti farmaci venduti solo su prescrizione medica derivano da piante tossiche già allo stato naturale. I nomi comunemente dati alle piante variano spesso da regione a regione. Per questo motivo sono state identificate anche con i loro nomi scientifici, diffusi in tutto il mondo. Il nome scientifico di una pianta è quello latino, composto da due parti: la prima indica il genere di appartenenza (come per una persona il cognome), e la seconda la specie (cioè il nome proprio).

Per ogni voce, oltre alle notizie storiche e alle curiosità vengono descritte le sperimentazioni alle quali la pianta è stata sottoposta e le parti usate in terapia. Vengono evidenziati poi i suoi principi attivi, anche se spesso gli effetti farmacologici sono il risultato dell'interazione di molti componenti.

La pianta intera o solo una parte?

*La scienza medica trascura le proprietà curative della pianta intera, ma isolarne
un unico elemento può ridurne sostanzialmente l'efficacia.*

Un fatto avvenuto nel 1803 divenne una pietra miliare nello sviluppo della medicina scientifica: in quell'anno un giovane farmacista tedesco isolò la morfina dall'oppio, ottenendo per la prima volta un principio attivo puro da un prodotto vegetale grezzo.

Questo risultato fu determinante sia dal punto di vista teorico sia da quello pratico; rivoluzionò, infatti, le terapie mediche e pose fine alla superstizione e alla sfiducia che circondavano le cure erboristiche.

Ma creò anche nuovi problemi di non facile soluzione.

Trascinati dall'entusiasmo per gli effetti terapeutici dei singoli principi attivi delle piante officinali, i ricercatori caddero nel grave errore di credere che tutte le proprietà di una pianta derivassero da un singolo componente e che fosse sempre meglio sfruttare quel componente isolato anziché la pianta intera.

Con questa errata convinzione, una volta estratto il principio attivo definirono "inattivi" tutti gli altri componenti, diffondendo così l'idea che la prescrizione medica di singoli elementi e prodotti raffinati fosse più scientifica e moderna dell'utilizzo farmaceutico delle piante intere.

L'illusione che piante e principi attivi isolati si equivalgano divenne ben presto un dogma immutabile per la farmacologia e la medicina ufficiale.

Come medico che conosce la botanica e che ha studiato gli effetti delle piante medicinali, trovo difficile spiegare ai miei colleghi che i prodotti purificati non sono la stessa cosa delle piante dalle quali provengono. In genere, i farmaci isolati e raffinati sono molto più tossici delle fonti botaniche da cui derivano e tendono a dare effetti più rapidi, più intensi e meno duraturi. A volte non riescono a produrre l'azione desiderata e si prestano a un tipo di somministrazione che favorisce l'abuso e la tossicità.

La possibilità che i composti secondari delle piante medicinali abbiano un valore in sé o possano modificare sostanzialmente gli effetti dei composti dominanti non è un'ipotesi irrilevante. Non di meno mi trovo costretto spesso a dover spiegare queste

Nelle piante c'è qualcosa in più dei loro singoli estratti.

cose con infinita pazienza a molti medici, farmacisti e farmacologi scettici, per i quali è ancora poco veritiera l'idea che una sostanza naturale possa essere migliore, dal punto di vista terapeutico, di una prodotta artificialmente.

Posso solo dire di aver notato questa importante differenza per lo meno nel caso di piante medicinali contrapposte a farmaci isolati. Quando ho avuto infatti la possibilità di sperimentare l'azione di una pianta intera rispetto a quella del suo derivato raffinato, ho sempre osservato che quest'ultimo era più pericoloso, e talvolta anche meno utile.

Tratto da *Health and Healing* (Salute e guarigione), di Andrew Weil.

Achillea

ACHILLEA *Achillea millefolium*

□ **Storia e usi** L'achillea millefoglie è una pianta aromatica usata frequentemente per profumare gli ambienti e nelle preparazioni erboristiche. La leggenda narra che sia stata usata dall'eroe greco Achille (da qui il nome) per fermare la fuoriuscita di sangue dalle ferite dei suoi guerrieri. Anche il medico greco Dioscoride la riteneva «di incomparabile efficacia contro le piaghe sanguinanti e le ulcere vecchie e nuove». Nel XII secolo santa Ildegarda, abbadessa di Bingen, la indicava come rimedio contro le mestruazioni dolorose e il sangue da naso.

La moderna fitoterapia utilizza le proprietà emostatiche dell'achillea, come pure quelle antispasmodiche, confermate da recenti ricerche di laboratorio. La sua azione astringente viene sfruttata nei casi di diarrea, mentre quella antinfiammatoria contro i dolori dell'artrite. Inoltre la pianta avrebbe anche effetti diuretici e antisettici.

Alcuni erboristi raccomandano l'infuso di foglie e di fiori di achillea per ridurre la febbre e stimolare l'appetito. I cataplasmi ricavati dai fiori o dalla pianta intera possono essere applicati sulle articolazioni gonfie, sulle ferite e sui tagli.

□ **Parti utili e principi attivi** Sommità fiorite, foglie, semi. Olio essenziale, tannino, alcaloidi.

Come utilizzare le erbe

Per la cura familiare dei disturbi più comuni, le piante medicinali vengono solitamente usate in forma di infusi, di decotti o di compresse. Macerazioni, tinture, cataplasmi, estratti secchi sono invece prescritti, e preparati, dal medico o dall'esperto.

■ **Infusi** (o tisane) La pianta è posta per un certo periodo di tempo, di solito qualche minuto, nell'acqua bollente, nello stesso modo in cui si prepara un tè.

■ **Decotti** La pianta è posta in un po' d'acqua che viene portata e mantenuta in ebollizione per un tempo preciso. Nei decotti vengono utilizzate di solito le parti dure delle piante: radici, corteccia, semi.

■ **Compresse** Hanno un uso locale e sono indicate per la cura di ferite, ustioni, piccoli traumi. Si immerge una pezzuola in un infuso (o in un decotto) e la si applica poi, per un certo periodo, sulla parte da trattare.

AGLIO *Allium sativum*

☐ **Storia e usi** Per secoli, all'aglio è stata attribuita una serie sorprendente di poteri magici e medicinali. È stato usato per proteggersi dai vampiri e per aumentare l'energia sessuale. Gli Egizi lo prescrivevano per accrescere la forza fisica e i Greci come lassativo. In Europa veniva usato per difendersi dalla peste, mentre in Cina lo consigliavano per abbassare la pressione del sangue.

All'inizio del XX secolo, l'aglio era considerato una cura per la tubercolosi e durante la seconda guerra mondiale un antibiotico. Benché oggi sia utilizzato più come alimento che come medicinale, gli scienziati e i medici naturopati non ne ignorano l'efficacia terapeutica.

Il grande chimico francese del XIX secolo Louis Pasteur per primo individuò scientificamente le proprietà antisettiche dell'aglio: da allora centinaia di studi hanno evidenziato la sua azione distruttiva nei confronti di batteri, funghi, virus e parassiti. Gli antibiotici moderni, come la penicillina, hanno un po' oscurato la fama terapeutica dell'aglio, che tuttavia è ancora considerato dalla medicina naturale un'eccellente prevenzione contro raffreddori, influenze e altre malattie infettive. L'aglio viene usato inoltre per alcuni problemi del tratto intestinale inferiore quali aerofagia e vermi.

Aglio

Diverse sperimentazioni condotte di recente hanno dimostrato l'efficacia di questa pianta nel trattamento di alcuni disturbi cardiovascolari: oltre a ridurre il livello di colesterolo e trigliceridi nel sangue, agirebbe anche come anticoagulante. Inoltre, con esperimenti condotti su animali ed esseri umani, è stata accertata anche la sua proprietà ipotensiva.

Non è escluso che questa pianta abbia anche proprietà antitumorali: sperimentazioni di laboratorio, effettuate su animali, mostrano la sua capacità di inibire o addirittura invertire la crescita di talune cellule tumorali. Un'altra area di ricerca è quella sul sistema immunitario: l'aglio ne stimolerebbe le funzioni attivando le "cellule killer" contro i microbi e forse anche contro le cellule tumorali. Ma si tratta solo di ipotesi, non ancora confermate da elementi scientifici certi.

L'aglio è considerato un rimedio innocuo, anche se ad alcuni può procurare reazioni allergiche o disturbi gastrici e intestinali; è controindicato nei casi di malattie della pelle e sconsigliato alle donne che allattano.

☐ **Parti utili e principi attivi** Bulbi. Lo spicchio intero contiene pochi componenti attivi da un punto di vista farmacologico, ma non appena lo si sminuzza ha luogo una serie di reazioni chimiche dalle quali si formano decine di nuovi composti. Tra questi, due sono ricchi di zolfo: l'allicina, con proprietà antibiotiche, e l'ajoene, un anticoagulante. È l'allicina che dà all'aglio il suo odore caratteristico.

Aloe vera

ALOE VERA *Aloe barbadensis*

☐ **Storia e usi** Pianta usata da tempo nella medicina popolare, ancora oggi se ne sfruttano le proprietà emollienti. La ricerca moderna ne segnala l'uso esterno per rigenerare la pelle, soprattutto in caso di ustioni e di irritazioni. Utile anche contro macchie cutanee e forfora, viene utilizzata in cosmetica per mantenere morbida la pelle.

Benché più efficace quando la foglia è ancora fresca, troviamo l'aloe vera soprattutto nella composizione di molte creme per la pelle e shampoo, che però ne contengono solo piccole quantità.

Per via interna, il gel di aloe viene usato contro i disturbi digestivi, mentre il lattice essiccato (una diversa sostanza estratta dalle foglie) è un energico lassativo.

☐ **Parti utili e principi attivi** Linfa e gel della foglia. Aloemodina.

ALTEA *Althaea officinalis*

☐ **Storia e usi** L'altea è nota fin dall'antichità soprattutto per le sue proprietà emollienti e cicatrizzanti, simili a quelle della malva ma più accentuate (è per questo motivo che viene chiamata anche "bismalva", cioè due volte malva). Le sue radici contengono mucillagine, una gelatina vegetale. Miscelata con l'acqua, la radice aiuta a lenire infiammazioni e irritazioni dovute a

Altea

tosse secca, bronchite, infezioni del tratto urinario, coliti. Usato come collutorio, il decotto di altea dà un immediato sollievo ai tessuti infiammati della gola. Le radici vengono assunte anche contro la stitichezza mentre, applicate localmente, leniscono le abrasioni cutanee.

☐ **Parti utili e principi attivi** Radici, fiori, foglie. Mucillagine, sali minerali, glucidi, vitamina C.

AMAMELIDE *Hamamelis virginiana*

☐ **Storia e usi** La medicina tradizionale ha usato a lungo le foglie e la corteccia di questo arbusto fiorito, i cui rami a forcella vengono spesso scelti come bacchette dai rabdomanti. Se non v'è certezza sulla sua efficacia rabdomantica, le sicure proprietà astringenti delle sue foglie e della sua corteccia, determinate dall'elevato contenuto di tannino, fanno di questa pianta un eccellente rimedio per vari problemi cutanei.

Oggi l'amamelide entra nella composizione di lozioni calmanti per la pelle, dopobarba e cosmetici. I preparati a base di amamelide sono risultati efficaci anche nella cura delle emorroidi e delle varici. Nell'uso esterno non ha mostrato alcun effetto collaterale negativo.

☐ **Parti utili e principi attivi** Foglie. Tannini.

Amamelide

ANICE VERDE *Pimpinella anisum*

☐ **Storia e usi** Pianta mediterranea, grazie al suo forte e caratteristico sapore l'anice verde è usato nella preparazione di alimenti e farmaci. Gli antichi Greci, tra i quali Ippocrate, il padre della medicina, lo raccomandavano per la tosse. I Romani preparavano con l'anice verde un dolce speciale che servivano a conclusione di grandi banchetti, non solo per il suo aroma ma anche per favorire la digestione e per alleviare la flatulenza. Nell'antichità l'anice verde era indicato contro le coliche, come rimedio per la nausea e come afrodisiaco.

Oggi l'anice verde viene ancora usato come rimedio per la tosse, sotto forma di sciroppo o di pastiglie. L'infuso di semi schiacciati favorisce la digestione e aiuta a eliminare i gas intestinali. Alcuni erboristi consigliano l'infuso di anice verde anche per favorire la produzione di latte durante l'allattamento. Assunto in dosi moderate, l'anice verde è completamente innocuo.

☐ **Parti utili e principi attivi** Semi. Anetolo e altri composti aromatici.

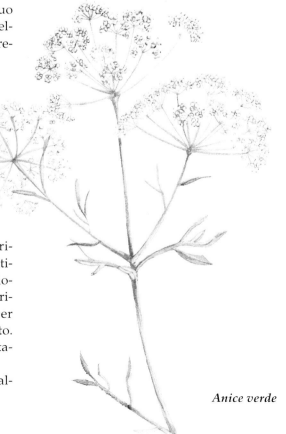

Anice verde

Bardana

BARDANA *Arctium lappa*

☐ **Storia e usi** Come le sue infiorescenze si attaccano a chiunque, passando, le sfiori, così la bardana ha fatto presa (il nome latino della specie deriva dal verbo greco *lambanô*, "io prendo") sulle medicine popolari di tutto il mondo. È usata contro l'artrite reumatoide, l'indigestione, le affezioni renali, l'idropisia, la febbre, la lebbra e la forfora.

Più comunemente, l'infuso di radici di bardana serviva da tonico per "purificare il sangue", come diuretico, come leggero lassativo e nel trattamento dell'acne e di altre imperfezioni della pelle. Le foglie schiacciate unite alle radici frantumate venivano usate come rimedio alle ferite e alle punture di insetto. Benché diverse applicazioni della bardana non abbiano retto alla prova del tempo, studi scientifici hanno confermato le sue proprietà antisettiche per uso esterno.

☐ **Parti utili e principi attivi** Radici. Inulina, un amido (fino al 50%).

Basilico

BASILICO *Ocimum basilicum*

☐ **Storia e usi** Pianta aromatica coltivata in tutta l'antichità greco-romana, apprezzatissimo (era "regale", *basilikós* appunto, per i Greci), il basilico ha una storia avvincente e una fama buona e cattiva. Alcuni antichi erboristi ritenevano che danneggiasse gli organi interni e facesse nascere spontaneamente scorpioni all'interno del corpo. Varie culture nel mondo l'hanno utilizzato in modi diversi. In Estremo Oriente era un rimedio contro la tosse, in Africa contro i vermi. I coloni americani lo consideravano ingrediente essenziale di una polvere da annusare per dare sollievo all'emicrania. Un rimedio popolare contro la febbre consiste nel bere un infuso di basilico e grani di pepe.

Anche se molti erboristi preferiscono piante farmacologicamente più potenti, il basilico è pur sempre alla base di una serie di rimedi casalinghi. Innanzi tutto come carminativo, cioè per ridurre i gas intestinali. In infusione, viene usato come digestivo, contro i crampi dello stomaco, il vomito e la stitichezza.

☐ **Parti utili e principi attivi** Foglia. Olio essenziale.

BIANCOSPINO *Crataegus oxyacantha*

☐ **Storia e usi** Arbusto diffuso nei boschi e lungo le siepi in tutta l'Europa e in Africa del Nord, il biancospino è usato da tempo nella medicina popolare e in quella ufficiale contro i disturbi al cuore. Studi sperimentali hanno dimostrato che agisce in due modi: dilatando i vasi sanguigni (e quindi facilitando il flusso sanguigno e abbassando la pressione) e rinforzando il cuore.

Il biancospino agisce come un blando sedativo, per questo risulta utile quando i disturbi cardiaci sono dovuti a stress, angoscia e nervosismo. I suoi effetti si manifestano piuttosto lentamente e occorre assumerlo per un certo periodo, in forma di infuso, se si vuole ottenere un risultato completo.

☐ **Parti utili e principi attivi** Corteccia, fiori e bacche. Flavonoidi.

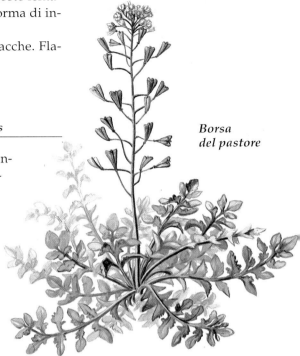

Borsa del pastore

BORSA DEL PASTORE *Capsella bursa pastoris*

☐ **Storia e usi** Deve il nome ai suoi baccelli che hanno la forma di una piccola borsa ed è indicata come rimedio contro le emorragie interne ed esterne. Secondo alcuni ricercatori le sue proprietà emostatiche dipenderebbero da un fungo che spesso cresce sulla pianta.

La borsa del pastore è stata usata anche contro le infezioni urinarie e i disturbi circolatori.

☐ **Parti utili e principi attivi** Pianta intera (escluse le radici). Flavonoidi e polipeptidi.

CALENDULA *Calendula officinalis*

☐ **Storia e usi** Pianta originaria delle regioni mediterranee, ha una lunga tradizione officinale: nel Medioevo era indicata contro i disturbi intestinali, le ostruzioni della milza e del fegato.

Oggi la calendula è una comune pianta ornamentale, di cui la moderna fitoterapia ha valorizzato le innumerevoli proprietà terapeutiche: è stimolante, antispasmodica, diuretica, cicatrizzante, vermifuga, antinfiammatoria. Solitamente la si assume in forma di infusi o decotti; gli impacchi di calendula sono utili per guarire le ulcerazioni cutanee e per curare le verruche.

☐ **Parti utili e principi attivi** Fiori, foglie. Pigmenti flavonici, olio essenziale, saponina, tracce di acido salicilico.

CAMOMILLA *Matricaria chamomilla*

☐ **Storia e usi** Una tazza di camomilla è da sempre il rimedio più popolare per rilassarsi dopo una giornata di duro lavoro. Diversi studi hanno dimostrato che la camomilla è un sedativo leggero, molto efficace contro l'insonnia. Per sfruttare al meglio i suoi effetti, la bevanda andrebbe lasciata in infusione, in un recipiente coperto, per almeno dieci minuti.

I suoi usi sono assai vari: l'olio di camomilla applicato sulla pelle riduce le infiammazioni e i dolori dell'artrite. L'estratto viene usato anche per cicatrizzare le ferite.

Camomilla

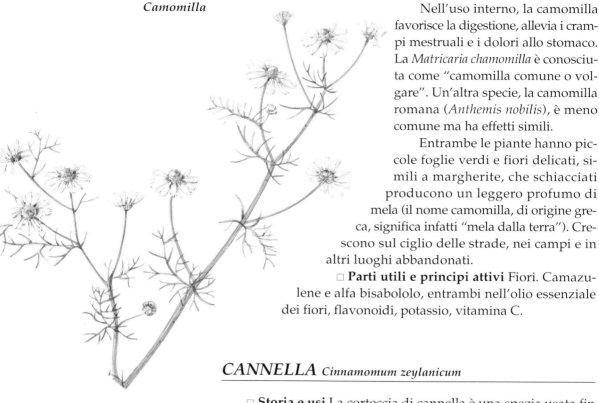

Nell'uso interno, la camomilla favorisce la digestione, allevia i crampi mestruali e i dolori allo stomaco. La *Matricaria chamomilla* è conosciuta come "camomilla comune o volgare". Un'altra specie, la camomilla romana (*Anthemis nobilis*), è meno comune ma ha effetti simili.

Entrambe le piante hanno piccole foglie verdi e fiori delicati, simili a margherite, che schiacciati producono un leggero profumo di mela (il nome camomilla, di origine greca, significa infatti "mela dalla terra"). Crescono sul ciglio delle strade, nei campi e in altri luoghi abbandonati.

☐ **Parti utili e principi attivi** Fiori. Camazulene e alfa bisabololo, entrambi nell'olio essenziale dei fiori, flavonoidi, potassio, vitamina C.

CANNELLA *Cinnamomum zeylanicum*

☐ **Storia e usi** La corteccia di cannella è una spezia usata fin dall'antichità: gli Ebrei la chiamavano cinnamomo ed è citata nella Bibbia per il suo caratteristico profumo.

La cannella è spesso usata come rimedio naturale contro il raffreddore, la flatulenza, la nausea e il vomito. Ha proprietà carminative (aiuta a eliminare i gas dallo stomaco e dall'intestino) e regolarizza le funzioni intestinali, specie in caso di diarrea. È inoltre usata per stimolare l'appetito.

☐ **Parti utili e principi attivi** Corteccia della pianta. Aldeide cinnamica, eugenolo, tannini.

Cannella

CARDO MARIANO *Silybum marianum*

☐ **Storia e usi** Del cardo mariano è stato fatto a lungo uso nell'alimentazione e nella medicina popolare come tonico per il fegato e digestivo. Un tempo veniva consigliato alle donne durante l'allattamento per incrementare la secrezione lattea, proprietà che oggi è ritenuta inesistente. La scienza medica ha invece confermato l'efficacia del cardo mariano per il trattamento di alcune malattie del fegato, quali la cirrosi, l'epatite, e altre affezioni croniche.

I principi attivi presenti nel cardo mariano sono un complesso di componenti noti con il nome collettivo di silimarina, che proteggono il fegato da alcune tossine chimiche, ne favoriscono le funzioni e i processi di rigenerazione. Un altro componente presente nella pianta sarebbe un antidoto contro l'avvelenamento da funghi.

☐ **Parti utili e principi attivi** Semi, foglie, radice. Silimarina, istamina, tiramina.

CASCARA SAGRADA *Rhamnus purshiana*

☐ **Storia e usi** Usata primariamente come lassativo, fin dai tempi più remoti, dagli Indiani d'America, il suo nome significa "corteccia sacra", con riferimento alla parte della pianta dotata di proprietà medicinali. La cascara sagrada è utilizzata contro la stitichezza e ha fama di riportare l'intestino a una normale funzionalità senza bisogno di ulteriori trattamenti. Per facilitare la digestione vengono somministrate piccole dosi di un tonico preparato con la corteccia. Ma attenzione, la corteccia è ritenuta irritante se non è invecchiata per almeno un anno.

☐ **Parti utili e principi attivi** Corteccia. Glucosidi dell'antrachinone.

Cascara sagrada

CODA CAVALLINA *Equisetum arvense*

☐ **Storia e usi** La coda cavallina, o equiseto, è una "malerba" assai comune, con una storia piuttosto particolare: il suo potere emostatico fu a lungo sfruttato per tutto il Medioevo, ma poi dimenticato fino alla fine del secolo scorso, quando l'abate Kneipp, il padre dell'idroterapia, lo riscopre e lo valorizza appieno.

La coda cavallina, oltre ad essere cicatrizzante, è diuretica, astringente e remineralizzante, poiché contiene silicio.

☐ **Parti utili e principi attivi** Fusti sterili. Tannino, acidi organici, silicio.

CONSOLIDA MAGGIORE *Symphytum officinalis*

☐ **Storia e usi** Il suo potere di rimarginare le ferite e di "risaldare le ossa rotte" è noto fin dall'antichità: citata da Dioscoride e Gallieno, la consolida maggiore deriva il suo nome latino, *Symphytum*, dal greco *symphuô*, che significa appunto "io riunisco". Le sue proprietà cicatrizzanti sono state confermate da analisi scientifiche condotte in Gran Bretagna nel XX secolo.

Astringente e tonica, la consolida va utilizzata con molta moderazione e sempre sotto controllo medico.

☐ **Parti utili e principi attivi** Rizoma (fusto sotterraneo). Allantoina, mucillagine.

Consolida maggiore

CURCUMA *Curcuma longa*

☐ **Storia e usi** Usata inizialmente come spezia, la curcuma (o zafferano delle Indie) ha prestato la sua fragranza e il suo aroma a molte salse a base di curry, ma è stata a lungo impiegata anche per le sue proprietà terapeutiche. In India, un estratto della curcuma viene utilizzato per impacchi contro la congiuntivite. I medici tradizionali cinesi e quelli ayurvedici la mescolano invece ad altre piante nella preparazione di rimedi contro le fermentazioni intestinali, i problemi di fegato, il mal di denti, le infiammazioni.

Alcune ricerche sembrano confermare i suoi effetti positivi sui disturbi epatici. La curcumina, infatti, il principio attivo della curcuma, proteggerebbe il fegato facendo aumentare la produzione di bile e quindi favorendo la digestione dei grassi.

☐ **Parti utili e principi attivi** Rizoma (fusto sotterraneo). Olio essenziale, curcumina.

EDERA *Hedera helix*

☐ **Storia e usi** Pianta sacra nell'antico Egitto, era detta "albero di Osiride"; per i Greci era il simbolo dell'immortalità. La sua straordinaria resistenza (può raggiungere i 400 anni) ne ha fatto anche il simbolo della fedeltà e della longevità.

Nella farmacopea naturale è considerata antispasmodica e analgesica, e pertanto utilizzata, in decotti, infusi oppure impacchi, per combattere i dolori delle articolazioni, i dolori mestruali, le infiammazioni bronchiali, i gonfiori delle caviglie.

☐ **Parti utili e principi attivi** Foglie giovani, fresche. Estrogeni, ederina.

Edera

ENULA CAMPANA *Inula helenium*

☐ **Storia e usi** Nota agli antichi Greci e Romani, l'enula campana compariva fra i molti preparati a base di erbe prescritti da Ippocrate. Il suo nome latino sembra derivi dal greco Elena: la leggenda narra infatti che la pianta nacque dalle lacrime di Elena, moglie di Menelao, il cui rapimento da parte di Paride diede inizio alla guerra di Troia.

L'enula campana lenisce il prurito della pelle e cicatrizza piccole ferite; veniva usata per indurre la traspirazione in caso di raffreddore o influenza, contro tossi e bronchiti croniche, oltre che nel trattamento dell'asma. La sua azione principale è quella espettorante. I ricercatori stanno vagliando la possibilità che uno dei suoi componenti abbia proprietà antibiotiche.

☐ **Parti utili e principi attivi** Radici. Inulina (fino al 44%), olio essenziale e sesquiterpene.

ERBA GATTA *Nepeta cataria*

☐ **Storia e usi** L'erba gatta, o cataria, è un ingrediente assai popolare di molti rimedi tradizionali. Si dice che un infuso di er-

Enula campana

ba gatta faciliti il sonno, ma viene consigliato anche contro i dolori mestruali, come rilassante e come repellente per gli insetti.

Si ritiene che compresse di questo infuso, applicate sulla fronte, diano sollievo al mal di testa.

Il nome della specie deriva dal latino *catus*, gatto: i felini, infatti, ne sono irresistibilmente attratti.

☐ **Parti utili e principi attivi** Foglie e altre parti non interrate. Lattoni di nepeta.

Erba gatta

EUCALIPTO *Eucalyptus globulus*

☐ **Storia e usi** Soltanto il secolo scorso l'albero dell'eucalipto è giunto sulle coste mediterranee dall'Australia, dove costituisce l'elemento base della dieta dei koala. Le foglie dell'eucalipto contengono un olio dall'odore pungente, che nella farmacopea viene utilizzato per fluidificare il muco raccolto nei seni frontali: per questo l'eucalipto è spesso contenuto nelle pasticche per la gola, nei collutori e nei balsami. L'inalazione di vapori d'acqua bollente nella quale siano sciolte poche gocce di olio essenziale risolve positivamente la congestione dei bronchi. Usato direttamente sulla pelle, l'olio di eucalipto distende i muscoli in-

Eucalipto

dolenziti e combatte le screpolature; applicato sul cuoio capelluto elimina la forfora.

Attenzione: l'olio di eucalipto è molto irritante per gli occhi. In caso di contatto accidentale, sciacquate subito abbondantemente con acqua.

□ **Parti utili e principi attivi** Foglie. Olio essenziale composto soprattutto di eucaliptolo.

EUPATORIO *Eupatorium cannabinum*

□ **Storia e usi** Da non confondere con l'eupatoria, o agrimonia, l'eupatorio cannabino è la canapa acquatica: è diffuso in Italia su tutto il territorio, soprattutto in zone fortemente umide. Le foglie fresche si dice abbiano potere cicatrizzante (pare se ne servano gli animali feriti). In fitoterapia radici e foglie essiccate vengono utilizzate per le loro proprietà diuretiche, purgative, contro i parassiti intestinali.

□ **Parti utili e principi attivi** Le foglie e le radici. Tannino, inulina, ferro.

FARFARA *Tussilago farfara*

□ **Storia e usi** Chiamata anche tussilagine, la farfara è tra le più antiche piante medicinali: il medico greco Dioscoride la raccomandava contro la tosse e gli ascessi pettorali, santa Ildegarda di Bingen la indicava come antidoto contro i disordini di stomaco.

Oggi la farfara è utilizzata in cosmesi, per pulire e tonificare la pelle grassa, contro le irritazioni della gola, come emolliente, espettorante, calmante, sudorifero.

Le foglie essiccate di farfara entrano nella composizione di particolari sigarette adatte a fumatori accaniti che vogliono cominciare a disintossicarsi.

Eupatorio

□ **Parti utili e principi attivi** Foglie, fiori, radici, succo. Mucillagine, tannino, olio essenziale, potassio, calcio, ferro, solfati.

FIENO GRECO *Trigonella foenum-graecum*

□ **Storia e usi** Nell'antico Egitto, in India, in Grecia, a Roma, il fieno greco era una preziosa erba curativa prescritta contro la tubercolosi, la bronchite, il mal di gola, il diabete, l'anemia, il rachitismo e la mancanza di desiderio sessuale. Fu usato anche come espettorante, come lassativo e come antipiretico.

Benché non sia più considerato un rimedio ottimale per così tanti disturbi, anche oggi si riconoscono al fieno greco alcune proprietà medicamentose. Il segreto è nei semi, che contengono una sostanza in grado di lenire e proteggere i tessuti infiammati o irritati. Cataplasmi, balsami e lozioni a base di fieno greco vengono consigliati per curare irritazioni cutanee e ferite, e per ri-

Fieno greco

durre la cellulite; un infuso di semi è utile contro i dolori e le acidità gastriche.

    □ **Parti utili e principi attivi** Semi. Mucillagine (fino al 40%), olio.

FINOCCHIO SELVATICO *Foeniculum vulgare*

    □ **Storia e usi** Consigliato da Ippocrate, citato da Plinio, il finocchio è una pianta al tempo stesso medicinale e alimentare. Diffuso sui terreni aridi e rocciosi delle regioni mediterranee, comprende molte varietà; della più comune, quella coltivata, si consuma la base carnosa della foglia.

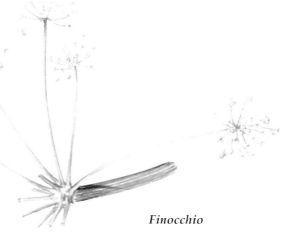

Finocchio

    Nella farmacopea, oggi il finocchio è conosciuto soprattutto per le sue proprietà calmanti; come carminativo viene consigliato per alleviare il mal di stomaco e facilitare la digestione, come aperitivo viene prescritto sotto forma di infuso per stimolare l'appetito.

    □ **Parti utili e principi attivi** Semi (in realtà si tratta dei frutti maturi essiccati), foglie fresche, radici. Olio essenziale (circa l'8% del seme), costituito soprattutto da anetolo.

FRANGOLA *Frangula alnus*

    □ **Storia e usi** Conosciuta già nel Medioevo, si credeva proteggesse contro i demoni e le streghe; oggi viene usata soprattutto come lassativo. Gli erboristi spesso raccomandano un infuso preparato con la corteccia (essiccata per almeno un anno) contro la stitichezza, e le compresse, sempre di corteccia, per attenuare lievi irritazioni della pelle.

    □ **Parti utili e principi attivi** Corteccia. Antrachinone.

GINEPRO *Juniperus communis*

    □ **Storia e usi** Le bacche del ginepro sono oggi utilizzate soprattutto nella preparazione del gin e di altre bevande alcoliche, nonché nella preparazione di alcuni piatti tipici della cucina europea. Nella farmacopea tradizionale le bacche di ginepro erano indicate per le malattie del fegato e dei polmoni, e soprattutto per «attenuare la violenza della febbre» (così scriveva nel XII secolo santa Ildegarda di Bingen). Più modestamente, nel secolo scorso, l'abate Kneipp, il padre dell'idroterapia, raccomandava il ginepro per combattere l'alito cattivo.

Ginepro

    La fitoterapia moderna utilizza le bacche di ginepro per le loro proprietà diuretiche, depurative, carminative, antireumati-

Ginkgo

che. Se ne consiglia però un uso prudente, perché a lungo andare possono essere tossiche per i reni.

☐ **Parti utili e principi attivi** Frutti (bacche), foglie e rami. Olio essenziale, zuccheri, acido ascorbico, tannino.

GINKGO *Ginkgo biloba*

☐ **Storia e usi** Il ginkgo è un albero originario dell'Estremo Oriente ed è la specie arborea più antica del mondo: risale infatti a circa 200 milioni di anni fa. Non sorprende quindi che i Cinesi ne abbiano fatto buon uso anche in terapia, per curare affezioni bronchiali, polmonari e asmatiche.

Oggi questa pianta è oggetto di studio nei laboratori europei e americani, dove è stato osservato che ha la proprietà di dilatare le arterie, le vene e i capillari facendo aumentare la circolazione periferica e il flusso di sangue al cervello. Per questo le sue possibili applicazioni future riguarderanno soprattutto i problemi dell'invecchiamento, la perdita della memoria a breve termine, i ronzii auricolari, oltre che una serie di malattie vascolari.

Il decotto di ginkgo viene indicato per combattere tutte le forme di disturbi circolatori arteriosi, venosi e dei capillari, contro le varici e per prevenire le ulcere varicose.

☐ **Parti utili e principi attivi** Foglie. Flavonoidi, diterpene (comprese alcune strutture uniche del terpene, denominate ginkgolidi).

Ginseng

GINSENG *Panax ginseng*

☐ **Storia e usi** Un codice cinese del I secolo d.C. afferma che il ginseng «illumina la mente e aumenta la saggezza. L'uso prolungato porta alla longevità». Le proprietà che per questa pianta vengono rivendicate oggi sono analoghe. Il decotto di ginseng, infatti, viene consumato soprattutto perché si ritiene che diminuisca gli effetti dell'invecchiamento.

Il ginseng ha catturato l'interesse di medici, scienziati ed erboristi di tutto il mondo ed è oggetto di numerosi studi scientifici; comunemente è usato come tonico per migliorare lo stato generale e stimolare il sistema nervoso centrale, ma ha dato risultati positivi anche in sperimentazioni relative alla riduzione del colesterolo nel sangue. Non è stato provato che allunghi la vita o che sia curativo nell'età senile, ma di sicuro ha una blanda azione sul sistema cardiovascolare, e non produce gli effetti collaterali di molti farmaci di sintesi.

Altri studi hanno attribuito al ginseng proprietà di prevenzione delle cardiopatie, di inibizione della coagulazione sanguigna e di protezione delle cellule dai danni delle radiazioni. I Cinesi lo hanno usato a lungo anche come afrodisiaco, ma non vi sono prove che certificano quest'azione.

☐ **Parti utili e principi attivi** Radici. Saponine dette ginsenoidi.

GRAMIGNA *Agropyrum repens*

□ **Storia e usi** Diffusissima ovunque, e malvista dai giardinieri che la considerano soltanto un infestante, la gramigna è una delle piante sacre dell'induismo. Dagli erboristi dell'antichità fu quasi del tutto ignorata, e soltanto nel XVII secolo furono rilevate, e adeguatamente sfruttate, le sue proprietà terapeutiche: come diuretico e depurativo.

Nella moderna fitoterapia il decotto di gramigna è indicato anche come emolliente e sedativo in caso di crisi reumatiche o artritiche particolarmente dolorose. La preparazione del decotto di gramigna si articola in due tempi distinti: dopo la prima bollitura l'acqua viene gettata e le radici, schiacciate, vengono fatte nuovamente bollire aggiungendo, per migliorare il sapore, liquirizia e scorza di limone.

□ **Parti utili e principi attivi** Rizoma (fusto sotterraneo). Olio essenziale, sali minerali, mucillagine.

IPERICO *Hypericum perforatum*

□ **Storia e usi** Oggetto di numerose superstizioni, nel Medioevo l'iperico si riteneva che avesse il potere di scacciare i demoni e gli spiriti maligni. In realtà questa pianta ha mostrato di essere efficace contro nemici ben più tangibili: i virus. È stato infatti sperimentato come possibile cura per l'infezione da HIV, il virus mortale che attacca il sistema immunitario e causa l'AIDS.

L'iperico possiede proprietà astringenti, cicatrizzanti, antinfiammatorie, sedative, diuretiche e ansiolitiche, utilizzabili contro una serie di malattie, dalla depressione all'enuresi notturna, dai raffreddori all'artrite. Sotto forma di unguento, può essere applicato localmente sulle ferite, delle quali favorisce la guarigione.

Iperico

L'iperico è relativamente innocuo per gli esseri umani, ma l'ipericina, il pigmento rosso della pianta, causa fotosensibilizzazione (ipersensibilizzazione ai raggi del sole) negli animali che ne consumano grandi quantità.

□ **Parti utili e principi attivi** Foglie, sommità fiorite. Ipericina e olio essenziale.

IPPOCASTANO *Aesculus hippocastanum*

□ **Storia e usi** Originario della Penisola Balcanica e introdotto nei paesi dell'Europa centrale nel XVII secolo, l'ippocastano (chiamato anche curiosamente castagno d'India) fu usato a lungo dai Turchi per curare i cavalli affetti da problemi respiratori. Il nome della specie, *hippocastanum*, cioè castagna equina, nasce in questo modo.

Oggi l'ippocastano viene usato per curare una serie di problemi circolatori come le ve-

Ippocastano

ne varicose, i coaguli del sangue e le emorroidi. Un estratto in commercio è indicato come cura contro l'artrite e altri dolori: esistono infatti prove scientifiche delle sue proprietà antinfiammatorie. L'estratto è disponibile anche sotto forma di unguento, applicato per alleviare i crampi delle gambe e gli indolenzimenti muscolari.

☐ **Parti utili e principi attivi** Corteccia, semi (castagne). Una miscela di saponine denominate collettivamente escine.

ISSOPO *Hyssopus officinalis*

☐ **Storia e usi** L'issopo è una pianta conosciuta fin dai tempi più remoti, citata da Ippocrate, Dioscoride, Plinio, anche se non è certo che si tratti della stessa specie diffusa ai giorni nostri. Nella medicina popolare l'infuso di issopo è utilizzato come collutorio e come espettorante in caso di raffreddore, tosse, mal di gola e raucedine.

L'issopo appartiene alla stessa famiglia della menta ed è digestivo e carminativo, cioè favorisce l'eliminazione dei gas intestinali. Il suo estratto è impiegato anche per aromatizzare liquori, caramelle, tè.

Usato esternamente, come lozione, l'issopo cura le irritazioni della pelle. Un avvertimento doveroso: è stato scritto che le sue foglie contengono penicillina, ma non è vero.

☐ **Parti utili e principi attivi** Sommità fiorite, foglie. Olio essenziale, issopina, tannino, un glucoside, un terpenoide chiamato marrubino (che si trova anche nel marrubio).

Issopo

LAVANDA *Lavandula officinalis*

☐ **Storia e usi** Pianta aromatica tipica dei paesi mediterranei, la lavanda dà fiori profumatissimi da cui si estrae l'olio essen-

Lavanda

ziale utilizzato per preparare bevande alcoliche, canditi, gelatine. Un tempo i cuscini imbottiti di lavanda erano usati per i loro presunti effetti calmanti.

La moderna fitoterapia prescrive infusi di lavanda: l'aroma è calmante e la leggera azione carminativa dei boccioli aiuta a risolvere quei problemi di stomaco dovuti a nervosismo e irritabilità. Si ritiene che i fiori stimolino il flusso della bile e pertanto vengono talvolta inclusi in preparati di erboristeria indicati per i problemi del fegato e della cistifellea.

L'olio essenziale di lavanda è impiegato come antisettico, antispasmodico, sedativo. Il decotto di lavanda calma la tosse e l'asma.

☐ **Parti utili e principi attivi** Fiori. Olio essenziale, tannini, cumarine, flavonoidi.

LINO *Linum angustifolium*

☐ **Storia e usi** Già in epoca preistorica il lino veniva coltivato per essere filato, tessuto e poi tinto. Come pianta medicamentosa era usata dai discepoli di Ippocrate contro i dolori addominali; nel IV secolo a.C. Teofrasto la utilizzava contro la tosse; nel Medioevo i semi di lino erano indicati come lassativi.

Se a partire dal secolo scorso i tessuti di lino sono stati soppiantati, almeno nella grande produzione, da quelli di cotone, non è però cessato il ricorso alle proprietà antinfiammatorie, vermifughe, diuretiche, oltre che lassative, dei semi di lino, utilizzati soprattutto in decotti.

☐ **Parti utili e principi attivi** Semi. Mucillagine, pectina, lipidi, vitamina F.

Lino

LIQUIRIZIA *Glycyrrhiza glabra*

☐ **Storia e usi** La liquirizia è una delle piante medicinali più usate nel mondo. Egizi, Romani, Greci e Cinesi la indicavano per curare la tosse e le malattie da raffreddamento. In effetti possiede dimostrate proprietà espettoranti, antiallergiche e antinfiammatorie. Inoltre contiene una sostanza che ricopre e calma le membrane infiammate ed è perciò utile nella cura delle ulcere e della stitichezza.

Oggi la liquirizia è oggetto di molti studi, prima di tutto per uno dei suoi principi attivi, la glicirrizina, che ha azione antinfiammatoria e antiallergica. Sarebbero inoltre provate le proprietà di questa pianta nella prevenzione e nella cura delle ulcere gastriche e delle epatiti croniche. L'estratto di liquirizia stimola le ghiandole surrenali e può quindi essere usato da pazienti affetti dal morbo di Addison (insufficienza surrenale).

In generale la liquirizia e i suoi estratti sono innocui se assunti in dosi moderate. Solo un uso prolungato o eccessivo può produrre effetti collaterali anche seri. I sintomi ai quali prestare attenzione sono: mal di testa, sonnolenza, ritenzione

Liquirizia

di liquidi e di sodio, perdita di potassio, ipertensione, insufficienza cardiaca. Si tratta comunque di reazioni rare, come dimostra la popolarità di questa pianta, sia sotto forma di infuso sia come aroma alimentare.

    □ **Parti utili e principi attivi** Radici e rizoma. Glicirrizina, flavonoidi e isoflavonoidi, cumarina, polisaccaridi.

Luppolo

LUPPOLO *Humulus lupulus*

    □ **Storia e usi** Il luppolo è una pianta con effetti soporiferi ben nota sia agli erboristi sia ai mastri birrai, che lo usano da secoli. Nel Medioevo santa Ildegarda di Bingen lo indicava come rimedio alla malinconia.

Oggi il luppolo è prescritto contro il nervosismo, l'ansia e l'insonnia; come antispastico è utilizzato in caso di diarrea e di crampi intestinali. Viene assunto sotto forma di infuso (spesso associato con valeriana e altre piante sedative), di decotto, di estratto fluido o di capsule. La sua innocuità è confermata da secoli di impiego nelle preparazioni alimentari e nella distillazione della birra.

    □ **Parti utili e principi attivi** Fiori femmina (coni), luppolina (polvere dorata e resinosa che ricopre i coni). Olio essenziale, estrogeni.

MELISSA *Melissa officinalis*

    □ **Storia e usi** La melissa è stata usata a lungo non solo per i suoi blandi effetti medicinali, ma anche per il suo gradevole aroma di limone. Aveva fama di dare allegria: gli Arabi, infatti, la utilizzavano per curare la depressione e l'ansia, oltre che per aiutare la digestione.

La melissa viene ora largamente impiegata in infuso, sia per il suo sapore sia per le sue leggere proprietà carminative e sedative. L'infuso viene consigliato anche per stimolare la traspirazione e contro la febbre da raffreddore e da influenza, contro i crampi mestruali, l'insonnia, il mal di testa.

    □ **Parti utili e principi attivi** Fusti, foglie, fiori. Olio essenziale e polifenoli.

Melissa

MENTA *Mentha piperita*

    □ **Storia e usi** I Greci incoronavano i loro eroi con ghirlande di alloro, ma si affidavano alla menta per curare i malanni. Una tra le più antiche piante medicinali, la menta fu usata per tutto, dal singhiozzo ai morsi del serpente di mare. Nel Medioevo ci si serviva del suo aroma per liberare le case dai vermi e dagli odori sgradevoli e si mescolavano le sue foglie al sale per curare i morsi dei cani e la rabbia.

Oggi la menta è nota per il suo effetto calmante: come anticonvulsivo e carminativo viene impiegata contro l'indigestione, la nausea e la flatulenza. L'infuso di menta è consigliato come leggero sedativo in caso di mal di testa e in talune affezioni dell'apparato respiratorio superiore. L'olio di menta applicato esternamente aiuta a lenire i dolori dei muscoli e dei nervi. Contro il raffreddore gli erboristi consigliano di mettere qualche goccia di essenza di menta in acqua bollente e di inalarne i vapori.

L'infuso di menta è innocuo se usato in quantità normali, mentre l'olio essenziale va usato con cautela, limitando l'uso interno a poche gocce.

☐ **Parti utili e principi attivi** Foglie e sommità fiorite. Mentolo.

MIRRA *Commiphora molmol*

☐ **Storia e usi** Apprezzata fin dall'antichità per la sua fragranza e le sue proprietà curative, la mirra è una pianta citata spessissimo nella Bibbia: nel Vangelo secondo Matteo è uno dei doni offerti al Bambino Gesù dai Re Magi; in seguito l'evangelista Marco riferisce che, prima della crocefissione, a Gesù fu offerto come sedativo del vino misto a mirra, che lui rifiutò; infine, dopo la morte, il corpo di Gesù viene preparato per la sepoltura con mirra e aloe.

Oggi questa pianta è ancora popolare per il suo aroma resinoso, sfruttato dall'industria alimentare, ma gli erboristi la utilizzano soprattutto per le sue proprietà antisettiche e astringenti, quindi per pulire e curare le ferite, comprese le piaghe da decubito. Entra spesso nella composizione dei collutori e viene prescritta contro mal di gola e gengiviti.

La mirra è anche un ottimo incenso, utile per respingere le zanzare.

☐ **Parti utili e principi attivi** Resina. Olio essenziale, gomma.

MIRTILLO *Vaccinium myrtillus*

☐ **Storia e usi** Sconosciuto nell'antichità, il mirtillo veniva però consigliato da santa Ildegarda di Bingen, nel XII secolo, per

Mirtillo

sollecitare le mestruazioni. Ignorato per secoli da botanici e fito-terapeuti, ha però un posto di rilievo nella farmacopea popola-re: come antidiabetico, antisettico, astringente. Proprietà confer-mate tutte dalle ricerche scientifiche più recenti. Il trattamento è utile soprattutto come misura preventiva e non per curare una malattia in atto.

    ☐ **Parti utili e principi attivi** Frutto. Flavonoidi.

OLMO *Ulmus campestris*

    ☐ **Storia e usi** La farmacopea popolare lo riteneva un anti-doto per il cattivo umore, per la caduta dei capelli e una cura per gli occhi. Oggi, più propriamente, è utilizzato dalla moderna fi-toterapia come astringente, depurativo, tonico e sudorifero. La corteccia dell'olmo contiene mucillagine, una sostanza gelatino-sa che si gonfia nell'acqua; applicata sulle ferite o ingerita, la mu-cillagine è un efficace cicatrizzante.

    L'olmo viene utilizzato nella produzione di pasticche contro il mal di gola e la tosse dei fumatori. La corteccia polverizzata è impiegata nel trattamento delle scottature, dei foruncoli e delle piccole ferite. L'olmo è innocuo nell'uso sia interno sia esterno.

    ☐ **Parti utili e principi attivi** Corteccia, foglie. Mucillagine, silice, potassio.

ORTICA *Urtica dioica*

    ☐ **Storia e usi** I peli ispidi che rico-prono le foglie dell'ortica contengono un liquido irritante che produce, in chi li sfiora, una sensazione cutanea di bru-ciore che può durare per ore. Eppure l'ortica è una pianta amica dell'uomo: cre-sce ovunque e possiede numerose proprietà medicamentose.

    Anche se la loro raccolta pone dei pro-blemi, le foglie essiccate sono state a lungo usa-te dagli erboristi soprattutto come diuretico. Inol-tre, hanno proprietà astringenti e, applicate sulla pel-le, possono guarire eczemi e altri problemi cutanei.

    Più controverso è il loro uso contro l'artrite. Secon-do alcuni pazienti che le utilizzano, appoggiando le foglie secche direttamente sulla pelle, in corrispondenza delle arti-colazioni infiammate, il dolore diminuisce quasi istantaneamen-te. L'ortica agirebbe quindi da revulsivo, contrastando il dolore. Benché non sia stata convalidata scientificamente, questa appli-cazione è ancora popolare in Germania.

    Infusi e decotti di ortica sono ottimi rimedi contro l'anemia e l'astenia, mentre contro i dolori reumatici cronici gli erboristi consigliano il succo di ortica.

    ☐ **Parti utili e principi attivi** Foglie fresche o secche, radici. Clorofilla (in grande quantità), acetilcolina, istamina.

Ortica

PASSIFLORA *Passiflora incarnata*

☐ **Storia e usi** Chiamata anche fiore della Passione, è una pianta originaria dell'America tropicale, usata dai popoli nativi per lenire le ferite. Oggi la passiflora viene usata dalla medicina naturale soprattutto per il suo effetto sedativo e antispasmodico: assunta sotto forma di infuso, è impiegata come rimedio contro l'insonnia, il nervosismo e l'ipertensione.

Associata ad altre piante sedative, la passiflora si è rivelata molto utile per la cura di diverse malattie nervose e delle tossicodipendenze.

☐ **Parti utili e principi attivi** Fiori, foglie. Flavonoidi e alcaloidi.

Passiflora

PEPERONCINO *Capsicum annuum e C. frutescens*

☐ **Storia e usi** Il peperoncino è usato come spezia dagli Indiani dell'America centrale da migliaia di anni; ma furono gli Spagnoli a introdurlo in Europa, dove ora è diffuso in tutti i paesi meridionali. Oggi è conosciuto soprattutto come ingrediente di salse piccanti, ma un tempo veniva usato come digestivo, come cura per il mal di denti e il raffreddore.

La capsaicina, il principio attivo del peperoncino, del peperone e di tutte le specie del *Capsicum*, che conferisce loro il tipico sapore piccante, è un efficace antidolorifico, come confermano anche le più recenti ricerche. Le pomate a base di capsaicina alleviano i dolori muscolari e delle articolazioni alterando temporaneamente l'equilibrio chimico nelle cellule dei neurotrasmettitori. Parecchi prodotti da banco che contengono capsaicina vengono usati esternamente contro i dolori dell'artrosi.

☐ **Parti utili e principi attivi** Frutti. Capsaicina.

PSILLIO *Plantago psyllium*

☐ **Storia e usi** Chiamata "madre delle erbe" in un antico poema anglosassone, questa pianta cresce in luoghi aridi e sabbiosi. Le sue foglie furono a lungo impiegate contro le punture d'insetti e applicate sulle vesciche; si diceva infatti che le loro proprietà astringenti fermassero le emorragie. Le popolazioni indigene dell'America usavano le foglie di psillio per curare le ferite superficiali, le distorsioni, la gotta, e contro le infiammazioni agli occhi.

Oggi lo psillio è un rimedio d'uso estremamente comune, apprezzato soprattutto per i suoi minuscoli semi: ricoperti da una mucillagine che si gonfia a contatto con l'umidità, rappresentano un popolarissimo lassativo, particolarmente utile nei casi di stitichezza cronica.

☐ **Parti utili e principi attivi** Semi, foglie. Mucillagine (dal 10 al 30%), presente soprattutto nell'involucro dei semi.

Psillio

Rapunzia

Rosmarino

QUERCIA MARINA *Fucus vesiculosus*

□ **Storia e usi** Si tratta di un'alga bruna assai diffusa sulle spiagge dell'Atlantico, dove cresce a ridosso delle rocce. Descritta già da Plinio, la quercia marina era utilizzata un tempo per curare l'asma e le malattie della pelle. Ricca di bromuri e di iodio, viene oggi utilizzata in infusi o decotti per stimolare le attività della tiroide, per attivare la coagulazione sanguigna e per integrare le diete dimagranti (ha infatti la proprietà di assorbire i grassi).

□ **Parti utili e principi attivi** Tallo (l'intera pianta). Iodio, bromo, sali minerali.

RAPUNZIA *Oenothera biennis*

□ **Storia e usi** Questa pianta profumata, che aspetta fino a sera per aprire i suoi fiori, è utilizzata per ridurre il colesterolo e la pressione sanguigna e per curare una serie infinita di disturbi.

Originaria dell'America del Nord, la rapunzia, chiamata anche "onagra", è oggi una pianta spontanea tra le più diffuse in Europa. Le popolazioni native americane della regione dei Grandi Laghi usavano tutta la pianta come sedativo e analgesico. Altrove è stata usata per la cura di diverse patologie, dall'asma ai problemi intestinali. L'olio estratto dai semi di onagra viene assunto oralmente per combattere l'asma allergica, l'eczema atopico, l'emicrania e la sindrome premestruale. Uno studio scientifico ha individuato nell'olio di onagra la presenza di un acido grasso essenziale della famiglia omega 6, l'acido gammalinolenico, indispensabile, tra l'altro, per contrastare il depositarsi del colesterolo sulle arterie.

□ **Parti utili e principi attivi** Semi. Olio, che contiene l'acido grasso GLA (acido gammalinolenico).

ROSMARINO *Rosmarinus officinalis*

□ **Storia e usi** Molto conosciuto come pianta aromatica, il rosmarino ha anche proprietà medicamentose. Gli erboristi lo usavano come tonico e stimolante, oltre che per curare il mal di stomaco, i disturbi digestivi e il mal di testa. L'olio essenziale contenuto nelle foglie dall'intenso profumo di canfora sembra in grado di rinvigorire il sistema circolatorio e quello nervoso, per questo il rosmarino viene spesso prescritto alle persone anziane e ai convalescenti. Il tonico per capelli al rosmarino può essere consigliabile come prevenzione della calvizie, ma non ci sono prove certe della sua efficacia. Consumato in dosi ragionevoli, il rosmarino si può considerare del tutto innocuo, come la maggior parte delle piante aromatiche e delle spezie.

□ **Parti utili e principi attivi** Foglie, sommità fiorite. Olio essenziale che contiene canfora e altri elementi, flavonoidi, acido fenolico.

SALICE BIANCO *Salix alba*

☐ **Storia e usi** Pianta di grande mole tra le più comuni in Europa, se ne conoscono centinaia di specie, tutte dotate delle medesime proprietà terapeutiche. Nell'antichità si riteneva che i semi, il succo e la corteccia fossero astringenti; l'imperatore romano Gallieno, nel III secolo, considerava la linfa di salice il più efficace cicatrizzante, e a partire dal XVII secolo le foglie di salice vengono utilizzate come febbrifugo.

La moderna fitoterapia ha in gran parte confermato le proprietà farmacologiche del salice rilevate dai medici del passato, e ne ha individuate altre, dovute soprattutto al suo contenuto di acido salicilico: analgesico, antireumatico, sedativo.

☐ **Parti utili e principi attivi** Corteccia, amenti (infiorescenze), foglie. Salicina, tannino, sali minerali.

SALVIA *Salvia officinalis*

☐ **Storia e usi** Le foglie verdi e vellutate della pianta della salvia sono utilizzate come rimedio "per ogni malattia": il nome deriva infatti dal latino *salus*, "salute". Nel Medioevo era indicata contro il raffreddore, la febbre, l'epilessia e la stitichezza.

Oggi la pianta della salvia è nota per le sue proprietà astringenti e viene usata principalmente per alleviare i sintomi del raffreddore. Come collutorio dà sollievo alle irritazioni della gola e alle stomatiti. Gli erboristi suggeriscono di evitare l'uso prolungato dell'olio essenziale o dell'estratto di salvia, che potrebbero provocare convulsioni.

In generale la salvia è controindicata per le donne che allattano e in caso di mastiti o di cancro al seno.

☐ **Parti utili e principi attivi** Foglie, sommità fiorite. Olio essenziale, flavonoidi, saponina.

Salvia

SAMBUCO *Sambucus nigra*

☐ **Storia e usi** Il sambuco ha una storia lunga e varia: tracce della sua coltivazione in Europa sono state rinvenute nei siti archeologici. Le leggende hanno associato questo arbusto alle streghe e agli spiriti, mentre i medici popolari lo usavano come repellente per gli insetti, come purga e per purificare il sangue. Il sambuco è oggi diffusissimo ovunque e molti ne hanno certo assaggiato le bacche sotto forma di conserva o in un dolce, oppure in un liquore fatto in casa.

Con i fiori di sambuco, profumatissimi, si prepara un infuso prescritto come diuretico, emolliente, purgativo, sudorifero. Si ritiene che l'infuso abbia maggior effetto se ai fiori di sambuco vengono mescolate foglie di menta e fiori di millefoglie. Inoltre gli estratti della pianta entrano come ingrediente in vari preparati commerciali contro il raffreddore.

☐ **Parti utili e principi attivi** Fiori, foglie, frutti. Nitrato di potassio, olio essenziale, un glucoside, tannino, flavonoidi, mucillagine.

Sambuco

SENNA *Cassia angustifolia e C. senna*

☐ **Storia e usi** Pianta molto comune lungo le rive del Nilo in Egitto, nel Sudan e in Somalia, le sue foglie e i suoi baccelli furono ben presto apprezzati dalla medicina araba per la loro innocua ed efficace azione lassativa. Anche oggi alla pianta si riconoscono le stesse proprietà, ma i baccelli sono ritenuti meno efficaci delle foglie.

Come per ogni lassativo, anche l'uso prolungato di senna può dare assuefazione. Inoltre occorre assumerla con prudenza, perché in quantità elevate può provocare nausea e grave imbarazzo di stomaco.

☐ **Parti utili e principi attivi** Foglie, semi. Glucosidi dell'antrachinone, composti antranolici (sennosidi), aloemodina.

Tanaceto

TANACETO *Tanacetum vulgare*

☐ **Storia e usi** Il primo riferimento a questa pianta si trova negli scritti dell'erborista greco Dioscoride, che nel I secolo d.C. la consigliava per tutti «i gonfiori e le infiammazioni calde», alludendo forse all'artrite.

Il tanaceto fu usato anche contro i dolori mestruali, il mal di testa e le difficoltà di digestione, per tener lontani gli insetti e per curarne le punture. Col tempo, però, il suo uso fu abbandonato anche dagli erboristi più accaniti.

In famiglia il tanaceto era chiamato "l'erba dei vermi", per le sue proprietà vermifughe, e come tale veniva utilizzato, una volta essiccato, per combattere le tarme e le pulci. Nelle vecchie case veniva anche appeso al soffitto per scacciare le mosche e profumare l'ambiente.

Come pianta medicinale il tanaceto è digestivo, rinfrescante; l'infuso di tanaceto, poi, è un ottimo calmante.

☐ **Parti utili e principi attivi** Sommità fiorite, semi. Olio essenziale, tannino, resina, acido citrico, butirrico, ossalico.

Tarassaco

TARASSACO *Taraxacum officinale*

☐ **Storia e usi** Panacea per tutti i mali o erbaccia infestante? Non si discute sul buon sapore di un'insalata fatta con le foglie del tarassaco (chiamato anche "dente di leone", "soffione" o "cicoria selvaggia"), eppure il suo uso non è soltanto alimentare. Consigliato per i disturbi del fegato, dei reni e della cistifellea, il tarassaco è noto soprattutto per i suoi blandi effetti lassativi, diuretici e di stimolo dell'appetito. Le foglie, inoltre, presentano un elevato contenuto di potassio.

Considerato una maledizione dai giardinieri, cresce ovunque tutto l'anno. Ne esistono numerose varietà, assai simili e con proprietà identiche.

□ **Parti utili e principi attivi** Foglie e radici. Inulina (25% circa), sostanze amare, sesquiterpene.

TIMO *Thymus vulgaris*

□ **Storia e usi** Il timo è considerato dagli erboristi uno dei più potenti antisettici naturali. Il suo principio attivo, il timolo, è un germicida che ha trovato largo impiego industriale nella produzione di dentifrici e collutori oltre che di alcuni unguenti per uso locale. Il timolo, che è anche espettorante, entra nella composizione di vari sciroppi contro la tosse e la bronchite.

L'infuso di timo è indicato contro mal di gola, tonsillite, influenza. Le inalazioni sono un rimedio contro la sinusite. Ha proprietà carminative e diuretiche, e stimola le attività gastriche.

□ **Parti utili e principi attivi** Foglie, sommità fiorite, fusti fioriti. Timolo, fenolo.

Timo

UVA URSINA *Arctostaphylos uva-ursi*

□ **Storia e usi** Se dei frutti sono golosi gli orsi (da qui il suo nome), delle foglie di questo arbusto sempreverde si è fatto uso nei secoli per curare numerosi disturbi. Ma già nel XVI secolo la scuola medica di Montpellier, una delle più antiche al mondo, individuava le sue specifiche proprietà: antisettiche e diuretiche.

La sua reale efficacia si esplica in modo particolare sul tratto urinario: l'infuso, le capsule o gli estratti di uva ursina sono efficaci contro le infiammazioni urinarie e la cistite. Le foglie contengono una leggera quantità di tannino e, se assunte per periodi prolungati, possono risultare irritanti per lo stomaco. Alcune persone sopportano meglio l'uva ursina se assunta con un'eguale quantità di foglie di menta. Innocua se viene usata per periodi limitati, va comunque evitata in gravidanza.

□ **Parti utili e principi attivi** Foglie. Arbutina.

VALERIANA *Valeriana officinalis*

□ **Storia e usi** Rimedio molto popolare contro l'insonnia, la valeriana, tuttavia, non è sempre stata usata per le sue proprietà sedative. Nell'antica Grecia veniva prescritta per i problemi digestivi, la nausea e i disturbi urinari, mentre le popolazioni indigene d'America utilizzavano specie simili di valeriana per medicare le ferite e alleviare le fatiche.

Studi recenti confermano l'azione positiva dei principi attivi della sua radice sul sistema nervoso centrale e sui tessuti lisci

Valeriana

Verbasco

dei muscoli (quelli che controllano, per esempio, gli intestini e i vasi sanguigni).

In sperimentazioni controllate la valeriana ha dimostrato di ridurre il tempo necessario per addormentarsi e di favorire un riposo profondo e soddisfacente simile a quello indotto da diversi prodotti in commercio, senza tuttavia indurre gli effetti collaterali di questi ultimi e soprattutto senza provocare dipendenza.

La valeriana è efficace anche per calmare i sintomi di nervosismo allo stomaco e contro lo stress.

Pillole di valeriana sono assai diffuse, ma essa è efficace anche in infuso o sotto forma di estratto fluido, anche se non tutti ne sopportano l'odore particolare.

I gatti sono molto attratti dall'aspra radice della valeriana, che contiene un componente chimico simile a quello dell'erba gatta.

La valeriana viene considerata generalmente innocua, ma, come molti altri rimedi erboristici, non deve essere somministrata ai bambini e alle donne in gravidanza senza l'autorizzazione del medico curante.

☐ **Parti utili e principi attivi** Radici, foglie. Olio essenziale, acido valerianico e componenti chimici instabili.

VERBASCO *Verbascum thapsus*

☐ **Storia e usi** Nei secoli il verbasco (chiamato anche tasso barbasso) è stato usato per curare, calmare e proteggere. Narra Omero che l'eroe greco Ulisse se ne servì per proteggersi da Circe. In altri tempi fu invece usato per resistere alle seduzioni della stregoneria.

Oggi il verbasco, che contiene mucillagine, viene usato come espettorante e calmante delle mucose infiammate. Vecchio rimedio per le affezioni toraciche (in questo senso veniva consigliato da Plinio), è ancora considerato efficace contro il mal di gola, il raffreddore e la raucedine. Applicato localmente, dà sollievo alle bruciature, ai geloni e alle articolazioni artritiche. Ha inoltre proprietà astringenti, sfruttate per cicatrizzare le ferite.

Attenzione: le tisane di verbasco devono essere accuratamente filtrate per eliminare i peli della pianta che possono irritare la gola e l'apparato digerente.

☐ **Parti utili e principi attivi** Foglie, fiori. Mucillagine.

VITE *Vitis vinifera*

☐ **Storia e usi** Pianta antichissima (in Europa se ne sono trovate tracce che risalgono al pliocene), era coltivata già nell'antico Egitto, in Grecia e soprattutto nell'Italia meridionale (chiamata dai Greci, appunto, Enotria, da *ôinos*, "vino"). Se per la Bibbia la vite «rallegra il cuore dell'uomo», per la medicina popolare le foglie e il frutto della vite hanno proprietà terapeutiche innumerevoli. In fitoterapia la vite è utilizzata come lassativo, astringente, diuretico, tonico, antianemico, depurativo, antisettico, antiemorragico.

□ **Parti utili e principi attivi** Frutti, foglie. Glucidi, potassio, vitamine A, B_1, B_2, B_6, C.

ZENZERO *Zingiber officinale*

□ **Storia e usi** Lo zenzero è usato da secoli come pianta medicinale. I cinesi scoprirono le sue proprietà curative almeno 2500 anni fa e lo usano ancora contro i raffreddori, la nausea, l'avvelenamento da prodotti ittici e molti altri disturbi. Ma veniva utilizzato allo stesso modo anche in Grecia, in India e in altri paesi. In Tibet era prescritto durante la convalescenza, mentre in Giappone il suo olio veniva impiegato per un massaggio contro i dolori della colonna vertebrale e delle articolazioni.

Oggi il decotto di zenzero viene ancora consigliato per il mal di stomaco e per favorire la digestione. Essendo leggermente stimolante, è indicato anche per incrementare la circolazione durante le fredde giornate invernali. La moderna ricerca scientifica ha individuato nuove applicazioni terapeutiche: lo zenzero polverizzato, per esempio, è efficace contro la nausea da viaggio, e non provoca quegli effetti collaterali, come la sonnolenza, tipici degli analoghi rimedi in commercio.

La medicina naturale consiglia di masticare lentamente un pezzetto di zenzero per curare l'influenza e i raffreddori di stagione e di utilizzare invece la tintura di zenzero contro i dolori reumatici.

□ **Parti utili e principi attivi** Rizoma (fusto sotterraneo). Oli essenziali, gingerina, zingerone (fenilalchilchetone), resine, mucillagine.

Zenzero

ZUCCA *Cucurbita pepo*

□ **Storia e usi** Diffusa in Europa solo dopo la scoperta dell'America, la zucca era nota, nella medicina popolare, per «spegnere il calore delle ulcere». Il decotto di polpa di zucca è indicato contro la costipazione, mentre il decotto di semi è vermifugo e lassativo. Per attenuare il dolore di una scottatura superficiale i medici naturisti consigliano di applicare sulla parte della buccia di zucca ben lavata.

□ **Parti utili e principi attivi** Semi, frutti. Oligoelementi, enzimi, vitamine A e C.

Aromaterapia: la cura a base di profumi

Gli oli essenziali estratti da fiori, frutti e altre parti delle piante
sono lo "strumento" di cura dell'aromaterapia. Si tratta di essenze profumate
che vengono usate per risolvere molti comuni disturbi.

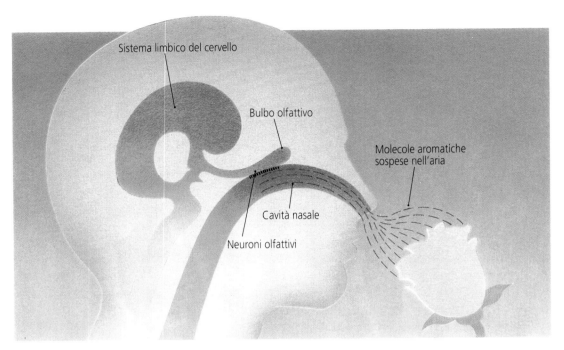

Sistema limbico del cervello

Bulbo olfattivo

Molecole aromatiche
sospese nell'aria

Cavità nasale

Neuroni olfattivi

Quando le molecole *aromatiche sospese nell'aria vengono inspirate, colpiscono le cellule nervose o neuroni olfattivi. Gli impulsi nervosi vengono trasmessi ai bulbi olfattivi connessi al sistema limbico, che è la sede della memoria e delle emozioni. Ci rendiamo subito conto degli odori, specie quando, come avviene con l'aroma di un cibo o con un profumo familiare, suscitano in noi delle emozioni.*

PER LA MAGGIOR PARTE DELLE PERSONE l'olfatto è il più acuto dei cinque sensi. Quando respiriamo, le molecole che trasportano gli odori attivano dei recettori posti nella cavità nasale; questi trasmettono ai nervi impulsi che raggiungono rapidamente i bulbi olfattivi situati nel cervello e connessi direttamente con il sistema limbico, che è il sito della memoria, delle emozioni e dell'eccitamento sessuale. I ricercatori hanno dunque confermato scientificamente il nesso tra memoria, emozioni e aromi. Basta poco, un odore, un profumo, un aroma associabile a un'esperienza passata, per richiamare alla memoria un intero mondo, ormai lontano nel tempo.

I profumi che curano Molto prima che la scienza cominciasse a esaminare l'olfatto, le impalpabili proprietà degli aromi venivano sfruttate negli ambiti più diversi: nei riti religiosi, nelle cerimonie, nelle situazioni conviviali... anche a fini terapeutici. Ma i profumi possono davvero guarire? Le spiegazioni scientifiche sono scarse, ma secondo gli aromaterapeuti alcune essenze sarebbero in grado di curare problemi fisici come il mal di testa, o disturbi emotivi, come l'irritabilità.

Gli aromaterapeuti usano circa quaranta oli aromatici molto concentrati, ciascuno destinato a curare disturbi specifici. Questi oli, detti "essenziali" o anche solo "essenze", sono estratti dalle radici, dai fiori, dalle foglie, dalla corteccia, dal legno o dalla resina delle piante e degli alberi, oppure dalla scorza dei frutti (limoni e arance). Di solito vengono diluiti con oli di soia, di mandorle dolci o di enagra, oppure con soluzioni alcoliche.

Vengono utilizzati in diversi modi: inalati, applicati con un massaggio o aggiunti all'acqua del bagno. Inalando il vapore proveniente da un recipiente dove all'acqua bollente siano state aggiunte poche gocce di olio di cannella, i seni nasali congestionati si liberano rapidamente. Una soluzione di essenze di eucalipto, timo, pino e lavanda, inalata diverse volte al giorno, è efficace contro sinusite e bronchite.

Dal momento che la pelle assorbe rapidamente gli oli, a chi soffre di artrite vengono consigliati bagni con olio di ginepro per alleviare il dolore articolare. Contro i dolori muscolari vengono invece prescritti massaggi con olio di rosmarino e di oliva.

Nell'uso degli oli essenziali, badate a non superare le dosi consigliate: quelli non diluiti sono molto potenti e talvolta possono anche risultare tossici. Se assunti per via interna è bene seguire con molta attenzione le indicazioni dell'aromaterapeuta.

Diluizioni Le sostanze più adatte nelle quali diluire gli oli essenziali puri quando vengono utilizzati per i massaggi sulla pelle sono gli oli vegetali. Quelli di vinacciolo, girasole e mandorla dolce sono leggeri e facili da usare. Quelli di germe di grano, oliva e avocado sono più densi, adatti alle pelli secche e spesso diluiti a loro volta con oli più leggeri. La jojoba, una cera liquida, si adatta a tutti i tipi di pelle. La diluizione tipo, in mancanza di indicazioni diverse, è di 20 gocce di essenza in 60 ml (dieci cucchiaini) di olio base. Per piccole dosi, usate tre o quattro gocce di essenza in due cucchiaini di base.

La miscela di più essenze produce un'azione combinata, che sfrutta le singole proprietà con un effetto potenziato. Cercate comunque di non usare più di tre oli essenziali per volta.

Modalità d'uso L'aromaterapia è molto indicata per curarsi da soli, a patto di limitarsi all'uso esterno e di rispettare alcune precauzioni. Non applicate gli oli essenziali puri direttamente sulla pelle; teneteli lontano dagli occhi e fuori dalla portata dei bambini; non esponetevi al sole per almeno quattro ore dopo l'applicazione di essenze estratte dagli agrumi (particolarmente sensibili alla luce solare). Non ingerite mai un olio essenziale senza la prescrizione e il controllo di un terapista esperto, al quale deve comunque rivolgersi chi soffre di ipertensione, epilessia o gravi malattie nervose. Qualche precauzione in più si richiede anche alle donne in gravidanza.

I sistemi più usati per sfruttare le proprietà terapeutiche degli aromi sono i massaggi (completi o parziali), i bagni profumati, le inalazioni, i gargarismi e gli sciacqui, le compresse umide.

Massaggio Gli oli essenziali possono essere utilizzati in qualunque tipo di massaggio. La quantità di olio (già diluito) non deve essere eccessiva: per tutta la schiena ne basta un cucchiaino. Massaggiate con cura, fa-

Petali, foglie, radici e altre parti della pianta contengono oli dai profumi rilassanti o stimolanti. Alcuni oli aromatici sono in grado di dare sollievo a disturbi come il mal di testa o la bronchite.

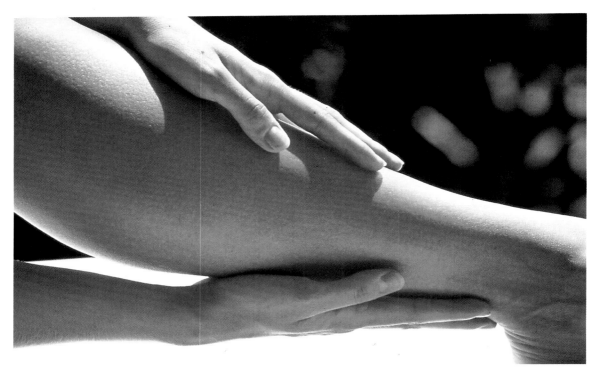

Un massaggio con gli oli essenziali può essere utile contro i dolori reumatici, le infiammazioni delle vie respiratorie, i disturbi circolatori e gli eczemi.

cendo penetrare bene l'olio. Il massaggio con gli oli aromatici è particolarmente indicato per combattere lo stress (ginepro, lavanda, maggiorana), i dolori reumatici (camomilla romana), per risolvere i problemi respiratori (garofano, cannella), curare l'acne e le eruzioni cutanee (ginepro, lavanda), i disturbi circolatori (salvia, limone).

Bagni aromatici È sicuramente il trattamento più semplice. Dopo aver versato nella vasca l'olio essenziale (dieci gocce sono più che sufficienti), tenete chiuse porte e finestre, in modo che l'aria rimanga tiepida e profumata. Rilassatevi nell'acqua per dieci, quindici minuti. Oltre a inalare il profumo, questo penetrerà nell'organismo attraverso la pelle. Per un bagno parziale (delle mani o dei piedi, per esempio) bastano tre gocce di essenza. Poiché gli aromi sono molto volatili, conviene versarli nella vasca solo prima di immergervi e mescolare bene. Scioglierli prima in un pugno di sale da cucina aiuta a miscelarli meglio.

I bagni, completi o parziali, ma anche solo le spugnature (*vedi* il capitolo sull'idroterapia alle pagg. 84-89) sono molto indicati contro l'insonnia (lavanda, camomilla romana, neroli), la tensione (basilico, neroli), i dolori muscolari (rosmarino), i disturbi circolatori (rosmarino, ginepro, limone), i dolori mestruali (cumino dei prati), l'influenza e il raffreddore (cannella), la ritenzione di liquidi (cumino dei prati, cipresso, rosmarino).

Inalazioni Dieci gocce di olio essenziale su un fazzoletto, un tovagliolo di carta o un cuscino, costituiscono la forma più semplice di inalazione. Altrimenti si possono preparare suffumigi con dieci gocce di essenza in un recipiente d'acqua bollente. Avvicinate il capo alla superficie dell'acqua e copritevi con un asciugamano, per trattenere il vapore. Respirate a lungo in profondità. I suffumigi, controindicati in caso di asma, vanno ripetuti alme-

no due o tre volte al giorno e sono la soluzione ideale contro tutte le malattie da raffreddamento (eucalipto, issopo, pino, cannella).

Gargarismi e sciacqui Tre gocce in una tazza d'acqua calda. Limone contro raffreddore e mal di gola; geranio o pino contro la tonsillite; salvia o limone per le gengive infiammate o sanguinanti; menta contro l'alito cattivo.

Compresse umide Si versa una decina di gocce di olio essenziale in mezza tazza d'acqua. Vi si immerge un tovagliolo o un telo piegato in modo che abbia una larghezza sufficiente a coprire la parte da trattare. Il tessuto va poi strizzato, posto sulla parte interessata e fissato con una benda per almeno due ore. Perché sia più efficace, tenete calda la compressa coprendola con un asciugamano o con una coperta di lana. Le compresse si applicano sugli occhi irritati (lavanda, camomilla, in questo caso solo una goccia); sul viso prima della pulizia (limone o lavanda per la pelle grassa, rosa o camomilla per la pelle secca) o per un effetto antistanchezza (basilico, menta, limone); sulle bruciature (lavanda); sui foruncoli (timo).

Altri usi casalinghi Sono ampiamente provate le proprietà antisettiche della maggior parte degli oli essenziali. Che cosa impedisce allora di usarli, sempre molto diluiti in acqua o in alcol, nella preparazione di detergenti ecologici per la casa? Pulire gli armadietti della cucina e le spugnette per i piatti con soluzioni a base di lavanda, limone, timo, bergamotto, pino o cannella (tutte essenze dalle proprietà antibatteriche), oppure di geranio, ginepro, rosmarino (dalle proprietà antiparassitarie), non solo garantisce la pulizia, ma dona alla casa un profumo ben diverso da quello dei più comuni detersivi commerciali.

Un test per evitare le reazioni allergiche

In alcune persone gli oli essenziali possono causare reazioni indesiderate. Per capire se siete allergici a una particolare essenza, mettete innanzi tutto una goccia dell'olio che userete come diluente sul petto o dietro un orecchio. Se dopo dodici ore non si è verificata alcuna reazione (per esempio un arrossamento), diluite una goccia dell'olio essenziale in mezzo cucchiaino dell'olio già provato. Sfregate la miscela sul petto o dietro l'orecchio e lasciate passare altre dodici ore. Se anche questa volta non c'è alcuna reazione, procedete tranquillamente all'uso.

CAPITOLO 7

Malattie, disturbi e rimedi

In ordine alfabetico, segue la descrizione
di 83 comuni disturbi e malattie, con tutte
le informazioni per la cura con le terapie naturali.
La scelta tra le molte alternative suggerite va
sempre basata sull'accurata diagnosi di un medico
competente. Soddisfatta questa condizione,
si potrà scegliere l'approccio più conveniente
sia che, come l'agopuntura e la chiropratica,
richieda l'intervento di un professionista,
sia che la preferenza venga data a tecniche
come la fitoterapia, l'idroterapia o la digitopressione,
che possono essere praticate anche da soli.
Ricordate inoltre che, per la loro capacità
di ridurre lo stress, molte terapie naturali risultano
utili anche una volta eliminata la malattia.

Le terapie della medicina naturale

Qualunque sia l'orientamento terapeutico, tutti gli operatori convengono sul fatto che debba essere un medico a eseguire la diagnosi. La scelta della cura è invece alla portata di chiunque abbia sufficienti informazioni.

FONDATA SU CONOSCENZE ANTICHE quanto la tradizione cinese e moderne come le innovative tecnologie informatiche, la medicina naturale fa capo a una molteplicità di tecniche fisiche e mentali. Talvolta prevede l'uso delle mani, come nella chiropratica, nell'osteopatia, nello shiatsu, nella riflessologia e nel massaggio. In altri casi, quali l'omeopatia, fonda diagnosi e trattamento non solo sui sintomi ma anche sui tratti caratteristici della personalità e sui sentimenti del malato. Oppure, come nell'ipnosi, sfrutta i poteri della mente al fine di modificare una condizione fisica, come un dolore o una reazione allergica.

Le alternative terapeutiche presentate in questo capitolo mirano sostanzialmente a dare sollievo, a limitare i danni dello stress e a prevenire ricadute. Accanto ai problemi più comuni sono trattate alcune malattie che richiedono comunque una terapia farmacologica. In questi casi i rimedi suggeriti possono essere usati a sostegno della cura. Ovunque siano trattate malattie croniche, come l'enfisema, oltre ai rimedi vengono offerti consigli per convivere meglio con i sintomi della malattia.

Di fronte a un'emergenza Le emergenze mediche e chirurgiche, come le malattie acute, esulano dalla materia di questo prontuario. Per il pronto soccorso non c'è infatti alternativa al trattamento immediato, per quanto aggressivo. Un intervento chirurgico o di rianimazione può fare la differenza tra la vita e la morte, per esempio nel caso di un'appendicite o di un'emorragia cerebrale. Anche la polmonite, l'infarto, i traumi cranici e le ustioni gravi sono situazioni nelle quali l'assistenza medica specializzata e gli adeguati strumenti di monitoraggio risultano di importanza vitale. Un'accurata diagnosi è comunque essenziale in tutti i casi che valicano la normalità di un comune raffreddore. Una volta ottenuta una diagnosi e optato per una cura naturale, considerate quale scegliere. Siate flessibili e realistici: ciò che ha funzionato per un amico con un problema simile al vostro può non essere altrettanto utile a voi.

Se scegliete una terapia naturale come alternativa a un trattamento della medicina "ufficiale", o in appoggio ad esso, ci sono diversi altri problemi da tenere presenti.

Un buon inizio Il primo passo è trovare un buon medico. Amici e parenti sono utili fonti di informazioni, come pure potrebbe essere lo stesso medico che ha fatto la diagnosi, ammesso che sia aperto alle possibilità della medicina naturale.

Le leggi che regolano la pratica delle terapie naturali variano da nazione a nazione. In Italia, il medico regolarmente laureato è l'unico soggetto abilitato a operare una diagnosi e a

Quando è necessario il medico

Quasi tutti si rendono conto che è indispensabile chiamare un'ambulanza in situazioni critiche come un incidente d'auto. O andare al Pronto Soccorso in caso di ustioni gravi, fratture, colpi di calore, avvelenamenti, morsi di animali e intossicazioni. Ci sono però altre situazioni che richiedono un intervento medico immediato.

- Difficoltà di respirazione, affanno o fiato corto.
- Vomito o diarrea gravi e persistenti.
- Perdite significative di sangue da qualsiasi parte del corpo: bocca, retto, apparato urinario (o anche espettorato contenente sangue).
- Dolori acuti e improvvisi al petto o all'addome.
- Vertigini o annebbiamento della vista.
- Difficoltà a parlare o a emettere suoni.
- Perdita di sensibilità degli arti.

Aumenta continuamente il numero di quanti includono la meditazione nelle proprie attività quotidiane.
È un'abitudine che sembra avere effetti benefici sulla salute.
Praticata regolarmente, infatti, la meditazione combatte lo stress e i suoi sintomi, tra i quali l'ipertensione.
Non richiedendo alcun equipaggiamento, può essere eseguita quasi ovunque e in qualsiasi momento
(per conoscere le tecniche di meditazione, vedi pagg. 112-116).

servirsi di qualsiasi forma di terapia per la cura dei suoi pazienti.

Un medico regolarmente iscritto all'Ordine, esperto in una o due terapie alternative (certificabili da corsi di formazione qualificati), offre in genere le necessarie garanzie. Ricordate anche che alcune forme di trattamento possono andare a integrare la formazione di altri operatori sanitari (sempre tenendo presente che deve essere un medico a operare diagnosi e prescrizioni): per esempio un fisioterapeuta può praticare lo shiatsu, una dietologa la fitoterapia, un'ostetrica lo yoga.

Se sapete già o sospettate di avere un problema medico qualunque, fatelo presente alla persona che vi curerà. Il massaggio,

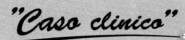

I RISCHI DELL'AUTODIAGNOSI

Sofferente per un dolore al piede, la scrittrice Joan Tedeschi aveva provato una serie di rimedi naturali ma niente era servito. Qual era allora il problema?

«Avevo un fastidioso dolore al piede sinistro quando camminavo. Per settimane lo ignorai, attribuendolo alle scarpe che indossavo. In quel periodo assistevo un parente malato e, pur percependo che il mio corpo si lamentava, non avevo certamente tempo di dargli retta.

Parlai del problema con un chiropratico dal quale vado quando ho qualche disturbo alla schiena. Secondo lui il piede era sottoposto a un eccesso di tensione perché la struttura generale non era perfettamente allineata, ma non esaminò il piede né mi consigliò di vedere uno specialista. Chiesi aiuto a due massaggiatori. Uno suggerì diverse sedute quotidiane di automassaggio per rilassare i muscoli e l'altro impacchi alternati caldi e freddi. Provai tutto, senza risultato.

Qualcuno mi disse che il dolore poteva anche avere un'origine psicosomatica e cercai allora di guardare le cose con un atteggiamento più positivo. Feci pediluvi con sale inglese e continuai le mie lezioni di yoga concentrandomi sul rafforzamento e sulla distensione del piede. Ma il dolore non cessò.

Dopo diverse settimane di consigli e cure, l'unica certezza era che il dolore peggiorava. Così cercai uno specialista in malattie del piede e, benché fosse sabato, ne trovai uno che accettò di visitarmi. Diagnosticò un'infiammazione dell'area che circonda l'osso sesamoide. Mi fece un piacevole idro-

massaggio, e quindi un trattamento con gli ultrasuoni, tanto doloroso che svenni. Barcollai fino a casa, dove mi misi a riposo. Il piede faceva ancora male, ma almeno sapevo qual era il problema, o almeno così credevo!

Quella notte il piede cominciò a pulsare e il dolore crebbe tanto che quasi svenni di nuovo. Domenica mattina richiamai lo specialista per riferirgli l'accaduto. Disse che forse l'osso era rotto e mi fece tornare per una radiografia. Questa volta la diagnosi era corretta, così mi inviò da un ortopedico per decidere il da farsi. Fu stabilito che si trattava di una frattura del sesamoide prodotta da usura. L'ortopedico mi ingessò dalla punta del piede al ginocchio e mi mandò via con le stampelle.

Nelle tre settimane successive, mentre aspettavo di sapere se il piede sarebbe guarito senza bisogno di un intervento chirurgico, ebbi modo di riflettere su ciò che l'esperienza mi aveva insegnato.

Innanzi tutto, non bisogna trascurare i segnali del corpo, in particolare il dolore.

Poi, prima di provare rimedi casalinghi, spesso conviene consultare il medico: solo con in mano una vera diagnosi si può decidere quali sono le cure più appropriate. In questo caso, se avessi consultato subito la persona giusta, avrei ricominciato a camminare senza dolore molto prima.»

per esempio, può essere controindicato in caso di infezioni, infiammazioni, problemi della colonna vertebrale, malattie articolari (come l'artrite) e circolatorie (come vene varicose e trombosi). E alcune posizioni yoga andrebbero evitate in caso di disturbi circolatori o cardiovascolari, come in presenza di dolori acuti alla schiena.

In questo capitolo i disturbi e le malattie sono elencati in ordine alfabetico. All'interno di ogni problema i rimedi si trovano, sempre in ordine alfabetico, dall'agopuntura allo yoga. Per ogni disturbo viene fornito un campione rappresentativo della varietà di trattamenti disponibili; non è possibile ovviamente riportare tutte le terapie naturali esistenti per ciascuna malattia. Alcune vengono discusse più dettagliatamente altrove in questo libro, per esempio il massaggio alle pagg. 168-175 e lo yoga alle pagg. 228-235. Per informazioni sull'uso terapeutico delle piante *vedi* le pagg. 304-335 e su quello di vitamine e minerali le pagg. 288-301.

Alcune raccomandazioni Una pratica che per un adulto rappresenta una sana forma di prevenzione o di autoterapia può non essere altrettanto indicata per un bambino o per un anziano. Non sempre conviene trascurare certi disturbi in un bambino solo perché in un adulto sono insignificanti. Un breve attacco di diarrea, per esempio, giustamente considerato poco significativo in un adulto sano, può portare invece alla disidratazione un bambino piccolo o un anziano.

Nella terza età, sono diversi i disturbi, ma anche le cure, che richiedono un'attenzione particolare. Le terapie manipolative, come per esempio la chiropratica e l'osteopatia, devono tenere conto della maggior fragilità delle ossa.

Anche nella scelta di integratori alimentari a scopo terapeutico l'anziano deve considerare lo scarso assorbimento di certe vitamine e alcuni minerali da parte dell'organismo.

Attenzione all'autoterapia Le donne incinte devono prestare doppiamente attenzione: per se stesse e per il bambino che sta crescendo in loro. Dosi massicce di vitamina A, per esempio, possono provocare difetti congeniti. Alcune posizioni yoga e altri esercizi possono invece imporre uno sforzo eccessivo ai muscoli addominali e dorsali, già molto sollecitati dalla gravidanza in corso. Alcuni disturbi poi, come la pressione alta, possono rappresentare un problema serio per le madri in attesa, che dovrebbero sempre e comunque sottoporsi regolarmente a visite di controllo e consultare il medico in merito a qualsiasi terapia desiderino intraprendere.

A causa della complessità della malattia, e per i continui sviluppi nel campo delle applicazioni terapeutiche, abbiamo scelto di non trattare qui l'AIDS, la sindrome da immunodeficienza acquisita, che richiederebbe uno spazio superiore a quello a nostra disposizione.

Una diagnosi accurata *è il primo passo di qualsiasi trattamento. Nell'impossibilità di vedere il suo dottore, il pittore e incisore tedesco Albrecht Dürer (1471-1528) gli inviò uno schizzo con una nota: «Dove punta il mio dito si trova il dolore». Secondo gli studiosi moderni, Dürer soffriva di una malattia della milza.*

Acne

Problema cutaneo diffusissimo, l'acne è un'eruzione che colpisce soprattutto il viso ma talvolta anche collo, petto e spalle. Inizia quasi sempre nella pubertà ed è difficile che persista oltre i vent'anni, benché in alcuni casi si sviluppi in età adulta.

Le cause dell'acne non sono ancora completamente note, ma i fattori ereditari, gli squilibri ormonali, la scarsa igiene, l'alimentazione ed elementi di origine psicologica influiscono tutti sulla sua comparsa.

Le donne ne soffrono soprattutto dopo l'adolescenza, in particolare in corrispondenza con le mestruazioni o se fanno uso di cosmetici a base oleosa.

Gli adolescenti maschi sono colpiti più delle femmine a causa dell'aumento della secrezione degli ormoni maschili, gli androgeni. Le ghiandole sebacee, appena sotto la superficie della pelle, producono sebo, una sostanza grassa che ha lo scopo di lubrificare e mantenere sano il tessuto. Queste ghiandole, poste alla radice dei follicoli piliferi, producono sebo in eccesso durante l'adolescenza, quando gli ormoni maschili cominciano ad essere secreti in grandi quantità.

Punti neri, punti bianchi, brufoli e cisti (che possono lasciare sulla pelle segni e cicatrici permanenti) sono il prodotto dei pori ostruiti da sebo e detriti cutanei; anche l'azione dei batteri incrementa l'acne.

Vedi anche INTOLLERANZE ALIMENTARI, STRESS.

LA MEDICINA UFFICIALE

Fortunatamente l'acne tende a recedere da sola o con un minimo di cure nella maggior parte dei casi.

Alcuni farmaci da banco a base di perossido di benzoile possono accelerare la guarigione.

L'acne superficiale risponde anche a creme, gel o lozioni contenenti antibiotici o isotretinoina per uso topico, un composto di vitamina A e acido retinoico (attenzione: i farmaci che contengono isotretinoina hanno effetti collaterali molto marcati e numerose controindicazioni).

Per i casi più gravi viene talvolta prescritto un antibiotico. Se crisi ricorrenti di acne lasciano cicatrici evidenti si può considerare la dermoabrasione, cioè l'asportazione dello strato superficiale della pelle con uno speciale strumento.

LE TERAPIE DELLA MEDICINA NATURALE

■ AROMATERAPIA. Bagnate la parte affetta della pelle con acqua distillata contenente due gocce per ciascuno dei seguenti oli essenziali: lavanda, ginepro e cajeput. Agitate bene il preparato, poiché gli oli essenziali non si sciolgono facilmente in acqua.

■ FIORI DI BACH. I rimedi possono aiutare ad affrontare i problemi emozionali che talvolta accompagnano la comparsa dell'acne. Provate *Wild oat* e *Walnut* per i problemi emozionali dell'adolescenza, *Crab apple* per la timidezza e la sensazione di disagio, *Gorse* nei casi di forte angoscia.

■ FITOTERAPIA. Per un lavaggio antinfiammatorio e antibatterico della pelle, mescolate un cucchiaino di tintura di calendula (acquistabile in farmacia o in erboristeria) in un bicchiere d'acqua. Con la soluzione ottenuta bagnate una garza e tamponate la parte affetta.

■ IDROTERAPIA. Il massaggio dolce delle braccia, delle gambe e del tronco con una spugna *loofah* (la parte fibrosa di una particolare zucca spolpata ed essiccata, utile per il *peeling*, la rimozione dello strato superficiale dell'epidermide) e acqua fredda stimola la pelle e l'aiuta a guarire.

■ NATUROPATIA. Il trattamento mira a favorire il naturale processo di disintossicazione dell'organismo.

Spesso si consiglia una dieta che aiuti a far fronte all'infezione e a regolare l'attività ormonale: sono consigliati cereali integrali, frutta e verdura fresche, succhi di vegetali e in particolare di carota, cavolo, barbabietola. Meglio evitare invece i prodotti raffinati e gli alimenti ricchi di grassi quali formaggi, carni rosse, insaccati, fritti, dolci, pane bianco.

Recenti ricerche cliniche sembrano avvalorare l'ipotesi che le intolleranze alimentari possano favorire l'acne e che, quindi, una dieta che escluda gli alimenti non tollerati possa facilitare la guarigione.

Anche un breve digiuno per purificare l'organismo può essere di aiuto.

Le lesioni dolorose o sanguinanti vanno ripulite con acqua calda e sale marino o tintura di calendula.

■ OMEOPATIA. Quando l'acne è particolarmente estesa vengono spesso raccomandati *Kali bichromicum* per i casi cronici e *Sulphur* in presenza di pustole infette o infiammate che peggiorano quando vengono lavate.

■ VITAMINE E MINERALI. Sono utili supplementi di zinco e di vitamine A ed E.

Anche le vitamine del complesso B e la vitamina C sembrano efficaci.

Per l'acne che si manifesta prima o durante le mestruazioni si consigliano supplementi di vitamina B_6.

LA PREVENZIONE

La pulizia regolare di viso e capelli aiuta a prevenire l'acne e a limitarne i danni.

Il viso va pulito delicatamente con un sapone non aggressivo (più indicato di quelli a formulazione antibatterica), senza strofinare. Date la preferenza a cosmetici a base acquosa piuttosto che oleosa.

Non strizzate i brufoli per non diffondere l'infezione ed evitate le bande elastiche per i capelli, i maglioni a collo alto e qualsiasi monile o capo d'abbigliamento aderente che possa intrappolare il sebo nelle zone a rischio (testa, collo, spalle).

Aerofagia *Questo termine (etimologicamente "ingestione d'aria") indica la tendenza a inghiottire aria e ad accumularla nello stomaco.*

Si riscontra nei lattanti quando succhiano aria assieme al latte, negli individui con masticazione alterata, nei soggetti con disturbi dell'apparato digerente (gastriti, ulcere, coliti).

Le bibite gassate e la birra ne sono una causa certa, ma anche la saliva contiene piccole bolle che arrivano allo stomaco con ogni boccone. Può avere anche cause di origine nervosa.

L'aerofagia provoca dilatazione dello stomaco, eruttazioni frequenti, senso di oppressione, inappetenza.

Il meteorismo (o flatulenza) è gonfiore addominale, dovuto all'accumulo di gas intestinali. Sensazione di gonfiore addominale, eruttazioni, emissioni di gas dal retto e stitichezza sono fra i sintomi.

Se la flatulenza è persistente o si avvertono dolori, si consiglia di consultare il medico. L'ulcera peptica, l'ernia iatale e le coliti possono causare sintomi simili. Il meteorismo può essere legato anche a un'intolleranza alimentare.

Vedi anche COLITE, GASTRITE, NAUSEA, STRESS, ULCERA.

LA MEDICINA UFFICIALE

I medici consigliano antiacidi a base di dimeticone (che riesce a suddividere in bollicine le grosse bolle nello stomaco: questo può diminuire le eruttazioni, ma non riduce la quantità di gas ingerita).

Può essere utile anche l'assunzione di pastiglie di carbone, disponibili in farmacia (se però state prendendo altre medicine, parlatene con il vostro medico, perché il carbone può assorbire i farmaci proprio come assorbe i gas).

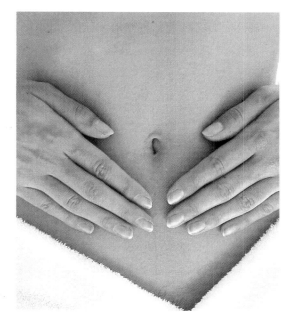

Un automassaggio nella zona addominale *può aiutare le persone che soffrono di meteorismo (e anche di stitichezza).*
Perché sia efficace, il massaggio dovrebbe seguire la direzione dei movimenti muscolari del colon (quindi va praticato in senso orario), facilitando così il passaggio dei cibi digeriti e dell'aria eventualmente ingerita.
Iniziate sempre con un tocco leggero, per poi muovervi progressivamente più in profondità.

LE TERAPIE DELLA MEDICINA NATURALE

■ AROMATERAPIA. Un massaggio delicato sull'addome, con una miscela di oli essenziali, può essere utile contro il meteorismo. Mescolate basilico, salvia, menta piperita e malva con un cucchiaino di olio e procedete al massaggio con movimenti in senso orario.

■ FITOTERAPIA. Un infuso di anice verde, di angelica, di cumino e di cumino dei prati (5 g di ciascuna pianta lasciati in infusione per dieci minuti in un litro di acqua bollente) è molto utile contro l'aerofagia. Bevetelo caldo, due tazze al giorno prima dei pasti principali.

Il finocchio, molto adatto per insaporire soprattutto risotti e verdure cotte, stimola tutte le funzioni digestive e combatte la flatulenza.

■ NATUROPATIA. È bene seguire una dieta che tenga conto delle combinazioni alimentari (*vedi* pag. 259). Gli alimenti da evitare sono: zuccheri, leguminose secche, bevande gassate. Gli alimenti consigliati sono invece: finocchio crudo e cotto, basilico, menta piperita, origano, dragoncello per aromatizzare.

È inoltre molto indicato pasteggiare con acqua e limone quando si consumano proteine animali e bere tisane calde prima o dopo i pasti.

Utile anche il succo di patata o quello di cavolo, consumato a piccoli sorsi prima dei pasti.

Per quanto riguarda il meteorismo, la semplice masticazione attenta e prolungata può da sola riportare spesso in "linea" una pancia sempre gonfia, ma si può avere un ulteriore aiuto dalla preparazione dei cibi "fermentanti" (come le fave, i ceci, le lenticchie e talora anche il semplice pane), utilizzando l'aggiunta di spezie come il cumino o il finocchio, che vantano a ragione ottime virtù antifermentative e antiputride. Sembra anche che tenere a bagno i fagioli per 12 ore, o farli germinare su carta umida per 24 ore, riduca in modo significativo la presenza delle sostanze che favoriscono l'accumulo dei gas intestinali.

È utile anche un digiuno di una giornata per purificare l'organismo. Il giorno successivo organizzate il vostro menù secondo lo schema delle combinazioni alimentari, separando cioè in ogni pasto i carboidrati (amidi e zuccheri) dalle proteine (carne, pesce, formaggio).

È consigliabile inoltre mangiare aglio, non bere troppo durante i pasti ed evitare tè e caffè.

■ OMEOPATIA. Si ritiene che *Argentum nitricum* sia efficace nei casi di flatulenza, dopo l'assunzione di cibi dolci o quando il soggetto non sopporta il caldo ed è un ansioso che teme di arrivare in ritardo e fa tutto in fretta.

Per coloro che ne vengono colpiti in particolare quando il tempo è umido, oppure verso sera o infine dopo aver mangiato cibi grassi, si consiglia l'assunzione di *Carbo vegetabilis*. Questo rimedio è adatto soprattutto quando il gonfiore è limitato alla parte superiore dell'addome.

Lycopodium è indicato per chi ha attacchi di fame vorace (che si placa, però, dopo pochi bocconi di cibo) e predilige i dolci, avverte gonfiore (soprattutto nella parte inferiore dell'addome) subito dopo i pasti e mostra sofferenza verso indumenti o cinture che comprimono.

■ TECNICA DI ALEXANDER. Sedere diritti durante il pasto è molto utile (in generale si dovrebbe cercare di migliorare la postura, utilizzando anche gli altri consigli della tecnica di Alexander, *vedi* pagg. 194-196).

LA PREVENZIONE

Alcuni soggetti sono degli "inghiottitori compulsivi": imparando a controllare i riflessi di inghiottimento, facendo più attenzione a come si mangia, si diminuisce il problema.

È utile evitare le bevande gassate, mangiare lentamente e masticare completamente (a bocca chiusa) ogni boccone prima di inghiottirlo.

È meglio non masticare il chewing gum né bere direttamente dalla bottiglia o dalla lattina (neanche con la cannuccia).

Fra gli alimenti da evitare, quelli che contengono molta aria (birra, gelato, soufflé, omelette, panna montata).

La causa più frequente della flatulenza è l'incapacità del sistema digestivo di assimilare alcuni alimenti, fra cui soprattutto i fagioli, ma anche cavoli, cavolini di Bruxelles, cipolle, farina integrale, ravanelli, banane, albicocche e molti altri cibi. Cercate, tra essi, quali sono all'origine del vostro problema ed eliminateli.

Se avete un'intolleranza al lattosio, probabilmente avete problemi di meteorismo mangiando latticini. In questo caso cercate di ridurne la quantità nella vostra alimentazione.

Alcuni frutti e vegetali ricchi di fibre possono aumentare i gas intestinali. Se desiderate incrementare il consumo di fibre alimentari, cominciate con piccole dosi, in maniera che l'intestino possa abituarsi gradualmente.

Affaticamento oculare *L'affaticamento degli occhi è causato da un disagio, da stanchezza o da un leggero dolore.*

Anche se non tutti gli esperti sono d'accordo su questo punto, le lamentele di molti fanno pensare che l'affaticamento insorga in seguito a lunghe sedute di lettura, di lavoro al computer o davanti al televisore.

Vedi anche CONGIUNTIVITE, ORZAIOLO.

LA MEDICINA UFFICIALE

Uno specialista esegue i test necessari a escludere possibili patologie dell'occhio ed effettua un esame della vista.

Se occorre, prescrive lenti a contatto oppure occhiali correttivi.

LE TERAPIE DELLA MEDICINA NATURALE

■ DIGITOPRESSIONE. Si possono massaggiare alcuni punti del viso. Tra essi l'attaccatura del naso, la zona intorno agli occhi e quella sotto gli zigomi.

Usate il pollice e l'indice di una mano e massaggiate la radice del naso con un movimento verso l'alto e verso il basso.

Usate entrambi i pollici per massaggiare la

Lavorare per molte ore *al computer può affaticare gli occhi: fate una breve interruzione (di almeno quindici minuti) ogni due ore circa.*

punta del naso da entrambi i lati, tenendo piatte le altre dita sulla fronte.

Usate gli indici per massaggiare la zona sotto gli occhi in prossimità degli zigomi.

■ FITOTERAPIA. I terapeuti consigliano impacchi da applicare localmente, a base di cetriolo, eufrasia e camomilla, allo scopo di combattere l'affaticamento oculare. Potete immergere un pezzetto di stoffa pulito in un infuso (*vedi* pag. 310) di camomilla, lasciate raffreddare e applicate sugli occhi. Si consiglia di fare l'impacco stando seduti o sdraiati. In alternativa, potete tagliare delle fettine di cetriolo e applicarle direttamente sugli occhi, lasciandole in posa per almeno dieci minuti.

■ OMEOPATIA. Bagnate gli occhi con quattro gocce di tintura madre di *Euphrasia* diluite in 100 cc di acqua tiepida. Rivolgetevi a un omeopata se il problema non si risolve.

■ RIFLESSOLOGIA. L'affaticamento oculare deriva spesso da una tensione, alla quale la riflessologia può dare sollievo concentrandosi sulla zona posta alla base delle dita dei piedi (*vedi* pag. 188).

■ VITAMINE E MINERALI. Integrazioni quotidiane di vitamine A e B_{12} sono d'aiuto.

LA PREVENZIONE

Quando leggete, sistemate le fonti luminose in modo che la luce vi raggiunga da dietro, più o meno all'altezza delle spalle.

Assicuratevi di lavorare in ambienti sufficientemente illuminati.

Chi lavora a un videoterminale non dovrebbe fissarlo per più di due ore senza fare alcune pause.

Per dare sollievo agli occhi affaticati, sciacquateli con una soluzione debolmente salina o con una miscela formata da un cucchiaino di miele sciolto in mezzo litro d'acqua bollita e quindi raffreddata.

Sbattete le palpebre più spesso che potete e fate regolarmente esercizi specifici per gli occhi (*vedi* pag. 93).

Provate a fare qualche esercizio di *palming* appoggiando le mani (sistemate in modo che i mignoli tocchino i lati del naso) nell'incavo degli occhi. Eseguite questa pratica diverse volte al giorno, per cinque minuti ogni volta.

Alitosi *L'alitosi (l'alito cattivo) è soprattutto il risultato del fumo e di una scarsa igiene orale.*

L'alcol, certi alimenti dal sapore pungente (come aglio e cipolla) e la normale fermentazione delle particelle di cibo in bocca e nello stomaco sono pure responsabili di cattivi odori.

Anche le infezioni dei seni frontali, del naso, dei polmoni, delle gengive e delle tonsille possono essere causa di alitosi.

Vedi anche GASTRITE, MALATTIE DEL CAVO ORALE, TONSILLITE.

LA MEDICINA UFFICIALE

Il medico può consigliare una migliore igiene orale e sciacqui con collutori o prodotti rinfrescanti.

Se necessario, curerà l'infezione che causa il disturbo.

LE TERAPIE DELLA MEDICINA NATURALE

■ AROMATERAPIA. Contro l'alito cattivo occasionale, l'essenza di menta piperita in acqua è ottima per fare gargarismi.

Anche gli oli essenziali di timo e di eucalipto sono efficaci.

■ FITOTERAPIA. Provate a masticare prezzemolo, a bere infusi (*vedi* pag. 310) di menta piperita o ad assumere pastiglie di clorofilla.

Potete provare anche a sciacquarvi spesso la bocca con un collutorio di liquirizia. Per prepararlo fate bollire per cinque minuti 200 g di radici secche di liquirizia in un litro di acqua. Alla fine filtrate.

Contro l'alito cattivo sono anche molto efficaci gli sciacqui orali con un decotto di foglie di mirto. Per prepararlo fate bollire per cinque minuti 20 g di foglie secche in un litro di acqua, poi filtrate.

■ NATUROPATIA. Cercate di osservare il più possibile le corrette combinazioni alimentari (vedi pag. 259). Mangiate soltanto quando avete fame e quando potete consumare il pasto con calma. Masticate accuratamente ogni boccone. Non bevete acqua gassata durante il pasto. Evitate le bevande dolcificate in genere. Evitate il consumo di dolci e di stimolanti, come tè, caffè, cioccolata, e di alcolici e superalcolici.

Mangiare gli spinaci crudi, molto ricchi di clorofilla, aiuta a mantenere l'alito fresco. Masticateli a lungo.

Alcune delle erbe e delle spezie che avete in cucina sono efficaci contro l'alitosi.

Potete masticare, dopo un pranzo troppo "saporito" chiodi di garofano, semi di finocchio oppure di anice.

■ OMEOPATIA. *Kali phosphoricum* aiuta a cancellare l'amaro in bocca al risveglio, mentre *Mercurius solubilis* elimina il tipico gusto "metallico".

■ VITAMINE E MINERALI. Se l'alito cattivo è determinato da malattie del cavo orale o da carie, si consigliano supplementi di vitamina C e zinco.

Alle mele, *così come ai bastoncini di cannella, al prezzemolo e alla menta, è attribuita un'azione rinfrescante per l'alito.*

LA PREVENZIONE

Fate uso di dentifricio, spazzolino e filo interdentale tutte le volte che potete (e non trascurate di spazzolare anche la lingua).

Se l'alito vi preoccupa, evitate sigarette, alcol e cibi speziati. Fra i cibi da non consumare, ci sono le cipolle, il peperoncino, l'aglio.

Mangiare una mela, succhiare un bastoncino di cannella, masticare semi di anice o di finocchio, o foglie fresche di menta o di prezzemolo rende l'alito più gradevole e fresco.

Allergie Si parla di allergia quando il sistema immunitario di un individuo sano manifesta una reazione eccessiva al contatto (anche per ingestione, iniezione o inalazione) con una sostanza assolutamente comune. I sintomi, la cui intensità può variare, colpiscono soprattutto la pelle, l'apparato respiratorio, quello digerente e gli occhi. I più comuni sono affanno, tosse, soffocamento, naso che cola, starnuti, lacrimazione intensa, prurito e sono il segno della lotta condotta dall'organismo (mediante la produzione di anticorpi) contro le sostanze responsabili del disagio, dette "allergeni".

Tra i più comuni troviamo erba, pollini di piante, spore di muffe, acari della polvere e peli di animali. Anche punture d'insetti e alimenti possono scatenare reazioni allergiche in individui ipersensibili. Disturbi comuni come eczema, orticaria, raffreddore da fieno e asma sono frequentemente attribuibili a reazioni allergiche che, fra l'altro, tendono ad essere ereditarie.

Vedi anche ASMA, CONGIUNTIVITE, ECZEMA, INTOLLERANZE ALIMENTARI, RAFFREDDORE DA FIENO, STRESS.

LA MEDICINA UFFICIALE

Il trattamento varia a seconda delle cause, ma in genere i farmaci antistaminici costituiscono la prima soluzione per dare sollievo a sintomi come il raffreddore e l'irritazione di occhi e naso. Spesso si prescrivono spray e creme al cortisone, gocce nasali o broncodilatatori e, come ultima risorsa, iniezioni desensibilizzanti (per combattere specifiche allergie respiratorie da inalanti). Gli individui che non rispondono a questi interventi vengono sottoposti a un programma di immunoterapia che può durare da diversi mesi a tre anni. Il programma prevede iniezioni, in dosi progressivamente crescenti, della sostanza che provoca l'allergia per indurre una tolleranza nei suoi confronti.

LE TERAPIE DELLA MEDICINA NATURALE

■ AGOPUNTURA. Il primo intervento mira a dar sollievo a sintomi come le eruzioni cutanee, la congestione nasale, il prurito, l'affanno e la lacrimazione. Una volta ridotto il fastidio, il terapeuta interviene più in profondità, sulla debolezza che ha causato l'ipersensibilità.

■ FIORI DI BACH. *Clematis* è il rimedio per l'ipersensibilità generalizzata; *Mimulus* tratta la paura di una reazione allergica; *Impatiens* aiuta se c'è irritazione della pelle o delle membrane mucose. Il composto *Rescue remedy* dà sollievo alle eruzioni allergiche.

■ IPNOSITERAPIA. Chi soffre di allergia può trovare utili le tecniche ipnotiche per rilassarsi e contrastare lo stress che facilmente accompagna la reazione allergica.

È difficile definire in quale modo la terapia attraverso l'ipnosi agisca per combattere le allergie, ma molti individui che soffrono di questi disturbi hanno utilizzato con successo tecniche per il controllo dello stress e di desensibilizzazione per alleviare o addirittura per eliminare manifestazioni allergiche come l'asma e l'eczema. Ciò si può spiegare probabilmente considerando che l'allergia coinvolge il sistema immunitario e con esso molte funzioni: riducendo alcuni sintomi si riesce quindi a controllare il fenomeno, anche se non ci si può considerare davvero "guariti".

■ OMEOPATIA. L'allergia può essere trattata come la manifestazione di un'ipersensibilità di tutto l'organismo oppure in modo strettamente sintomatico. Per la congiuntivite allergica sono consigliati *Euphrasia* e *Apis*.

Per allergie con sintomi respiratori come affanno e raffreddore *Arsenicum album*, *Euphrasia*, *Nux vomica* e *Sabadilla*.

■ OSTEOPATIA. Il trattamento dell'osteopata punta a riequilibrare il sistema nervoso vegetativo (involontario) mediante specifiche manipolazioni vertebrali e craniali.

■ VITAMINE E MINERALI. In genere si raccomanda di assumere vitamine A, B_6, C, calcio e un integratore multiminerale.

LA PREVENZIONE

Il consiglio migliore è anche il più banale: evitate gli alimenti, le piante, gli animali, i farmaci, la polvere, insomma tutte le sostanze che possono scatenare la reazione.

Se l'allergene si trova nell'aria, pulite spesso a fondo le stanze dove vivete e lavorate, eliminando con la massima cura polvere, muffe e ciò che può trattenerle: vecchi tappeti, cuscini, mobili, pelouche sono tutti terreni di coltura ideali per gli acari. Indossate una mascherina quando fate le pulizie.

I condizionatori d'aria riducono l'esposizione ai pollini (tenete presente però che possono trasportare altri allergeni). Il fumo aggrava quasi sempre le reazioni allergiche. Se non lo avete ancora fatto, smettete di fumare.

Anemia
L'anemia è la riduzione del tasso di emoglobina (responsabile del trasporto di ossigeno) o di globuli rossi nel sangue. Si verifica quando il midollo osseo non è in grado di produrre un numero sufficiente di globuli rossi, quando quelli prodotti sono difettosi o quando qualcosa ne impedisce la sopravvivenza.

L'anemia da carenza di ferro, che compare in corrispondenza di emorragie intense o ricorrenti, è quella più diffusa (tra le donne, per esempio, a causa delle perdite mestruali).

Nei maschi adulti, ma non solo, un'emorragia cronica (anche se ridotta o perfino passata inosservata) può essere determinata da malattie o lesioni dell'apparato digerente, dalla gastrite alle emorroidi, dalla colite al cancro del colon o dello stomaco.

Altre patologie, tra le quali la leucemia e i problemi renali, sono cause possibili.

Certi tipi di anemia sono associati invece a ereditarietà genetica.

Nei bambini e negli adolescenti, l'anemia è spesso correlata alla scarsa presenza di ferro nella dieta. Segni e sintomi di anemia sono affaticamento, pallore, irritabilità, perdita dell'appetito, cefalea, dolori al petto e affanno.

Vedi anche CANCRO, CEFALEA, COLITE, DIABETE, EMORROIDI, GASTRITE, PROBLEMI MESTRUALI, STANCHEZZA.

LA MEDICINA UFFICIALE

Il medico raccomanda in genere di adottare una dieta più ricca di ferro e, talvolta, integrazioni di questo elemento o di acido folico. Anziani e donne in gravidanza o in età fertile sono le categorie più esposte agli stati di carenza.

Per l'anemia causata da un'intensa perdita di sangue (per esempio in seguito a interventi chirurgici oppure a lesioni accidentali) possono essere richieste trasfusioni.

LE TERAPIE DELLA MEDICINA NATURALE

■ AGOPUNTURA. L'anemia può essere trattata da agopuntura e da applicazioni regolari di moxibustione. In genere, il numero delle sedute varia da sei a otto per un periodo da quattro a sei mesi. I punti stimolati si trovano sulla schiena, la parte bassa del tronco, l'addome, le braccia e le gambe.

■ NATUROPATIA. Il medico può raccomandare alimenti ricchi di ferro come tuorlo d'uovo, carni rosse, pesce e pollame; verdure verdi a foglia, cereali integrali, legumi come lenticchie e fagioli; prugne e albicocche secche, uvetta, crusca di grano e semi di girasole. Anche fegato, rognone e altre frattaglie sono cibi ricchi di ferro (ma anche tra i più ricchi di colesterolo).

Si possono anche suggerire fonti dietetiche di acido folico e di vitamina B_{12} quali germe di grano, lievito di birra, verdure verdi a foglia e funghi.

La vitamina B_{12} si trova in tutti gli alimenti di origine animale e nell'estratto di lievito.

Il ferro si assorbe meglio se è associato ad alimenti ricchi di vitamina C, che andrebbero consumati nello stesso pasto (per esempio, uova in camicia e arance).

A tavola, evitate caffè, tè non deteinati e bevande a base di cola, tutti contenenti sostanze che interferiscono con l'assorbimento del ferro.

■ VITAMINE E MINERALI. Oltre agli integratori a base di ferro, si possono considerare sali di ferro, rame e vitamine B_6, B_{12} e C. Un sovraccarico di ferro può essere una concausa di diabete e di altri problemi medici, per questo gli effetti della cura vanno attentamente controllati.

LA PREVENZIONE

Cibi che contengano ferro in proporzione adeguata e facilmente disponibile costituiscono la prima difesa contro l'anemia.

Una dieta equilibrata che tenga conto dei livelli dietetici raccomandati di ferro è sufficiente di solito a evitare il problema, ma occorre tenere presente che alcune sostanze chimiche interferiscono con l'assorbimento del ferro (tra esse il tannino del tè, i polifenoli del caffè, il cadmio presente nelle sigarette).

Nutrienti importanti per l'assorbimento del ferro sono invece l'acido folico, usato dal midollo osseo per produrre sangue, e la vitamina B_{12}.

Arteriosclerosi

Arteriosclerosi è un termine generico che copre una varietà di problemi del sistema cardiovascolare. Le pareti delle arterie si fanno più spesse e perdono elasticità (il termine significa proprio "indurimento delle arterie") e consentono la formazione di coaguli di sangue (trombi). L'arteriosclerosi espone al rischio di aneurismi, trombosi e ictus.

L'aterosclerosi, un problema correlato determinato da depositi di colesterolo e di altre sostanze grasse sulle pareti arteriose, può contribuire all'insorgere di patologie cardiache impedendo la libera circolazione del sangue. Le piastrine possono aderire ai depositi formando la cosiddetta "placca" e intralciando ulteriormente la circolazione. I rischi per la salute sono massimi quando la placca ostruisce le arterie coronariche e la carotide, che porta il sangue al cervello. Anche i blocchi dell'aorta, la più grande arteria del corpo, impedendo il normale scorrimento del sangue, pongono gravi problemi di salute. Un'arteria può es-

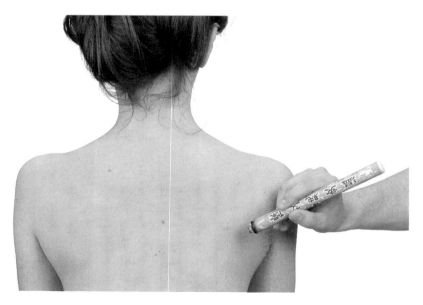

La medicina cinese
utilizza per la cura dell'anemia l'applicazione della moxa, sia con i coni sia con i bastoncini di artemisia, ad alcuni punti specifici (il punto principale si trova sulla schiena). I benefici del trattamento a base di moxa (o "moxibustione") sono collegati al fatto che l'intenso calore applicato localmente provoca una forte stimolazione cutanea, in grado di migliorare le condizioni circolatorie e nervose. Dai "punti vitali" della cute, gli stimoli raggiungono l'organo interessato.

sere ostruita anche per il novanta per cento prima che si presentino dei sintomi.

Obesità, fumo, pressione alta, diabete, alcune caratteristiche genetiche e l'appartenenza al sesso maschile sono fattori di rischio per l'aterosclerosi. Un altro fattore è una dieta ricca di grassi saturi e di colesterolo, cioè quella largamente adottata nei paesi industrializzati.

Vedi anche CARDIOPATIE, DIABETE, IPERTENSIONE, OBESITÀ, STRESS.

LA MEDICINA UFFICIALE

Non esiste una cura farmacologica per l'arteriosclerosi e neppure per l'aterosclerosi. I farmaci vengono prescritti per tenere sotto controllo i fattori di rischio come la pressione alta e il tasso di colesterolo.

Gli anticoagulanti aiutano a minimizzare il rischio di embolia (blocco di un'arteria).

Con la chirurgia vascolare si può intervenire su un'arteria ristretta, bloccata o indebolita.

Il *bypass* coronarico, la procedura usata più spesso, consiste nella sostituzione di un'arteria malata con una vena sana presa da un'altra parte del corpo del paziente. Ciò consente al sangue di riprendere a scorrere liberamente. A volte si ricorre a un *bypass* in materiale sintetico.

LE TERAPIE DELLA MEDICINA NATURALE

■ AGOPUNTURA. Può essere di aiuto per smettere di fumare ed eliminare quindi uno dei fattori di rischio delle patologie cardiovascolari.

■ NATUROPATIA. Modificando opportunamente il tipo di alimentazione, aumentando l'esercizio fisico e migliorando il proprio stile di vita si possono limitare e perfino eliminare i danni dell'aterosclerosi. In genere si suggerisce una dieta con pochi grassi, poca carne e latticini (fatta eccezione per latte e yogurt magri) e un maggior consumo di carboidrati complessi quali cereali integrali, frutta, verdura e legumi. Sembra anche che cipolle, aglio e zenzero aiutino a ridurre il tasso di colesterolo.

Esercizi aerobici come camminare veloci, correre e nuotare sono spesso raccomandati. Se avete un problema cardiaco, se siete obesi o molto sedentari, consultate sempre il medico prima di cominciare un programma di allenamento.

■ VITAMINE E MINERALI. Le integrazioni di vitamina E aiutano a prevenire l'aterosclerosi facendo crescere il livello delle lipoproteine ad alta densità (la frazione protettiva del colesterolo).

Anche il betacarotene e le vitamine C ed E, antiossidanti, possono essere raccomandati a titolo preventivo.

■ YOGA. Lo stress è considerato da alcuni un fattore di rischio cardiovascolare. Gli esercizi yoga di respirazione profonda e il *Saluto al sole* (vedi pagg. 229-230) hanno effetto rilassante.

Anche la meditazione può entrare a far parte di un programma di riduzione dello stress.

LA PREVENZIONE

Perdere il peso in eccesso, mangiare cibi poveri di grassi saturi, curare la pressione alta e il diabete, smettere di fumare e fare regolarmente esercizio fisico sono le migliori misure per prevenire le complicazioni dell'aterosclerosi e le patologie coronariche. Gli alimenti che contengono molta fibra idrosolubile, come la crusca d'avena o la pectina (di cui sono ricche le mele), aiutano a ridurre l'assorbimento di colesterolo da parte dei tessuti e a far crescere la proporzione delle lipoproteine ad alta densità nel sangue (cioè il colesterolo "buono").

Artrite (artrosi) *L'artrite, o artrosi (termini che raggruppano oltre cento problemi articolari), indica in primo luogo l'infiammazione di una o più articolazioni. I sintomi vanno dal leggero irrigidimento fastidioso al dolore insopportabile con deformità e immobilizzazione.*

L'osteoartrite, malattia degenerativa delle articolazioni, è il modo in cui si manifesta più spesso ed è il risultato del logorio a cui gli arti sono soggetti col passare degli anni.

Una scarsa presenza di cartilagine (ereditaria) e le attività fisiche impegnative, come certi sport agonistici o la danza professionale, aumentano l'esposizione a patologie di questo tipo. La cartilagine, che si trova tra le ossa delle articolazioni allo scopo di assorbire gli urti, si assottiglia fino a consentire lo sfregamento delle ossa ogni volta che la giuntura viene impiegata.

L'artrite reumatoide è una delle forme più debilitanti della malattia. È un problema che coinvolge anche i tessuti circostanti, soprattutto a livello di mani, piedi e braccia.

Altre forme correlate di malattie articolari sono la spondilite anchilosante, cioè l'artrosi della colonna vertebrale e l'artrite infettiva, che si sviluppa quando i batteri di una ferita o di un'infezione penetrano in una giuntura attraverso la circolazione.

Anche la gotta, un disturbo del metabolismo che

provoca intenso dolore all'articolazione di una mano, di un ginocchio oppure di un dito del piede, è una forma di artrite.

Vedi anche DOLORI CRONICI, GOTTA, OSTEOPOROSI.

LA MEDICINA UFFICIALE

Nonostante i progressi della chirurgia e della farmacologia, a tutt'oggi non esiste una cura. Molti pazienti avvertono però miglioramenti con vari mezzi, tra cui l'esercizio fisico sembra particolarmente efficace. Altri approcci comprendono il calore, la perdita di peso per i soggetti obesi e forme di protezione delle articolazioni come bastoni da passeggio, stampelle e "tutori" per le articolazioni deboli.

Aspirina e altri antinfiammatori sembrano efficaci. Quando non lo sono, si prescrivono corticosteroidi e, come ultima risorsa, interventi chirurgici quali la sostituzione di articolazioni malate con protesi. La sostituzione dell'anca è uno degli interventi sostitutivi che offre maggiori garanzie di successo.

LE TERAPIE DELLA MEDICINA NATURALE

■ AGOPUNTURA. L'agopuntore stimola vari meridiani a seconda della localizzazione dei sintomi. Quando la terapia ha successo può ridurre il dolore e restituire mobilità alle articolazioni colpite.

■ DIGITOPRESSIONE. Per il dolore alle mani, premete il punto posto alla fine della piega tra pollice e indice.

Per le anche, premete con forza verso l'interno il punto posto nell'incavo che si forma sul fianco dove le gambe incontrano il bacino.

Per le ginocchia, comprimete il punto appena sotto la rotula, nell'incavo rivolto leggermente all'esterno e il punto che si trova tre dita sotto la rotula, nell'incavo posto sul lato esterno della gamba.

Per ottenere buoni risultati, dovreste praticare il trattamento tutti i giorni, mattino e sera, finché i sintomi si sono alleviati.

Tenete premuti con decisione i punti indicati, per uno o due minuti.

■ IDROTERAPIA. Durante gli attacchi acuti conviene ridurre le attività o rimanere a letto per un giorno o due, finché il dolore non si riduce: bagni caldi, impacchi caldi o freddi nella zona colpita possono comunque dare sollievo. (I trattamenti con il freddo sono più utili quando le ar-

Molti tipi di idroterapia *possono dar sollievo ai dolori e al blocco articolare che accompagnano l'artrite. Nella fotografia, un paziente viene guidato dalla terapista nell'esecuzione di un esercizio in acqua.*

ticolazioni sono affaticate da uno sforzo eccessivo, mentre quando sono gonfie e doloranti il calore è di solito la soluzione migliore: il freddo sarebbe troppo doloroso.)

Nel nuoto si toglie il peso dalle articolazioni e si può così lavorare per aumentare la flessibilità e ridurre il dolore.

Il mare va benissimo per la maggior parte dei pazienti anche se l'acqua salata può dare problemi ad alcuni: consultate il medico. Docce e bagni in acqua non troppo calda aiutano a rilassare i muscoli, riducendo il dolore delle articolazioni irrigidite.

■ IPNOSITERAPIA. Alcuni pazienti trovano che l'ipnosi sia efficace nei casi in cui il disturbo sia accompagnato da ansia o depressione.

■ MASSAGGIO. Sedute regolari di massaggio danno sollievo al dolore e migliorano la mobilità, anche se non vanno mai massaggiate le articolazioni infiammate, gonfie o molto dolenti; in questi casi conviene massaggiare l'area circostante.

Per il massaggio si può utilizzare una base di olio di mandorle con qualche goccia di essenza di rosmarino, lavanda e calendula.

NATUROPATIA. In genere si suggerisce una dieta quasi completamente vegetariana, povera di grassi e ricca di insalate e di ortaggi poco cotti oppure un ampio ricorso a succhi di frutta e verdure fresche. Molti medici sconsigliano a chi soffre di artrite i latticini e altri alimenti sospettati di provocare intolleranza. Il latte, lo yogurt e il formaggio di capra sono eccellenti sostituti. Tra gli altri cibi da eliminare compaiono spesso le carni rosse, i prodotti a base di farina bianca, gli agrumi, il sale, lo zucchero, la caffeina, l'alcol e gli additivi alimentari.

Un digiuno può aiutare a eliminare le tossine che l'organismo deposita nelle articolazioni (ricordate però che il digiuno va sempre intrapreso sotto controllo medico).

Invece di assumere sonniferi, tranquillanti e altri analgesici che danno assuefazione, può essere il caso di provare rimedi della medicina popolare (per esempio i braccialetti e le cavigliere di rame oppure uno spicchio di aglio strofinato sui punti dolenti).

I farmaci potrebbero essere sostituiti anche dal biofeedback (*vedi* pag. 126), la tecnica di apprendimento dell'autocontrollo delle funzioni del corpo e della percezione del dolore.

OMEOPATIA. Tra i rimedi, sono comuni *Rhus toxicodendron* (rimedio specifico contro i dolori che peggiorano dopo l'inattività e nei climi umidi e che sono alleviati dall'attività continua ma leggera), *Bryonia* (per le articolazioni che dolgono al movimento) e *Pulsatilla* (quando i dolori sembrano spostarsi da articolazione ad articolazione, il collo e le spalle scricchiolano a ogni movimento, le gambe sono pesanti di giorno e doloranti di notte; i sintomi tendono a peggiorare in climi caldi e afosi; movimenti delicati e pressioni danno sollievo).

RIFLESSOLOGIA. Può aiutare a ridurre il dolore e l'infiammazione con un massaggio effettuato nelle aree del piede che si riferiscono all'ipofisi, alle surrenali, alle paratiroidi, ai reni e al plesso solare.

TECNICA DI ALEXANDER. Chi soffre di artrite deve imparare il modo corretto per sedersi e per alzarsi oltre che quello per portare o sollevare oggetti proteggendo le articolazioni. Le sedute con un insegnante esperto possono aiutare a ridurre il dolore.

VITAMINE E MINERALI. Per l'osteoartrite il medico può prescrivere vitamine C, E e PP.

Per l'artrite reumatoide sono d'aiuto zinco e rame, vitamina B_6 e calcio pantotenato.

Altri integratori usati contro l'artrite comprendono alfalfa, olio di pesce e dolomite.

YOGA. Gli esercizi yoga aiutano ad aumentare la mobilità e a ridurre lo stress promuovendo il rilassamento. Un maestro qualificato suggerirà di volta in volta le posizioni più indicate per ogni disturbo. Lo yoga inoltre aiuta ad avere un'immagine positiva di sé, importante per contrastare l'artrite.

LA PREVENZIONE

L'allenamento fisico regolare contribuisce sostanzialmente a mantenere la mobilità articolare e a ridurre il dolore.

L'associazione di esercizio e fisioterapia può rallentare il deterioramento delle articolazioni. Chi è sovrappeso dovrebbe perdere i chili in eccesso che impongono uno sforzo alle articolazioni.

Ascessi

Gli ascessi sono raccolte di pus infiammate (in genere si tratta di follicoli piliferi infettati da stafilococchi, che provocano dolore e arrossamento nelle zone circostanti), più frequenti nella zona del viso, sotto le ascelle e sulla nuca ma che possono interessare anche altre parti del corpo.

Gli ascessi tendono a ripresentarsi per mesi o anni senza una causa apparente, anche se frequenti ricadute possono far pensare a un diabete o ad altre patologie che deprimono il sistema immunitario.

Vedi anche DIABETE.

LA MEDICINA UFFICIALE

L'applicazione di impacchi caldi sull'ascesso può accelerarne la guarigione: quando è "maturo", il pus può fuoriuscire ed essere drenato.

Se dopo tre giorni di cura non succede niente, se c'è febbre alta o se compaiono nuovi focolai, il medico prescrive in genere un antibiotico o l'incisione chirurgica dell'ascesso.

LE TERAPIE DELLA MEDICINA NATURALE

AROMATERAPIA. Per prevenire la formazione della cicatrice, versate poche gocce di essenza di timo in una tazza di acqua calda e usatela per lavare l'ascesso.

Altre essenze utili sono il bergamotto e la lavanda.

■ NATUROPATIA. Di solito viene prescritta una dieta di frutta e verdura crude per i primi giorni dopo la comparsa.

In più, cataplasmi di semi di fieno greco pestati o di foglie di cavolo grattugiate.

Per far maturare l'ascesso si può applicare alla zona colpita una cipolla calda cotta al forno fino a che sia diventata morbida.

■ OMEOPATIA. Quando l'ascesso è doloroso, caldo e lucente, *Belladonna* è il rimedio adatto.

Se non c'è reazione o se comincia a maturare si può usare *Hepar sulphur*.

Silica è utile dopo che l'ascesso si è aperto, mentre *Arsenicum* cura gli ascessi che danno un dolore bruciante e *Lachesis* quando la pelle diventa bluastra o color porpora.

■ VITAMINE E MINERALI. Lo zinco favorisce la guarigione e può essere preso una volta eliminato l'ascesso per prevenire ricadute.

Anche le vitamine A, C e quelle del complesso B, oltre a supplementi multiminerali, sono considerate utili.

LA PREVENZIONE

Applicate impacchi caldi per far maturare l'ascesso. Quando scoppia, lavate l'area con acqua calda e succo di limone o sale inglese, poi copritela con una garza sterile. Sostituite la medicazione due o tre volte al giorno per diversi giorni applicando ogni volta un impacco caldo e umido.

Tenete pulita l'area circostante e trattate sempre l'ascesso con delicatezza.

Per prevenire il diffondersi dell'infezione, conviene fare la doccia anziché il bagno.

Asma *Affanno, fiato corto, tosse e senso di oppressione al petto possono essere sintomi di asma, una patologia respiratoria che spesso ha origine allergica e per la quale si registra abbastanza spesso un'ereditarietà. Le vie aeree che portano l'aria ai polmoni si contraggono spasmodicamente e si restringono, rendendo difficoltosa la respirazione. Talvolta gli spasmi sono accompagnati da infiammazione bronchiale.*

Gli attacchi di asma, la cui intensità può variare di molto, fino a costituire un pericolo per la vita, possono essere scatenati dal movimento, da un raffreddore, dall'inalazione di fumo, da alcuni alimenti e da additivi alimentari, da medicinali, muffe, polvere, piume e peli di animali oltre che da improvvisi cambiamenti climatici.

La malattia comincia quasi sempre nell'infanzia e gli attacchi diventano meno frequenti nell'età adulta. Anche un disagio di tipo psicologico può scatenare o aggravare gli attacchi.

Vedi anche ALLERGIE, BRONCHITE, INTOLLERANZE ALIMENTARI, RAFFREDDORE, STRESS, TOSSE.

LA MEDICINA UFFICIALE

All'inizio di un attacco si somministra un broncodilatatore, per rilassare i muscoli che circondano i rami bronchiali congestionati e contratti, dando loro un po' di sollievo e riaprendo le vie aeree alla respirazione. In genere si tratta di farmaci da inalare o da assumere per bocca.

Quando gli spasmi sono scatenati da un'infiammazione bronchiale, è possibile che vengano prescritti antinfiammatori. Un metodo per somministrare un farmaco direttamente ai rami bronchiali consiste nella nebulizzazione mediante un inalatore che spinge il farmaco in profondità, grazie alla pressione ottenuta con aria o ossigeno.

Se un attacco è tanto grave da far temere una carenza di ossigeno si può richiedere il ricovero in ospedale.

LE TERAPIE DELLA MEDICINA NATURALE

■ AGOPUNTURA. Si trattano diversi punti posti sul meridiano del Polmone oltre che sulla schiena, sul petto e sulle mani per dare sollievo ai sintomi.

■ BIOFEEDBACK. Si ritiene che questo metodo sia efficace soprattutto contro gli attacchi d'asma provocati da tensione o stress.

■ CHIROPRATICA. Il trattamento punta a correggere gli eventuali spostamenti, anche parziali, della colonna vertebrale, che blocchino i nervi situati nella zona dell'apparato respiratorio.

■ FIORI DI BACH. In genere si consigliano *Larch*, *Mimulus*, *Mustard* e *Holly*.

■ FITOTERAPIA. Bere un infuso preparato con tussilagine, camomilla, timo, enula campana e borragine (in parti uguali) può aiutare a ridurre i sintomi dell'asma.

■ IDROTERAPIA. Nuotare, soprattutto a rana, rinforza i polmoni e migliora la respirazione.

■ IPNOSITERAPIA. Chi soffre di attacchi di asma può ricorrere all'ipnosi e all'autoipnosi, molto efficaci per rilassarsi e per controllare il ritmo della respirazione.

■ MASSAGGIO. Massaggiare il collo, le spalle e la schiena allenta la tensione muscolare e aiuta a staccare il catarro dai polmoni.

■ NATUROPATIA. I bambini asmatici sono spesso allergici a qualche alimento o a qualche sostanza. Un naturopata può aiutare a individuare gli allergeni da evitare. Per adulti e bambini, qualche modifica apportata alla dieta, come la riduzione o l'eliminazione di latticini e zucchero (che influiscono sulla produzione di muco), oltre che di molti cibi raffinati, e un maggiore apporto di frutta e verdure fresche (con grandi quantità di aglio e cipolle), può ridurre al minimo la frequenza e la gravità degli attacchi.

■ OMEOPATIA. L'omeopatia può offrire rimedi sia per un miglioramento a lungo termine sia per dare sollievo agli attacchi acuti. *Aconitum* è utile se gli attacchi si verificano dopo l'esposizione al freddo o al vento. *Arsenicum album* è adatto per il paziente che deve piegarsi per respirare oppure è agitato o esausto e sente peggiorare i sintomi tra mezzanotte e le due.

■ OSTEOPATIA. Come la chiropratica, l'osteopatia lavora sull'allineamento dello scheletro e soprattutto delle vertebre, che può interferire con il normale funzionamento della respirazione. L'osteopata può suggerire anche interventi di tipo dietetico.

Contro gli attacchi di asma, *può essere utile bere infusi preparati con erbe calmanti (camomilla, tussilagine, timo, enula campana, borragine).*

■ RIFLESSOLOGIA. La pressione della punta delle dita e della sezione centrale della mano aiuta a rilassare e a migliorare la respirazione. Inoltre è utile massaggiare spesso tutto il piede.

■ TAI CHI. Praticato regolarmente, induce rilassamento e migliora la respirazione.

■ TECNICA DI ALEXANDER. Può essere utile a correggere alcuni atteggiamenti posturali che possono aggravare l'asma. Con la tecnica si impara anche a rilassarsi durante gli attacchi e quindi a prevenire la reazione di panico che in genere aggrava il problema.

■ VITAMINE E MINERALI. Giovano a chi soffre di asma le integrazioni di vitamine A (sotto forma di betacarotene), C, B_6, B_{12}, E e B_5 oltre che di calcio, manganese e magnesio.

■ YOGA. Alcune posizioni yoga (in particolare quelle che permettono di muovere il bacino) e i rotolamenti sulla schiena (che massaggiano la colonna vertebrale) sono gli esercizi più indicati per chi soffre di asma.

Anche la respirazione addominale è utile per la funzionalità dei polmoni.

Il rilassamento indotto dalla regolare pratica yoga contribuisce comunque a ridurre la tensione, e quindi la frequenza e la gravità degli attacchi.

LA PREVENZIONE

Per prevenire gli attacchi di asma è indispensabile eliminare, dagli ambienti dove si vive e si lavora, quanta più polvere è possibile. Se una pulizia a fondo con l'aspirapolvere non migliora la situazione può essere utile togliere tendaggi, tappeti e moquette, dove lo sporco va ad accumularsi.

Se tendete ad essere asmatici, evitate il contatto con alberi, cespugli e piante nella stagione dei pollini e tutte le altre possibili fonti di irritazione, come pellicce e piume.

Non fumate e cercate di stare alla larga dalle stanze fumose.

Se uscite quando fa molto freddo, copritevi naso e bocca con una sciarpa o un passamontagna: l'aria respirata risulterà più calda e umida. Anche gli esercizi di respirazione profonda sono d'aiuto.

Chi soffre di attacchi d'asma scatenati dal movimento deve scegliere con cura le proprie attività fisiche.

Evitate gli sport che richiedono allenamenti all'aperto quando fa freddo e date la preferenza agli sport di squadra che consentono momenti di riposo piuttosto che agli esercizi aerobici, che richiedono uno sforzo più continuativo.

Bronchite *Congestione bronchiale, tosse secca e insistente, dolori al petto e fiato corto sono i sintomi della bronchite che, in forma acuta, tende a presentarsi nella fase finale di un'infezione delle vie aeree superiori ed è assai comune in inverno. I bronchi, che uniscono la trachea ai polmoni, si infiammano.*

Se c'è febbre e il disturbo dura più di qualche giorno, è importante consultare il medico per verificare che non sia subentrata una polmonite.

Chi fuma o ha malattie polmonari è più esposto, anche se chiunque è potenzialmente a rischio di una bronchite acuta dopo un brutto raffreddore o un'influenza.

La bronchite cronica, la forma più perniciosa, si instaura e peggiora gradualmente. I sintomi sono teoricamente gli stessi della bronchite acuta, ma senza febbre né infezione. La malattia è spesso associata a enfisema, un'altra malattia polmonare.

Allergie, fumo ed esposizione a prodotti chimici industriali sono tra i maggiori fattori di rischio.

Vedi anche ALLERGIE, ENFISEMA, FEBBRE, INFLUENZA, RAFFREDDORE, TOSSE.

LA MEDICINA UFFICIALE

Per la bronchite acuta si raccomanda il riposo a letto, soprattutto in presenza di febbre.

Spesso vengono prescritti antibiotici e farmaci antitosse.

Si consiglia anche di bere molti liquidi e umidificare l'aria.

Per la bronchite cronica il medico prescrive di solito un broncodilatatore, da inalare o da assumere per via orale.

Il farmaco ha lo scopo di favorire la respirazione, allargando le vie aeree, ristrette per colpa della malattia (perché ostruite dal muco o perché costrette dai muscoli circostanti).

LE TERAPIE DELLA MEDICINA NATURALE

■ AGOPUNTURA. Si trattano i punti posti sui meridiani del Polmone, dello Stomaco, della Vescica.

■ AROMATERAPIA. Gli oli essenziali di pino, cajeput, eucalipto e sandalo sono adatti alle inalazioni sia sciolti in acqua calda, sia a gocce su un fazzoletto di carta.

Gli stessi oli sono validi anche per il massaggio.

■ IDROTERAPIA. Il vapore dà sollievo ai sintomi. Fate una lunga doccia o immergetevi nel-

Esercizi per favorire la respirazione

■ Per proteggere l'apparato respiratorio contro infezioni e altre malattie che, come spesso avviene per la bronchite, possono presentarsi come postumi di un brutto raffreddore o di altre infiammazioni locali, sono opportuni alcuni esercizi per irrobustire i polmoni e il diaframma (il muscolo posto tra torace e addome).

■ Alcune posizioni yoga, come quella del *Cobra*, illustrata di fianco, rappresentano un efficace tipo di ginnastica "dolce", alla portata di tutti.

■ La respirazione controllata, inoltre, è un prezioso aiuto per chi soffre di bronchite, asma, raffreddore da fieno e altri disturbi correlati.

Stesi per terra a pancia in giù, cominciate a sollevare piano il petto facendo forza sui muscoli della parte superiore del corpo. Rivolgete lo sguardo verso il soffitto e non fate cedere la schiena.

Chi soffre di dolori lombari o ha le braccia deboli può eseguire l'esercizio con le ginocchia a terra e le natiche sollevate. Per le altre posizioni yoga, vedi pagg. 228-235.

la vasca calda, badando a trattenere il vapore nella stanza. Oppure chinatevi su una pentola di acqua calda con un asciugamano sopra la testa, abbastanza lontani da non scottarvi, e inalate. Salviette bagnate in acqua calda e strizzate, applicate sul petto per diversi minuti possono dare sollievo: poi asciugatevi, copritevi e mettetevi a letto in una stanza calda.

Gli impacchi di acqua fredda sul petto e di acqua calda tra le scapole possono dar sollievo alla tosse.

NATUROPATIA. Bere molti liquidi ammorbidisce le secrezioni e rende la tosse meno dolorosa.

Alcuni naturopati sono convinti che la bronchite abbia una stretta relazione con una dieta sbagliata. In questi casi prescrivono un paio di giorni di digiuno per ripulire l'organismo, seguiti da una dieta a base di alimenti crudi, spesso solo frutta. Il latte e i latticini vengono in genere proibiti per la loro azione sulla produzione del muco.

OMEOPATIA. Per attacchi improvvisi, con difficoltà di movimento e desiderio di bevande fresche, *Bryonia* è il rimedio adatto.

Per la febbre si può ricorrere ad *Aconitum* e a *Kali bichromicum* se il muco è filante, spesso e difficile da espellere.

Pulsatilla si addice alla tosse secca di notte e catarrosa di giorno.

RIFLESSOLOGIA. Per mobilitare le difese dell'organismo, il riflessologo può stimolare le zone relative al sistema linfatico. Per aumentare il flusso d'aria e ridurre l'infiammazione tratterà invece le zone riflesse corrispondenti ai polmoni e ai bronchi (*vedi* pag. 188).

TECNICA DI ALEXANDER. La correzione della postura e degli schemi motori aiuta a migliorare la respirazione.

VITAMINE E MINERALI. Compresse di aglio, vitamine A, C e complesso B sono spesso raccomandate insieme con il ferro.

Per rinforzare i muscoli dell'apparato respiratorio e migliorare la respirazione in caso di bronchite cronica sono indicati il magnesio e la carnitina.

YOGA. Numerose sono le posizioni utili per drenare il catarro, rinforzare i polmoni, aumentare la resistenza e facilitare la guarigione. Le tecniche di respirazione yoga sono indicatissime per la bronchite perché attivano la circolazione, ossigenano il sangue e rimettono in forma i polmoni (*vedi* pagg. 228-235).

LA PREVENZIONE

A titolo preventivo, smettete innanzi tutto di fumare (o, meglio ancora, non cominciate).

Dato che la bronchite acuta segue quasi sempre serie infezioni delle vie aeree superiori, gli anziani, i bambini piccoli e gli individui immunodepressi dovrebbero esporsi il meno possibile a questo tipo di malattie, soprattutto in inverno.

Evitate i luoghi polverosi o fumosi e usate un umidificatore nei locali dove vivete.

L'esercizio fisico regolare e le pratiche di respirazione rendono più resistenti alla bronchite e ad altri problemi respiratori.

Calcoli biliari

I calcoli biliari sono composti di colesterolo o di pigmenti biliari e possono contenere calcio, che li rende radiologicamente visibili. Sono localizzati nella vescica biliare (o cistifellea) o nei canali biliari, che hanno la funzione di drenare la bile dal fegato.

Molti passano inosservati, non creando alcun tipo di disturbo, ma altri producono un intenso dolore, soprattutto quando si fermano nel dotto cistico, un canale piuttosto sottile che unisce il fegato e la cistifellea: ha così luogo una colica. Intensità e durata possono variare, ma nei momenti peggiori i dolori sono molto intensi e durano anche parecchie ore. All'inizio si avverte un fastidio nell'area addominale o sul lato destro del petto, poi il male si dirige all'indietro, verso la schiena o le spalle.

Dopo una colica può verificarsi un ittero (che ha come sintomo la colorazione gialla delle sfere oculari e della cute, dovuta all'aumentata concentrazione del pigmento bilirubina).

Gli individui a rischio sono soprattutto le donne sovrappeso che hanno superato i quarant'anni.

Sembra che la tendenza a formare calcoli sia ereditaria.

Vedi anche INDIGESTIONE, MAL DI SCHIENA, OBESITÀ.

LA MEDICINA UFFICIALE

Un programma biennale di terapia farmacologica con acidi biliari riesce in alcuni casi a dissolvere i calcoli, ma le ricadute sono frequenti dopo la fine della terapia.

Alcuni farmaci sembrano efficaci per sciogliere i calcoli composti di colesterolo (cioè il settantacinque per cento del totale). Gli altri sono fatti soprattutto di sali di calcio.

In alcuni casi si rende necessaria la rimozione chirurgica della cistifellea. Da qualche tempo, la frantumazione dei calcoli per mezzo di onde sonore, assai meno traumatica dell'asportazione chirurgica, ha cominciato a sostituire quest'ultima. Questa nuova tecnica si chiama "litotripsia".

LE TERAPIE DELLA MEDICINA NATURALE

■ AGOPUNTURA. È utile la stimolazione dei punti posti sui meridiani della Vescica Biliare, dello Stomaco, del Fegato e del Rene. Il trattamento ha lo scopo di far cessare gli spasmi e la contrazione del canale ostruito in modo da eliminare il dolore e, a volte, di permettere il passaggio del calcolo.

■ NATUROPATIA. Per prevenire i calcoli e le ricadute, seguite una dieta povera di grassi e ricca di fibre. La fibra idrosolubile, presente nella frutta, nella verdura e nella crusca d'avena, aiuta a ridurre il tasso di colesterolo nel sangue.

■ RIFLESSOLOGIA. Un massaggio sulle zone corrispondenti a fegato e cistifellea può dare un certo sollievo.

■ SHIATSU. I sintomi sono attenuati da una pressione ritmica e circolare applicata sulla parte bassa dell'addome, intorno alla cistifellea.

■ VITAMINE E MINERALI. Le raccomandazioni riguardano le vitamine A, C, E e quelle del complesso B oltre alla colina, necessaria per il metabolismo del colesterolo e per la funzionalità di fegato e cistifellea. Integrazioni di vitamina D possono essere prescritte in caso di malattie della cistifellea che riducono l'assorbimento di questa vitamina.

LA PREVENZIONE

Per prevenire la formazione di calcoli della cistifellea, controllate innanzi tutto il peso. Se dovete dimagrire, scegliete con cura la vostra strategia. Gli individui obesi che cercano di dimagrire troppo rapidamente sono più esposti al rischio di calcoli biliari.

Calcoli renali
La concentrazione di calcio, acido urico e altre sostanze presenti nelle urine può determinare la formazione di calcoli renali. I più piccoli passano normalmente inosservati e vengono eliminati con le urine mentre i più grandi possono fermarsi in un punto qualsiasi dell'apparato urinario, dando origine a una colica. Le coliche producono un dolore intensissimo che si irradia dalla regione lombare all'addome, alla zona pelvica, ai genitali e perfino alle cosce. Spesso si osservano sintomi quali sangue nelle urine, nausea, brividi e febbre. Calcoli passati inosservati per anni possono danneggiare il tessuto renale.

Vedi anche CALCOLI BILIARI, FEBBRE, NAUSEA.

LA MEDICINA UFFICIALE

Bere più liquidi non è sufficiente a favorire il passaggio del calcolo: occorrono farmaci, anche per evitare che se ne formino di nuovi.

Per anni i calcoli sono stati eliminati chirurgicamente ma oggi si dà la preferenza a una nuova tecnica che, per mezzo di ultrasuoni, riesce a frantumarli (in questo modo i frammenti possono essere eliminati naturalmente). Per combattere l'infezione talvolta associata ai calcoli si prescrivono antibiotici.

LE TERAPIE DELLA MEDICINA NATURALE

■ AGOPUNTURA. Per i calcoli renali si trattano i punti sui meridiani della Vescica, del Rene e dello Stomaco.

■ IDROTERAPIA. Per attenuare il dolore delle coliche, provate a mettere una borsa di acqua calda sulla zona dove avvertite il dolore (alcune persone trovano maggiori benefici con l'applicazione di freddo: potete tentare quindi anche con una borsa di acqua fredda o di ghiaccio).

■ NATUROPATIA. Se avete tendenza alle coli-

Per i giapponesi l'addome (hara) significa più di una semplice parte del corpo. Essi infatti ritengono che lo spirito vitale risieda nello hara, e precisamente in un punto che si trova a una spanna sotto l'ombelico. L'applicazione dello shiatsu allo hara è un metodo curativo molto antico e, quando viene eseguito con abilità, è un'esperienza confortevole e rilassante, utile soprattutto per risolvere molti disturbi addominali, tra cui le coliche.

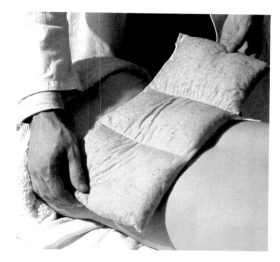

Le compresse caldo-umide (vedi pag. 88), per esempio le applicazioni di un sacchetto di fieno sulla regione lombare, possiedono una notevole azione calmante nei confronti delle coliche renali.

che renali è importante mantenere elevato il livello dei liquidi nell'organismo: bevete quindi regolarmente ed evitate di sudare troppo. Bere uno o due litri di liquidi al giorno fa aumentare la produzione di urina e ne assicura la diluizione. Questo rende più difficoltosa la precipitazione delle varie sostanze, che porta alla formazione dei calcoli.

Diminuite i latticini, che fanno aumentare le riserve di calcio.

■ OMEOPATIA. *Berberis* è il rimedio per i dolori acuti che si irradiano dall'addome al fianco e all'inguine.

Magnesia phosphorica è utile per i forti dolori renali che migliorano con il calore.

■ VITAMINE E MINERALI. Sono consigliate integrazioni di vitamina B_6 e magnesio. La vitamina B_6 può ridurre la produzione, da parte dell'organismo, di ossalato, un sale minerale che, combinandosi con il calcio, contribuisce a formare calcoli. Il magnesio rende invece il calcio e l'ossalato più solubili, evitando la cristallizzazione di questi composti (e quindi la loro trasformazione in calcoli).

LA PREVENZIONE

Per diluire le urine e limitare il rischio che si formino calcoli, bevete almeno uno o due litri d'acqua al giorno.

Riducete il consumo di sale, considerando anche quello che non mettete voi direttamente nei piatti (quello che si trova, per esempio, negli alimenti già pronti).

Chi ha coliche ricorrenti dovrebbe evitare asparagi, barbabietole, spinaci e bietole.

Assicuratevi di recuperare sempre i liquidi perduti con l'esercizio fisico, con l'esposizione al sole o con qualsiasi lavoro manuale che vi faccia sudare molto.

Cancro *Tutte le malattie neoplastiche, cioè i vari tipi di cancro, sono caratterizzate dalla crescita anomala e incontrollata di cellule in un organo o in un tessuto. Oggi non sono più necessariamente una condanna a morte. Molti tipi di cancro, tra i quali quello della cervice uterina, del seno, della pelle e del colon, rispondono bene alle terapie e, se riconosciuti allo stadio iniziale, sono curabili.*

Nel complesso l'incidenza di molti tumori aumenta con l'avanzare dell'età.

Dieta e stile di vita sembrano strettamente implicati nello sviluppo di questa malattia. Il fumo, per esempio, è associato in modo inequivocabile ai tumori dei polmoni, della bocca, della faringe e della vescica; l'alcol a quelli della bocca, della laringe e dell'esofago, mentre una dieta ricca di grassi e povera di fibre è collegata ai tumori del seno e del colon. Talvolta la malattia può cambiare il suo decorso temporaneamente o permanentemente: in questi casi si parla di "remissione" (che può essere anche spontanea).

Vedi anche COLITE, DIARREA, SCOTTATURE SOLARI, STITICHEZZA, TOSSE.

LA MEDICINA UFFICIALE

Le cure variano a seconda del tipo di cancro e del suo stadio di sviluppo al momento della diagnosi. In genere, comunque, si procede innanzi tutto all'eliminazione chirurgica dei tumori maligni, poi alla radioterapia, alla terapia ormonale e alla chemioterapia con farmaci antitumorali. Quasi sempre la terapia prevede tutti gli approcci.

LE TERAPIE DELLA MEDICINA NATURALE

■ AGOPUNTURA. Il trattamento può essere molto efficace nella riduzione del dolore ed essere effettuato contemporaneamente alla chemioterapia e alla radioterapia.

■ IPNOSITERAPIA. L'ipnosi aiuta a controllare il dolore. Inoltre, con le tecniche ipnotiche e autoipnotiche certi pazienti riescono a stimolare il loro sistema immunitario, attivando tutte le difese. Queste tecniche funzionano anche meglio se associate a meditazione, visualizzazione e altri metodi di rilassamento.

■ NATUROPATIA. Per ridurre al minimo il rischio di cancro, la dieta deve prevedere soprattutto cereali integrali (ricchi di fibra) e frutta e verdura cruda e cotta (ricca di vitamine e betacarotene).

Siccome certi tipi di cancro richiedono approcci dietetici particolari, è importante consultare uno specialista in grado di fornire linee guida appropriate.

■ VITAMINE E MINERALI. Spesso si suggeriscono integratori vitaminici e minerali a base di betacarotene (precursore della vitamina A), vitamina C, E e selenio, tutte sostanze antiossidanti utili per la prevenzione delle trasformazioni genetiche che all'interno delle cellule possono contribuire allo sviluppo di un tumore.

■ YOGA. La pratica quotidiana dello yoga aiuta a combattere lo stress e l'ansia spesso presenti in questa situazione. L'associazione di esercizi di yoga con meditazione e visualizzazione può favorire il controllo del dolore e contribuire alle capacità di autoguarigione dell'organismo.

LA PREVENZIONE

Per prevenire il cancro polmonare è bene smettere di fumare (e cercare di evitare anche il fumo passivo).

Per prevenire il tumore al seno, alla prostata e al colon, è utile mangiare pochi grassi e molte fibre alimentari.

Non bere alcol, o berne poco, riduce il rischio di diversi tipi di cancro. Gli effetti combinati di superalcolici e fumo di sigaretta fanno aumentare il rischio di cancro della bocca, della gola, della laringe, del fegato.

L'eccessiva esposizione ai raggi solari può causare tumori della pelle. È utile evitare quindi di stare al sole, soprattutto nelle ore più calde e, nel caso si debba stare a lungo all'aperto, anche se il cielo è coperto, è necessario usare lozioni solari protettive.

Le donne dovrebbero eseguire regolarmente (più o meno una volta al mese) un'autopalpazione del seno e sottoporsi periodicamente a visita ginecologica, a mammografia e pap test.

Chiunque abbia casi di tumore in famiglia dovrebbe fare particolarmente attenzione ai "segnali d'allarme" e sottoporsi regolarmente a visite di controllo. I "segnali" che devono mettere in guardia sono: cambiamento delle modalità o dei ritmi intestinali e della vescica; lesioni che non guariscono; insolite perdite di sangue, soprattutto da vagina e retto; noduli o ispessimenti nel seno o altrove; indigestione o difficoltà a inghiottire; cambiamento evidente della morfologia di un neo o di una verruca; tosse fastidiosa o raucedine persistenti. Anche improvvise quanto inspiegabili perdite di peso devono mettere in allarme. Tutti i disturbi citati richiedono una visita dal medico.

Cardiopatie *Le cardiopatie, o coronaropatie, sono il risultato dei danni derivanti al cuore dal restringimento o dal blocco delle sue arterie, che rendono impossibile o difficile il flusso di sangue al muscolo cardiaco. Il risultato più drammatico e pericoloso di questo processo è l'infarto o, più precisamente, l'infarto del miocardio.*

L'acuto dolore toracico provocato dall'angina può essere un primo segnale del ridotto flusso di sangue verso il cuore ma, nella maggior parte dei casi, non comporta un vero pericolo.

I depositi di grasso che si accumulano lungo le pareti arteriose danno luogo all'aterosclerosi: se si moltiplicano e si ispessiscono provocano lesioni che impediscono al muscolo cardiaco di ricevere sangue a sufficienza. Come conseguenza si manifestano dolori al petto o lesioni del tessuto cardiaco.

I fattori di rischio più significativi per le cardiopatie sono la pressione alta, i livelli elevati di grassi (trigliceridi, e in particolare di certi tipi di colesterolo) nel sangue, il fumo, il diabete, l'obesità, l'appartenenza al sesso maschile, gli infarti o le cardiopatie negli ascendenti.

Vedi anche ARTERIOSCLEROSI, DIABETE, IPERTENSIONE, OBESITÀ.

Tutti gli esercizi aerobici, *come remare, correre e nuotare, eseguiti regolarmente e con moderazione, aiutano a ridurre il rischio di cardiopatie.*

LA MEDICINA UFFICIALE

Sono numerosissimi i medicinali esistenti per il trattamento delle cardiopatie nelle loro varie forme. E se nessun farmaco funziona, il paziente con una malattia coronarica caratterizzata da arterie ostruite che non consentono il libero flusso del sangue può ricorrere a un intervento chirurgico (in genere si effettua un *bypass*, cioè la sostituzione della parte di arteria coronarica occlusa con una vena presa da un'altra zona del corpo).

Prima che la cardiopatia progredisca fino a provocare un infarto o a richiedere un intervento per evitarlo, il medico può suggerire al paziente una serie di strategie preventive.

Tre sono le priorità: smettere di fumare, ridurre il consumo di grassi e fare regolarmente esercizio fisico. Dieta e farmaci possono collaborare per ridurre il livello di colesterolo "cattivo" nel sangue.

In casi di emergenza, il paziente con un infarto deve essere ricoverato d'urgenza in un'unità cardiologica di rianimazione.

LE TERAPIE DELLA MEDICINA NATURALE

AGOPUNTURA. Alcuni sintomi, come gli spasmi muscolari, rispondono bene al trattamento, che può anche aiutare i pazienti a contrastare il dolore degli attacchi di angina.

FIORI DI BACH. Nel caso vi sentiate oppressi da troppe responsabilità, si consiglia di provare *Elm*.

Hornbeam è efficace contro la stanchezza mentale; *Impatiens* contro gli stati di impazienza o di tensione.

TECNICA DI ALEXANDER. Può essere un approccio preventivo per i soggetti a rischio di problemi cardiovascolari.

VITAMINE E MINERALI. Per la prevenzione delle cardiopatie, e per controllarle se sono già presenti, sono utili integrazioni di vitamine B_6, C, E, complesso B, betacarotene, rame, magnesio e lecitina di soia.

Talvolta vengono prescritte pastiglie di selenio perché la carenza di questo minerale sembra sia collegata alle cardiopatie.

Il cromo aiuta inoltre a prevenire i depositi di colesterolo nelle arterie.

YOGA. Il rilassamento, prodotto dagli esercizi e dalle posizioni yoga (*vedi* pag. 228), aiuta a tenere sotto controllo la pressione arteriosa.

Lo yoga aiuta a controllare lo stress e l'ipertensione. Per i principianti, una versione semplificata (sotto) della posizione del Loto (sopra), tradizionalmente usata per la meditazione nello Hatha yoga, può risultare più accessibile.

LA PREVENZIONE

Chi presta attenzione a ciò che mangia, tiene il peso sotto controllo e fa esercizio fisico regolarmente tende ad avere meno cardiopatie e infarti di chi conduce vita sedentaria e non bada all'eccesso di peso.

Anche se l'ereditarietà può accentuare il rischio, mangiare e bere con moderazione, evitare il fumo e i superalcolici, fare movimento e imparare a controllare lo stress equivale, nel campo delle cardiopatie, a un'assicurazione sulla vita.

La dieta che fa bene al cuore è ricca di alimenti con un basso tenore di grassi e con molti carboidrati complessi. Quindi prevede quantità minime di carni rosse e modiche di pesce e pollame (sempre senza pelle), diverse porzioni al giorno di frutta e verdura e la riduzione (meglio l'eliminazione) delle fritture, dei salumi e dei cibi preconfezionati.

A titolo preventivo, fare esercizi aerobici da tre a cinque volte la settimana è un modo eccellente per tenere in forma l'apparato cardiovascolare.

Anche imparare a limitare lo stress, con opportuni esercizi di rilassamento, riduce il rischio di malattie coronariche.

Catarro

"Catarro" è un termine piuttosto generico che descrive la secrezione densa causata da qualunque infiammazione o irritazione della membrana posta lungo le mucose della gola, del naso e dei polmoni. Una modesta quantità di muco liquido è necessaria per proteggere e lubrificare le mucose, ma quando tale secrezione è eccessiva o troppo densa, può provocare disturbi come naso chiuso, scolo nasale, tosse, mal di orecchi. La causa più comune di catarro è un'infezione virale (per esempio il raffreddore). Altre cause possono essere il raffreddore da fieno, le irritazioni provocate da polvere o sostanze chimiche presenti nell'aria e l'uso di alcuni farmaci (per esempio la pillola anticoncezionale).

Vedi anche RAFFREDDORE, RAFFREDDORE DA FIENO, TOSSE.

Uno dei punti da premere *in caso di eccessiva produzione di catarro si trova alla base del cranio, in un incavo fra i muscoli anteriori e i posteriori del collo, dietro la protuberanza ossea dell'orecchio (lo stesso punto viene anche utilizzato per il trattamento di mal di testa, raffreddore e sinusite).*

LA MEDICINA UFFICIALE

Le gocce e gli spray nasali riescono a liberare il naso, ma ricordate di non usarli per più di qualche giorno di seguito.

LE TERAPIE DELLA MEDICINA NATURALE

■ AROMATERAPIA. Basilico, eucalipto, issopo, lavanda, limone, menta, timo, sono gli oli essenziali che aiutano a diminuire il catarro. Potete metterne qualche goccia nell'acqua del bagno oppure usarli per fare inalazioni.

■ DIGITOPRESSIONE. I punti da premere per riequilibrare la secrezione di catarro sono i seguenti: la parte posteriore del cranio, entrambi i lati del naso e la membrana della mano, tra pollice e indice.

■ IDROTERAPIA. Gargarismi con acqua e sale (un cucchiaino di sale in un quarto di litro di acqua calda) sono utili per eliminare i problemi di gola e laringe dovuti all'eccesso di muco.

Possono essere efficaci i pediluvi, l'applicazione di impacchi caldi e freddi, le frizioni e i semicupi freddi (*vedi* pagg. 84-89).

■ NATUROPATIA. Fare sciacqui con acqua salata è molto utile per eliminare il catarro. Sciogliete mezzo cucchiaino di sale in un quarto di litro di acqua calda. Aspirate quindi la soluzione con una peretta e, con il naso bene all'indietro, sciacquate le due narici, sputando l'acqua nel lavandino. Forse sarà necessario fare l'operazione più volte per avere sollievo. Quando avete finito, soffiatevi il naso per eliminare la secrezione acquosa. Tenere umide le mucose è essenziale. Bere molti liquidi (acqua oppure infusi con limone e miele, o acqua calda con limone) aiuta a combattere il muco che è bloccato sulla parte superiore della faringe.

■ OMEOPATIA. *Natrum muriaticum* è utile nei casi in cui il catarro abbia la consistenza del bianco d'uovo e sia la causa di starnuti.

Kali bichromicum è consigliato quando esiste un grande accumulo di catarro: filante, di colore giallo o bianco.

Hydrastis è efficace nei casi di continuo gocciolamento nella parte posteriore del naso e quando il catarro si concentra nelle orecchie.

Pulsatilla viene raccomandato quando il catarro si presenta soltanto al mattino ed è di colore giallo verdastro.

Ipeca è consigliato nei casi di tosse, a volte secca, a volte catarrale, aggravata all'aria aperta e dal movimento.

■ VITAMINE E MINERALI. Possono essere prescritti come supplementi vitamina C, vitamine del complesso B, bioflavonoidi e zinco.

LA PREVENZIONE

Pare che il latte e i latticini stimolino un'eccessiva produzione di muco. È bene quindi eliminarli dalla dieta, se vogliamo prevenire questo problema.

Sembra che anche lo stress possa amplificare la produzione di catarro. Se vi accorgete che il vostro catarro peggiora quando siete sotto tensione, tecniche calmanti come il rilassamento progressivo dei muscoli o la meditazione possono aiutarvi a farvi sentire meglio.

Un buon umidificatore, che contenga parecchi litri di acqua, può aiutarvi a tenere pulito il naso nei mesi invernali.

Ricordate di pulire l'apparecchio ogni settimana con acqua mescolata a un po' di aceto per eliminare eventuali muffe.

Alcune ricerche hanno messo in evidenza una relazione fra produzione di catarro ed estrogeni (gli ormoni ovarici che regolano il ciclo femminile, contenuti anche nella pillola anticoncezionale). Se avete un problema di catarro e prendete la pillola, parlatene con il vostro ginecologo.

Cefalea
Un dolore sordo o perforante nella parte posteriore del capo o sulle tempie è quasi sempre provocato dalla contrazione dei muscoli della testa, del collo, del viso, che stimola le terminazioni nervose e quindi produce un forte dolore diffuso o in una zona specifica della testa o del collo.

Il dolore prodotto dall'espansione o dalla contrazione dei vasi sanguigni della testa determina la cefalea vascolare.

L'eccesso di bevande alcoliche provoca il cosiddetto "mal di testa del giorno dopo", mentre altre forme di cefalea sono il risultato di sinusite, mal di denti, infezioni gengivali, affaticamento oculare, traumi cranici e allineamento scorretto delle mandibole.

Il mal di testa può essere anche scatenato da un cambiamento climatico, da luci e odori disturbanti, da stress emotivo e, in individui ipersensibili, da cibi e bevande (come il formaggio e il vino rosso) e da alcuni additivi alimentari.

In rari casi la cefalea può essere il sintomo di una malattia più grave: meningite, tumori, ipertensione grave, patologie degli occhi, delle orecchie, del naso, della gola e dei denti.

Vedi anche ALLERGIE, EMICRANIA, IPERTENSIONE, MALATTIE DEL CAVO ORALE, PROBLEMI MESTRUALI, SINUSITE, STRESS.

LA MEDICINA UFFICIALE

Aspirina, paracetamolo e altri antidolorifici, con o senza caffeina, sono i rimedi più usati per le cefalee. Gli attacchi ricorrenti che non rispondono a questi prodotti vengono talvolta trattati con sedativi, tranquillanti o antidepressivi o, meglio, con la psicoterapia. La presenza concomitante di nausea o vomito, alterazioni visive o difficoltà di parola può indicare un grave problema organico, da sottoporre con urgenza all'attenzione del medico.

LE TERAPIE DELLA MEDICINA NATURALE

■ AGOPUNTURA. I punti più indicati per dare sollievo alla cefalea si trovano su testa, collo, mani e piedi. La localizzazione del dolore determina la scelta dei meridiani da trattare.

L'agopuntura è efficace sia nei casi acuti sia in quelli cronici.

■ CHIROPRATICA. La cefalea può indicare un lieve spostamento di qualche osso, trattabile quindi con una manipolazione.

Un massaggio aiuta a rilassare *la tensione che, accumulata sulla sommità del capo, sulla fronte, nel collo e nelle spalle, contribuisce a provocare il mal di testa. Ma il massaggio è anche un modo molto piacevole per alleviare un malessere emotivo.*

■ IDROTERAPIA. Compresse alternate calde e fredde sulla fronte e alla base del cranio, docce scozzesi e borse di ghiaccio su testa o collo sono in grado di dar sollievo ad alcuni. Altri invece preferiscono rilassarsi con un bagno o una doccia calda o tenere una salvietta calda e umida sulla nuca.

■ MASSAGGIO. Le cefalee da stress, da tensione muscolare e da postura scorretta rispondono bene al massaggio e ad altre terapie rilassanti. Gli sforzi vanno concentrati sui muscoli contratti del viso, del collo e del cuoio capelluto.

■ NATUROPATIA. Il medico può consigliare modifiche alla dieta e allo stile di vita per evitare ricadute, soprattutto in caso di emicrania. Anche limitare il consumo di cioccolato, formaggio e alcolici aiuta a ridurre la frequenza degli attacchi.

Sono utili tutte le tecniche di rilassamento e di meditazione.

Si dice che il caffè aiuti a far passare il mal di testa causato dai postumi di una sbornia. Altri rimedi "popolari" comprendono le frizioni con essenza di menta e alcune tisane.

■ OMEOPATIA. I rimedi più usati sono: *Nux vomica* per chi ha bevuto troppo, *Sepia* per la cefalea accompagnata da nausea e *Belladonna* per i dolori violenti.

■ OSTEOPATIA. Gli osteopati sono convinti che la cefalea derivi dalla pressione di un nervo o di qualche vaso sanguigno, eliminabile con le manipolazioni adatte.

■ TECNICA DI ALEXANDER. Correggere i problemi posturali e motori che determinano le cefalee da tensione aiuta molte persone a prevenire ricadute.

■ VITAMINE E MINERALI. Sono utili integrazioni di vitamine del complesso B e C, e di minerali quali calcio, magnesio e potassio.

■ YOGA. I rotolamenti sulla schiena e la verticale sulle spalle sono tra le posizioni indicate per ridurre la tensione nel tratto cervicale, nelle spalle e nel collo. Gli esercizi di respirazione sono pure efficaci.

LA PREVENZIONE

L'esercizio fisico regolare è uno dei migliori antidoti contro lo stress, l'ansia e la tensione che provocano la maggioranza delle cefalee e ne aggravano i sintomi.

Quando siete stressati, quando vi sentite in tensione o vittime delle circostanze, i muscoli del collo e delle spalle si contraggono inconsapevolmente. Prendere atto di tutto questo vi può aiutare a riconoscere il bisogno di rallentare un po' il ritmo della vostra esistenza.

Annotate su un quaderno gli attacchi di cefalea e cercate di risalire a ciò che può averli scatenati. Tra i cibi e le bevande quelli più "sospetti" sono il cioccolato, il tè, il caffè e il vino rosso.

Se siete soggetti a cefalea, evitate il più possibile gli additivi alimentari, il glutammato monosodico (si trova nei dadi da brodo), i nitrati e i nitriti (nei salumi e nelle carni conservate) e le diete troppo ipocaloriche.

Consentitevi inoltre un adeguato riposo tutte le notti.

Cellulite
Si tratta di una modificazione del tessuto sottocutaneo, che colpisce quasi esclusivamente le donne adulte, localizzata soprattutto sulle cosce, le natiche e i fianchi. Diversamente dall'accumulo di grasso normale, la cellulite è dovuta a ritenzione di liquido con formazione di piccoli noduli dolorosi alla pressione, che danno alla cute sovrastante un aspetto grinzoso, a "buccia d'arancia". Tali noduli sono probabilmente dovuti a ristagno di liquido extracellulare nei vasi linfatici.

Diversi fattori possono favorirne la comparsa: un'alimentazione non corretta, squilibri ormonali, l'uso della pillola contraccettiva, l'abuso di fumo e di alcol, lo stress, la sedentarietà, l'uso di indumenti attillati e di calzature con tacchi alti, la cattiva circolazione agli arti inferiori. In alcuni casi, un'intolleranza alimentare verso qualche cibo specifico può contribuire alla comparsa del fenomeno.

Vedi anche INTOLLERANZE ALIMENTARI, PROBLEMI CIRCOLATORI, STRESS.

LA MEDICINA UFFICIALE

Sono disponibili in farmacia creme anticellulite da applicare massaggiando sulla parte affetta (anche se sembra che, più che dalla crema, l'effetto benefico sia procurato dal massaggio).

Contro la cellulite esistono numerose tecniche fisiche che possono dare effetti positivi: mesoterapia, pressoterapia, elettrolipolisi. In alcuni casi si arriva all'intervento di liposuzione (non scevro, però, da rischi).

LE TERAPIE DELLA MEDICINA NATURALE

■ FITOTERAPIA. Applicazioni di decotti di edera sono efficaci per combattere la cellulite. Fate bollire 100 g di edera fresca in un litro di acqua per quindici minuti e applicate due volte il giorno sulla parte interessata compresse calde.

IDROTERAPIA. Una pratica utile sono le docce alternate calde e fredde (*vedi* pag. 88) sulle zone interessate dalla cellulite. Anche fare qualche sauna sembra efficace a ridurre il problema.

MASSAGGIO. Un tipo particolare di massaggio, il "linfodrenaggio manuale", sembra utile contro la cellulite.

NATUROPATIA. Una dieta contro la cellulite dovrebbe essere semplice e ricca di verdure (gli ortaggi contengono potassio, elemento che favorisce l'eliminazione dei liquidi in eccesso).

Fra gli alimenti più consigliati ci sono il succo di barbabietola (per aiutare il fegato a disintossicarsi), il sedano e il melone (per eliminare l'eccesso di liquidi nel corpo), il cetriolo (per aiutare i reni a eliminare le scorie), le alghe marine (si ritiene che abbiano la proprietà di rendere la pelle morbida e di mettere in movimento i grassi presenti nel corpo).

Gli alimenti da evitare sono i dolci, i grassi animali, le salse, il caffè, le bevande a base di cola. È molto utile bere due litri di acqua al giorno e limitare l'uso del sale.

Il massaggio forte, profondo, a "impastamento" è controindicato in caso di cellulite. Ottimi risultati si possono ottenere invece con il linfodrenaggio manuale secondo Vodder (dal nome del fisioterapeuta danese che l'ha ideato). Si tratta di un massaggio leggero, circolare, superficiale, costituito da ritmiche compressioni e decompressioni esercitate su tutto il corpo.

LA PREVENZIONE

È del tutto inutile sottoporsi a drastiche diete dimagranti (anche le persone magre, infatti, possono avere problemi di cellulite).

È consigliabile invece fare molto movimento e cercare di ridurre al minimo la stazione eretta immobile (l'esercizio fisico costituisce una buona prevenzione anche per le vene varicose).

Cistite *La cistite, un disturbo comune dell'apparato urinario, è un'infiammazione della mucosa della vescica, spesso determinata da un'infezione batterica. Le donne ne sono colpite più degli uomini perché l'uretra, il canale che porta l'urina dalla vescica all'esterno, nel sesso femminile è più corta e consente quindi più facilmente l'ingresso ai batteri.*

La cistite può essere causata da intolleranze alimentari, ipersensibilità farmacologiche o chimiche, eccessive stimolazioni durante i rapporti sessuali. Può esserne causa anche la candidosi, o un'altra infezione batterica, spesso sostenuta da germi abitualmente presenti nell'intestino che si trasferiscono dall'ano alle zone genitali e urinarie.

I sintomi comprendono frequente bisogno di urinare, dolore bruciante durante la minzione, talvolta anche dolore nella parte bassa dell'addome. Normalmente i sintomi sono piuttosto lievi e scompaiono rapidamente, ma in individui particolarmente vulnerabili possono ripresentarsi ogni pochi mesi.

La diagnosi è importante, sia perché, lasciata a se stessa, l'infezione può estendersi ai reni e ad altri organi, sia perché i sintomi sono simili a quelli di una micosi e di altre malattie a trasmissione sessuale.

Vedi anche INTOLLERANZE ALIMENTARI.

LA MEDICINA UFFICIALE

Anche se una singola dose massiccia di antibiotici è spesso in grado di eliminare l'infezione, in genere si preferiscono terapie di tre, sette o dieci giorni.

LE TERAPIE DELLA MEDICINA NATURALE

AGOPUNTURA. Il trattamento viene eseguito sui meridiani del Rene, della Milza-Pancreas, del Fegato e della Vescica.

IDROTERAPIA. Immersioni in acqua calda, borse di acqua bollente e termofori aiutano a rilassare e quindi ad attenuare i sintomi, soprattutto il dolore addominale. Potete spruzzare la zona pelvica dapprima con acqua calda e poi con acqua fredda. Sono utili anche i semicupi (*vedi* pag. 86) alternati caldi e freddi.

■ NATUROPATIA. Una dieta a base di cibi leggeri, non irritanti, è spesso di aiuto, come pure un digiuno di due giorni.

Evitate gli agrumi e le pietanze speziate.

Sostituite il tè e le bevande a base di cola con tisane e succhi preparati in casa. Al posto del caffè, bevete orzo o cicoria.

■ OMEOPATIA. *Cantharis* è raccomandato in caso di dolori intensi e brucianti quando si urina.

Aconitum viene consigliato quando i sintomi si manifestano subito dopo esposizione al freddo.

Sarsaparilla viene prescritto se il dolore è avvertito dopo la minzione.

■ RIFLESSOLOGIA. Il massaggio delle zone riflesse corrispondenti all'apparato urinario, ai reni, alla zona lombare e agli organi sessuali dà sollievo ai sintomi.

■ VITAMINE E MINERALI. La vitamina C rende l'urina più acida, interferendo con la moltiplicazione dei batteri. (La vitamina C va però evitata se state assumendo un antibiotico che non funziona in ambiente acido.)

LA PREVENZIONE

Le donne che soffrono di cistite dovrebbero evitare i saponi profumati, i bagni-schiuma e i deodoranti intimi.

La biancheria di cotone è da preferire a quella in fibre sintetiche e un abbigliamento comodo agli indumenti attillati.

L'igiene intima è importante: pulitevi sempre da davanti a dietro, per evitare il passaggio di batteri fecali all'uretra.

Svuotate completamente la vescica ogni volta che andate in bagno e prima e dopo ogni rapporto sessuale. Andate in bagno tutte le volte che ne avete bisogno: i batteri trattenuti possono riprodursi.

Bevete molti liquidi, evitando alcolici e superalcolici.

Colite *Un forte dolore addominale, accompagnato da frequenti episodi di diarrea, o da stitichezza, è il sintomo tipico della sindrome del colon irritabile, o colite, malattia cronica dell'intestino crasso. Altri sintomi sono: sensazione di gonfiore, muco nelle feci e gas addominale.*

Stress cronico, ansia e depressione hanno fama di contribuire al disturbo, che colpisce più le donne che gli uomini.

È importante che la sindrome sia diagnosticata correttamente perché i sintomi sono del tutto simili a quelli di altre malattie, dal cancro del colon alla colite ulcerosa.

Vedi anche CANCRO, DEPRESSIONE, DIARREA, INTOLLERANZE ALIMENTARI, STITICHEZZA, STRESS.

LA MEDICINA UFFICIALE

Si consiglia in genere una combinazione di dieta e farmaci antidiarroici e antispastici. Spesso è di aiuto consumare più fibre alimentari, o integrare la dieta con crusca.

LE TERAPIE DELLA MEDICINA NATURALE

■ AGOPUNTURA. Contro i problemi intestinali si stimolano alcuni punti del meridiano dello Stomaco.

■ FITOTERAPIA. L'infuso di menta piperita è utile a chi soffre di colite. Per prepararlo, lasciate in infusione per dieci minuti 50 g di foglie secche di menta piperita in un litro di acqua bollente.

Il tè di menta e le capsule di olio essenziale di menta possono dare sollievo agli spasmi del colon.

Esercizi per i muscoli addominali

■ Un'adeguata ginnastica della muscolatura addominale contribuisce a limitare i problemi gastrointestinali, tra i quali la colite. Contraendo i muscoli, come indicato, si ottiene un delicato massaggio intestinale.

■ All'inizio fate le ripetizioni che vi riescono, ma mirate a farne almeno trenta del primo esercizio, cento del secondo e quaranta del terzo.

■ Se possibile, eseguite gli esercizi davanti a uno specchio, per controllare la postura.

Primo esercizio. *Seduti a terra, con la schiena sollevata e allungata, le ginocchia flesse e il bacino ruotato avanti, portate a terra la parte bassa della schiena. Espirate e poi inspirate mentre la rialzate. Ogni volta che arrotondate la schiena, pensate ai muscoli addominali che rientrano verso la colonna vertebrale. Lasciate libere le spalle e tenete i piedi appoggiati a terra.*

■ IPNOSITERAPIA. Può essere utile per controllare sia il dolore, sia la diarrea (o la stitichezza), soprattutto per i soggetti che sono sottoposti a forti stress.

■ NATUROPATIA. Una dieta ricca di carboidrati complessi e fibra può essere utile.

Se la reazione ha carattere allergico, vale la pena di individuare da quali alimenti è causata: con una dieta di eliminazione oppure con test appositi. Se c'è intolleranza al lattosio conviene eliminare i latticini.

Le tecniche di rilassamento possono limitare i sintomi derivati da stress.

■ OMEOPATIA. *Podophyllum* è utile per chi ha come sintomo diarrea. Quando la stitichezza si alterna alla diarrea, si presentano meteorismo e dolori (e la condizione si aggrava prima di una prova o di un impegno che vi preoccupa), si consiglia *Argentum nitricum*. *Magnesia phosphorica* può essere utile se i dolori sono localizzati quasi soltanto a destra.

■ VITAMINE E MINERALI. Si consigliano integrazioni di calcio e di magnesio.

Secondo esercizio. Supini a terra, con le gambe alzate ad angolo retto, sollevate la testa portando il mento verso il petto e le braccia lungo i fianchi. Oscillate rapidamente le braccia avanti e indietro.

Terzo esercizio. Con la schiena a terra, le ginocchia sollevate e le caviglie incrociate, espirate e sollevate la testa con le mani. Avvicinatela quanto potete alle ginocchia. Tenete i muscoli addominali contratti. Inspirate e riabbassatevi, appiattendo il dorso a terra. Se la schiena fa male smettete subito. Ricordate che dovrebbero essere i muscoli addominali a fare lo sforzo, non i dorsali.

■ YOGA. Come tutti i disturbi aggravati dallo stress, la colite migliora con la pratica regolare dello yoga. Sono particolarmente consigliabili le contrazioni addominali e tutte le posizioni che fanno lavorare la muscolatura addominale, gli esercizi di rilassamento e le pratiche di respirazione.

LA PREVENZIONE

Alcol, tabacco e caffeina sono irritanti per l'intestino, quindi evitateli.

Anche se la sensibilità agli alimenti è individuale, non è raro che l'eliminazione di zucchero, latticini o farinacei abbia un effetto benefico sui sintomi.

In genere si raccomanda un maggiore consumo di fibre alimentari.

Congiuntivite *Un arrossamento degli occhi può essere provocato dalla congiuntivite, infiammazione acuta o cronica della membrana flessibile che ricopre la parte anteriore del globo oculare. L'origine può essere allergica, batterica, chimica o virale. Anche vento, fumo, polvere e altri fattori ambientali possono scatenare il disturbo.*

I sintomi vanno da bruciore, che può essere più o meno fastidioso, a rossore, prurito e secrezione di muco o di pus.

Le congiuntiviti virali o batteriche sono molto contagiose ma non particolarmente gravi.

Vedi anche ALLERGIE, RAFFREDDORE DA FIENO.

LA MEDICINA UFFICIALE

L'intervento medico dipende dalle cause dell'infiammazione.

Il medico può consigliare bagni oculari o antistaminici orali piuttosto che colliri decongestionanti antiallergici; nelle infezioni batteriche si usano invece collirio e pomate antibiotiche.

Se ci sono problemi di tipo visivo, dolori oculari o secrezioni gialle o verdognole, consultate subito il medico. Altrimenti fatevi controllare soltanto se il disturbo non è ancora migliorato dopo cinque giorni.

LE TERAPIE DELLA MEDICINA NATURALE

■ FITOTERAPIA. Per alleviare le infiammazioni oculari sono utili gli impacchi di decotto di camomilla da applicare sulle palpebre. Per preparare il decotto, mettete 30 g di fiori secchi di camomilla in un litro d'acqua, portate a ebollizione e lasciate quindi in infusione per venti minuti.

Un impacco tiepido con acqua (o a base di una soluzione leggermente acidula, per esempio acqua con poco limone) è utile per migliorare la congiuntivite. Cercate di tenere l'occhio aperto mentre fate l'impacco.

Per evitare irritazioni, non applicate più di tre impacchi al giorno.

Potete anche usare colliri alla camomilla disponibili in farmacia.

▪ IDROTERAPIA. Lavate occhi e palpebre con cotone inumidito, evitando di strofinare la zona colpita.

Una compressa (fredda se la congiuntivite è allergica, calda negli altri casi) di cotone bagnato e strizzato appoggiata sugli occhi chiusi risulta calmante.

▪ NATUROPATIA. La medicina "popolare" consiglia cataplasmi sugli occhi con yogurt di capra o patate crude, entrambi astringenti.

▪ OMEOPATIA. All'inizio può servire *Belladonna*, se ci sono arrossamento e lacrimazione.

Se la lacrimazione procura una sensazione di bruciore e c'è sensibilità alla luce si consiglia *Euphrasia*.

In presenza di pus giallo si prescrivono *Argentum nitricum* o *Pulsatilla*.

Apis è utile quando c'è forte gonfiore.

▪ VITAMINE E MINERALI. Integrazioni di vitamina A aiutano a prevenire le ricadute dovute a infiammazione cronica, ma dosi massicce di questa vitamina devono sempre essere prese sotto controllo medico.

Vitamina C, vitamina A e zinco sostengono la battaglia del sistema immunitario contro le infezioni virali.

La vitamina C favorisce la guarigione e previene il diffondersi dell'infiammazione.

LA PREVENZIONE

La congiuntivite si trasmette facilmente per contatto tra mano e occhio, quindi non toccatevi il viso se avete infezioni batteriche o virali, come raffreddore o mal di gola.

Se il problema è di natura allergica, le cause possono essere attribuite a cosmetici, prodotti per la pulizia delle lenti a contatto, peli di animali e pollini.

Provate a cambiare tipo di mascara e di liquido per le lenti ed evitate l'esposizione alle sostanze che vi procurano allergia.

Lavate spesso salviette e spugnette per il viso, che avrete cura di non scambiare con altri fino a completa guarigione.

Depressione *Solitudine, noia, inutilità, mancanza di legami con la realtà e di aspettative sono alcune delle emozioni tipicamente associate alla depressione. Quando interferisce con la vita di tutti i giorni, la depressione può diventare una forma di malattia mentale. Sentirsi tristi di tanto in tanto fa parte dell'esistenza, ma perdere la propria autostima e l'interesse per gli altri è un sintomo da non trascurare. I soggetti maggiormente a rischio di depressione sono gli adolescenti, le persone di mezza età e coloro che sono andati in pensione da poco tempo.*

Alcune forme di depressione sembrano avere una componente genetica, mentre altre sono collegabili a eventi esterni, come un lutto, o a un tipo di vita troppo stressante. È difficile individuare la causa che scatena il disturbo anche se, tra quelle di ordine biologico, vanno ricordati i dolori cronici, i disturbi neurologici (come la sclerosi multipla, i traumi cranici, l'ictus), le disfunzioni del sistema endocrino (come l'ipertiroidismo e l'ipotiroidismo) e alcune malattie infettive, come l'epatite.

La depressione da farmaci può invece essere il risultato dell'assunzione di sonniferi, contraccettivi e altri medicinali.

Vedi anche COLITE, DOLORI CRONICI, EPATITE, INSONNIA, PROBLEMI MESTRUALI, STANCHEZZA, STITICHEZZA, STRESS.

LA MEDICINA UFFICIALE

Il tipo di depressione, le sue cause e la sua gravità determinano il trattamento. Si calcola che almeno una persona su quindici si rivolga al medico in seguito a una crisi depressiva, il che testimonia la gravità dei sintomi. La maggioranza degli individui che chiedono di essere curati vengono invitati a rivolgersi a uno psicoterapeuta o sottoposti a terapia con psicofarmaci. Quando il paziente pensa al suicidio o è molto debilitato fisicamente o mentalmente a causa di una depressione, si può chiedere un ricovero ospedaliero.

LE TERAPIE DELLA MEDICINA NATURALE

AGOPUNTURA. I punti da trattare riguardano soprattutto i meridiani del Fegato, della Vescicola biliare, del Cuore, dello Stomaco e della Milza-Pancreas, con l'obiettivo di contrastare la depressione stimolando l'energia nel fegato.

IDROTERAPIA. I terapeuti sostengono l'efficacia, su alcuni pazienti, della sauna (*vedi* pag. 89) e di strofinamenti vigorosi.

MASSAGGIO. Già per sua natura il massaggio offre conforto e la sensazione di essere curati. Inoltre stimola le capacità di recupero dell'organismo migliorando la circolazione e purificando il corpo dalle tossine.

NATUROPATIA. Per lo stretto collegamento tra dieta e salute mentale, il medico può suggerire la sostituzione di alimenti grassi e dolci con frutta, verdura, carboidrati complessi e fonti proteiche a basso tenore di grassi. Inoltre può consigliare l'eliminazione di caffeina e bevande alcoliche e l'avvio di un programma regolare di attività fisiche.

OMEOPATIA. *Arsenicum album* viene raccomandato in caso di attacchi brevi, durante i quali il paziente diventa ansioso, inquieto o esaurito, soprattutto durante le prime ore della notte.

Per superare un profondo turbamento emotivo o un lutto, provate *Ignatia* immediatamente dopo l'evento traumatizzante.

Per la depressione dopo il parto, è spesso usata *Sepia*.

Pulsatilla cura la depressione con il pianto facile; *Aurum* quella che può portare al suicidio.

YOGA. Sedute regolari favoriscono l'autostima e tonificano il corpo in generale.

Tutte le posizioni che richiedono uno sforzo attivo, come il *Saluto al sole* (*vedi* pag. 229), hanno un effetto benefico.

Gli esercizi di respirazione aiutano a contrastare lo stress.

LA PREVENZIONE

L'esercizio fisico è un potente antidepressivo. Lo sforzo vigoroso aiuta a riconciliarsi con la propria immagine e fa produrre all'organismo sostanze chimiche che migliorano l'umore. Correre, camminare a passo svelto, andare in bicicletta, fare ginnastica o frequentare un corso di danza permettono di sentirsi meglio.

Anche l'esposizione al sole e lo stare all'aria aperta aiutano a migliorare l'umore.

In genere, sentire che la propria vita ha un senso, che ciò che si fa è sotto il proprio controllo, è un buon punto di partenza per non cadere nella depressione. L'ideale è crearsi un ambiente piacevole e circondarsi di persone positive e comprensive.

Dermatite
La dermatite è un'infiammazione della pelle che può essere indotta dal contatto con sostanze irritanti, da una reazione allergica a farmaci, detergenti o altri prodotti chimici. I sintomi più comuni sono prurito e vesciche con emissione di liquido, arrossamento, desquamazione e ispessimento della pelle.

La dermatite può colpire qualsiasi zona del corpo. La forfora degli adulti e la crosta lattea dei neonati sono forme di dermatite seborroica, un'infiammazione delle ghiandole poste sotto la pelle.

La dermatite atopica, che colpisce nell'infanzia, è determinata dalla particolare sensibilità ad alcune sostanze.

Un'altra forma di dermatite, caratterizzata da macchie rosse sulla parte inferiore delle gambe, colpisce soprattutto le donne dopo i quarant'anni (sono più a rischio le donne che hanno avuto diversi parti o che presentano problemi circolatori).

Vedi anche ALLERGIE, ECZEMA, PROBLEMI CIRCOLATORI, PSORIASI, STRESS.

LA MEDICINA UFFICIALE

La cura delle infiammazioni acute prevede cortisonici in pomata, in gel, o per via orale, oltre a farmaci per uso locale in caso di vesciche infette.

Contro il prurito vengono prescritti antistaminici.

LE TERAPIE DELLA MEDICINA NATURALE

IDROTERAPIA. Abluzioni alternate calde e fredde danno sollievo.

Impacchi freddi e umidi possono avere un effetto calmante e alleviare il prurito della dermatite da contatto.

IPNOSITERAPIA. Ipnosi e autoipnosi aiutano a fornire sensazioni di insensibilità, dando sollievo al dolore e all'irritazione.

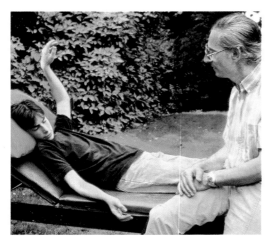

Alcuni soggetti sofferenti di problemi cutanei, come per esempio la dermatite (ma anche l'eczema e la psoriasi), riescono a controllare il prurito con l'ipnosi.

■ NATUROPATIA. Se la diagnosi rimanda a un'intolleranza alimentare, possono essere suggerite modifiche dietetiche secondo le esigenze del paziente.

■ VITAMINE E MINERALI. Vengono normalmente consigliate le vitamine A, C, D e del complesso B, utili per la salute della pelle.

LA PREVENZIONE

Le strategie variano a seconda delle diverse possibili cause del problema.

Per eliminare la forfora, cambiate shampoo e balsamo, preferendo prodotti a base di solfuro di selenio.

Se la dermatite colpisce il viso, cambiate cosmetici e sapone.

Per localizzazioni diverse, provate a cambiare detersivi ed evitate gli indumenti di fibre sintetiche che possono irritare la pelle (per alcuni individui molto vulnerabili anche la lana può essere un problema).

Ricordate anche che, a volte, il problema non è tanto il tipo di detersivo quanto il risciacquo, non sufficientemente accurato.

Se la dermatite colpisce le mani, indossate guanti di gomma per fare i lavori domestici (meglio se i guanti sono vinilici con fodera di cotone per assorbire il sudore).

Quando vi lavate le mani, asciugatele molto bene e usate una leggera crema idratante per proteggerle. Le creme e le lozioni a base di aloe sono particolarmente adatte.

La dermatite viene aggravata dall'aria troppo secca. È quindi importante mantenere ben umida l'aria di casa.

Diabete
Problema complesso, il diabete mellito è stato descritto come un disturbo del metabolismo, del pancreas o del sistema immunitario. Il paziente diabetico può avere il pancreas che non produce abbastanza insulina oppure può non riuscire a utilizzare l'insulina prodotta.

L'insulina è l'ormone che regola l'assorbimento del glucosio da parte della cellula. Il glucosio è lo zucchero semplice che fornisce all'organismo l'energia che occorre; quello in eccesso può essere immagazzinato nel fegato o trasformato in grasso e conservato nelle cellule adipose. In presenza di diabete, il tasso di glucosio nel sangue è più alto del normale.

I sintomi del diabete comprendono un aumento della sete e della fame, il frequente bisogno di urinare, la perdita di peso e la stanchezza. La capacità dell'organismo di metabolizzare il grasso si modifica e i capillari vanno incontro a un processo di deterioramento. Il disturbo impedisce all'organismo una difesa efficiente contro le infezioni e le micosi, soprattutto urinarie e cutanee. Se non viene curato, il diabete può provocare cecità e danni renali e aumentare il rischio di infarto. Il diabete è più comune in età avanzata.

Esiste anche una forma di diabete insulino-indipendente (caratterizzata da un deficit solo relativo di insulina). Gli individui maggiormente esposti al rischio di questo tipo di diabete sono le donne sovrappeso dai quarant'anni in su.

Vedi anche CARDIOPATIE, IPERTENSIONE, OBESITÀ, STANCHEZZA.

LA MEDICINA UFFICIALE

Per mantenere il giusto tasso di insulina, il paziente può aver bisogno di iniezioni quotidiane di questo ormone.

Fondamentale è anche seguire una dieta corretta e tenere sotto controllo il peso. La terapia richiede quindi collaborazione tra medico, paziente e dietologo.

Per i diabetici insulino-indipendenti, che spesso sono anche obesi, in genere è sufficiente una dieta corretta ma, se questa non viene rispettata, occorre una terapia con farmaci antidiabetici o con insulina.

LE TERAPIE DELLA MEDICINA NATURALE

■ FITOTERAPIA. La bardana è consigliata per favorire il funzionamento dei reni.

La genziana è utile per stimolare l'attività del pancreas.

■ NATUROPATIA. Si raccomanda una dieta

ricca di fibre e anche di carboidrati complessi.

Aglio e cipolle vengono consigliati per il loro possibile ruolo nella riduzione dello zucchero nel sangue.

Talvolta viene messo a punto un programma di allenamento specifico per il paziente.

Spesso chi soffre di diabete ha problemi di circolazione. Per questo dovrebbe evitare di fumare e dovrebbe bere con estrema moderazione.

Le difficoltà di circolazione colpiscono soprattutto i piedi, la parte più lontana dal cuore.

■ OMEOPATIA. I rimedi vengono scelti secondo i sintomi. *Phosphoricum acidum* è utile quando la stanchezza causa un peggioramento.

Silicea è consigliato quando i piedi sono freddi e sudaticci. *Uranium nitricum* si prescrive quando esistono problemi digestivi e debolezza.

Argentum nitricum è adatto quando il paziente si sente depresso.

■ VITAMINE E MINERALI. Sono consigliabili integrazioni di vitamina A, B$_6$, C, E, H e PP, oltre che di cromo, selenio e calcio, ma soltanto dietro prescrizione medica.

■ YOGA. Praticato con assiduità, lo yoga è efficace per alleviare il diabete. Inoltre tonifica la muscolatura e riduce l'esposizione allo stress.

Chi soffre di diabete dovrebbe adottare una dieta povera di zuccheri e di grassi, con un apporto quotidiano di fibre (quindi di alimenti integrali, di leguminose e di verdure). Vi sono anche alcuni alimenti che, tra le loro specifiche caratteristiche, hanno la proprietà di esercitare un'azione ipoglicemica (cioè di mantenere basso il livello dello zucchero nel sangue): per esempio l'aglio, lo scalogno, la cipolla, l'avena, il cavolo, la soia e la zucca.

La posizione più indicata è la verticale sulle spalle, che stimola l'attività della tiroide.

LA PREVENZIONE

Una dieta corretta, povera di grassi, priva di zuccheri semplici e ricca di fibre e di carboidrati complessi, aiuta a riequilibrare il tasso di glucosio nel sangue e il peso corporeo. Cercate di mangiare sempre alle stesse ore.

Anche l'esercizio fisico aiuta l'organismo a utilizzare l'insulina.

Una dieta a basso tenore di grassi e regolari esercizi aerobici possono prevenire l'insorgenza del diabete (consigli che dovrebbero essere seguiti da tutti gli individui a rischio).

Diarrea *Sintomo comune a molte malattie, la diarrea consiste in un aumento di frequenza e volume delle scariche fecali, oltre che nel cambiamento della loro consistenza, innaturalmente fluida.*

Le cause possono essere di scarsa importanza (come l'assunzione di un cibo indigesto) o gravi (come la presenza di un tumore al colon, di una colite ulcerativa o di una dissenteria da ameba). La diarrea è anche un effetto collaterale di molti farmaci e può essere sintomo di un'intolleranza alimentare.

Se dura oltre tre, quattro giorni può essere conveniente sentire il medico (anche prima se è accompagnata da vomito, sangue nelle feci, forti dolori addominali, vertigini e urine scarse, tutti sintomi di disidratazione).

Vedi anche CANCRO, COLITE, INDIGESTIONE, INTOLLERANZE ALIMENTARI.

LA MEDICINA UFFICIALE

Le cure variano a seconda della causa del disturbo.

Essenziale è comunque la terapia restitutiva per i liquidi, i minerali e i sali persi.

Gli antidiarroici si possono assumere senza problemi, a meno che il disturbo non sia il risultato di un'infezione, che i farmaci farebbero durare più a lungo.

Chi soffre di diarrea "del viaggiatore" può utilizzare rimedi a base di caolino.

LE TERAPIE DELLA MEDICINA NATURALE

■ AGOPUNTURA. È un'eccellente terapia per la diarrea acuta o cronica. La stimolazione riguarda in particolare i meridiani dello Stomaco, della Milza-Pancreas e dell'Intestino Crasso.

■ NATUROPATIA. Il medico può raccomanda-

*Lo yogurt, oltre a favorire l'utilizzazione del lattosio nel caso di intolleranza al latte, risulta curativo nella dissenteria batterica e in quella dovuta a squilibri alimentari. Favorisce inoltre la rigenerazione della flora intestinale specialmente dopo o durante trattamenti antibiotici.
È sempre meglio assumere yogurt (con batteri vivi e vitali) al mattino a digiuno.*

re un digiuno di ventiquattr'ore. Nel frattempo, per prevenire la disidratazione e conservare l'equilibrio degli elettroliti, bevete acqua minerale, succhi di frutta e verdura diluiti o una soluzione di acqua, sale e zucchero. Quando tornerete ai cibi solidi, cominciate con alimenti leggeri come riso bollito, banane, mela grattugiata o frullata e pane tostato.

▪ FITOTERAPIA. La corteccia di cannella regolarizza l'intestino. In caso di diarrea, potete bere da tre a quattro tazze di decotto, nel corso della giornata (per prepararlo, fate bollire per cinque minuti 20 g di corteccia di cannella in mezzo litro di acqua bollente).

Se la causa della diarrea è un'infezione, il terapeuta vi consiglierà una capsula di aglio una o due volte al giorno.

▪ OMEOPATIA. *Aconitum* è raccomandato per la diarrea causata da esposizione a vento freddo e asciutto o da una paura improvvisa.

Se la diarrea è conseguenza di un'intossicazione alimentare, specialmente se da carne, *Arsenicum album* è il rimedio prescritto.

Per attacchi gravi con sudori freddi si consiglia invece *Veratrum album*.

▪ TERAPIA ORTOMOLECOLARE. Considerate integrazioni di vitamine del complesso B, di potassio e di sodio.

LA PREVENZIONE

Se intendete mangiare cibi più ricchi di fibra, inseriteli gradualmente nella vostra dieta: la loro introduzione improvvisa costituirebbe infatti un cambiamento troppo difficile da gestire (il vostro organismo potrebbe reagire appunto con una diarrea).

Per evitare crisi diarroiche in viaggio o in vacanza, evitate di consumare insalata e qualsiasi alimento crudo (anche la frutta, se non avete la possibilità di sbucciarla personalmente), l'acqua del rubinetto, i cubetti di ghiaccio, i gelati e qualsiasi cibo servito freddo. Per prevenire la disidratazione, bevete molti liquidi, soprattutto tè deteinato, brodo, succhi di frutta e acqua. Evitate il latte e tutti i cibi grassi per un po' di giorni.

Se la diarrea è prodotta da un antibiotico, consumate yogurt o fermenti lattici (si trovano in forma liquida o in capsule), per ripristinare la flora batterica che i farmaci tendono a distruggere.

Per qualche giorno evitate caffè, tè e tutti gli eccitanti, l'alcol e i cibi speziati o piccanti.

Diverticolite *La presenza di piccole sacche (i diverticoli) sulle pareti del colon è detta "diverticolosi", un problema normalmente asintomatico. La diverticolite insorge quando le mucose di queste sacche si infiammano.*

Se si infettano, se determinano un'ostruzione, una perforazione o un'emorragia possono porre gravi problemi per la salute.

I sintomi comprendono febbre, brividi, stitichezza, dolori, emorragia rettale, dolore e rigidità dell'area posta sopra l'intestino.

Complicazioni possibili sono la peritonite (cioè l'infiammazione del tessuto di rivestimento della cavità addominale), ascessi, fistole, restringimento dei visceri che collegano le varie parti dell'intestino.

Vedi anche STITICHEZZA.

LA MEDICINA UFFICIALE

Una dieta ricca di fibre e di liquidi, il riposo a letto, i farmaci per ammorbidire le feci, gli antibiotici e gli antispastici sono le raccomandazioni del caso.

Nei casi gravi possono essere necessari il ricovero ospedaliero e la somministrazione di antibiotici per via endovenosa.

Se c'è ostruzione del colon, formazione di una fistola o infiammazione del rivestimento della cavità addominale, si può intervenire chirurgicamente.

LE TERAPIE DELLA MEDICINA NATURALE

AGOPUNTURA. Aiuta a ridurre i sintomi e viene applicata su vari meridiani a seconda delle cause del disturbo.

MASSAGGIO. Varie forme di massaggio possono aiutare a eliminare il disturbo.

NATUROPATIA. Il medico può suggerire di eliminare le carni rosse, gli alcolici, le bevande eccitanti e i carboidrati raffinati. Evitare i latticini aiuta alcuni a limitare i danni. Le strategie dietetiche comprendono il consumo di succhi freschi di frutta e verdura e in particolare di quelli di carota, mela e cavolo. Il succo di aloe vera aiuta a prevenire la stitichezza e altri problemi del colon. Talvolta si suggerisce anche un digiuno.

VITAMINE E MINERALI. Le raccomandazioni comprendono capsule di aglio, vitamina K (che però viene distrutta dall'assunzione di antibiotici), vitamina A (che protegge il peritoneo) e vitamina E (che protegge le membrane mucose).

YOGA. La pratica regolare è benefica perché molte posizioni tonificano gli organi e incoraggiano il passaggio dei materiali di scarto attraverso l'apparato digerente.

In più lo yoga contribuisce a controllare lo stress, che può far peggiorare tutti i problemi degli organi della digestione.

LA PREVENZIONE

Un buon modo per prevenire la diverticolosi è assumere molte fibre, aumentando progressivamente la dose.

Se la diverticolosi è già presente, evitate di mangiare semi oleosi (noci, mandorle, nocciole) e pop corn, che possono rimanere impigliati nei diverticoli e causare infiammazione.

Bevete molta acqua ed evitate gli alcolici.

Cercate di andare di corpo regolarmente e senza sforzo. Ma non usate lassativi o supposte di glicerina per aiutarvi, perché questi prodotti danno assuefazione.

Cercate di ridurre la quantità di stress della vostra vita con tecniche adeguate di controllo.

Fate esercizi per tonificare i muscoli addominali (*vedi* pagg. 368-369).

Dolori cronici *Un dolore che dura per più di sei mesi è detto cronico. Può essere il risultato di un trauma, di una malattia come l'artrite reumatoide o il cancro o di disturbi per i quali i medici non*

sono in grado di trovare una causa organica, come una lombalgia, una cefalea cronica o un dolore dei genitali. In alcune occasioni, senza ragione apparente, può svilupparsi un dolore acuto mesi dopo la guarigione di una ferita.

Spesso i dolori cronici sono collegati a fattori psicologici. Il soggetto colpito da un dolore cronico si chiude in se stesso, tende a diventare depresso, ad avere problemi di sonno, carenze di energia e a isolarsi da parenti e amici.

Vedi anche ARTRITE, CANCRO, CEFALEA, DEPRESSIONE, MAL DI SCHIENA, STRESS.

LA MEDICINA UFFICIALE

In genere il medico prescrive analgesici, spesso in associazione a farmaci narcotici, antidepressivi, sedativi o antinfiammatori.

Gli analgesici della categoria dei narcotici possono essere assunti per via orale o iniettati.

Oltre ai farmaci, il trattamento può prevedere varie forme di supporto psicologico, iniezioni di sostanze che blocchino le risposte nervose, stimolazioni nervose elettriche transcutanee (che si ottengono inviando impulsi elettrici ai nervi posti sotto la superficie della pelle), interventi chirurgici sul cervello, il midollo spinale o i nervi.

I pazienti possono essere anche ricoverati in un centro specializzato per la terapia del dolore.

LE TERAPIE DELLA MEDICINA NATURALE

AGOPUNTURA. È in grado di fornire un rapido sollievo ad alcuni dolori cronici, in parti-

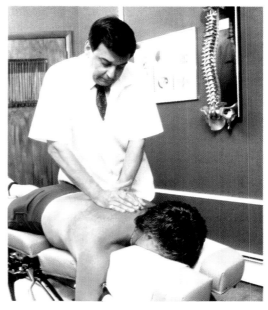

Chi soffre di dolori lombari *spesso trova sollievo nelle manipolazioni di un chiropratico.*

colare attraverso il trattamento di un punto del meridiano dell'Intestino Crasso che è considerato il più efficace punto di analgesia.

■ CHIROPRATICA. La manipolazione vertebrale può dare sollievo ai dolori causati da problemi articolari o da vertebre non perfettamente allineate.

■ DIGITOPRESSIONE. Per il dolore in generale si consiglia di esercitare una pressione nella depressione a lato e dietro il malleolo esterno (osso esterno della caviglia).

Se il dolore è avvertito nella parte superiore del corpo, applicate la pressione su un punto situato alla confluenza tra l'indice e il pollice.

Se il dolore è nella parte inferiore del corpo, esercitate la pressione su un punto situato circa un palmo al di sopra dell'osso interno della caviglia, appena dietro la tibia; la pressione dovrà essere esercitata verso l'interno, a lato dell'osso.

■ IDROTERAPIA. Compresse alternate calde e fredde, impacchi di ghiaccio e bagni caldi e freddi sono tra le forme di idroterapia più utili per chi soffre di dolori cronici. I bagni freddi tonificano i muscoli, stimolano la circolazione e risvegliano l'attenzione; quelli caldi rilassano, danno sollievo ai muscoli e alle articolazioni dolenti, favoriscono il sonno.

■ IPNOSITERAPIA. Considerata efficace soprattutto per i dolori cronici causati da lesioni o malattie, l'ipnosi aiuta a spostare l'attenzione dal dolore ad altri aspetti dell'esistenza.

■ NATUROPATIA. I grassi contenuti nei pesci sono ricchi di sostanze che sembrano in grado di ridurre l'infiammazione dolorosa presente nell'artrite: provate a mangiare più sgombri, aringhe, salmone e altri pesci grassi.

Consigliabili sono anche il biofeedback e altre tecniche di rilassamento.

■ YOGA. Lo yoga dà sollievo a chi soffre di artrite reumatoide, di mal di schiena e di altri dolori cronici. Eseguire regolarmente le posizioni yoga, le tecniche di rilassamento e di respirazione o la meditazione nella combinazione che si preferisce, è efficace contro i sintomi dolorosi.

LA PREVENZIONE

I fattori emotivi hanno un ruolo di primo piano nella gestione del dolore, quindi è bene imparare a capire che cosa rende tesi o ansiosi e come comportarsi con questo tipo di emozioni.

Depressione, stress e ansia possono abbassare la soglia del dolore: per questo il sollievo alle sofferenze psichiche aiuta spesso anche a circoscrivere il dolore fisico.

Circondatevi di amici e parenti comprensivi con i quali parlare liberamente. Sostenete il benessere generale concedendovi pasti equilibrati e moderati, adeguato riposo ed esercizio fisico regolare. Oltre a tenervi in forma e a rilassarvi, l'allenamento fisico sollecita il corpo a produrre endorfine, sostanze con azione analgesica.

Eczema
La pelle infiammata che prude e si squama o produce vesciche può essere un tipo di eczema, provocato in molte forme anche da una reazione allergica.

L'eczema atopico, che colpisce i neonati e gli individui che soffrono di allergia, si riconosce dall'eruzione cutanea caratterizzata da intenso prurito.

La dermatite eczematoide auricolare colpisce l'esterno delle orecchie e il canale uditivo.

Vedi anche ALLERGIE, DERMATITE, INTOLLERANZE ALIMENTARI, STRESS.

LA MEDICINA UFFICIALE

Per ridurre il prurito, vengono applicati alle zone colpite unguenti calmanti.

Nei casi più gravi si prescrivono antistaminici e antibiotici.

LE TERAPIE DELLA MEDICINA NATURALE

■ AGOPUNTURA. Può ridurre efficacemente certe forme di eczema.

I punti da stimolare si trovano sui meridiani dell'Intestino Crasso, del Polmone, della Milza e dello Stomaco.

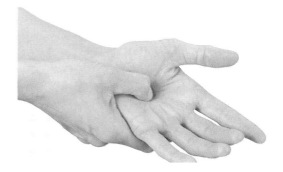

La riflessologia, *attraverso il massaggio del piede e quello della mano, può aiutare chi soffre di eczemi. Per quanto riguarda il massaggio della mano, una delle zone su cui effettuare la pressione (utile per il trattamento di tutte le malattie della pelle) è quella corrispondente ai reni, situata al centro del palmo.*

■ FIORI DI BACH. *Crab apple* è generalmente in grado di alleviare i disturbi legati all'eczema; *Clematis* e *Mimulus* contribuiscono a combattere l'ipersensibilità.

Se coloro che soffrono di eczema si sentono particolarmente disturbati dalla loro condizione, si ritiene che *Impatiens* possa essere d'aiuto. Può essere efficace anche la crema di *Rescue remedy*, applicata sulla parte infetta.

■ IDROTERAPIA. Le compresse umide (*vedi* pag. 88) possono dare sollievo, mentre una frizione quotidiana di tutto il corpo con un asciugamano asciutto o una salvietta inumidita in acqua fredda migliora la circolazione e promuove il rinnovamento dei tessuti cutanei.

Per alleviare l'irritazione, sciogliete bicarbonato di sodio (bastano due cucchiaini) nell'acqua calda del bagno.

■ IPNOSITERAPIA. Poiché ansia e stress sono spesso concause nelle malattie cutanee, l'ipnosi può aiutare molto.

■ NATUROPATIA. Le intolleranze alimentari sono tra le più frequenti cause del disturbo, soprattutto tra i bambini. Il medico può suggerire una dieta di eliminazione per individuare gli alimenti sospetti.

Alcuni naturopati suggeriscono di limitare al minimo i prodotti di origine animale e quelli che contengono zucchero.

Si ritiene che le foglie di cavolo fresco, ben lavate e pestate, possano alleviare gli eczemi. Applicate le foglie sulla parte affetta, fermandole con una benda, ogni mattina e sera.

■ OMEOPATIA. Si consiglia *Graphites* quando l'eczema colpisce sulle mani e dietro le orecchie.

Arsenicum è efficace nel caso di eczema secco cronico.

Sulphur può essere indicato se il prurito peggiora con il calore e se il desiderio di grattare diviene irresistibile.

■ RIFLESSOLOGIA. L'eczema risponde al massaggio dei punti posti sui due lati della pianta del piede.

Le zone riflessogene da stimolare comprendono le ghiandole surrenali, il plesso solare e i reni (*vedi* pag. 189).

■ VITAMINE E MINERALI. Il medico può raccomandare integrazioni di vitamine A, C e del complesso B per guarire l'eczema e prevenire le ricadute.

LA PREVENZIONE

Riducete gli stress e riposatevi a sufficienza. Tenete pulita l'area colpita con l'aiuto di un sapone leggero e di uno shampoo a base non oleosa.

Emicrania
L'emicrania è una cefalea particolarmente intensa, che può durare ore o giorni. Tra i fattori scatenanti vanno segnalate le intolleranze alimentari, l'uso della pillola anticoncezionale e di altri farmaci, la mancanza di sonno. Molte donne ne soffrono durante le mestruazioni. Tensione emotiva e stress non solo scatenano il disturbo ma ne intensificano il dolore.

I sintomi comprendono un fortissimo dolore, spesso localizzato a un solo lato del capo, ipersensibilità a luci e suoni, nausea e vomito.

Se l'emicrania tende ad essere ricorrente e dura a lungo, occorre una seria diagnosi medica per escludere la possibilità di patologie gravi.

Chi soffre di emicrania ha in genere il primo attacco durante l'adolescenza (e comunque prima dei trent'anni). Il disturbo sembra poi sparire dopo i cinquanta. Colpisce più le donne che gli uomini e tende ad essere ereditario.

Vedi anche CEFALEA, INSONNIA, INTOLLERANZE ALIMENTARI, NAUSEA, PROBLEMI MESTRUALI.

LA MEDICINA UFFICIALE

Aspirina e paracetamolo possono dare sollievo. In caso contrario il medico prescrive un analgesico più forte o un farmaco vasocostrittore, come l'ergotamina, che agisce sui vasi che circondano il cervello (che tuttavia può essere pericolosa se assunta in eccesso o durante la gravidanza).

Per prevenire l'emicrania sono usati betabloccanti e calciobloccanti.

Per alcuni soggetti, l'assunzione di dosi quotidiane di aspirina riesce a ridurre la frequenza degli attacchi.

Anche la nausea può essere contrastata farmacologicamente.

Dato che i fattori psicologici giocano quasi sempre un ruolo di primo piano nei casi d'emicrania, alcuni medici suggeriscono la psicoterapia o tecniche mirate alla riduzione dello stress, per esempio il biofeedback.

LE TERAPIE DELLA MEDICINA NATURALE

■ AGOPUNTURA. È efficace per dare sollievo ai sintomi. Il trattamento si concentra su punti dei meridiani della Vescicola Biliare, del Fegato e dello Stomaco.

■ BIOFEEDBACK. Uno strumento di biofeedback consente di misurare la temperatura delle dita: la conoscenza delle sue variazioni (che indicano lo stato di maggiore o minore vasocostrizione) consente di percepire il sopraggiungere di un attacco di emicrania e quindi di riuscire a controllarlo.

■ CHIROPRATICA. L'operatore può ridurre le anomalie rilevabili a livello di collo, articolazioni toraciche e colonna vertebrale che abbiano contribuito a determinare il malessere.

■ DIGITOPRESSIONE. In caso di emicrania è utile trattare tre punti: uno sulla mano, uno sul collo e uno sul piede.

Sulla mano, la pressione deve essere esercitata nel punto alla confluenza tra pollice e indice.

All'apice del collo premete verso l'alto nel punto appena al di sotto del cranio e a lato della colonna vertebrale.

Sul piede, la pressione va esercitata sullo spazio tra l'alluce e il secondo dito, in direzione del centro del piede.

■ IDROTERAPIA. È utile l'applicazione di una compressa addominale fredda d'acqua e aceto, la mattina prima di alzarsi dal letto (per un'ora circa), tre volte la settimana.

■ NATUROPATIA. Dopo aver sottolineato l'importanza dell'esercizio fisico regolare e del rilassamento, il naturopata consiglia in genere di evitare caffeina e alcol (soprattutto vino rosso), carni rosse o conservate e glutammato monosodico (l'additivo presente nei dadi da brodo).

Esercizi di allungamento dei muscoli del collo e delle spalle aiutano a ridurre la tensione, che può provocare l'emicrania.

Qualcuno trova opportuno andare a dormire ai primi sintomi o anche semplicemente stare in una stanza silenziosa, al buio.

■ OMEOPATIA. Sono consigliati *Sanguinaria* per il dolore sul lato destro, *Spigelia* per quello sul lato sinistro.

Altri rimedi comuni sono *Iris versicolor*, nei casi in cui compaiono disturbi visivi prima del sopraggiungere del mal di testa (di solito accompagnato da vomito e dalla sensazione che il cranio sia compresso) e *Natrum muriaticum*, nei casi in cui il dolore sia pulsante e si avverta una sensazione di bruciore, oppure quando l'emi-

crania sia annunciata da formicolii e intorpidimento al viso.

■ OSTEOPATIA. Contro il dolore, l'osteopata può intervenire con manipolazioni intese a favorire la circolazione e gli impulsi nervosi al cervello.

■ RIFLESSOLOGIA. Il massaggio delle aree corrispondenti a testa, colonna vertebrale, occhi, seni frontali, ipofisi, tiroide e surrenali, fegato, apparato digerente e plesso solare è molto utile per ridurre il dolore.

■ VITAMINE E MINERALI. Sono consigliate integrazioni di vitamina PP (niacina), che aiuta a conservare la dilatazione dei vasi sanguigni, del complesso vitaminico B, di vitamina C, di magnesio e di calcio.

■ YOGA. Meditazione e rilassamento aiutano a prevenire gli attacchi e a dar sollievo ai sintomi. Sono raccomandate anche le posizioni che allentano la tensione nella parte alta della schiena, nelle spalle e nel collo, come la *Candela* (*vedi* pag. 228). Anche le tecniche di respirazione yoga sono molto indicate.

LA PREVENZIONE

Dal momento che alcuni individui sono sensibili alla tiramina, un vasodilatatore naturale presente in dosi elevate in formaggi stagionati, fegato, banane, melanzane, cioccolato e lievito, tenere un diario di ciò che si mangia, per individuare un possibile collegamento dietetico con gli attacchi di emicrania, è utile. Evitate quindi le situazioni e le sostanze che sembrano in grado di sca-

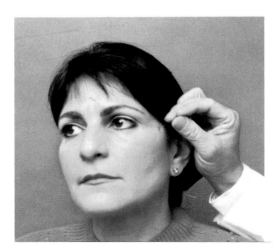

Con l'inserimento di aghi sottilissimi in *alcuni punti del volto è possibile a volte vincere l'emicrania. Sull'agopuntura e le altre terapie della medicina cinese, vedi pagg. 40-49.*

tenarli e così pure l'eccesso di bevande alcoliche. Alcune donne hanno vinto l'emicrania abbandonando i contraccettivi orali a favore di altri.

La gestione dello stress è essenziale per evitare gli attacchi ricorrenti di emicrania. Esercizio fisico regolare, ritmi di lavoro meno intensi e pratica di terapie o forme di rilassamento aiutano a limitare le ricadute.

Emorroidi *La dilatazione di una vena rettale, cioè sostanzialmente una vena varicosa, è la causa delle emorroidi, un disturbo che produce prurito, dolore, perdite di sangue e, più raramente, perdite mucose. Le emorroidi possono rendere difficoltoso sia sedersi sia defecare.*

Vedi anche Problemi circolatori, Stitichezza, Vene varicose.

LA MEDICINA UFFICIALE

In genere si raccomandano rimedi per ammorbidire le feci e una dieta ricca di fibre.

Un anestetico locale o una pomata antinfiammatoria, oltre che impacchi di amamelide, possono dare sollievo ai sintomi.

Nei casi più gravi, oltre alla rimozione chirurgica, in genere in anestesia locale, si può ricorrere alla criochirurgia, che cauterizza le emorroidi con il freddo.

LE TERAPIE DELLA MEDICINA NATURALE

AGOPUNTURA. I punti per guarire le emorroidi, per ridurre l'infiammazione, l'emorragia e il dolore sono posti sui meridiani del Polmoni, della Milza-Pancreas, dello Stomaco, del Rene e della Vescica.

IDROTERAPIA. Un buon sistema per ridurre il dolore delle emorroidi è quello di fare un bagno alternato, seguito da una frizione: immergetevi in una vasca con quindici centimetri di acqua molto calda per una decina di minuti. Fate seguire un'immersione di un minuto in acqua fredda, poi strofinatevi con un asciugamano immerso in acqua ghiacciata e poi strizzato. Asciugatevi, copritevi bene e rimanete stesi al caldo per almeno venti minuti.

NATUROPATIA. Oltre a fare esercizi per mantenere tonici i muscoli addominali (e quindi combattere la stitichezza), è opportuno seguire una dieta a base di cibi integrali e di alimenti crudi, ricca di fibre, di vitamine, di minerali e di oligoelementi. Diete di questo tipo aiutano a prevenire le ricadute.

Sia per la prevenzione, sia per la cura *delle emorroidi è importante regolarizzare le funzioni intestinali mediante una dieta ricca di fibre, cioè di frutta e di verdura di stagione e di alimenti integrali, quali pasta, riso e pane.*

Evitate invece gli alimenti piccanti, la caffeina e l'alcol. È importante bere anche molta acqua, almeno sei, otto bicchieri al giorno.

VITAMINE E MINERALI. Si consigliano vitamine E, C, e del complesso B.

LA PREVENZIONE

Molti soggetti soffrono di emorroidi per la stitichezza e gli sforzi dovuti al passaggio delle feci. In questo caso è opportuna una dieta ricca di fibre (veri e propri "lassativi naturali"): mangiate quindi molti cereali integrali, crusca di avena, frutta e verdure crude e cotte.

Bere molta acqua e succhi aiuta a gonfiare e ad ammorbidire la fibra ingerita e quindi a migliorare la qualità delle feci.

L'esercizio fisico stimola il tono muscolare, che aiuta a contrastare la stitichezza. Anche camminare a passo svelto, specialmente dopo mangiato, può essere utile.

Enfisema *Questa malattia, che colpisce gli alveoli polmonari (dove si raccoglie l'aria), è incurabile ed è provocata quasi sempre dal fumo, anche se l'inquinamento può far aggravare la situazione.*

In rarissimi casi sembra possa dipendere da un fattore genetico.

Vedi anche Allergie, Asma, Bronchite, Raffreddore, Raffreddore da fieno, Tosse.

LA MEDICINA UFFICIALE

Il trattamento punta in genere ad attenuare i sintomi, come il fiato corto, la tosse, l'infiammazione dei polmoni e la ritenzione idrica, oltre che a rallentare la progressione della malattia per ridurne al minimo i disagi.

Il medico chiede sempre al paziente di smettere di fumare. Può inoltre prescrivere broncodilatatori.

L'ossigenoterapia può servire in particolari casi di difficoltà respiratorie. Se si verifica un'infezione vengono prescritti antibiotici.

LE TERAPIE DELLA MEDICINA NATURALE

■ AGOPUNTURA. Per dare sollievo ai sintomi si stimolano in particolare i punti posti sui meridiani del Polmone e della Vescica.

■ AROMATERAPIA. Al vapore per le inalazioni si può aggiungere estratto di eucalipto, utile pure nell'olio per i massaggi. Anche l'essenza di limone è molto indicata.

■ IDROTERAPIA. Un impacco di acqua fredda sul petto riduce la congestione.

■ NATUROPATIA. Si consiglia una dieta a basso tenore di sale e di sodio, che favoriscono la ritenzione dei liquidi. (Va ricordato che tutti i cibi industriali contengono elevate quantità di sodio.) Molto utili invece frutta e verdure crude e razioni quotidiane di aglio e cipolle (anche queste meglio crude).

■ RIFLESSOLOGIA. Le zone riflessogene da stimolare per dar sollievo ai sintomi sono in particolare quelle corrispondenti al diaframma, al cuore, alla gola e al sistema immunitario.

■ VITAMINE E MINERALI. Le capsule di aglio difendono dalle infezioni.

Le vitamine A e C sollecitano il sistema immunitario e aiutano a guarire il tessuto polmonare infiammato.

Il magnesio rafforza i muscoli della respirazione e riduce la tendenza agli spasmi bronchiali.

LA PREVENZIONE

Una volta smesso di fumare, altri cambiamenti nella dieta e nello stile di vita possono aiutare a mantenere lo stato generale di salute a livelli accettabili e ad evitare, per quanto possibile, le infezioni respiratorie e altri problemi correlati.

In genere si consiglia una dieta povera di sale, per ridurre la ritenzione di liquidi. Molte tisane a base di erbe sono adatte per ripulire i canali ostruiti dal muco.

Se il luogo dove lavorate è polveroso, sporco o inquinato da sostanze tossiche, indossate

L'olio essenziale di eucalipto (Eucalyptus globulus) *favorisce la respirazione. È utile quindi vaporizzarlo nell'ambiente con un diffusore o metterne qualche goccia nella vaschetta appesa al termosifone, in inverno. In caso di enfisema, si possono fare inalazioni con acqua calda nella quale sono state aggiunte poche gocce di questo olio.*

una mascherina, usate un respiratore o esaminate la possibilità di cambiare lavoro.

Chi soffre di enfisema è particolarmente vulnerabile nei confronti di bronchite, polmonite e altre gravi patologie respiratorie. Per questo deve cercare di non entrare in contatto con persone che abbiano raffreddore o influenza ed eventualmente vaccinarsi ogni anno, a titolo preventivo, contro quest'ultima.

L'attività fisica regolare accresce la resistenza; diversamente, il più lieve movimento può lasciarvi senza fiato. Eseguite con regolarità gli esercizi scelti a patto che non siano troppo impegnativi (camminare o giocare a golf sono ottimi, sotto questo aspetto). Anche gli esercizi di respirazione giovano.

Enuresi Ne esistono due tipi: quella "primaria" (non è preceduta da un periodo di continenza e insorge verso i cinque anni) e quella "secondaria" (è stata preceduta da continenza e si manifesta tra i cinque e gli otto anni).

Generalmente i bambini smettono di bagnare il letto a tre anni e mezzo, ma il dieci per cento circa continua a farlo fino a cinque e una percentuale minore fino a otto anni o più. Questo disturbo causa nel bambino uno spiccato senso di disagio e può rendere difficili i rapporti familiari.

Nella maggior parte dei casi, l'enuresi primaria è causata da un ritardo nel controllo della vescica, così come alcuni bambini sono più lenti a imparare a leggere e a scrivere.

La causa più comune dell'enuresi secondaria è invece nella presenza di problemi psicologici ed emotivi, per esempio lo stress provocato dalla nascita di un fratellino o da contrasti oppure separazione fra i genitori. Sono questi ultimi che provocano talora l'insorgere di questo problema cominciando troppo presto a far sedere il piccolo sul vasino, o essendo troppo pignoli o troppo insistenti nel costringerlo a tale abitudine.

Altre cause dell'enuresi possono essere infezioni urinarie oppure malformazioni congenite dell'uretra o della vescica.

LA MEDICINA UFFICIALE

Il problema è quasi sempre di origine psicologica e, nei casi più gravi, viene coinvolto uno psicoterapeuta. Il medico può prescrivere antidepressivi o ansiolitici: il ricorso a farmaci è però raro e, in linea di massima, molto breve.

Nei casi, rarissimi, in cui siano implicate anomalie fisiche, il medico richiederà l'intervento del chirurgo.

LE TERAPIE DELLA MEDICINA NATURALE

■ FITOTERAPIA. Per combattere l'enuresi può essere utile bere due tazze al giorno di decotto di bistorta (*Polygonum bistorta*). Per prepararlo fate bollire per cinque minuti 30 g di rizomi secchi in un litro d'acqua e lasciate in infusione per dieci minuti.

■ IDROTERAPIA. Prima di mettere a letto il bambino, fategli un bagno tiepido, molto salato con sale marino. Urinerà nell'acqua, liberando così la vescica prima di addormentarsi.

■ OMEOPATIA. I rimedi omeopatici possibili sono molto numerosi, ma devono essere indicati da un complesso di sintomi. Spesso verrà consigliata anche una psicoterapia. Fra i rimedi sintomatici più adatti ci sono *Belladonna* se il sonno è molto profondo, *Causticum* per l'enuresi del primo sonno, *Argentum nitricum* per i bambini molto agitati.

LA PREVENZIONE

I medici convenzionali, ma anche quelli naturali, sottolineano l'importanza di non trasmettere al bambino sensazioni di vergogna, di evitare qualunque forma di punizione o di forzatura per cercare di far superare il problema (in effetti, l'enuresi non dovrebbe essere considera-

ta un problema fino al compimento dei quattro-cinque anni di età, poiché ogni bambino raggiunge il controllo delle funzioni della vescica in età differenti). Il medico, innanzi tutto, spiegherà sia al bambino sia ai genitori che l'enuresi è un problema che tende a scomparire spontaneamente, che fa parte dello sviluppo naturale. Questo approccio potrebbe incoraggiare il bambino a parlare liberamente di tutto ciò che lo affligge e a comunicare le sue paure (per esempio quella del buio).

Dal punto di vista pratico, è bene evitare di fare assumere liquidi al bambino prima di coricarsi e insegnargli a svuotare la vescica come ultima azione della giornata.

Epatite *Malattia acuta o cronica del fegato, l'epatite è un'infezione causata quasi sempre da uno dei tre virus A, B o C. Altre cause comprendono la reattività a un farmaco, sostanze chimiche e veleni. I sintomi sono simili a quelli dell'influenza: febbre, nausea e malessere.*

Qualche volta, quando sono più gravi, possono comparire ittero (la pelle diventa giallognola), dolori articolari, disturbi al fegato e perfino coma.

Una forma di epatite acuta è l'epatite A infettiva, associata all'assunzione di cibi e acqua contaminati. Si diffonde soprattutto per contatto con le feci infette.

La maggioranza dei soggetti portatori del virus dell'epatite B, trasmesso dal sangue, ha contratto l'infezione attraverso una trasfusione, una dialisi, un rapporto sessuale o un farmaco somministrato per via endovenosa.

Quando l'epatite B diventa cronica, il rischio è che si sviluppino cirrosi epatica (che compromette le funzioni del fegato) o cancro epatico. Una forma di epatite cronica è determinata da un eccessivo consumo di alcol. Il virus C è frequente soprattutto tra individui che hanno ricevuto trasfusioni.

LA MEDICINA UFFICIALE

Non c'è cura per l'epatite acuta, anche se si possono tenere sotto controllo i sintomi.

Eccettuato il caso in cui esista una debolezza del sistema immunitario, in genere la malattia si risolve da sé con l'aiuto del riposo a letto.

In Italia si sta operando la prima sperimentazione su vasta scala con immunizzazione obbligatoria contro l'epatite B di tutti i bambini appena nati e prima del compimento del dodicesimo anno di età.

LE TERAPIE DELLA MEDICINA NATURALE

■ AGOPUNTURA. È utile il trattamento dei punti sui meridiani del Fegato, della Vescicola Biliare e della Milza-Pancreas.

■ NATUROPATIA. Si consiglia una dieta ricca di fibre e priva di grassi saturi e di fritti, con pochissimi dolci e alimenti industriali.

Non mangiate pesce e crostacei crudi per non esporvi al rischio di contaminazione batterica.

Non bevete alcol.

■ RIFLESSOLOGIA. Per alcune forme di epatite è efficace il massaggio di alcune zone riflesse: quelle corrispondenti al fegato, alla cistifellea, all'intestino e alla milza.

■ VITAMINE E MINERALI. Iniezioni di vitamina C si sono dimostrate efficaci nella prevenzione dell'epatite tra i politrasfusi.

Vitamina B_{12} e acido folico accelerano la guarigione dell'epatite virale.

LA PREVENZIONE

Una buona igiene personale e la vaccinazione in caso di viaggi in alcuni paesi tropicali sono precauzioni importanti. Se vi recate in un luogo dove gli standard igienico-sanitari sono inadeguati, evitate di bere acqua che non sia stata bollita. Non mangiate pesce, crostacei né altri alimenti provenienti da acque che potrebbero essere contaminate. Evitate la frutta e le verdure crude a meno di averle sbucciate con le vostre mani (dove si usi letame come fertilizzante, il virus può essere trasmesso ai prodotti coltivati).

Se sospettate di avere l'epatite, fatevi visitare subito dal medico per avere una diagnosi.

Mettetevi a riposo. Evitate di bere alcol e di mangiare grassi cotti, che impegnano eccessivamente il fegato.

Epistassi È il cosiddetto "sangue da naso", un'emorragia che può provenire da una sola o da entrambe le narici. Si tratta di un disturbo frequente, specialmente nei giovani. Il problema dura di solito pochi minuti, al massimo un'ora, e non dà in genere serie conseguenze.

L'epistassi può essere favorita da raffreddore, dal soffiarsi il naso troppo energicamente, da trauma al naso, da cambiamenti della pressione barometrica, da ipertensione arteriosa e da sinusite.

Se il disturbo non cessa dopo un'ora, soprattutto se il soggetto che perde sangue è un anziano oppure diventa pallido e accusa vertigini, conviene consultare un medico (a cui è bene rivolgersi anche se i fenomeni di epistassi sono molto frequenti).

Vedi anche IPERTENSIONE, RAFFREDDORE, SINUSITE.

LA MEDICINA UFFICIALE

Se l'epistassi è ricorrente, occorre cercarne le cause e quindi curare il disturbo di cui il sanguinamento del naso è solo il sintomo. Se viene individuato il punto della mucosa nasale in cui siano presenti vasi anomali, si può procedere a una cauterizzazione. In caso di emorragia grave il paziente può essere ricoverato.

LE TERAPIE DELLA MEDICINA NATURALE

■ IDROTERAPIA. Spesso un impacco di ghiaccio (alla radice del naso) è molto utile: il freddo stimola la contrazione dei vasi sanguigni e riduce il sanguinamento.

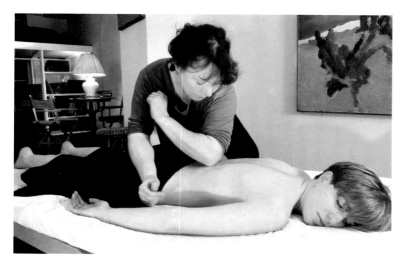

Un trattamento shiatsu effettuato nella zona della colonna lombare può essere efficace contro i sintomi dell'epatite.

NATUROPATIA. Nella maggior parte dei casi l'emorragia dovrebbe cessare semplicemente facendo sedere ben diritta la persona su una sedia, con la testa leggermente reclinata in avanti, comprimendo la parte molle del naso per quindici minuti.

Il sangue che cola lungo la parte posteriore del naso deve venire inghiottito o sputato; la respirazione deve avvenire attraverso la bocca. Se l'emorragia ricomincia, stringete il naso per altri quindici minuti.

VITAMINE E MINERALI. Se vi capita facilmente di perdere sangue dal naso, forse è il caso di assumere supplementi di ferro per aiutare l'organismo a sostituire rapidamente il sangue che ha perso (il ferro è un componente fondamentale dell'emoglobina, la sostanza di base dei globuli rossi del sangue).

Anche integrazioni di vitamina C possono essere utili: questa vitamina è essenziale per mantenere i tessuti corporei in buone condizioni.

LA PREVENZIONE

L'aspirina può ostacolare la coagulazione del sangue. Se perdete facilmente sangue dal naso, è consigliabile fare attenzione al consumo di aspirina. (Anche alcuni alimenti, contenenti salicilati, sono controindicati. Fra questi mandorle, mele, albicocche, frutti di bosco, ciliege, uva, oltre che tè e caffè.)

Gli individui che soffrono di ipertensione sono particolarmente esposti alle emorragie nasali. Seguite quindi una dieta a basso contenuto di grasso e di colesterolo.

Smettere di fumare è utile, anche perché il fumo disidrata le narici, che invece andrebbero mantenute sempre umide.

Febbre Le cause più frequenti di febbre sono le infezioni da germi, contro le quali rappresenta un meccanismo di difesa dell'organismo. La febbre può anche essere dovuta a intossicazioni alimentari, strapazzi fisici o alterazioni del normale funzionamento della tiroide.

È accompagnata in genere da un aumento dei battiti cardiaci e degli atti respiratori, da inappetenza, mal di testa.

La febbre può essere un sintomo di malattia e non va quindi soppressa sistematicamente con farmaci antifebbrili.

Vedi anche CEFALEA, INTOSSICAZIONE ALIMENTARE, NAUSEA, STANCHEZZA.

I germogli sono un cibo leggero e digeribile, che costituisce una vera e propria miniera di vitamine e minerali. Sono utili quindi negli stati febbrili. Potete anche prepararli in casa vostra utilizzando gli appositi "germogliatori".

LA MEDICINA UFFICIALE

Contro la febbre si consiglia il riposo in ambiente fresco, con assunzione di abbondanti liquidi. I medici potrebbero prescrivere farmaci antipiretici o antinfettivi (mentre ricercano le cause della febbre).

LE TERAPIE DELLA MEDICINA NATURALE

FITOTERAPIA. Quando avete la febbre, bevete tisane, calde o fredde, a base di timo, fiori di tiglio e fiori di camomilla secchi (le tre erbe in parti uguali). Il timo ha proprietà antisettiche, la camomilla riduce l'infiammazione e il tiglio stimola la sudorazione.

Il sambuco (*Sambucus nigra*) è un ottimo rimedio contro le febbri influenzali. Bevete una tazza di infuso tre volte al giorno. Per prepararlo, lasciate in infusione per dieci minuti in un litro di acqua bollente 35 g di fiori di sambuco.

Anche l'achillea (*Achillea millefolium*), che fa sudare, abbassa la pressione ed è sia diuretica sia astringente, è utile contro la febbre. Prendete una tazza di infuso tre volte al giorno. Per prepararlo, ponete in infusione per dieci minuti 30 g di sommità fiorite secche di sambuco in un litro di acqua bollente.

IDROTERAPIA. Se la febbre non è molto alta, gli impacchi caldi e umidi, per quanto strano possa sembrare, aiutano a diminuire il calore del corpo. Quando però il paziente comincia a sentire troppo caldo, togliete gli impacchi caldi e applicatene di freddi alla fronte, ai polsi e ai polpacci. Tenete coperto il resto del corpo.

Se la febbre sale oltre i 39,5 °C, non usate impacchi caldi, ma freddi, per evitare che la febbre salga ancora. Cambiateli appena si scaldano e continuate finché la febbre non diminuisce.

■ NATUROPATIA. Due metodi per combattere la febbre, apparentemente contrapposti tra loro, sono quello di favorire la sudorazione per eliminare le tossine e quello di contenere l'alterazione febbrile per mezzo di bagni a temperatura controllata (2-3 °C meno della temperatura corporea).

È opportuno bere molti liquidi (uno o due litri al giorno, con succhi di limoni e arance, ricchi di vitamina C che rafforza le difese dell'organismo). Sono molto utili anche i succhi di barbabietola e di carote, ricchissimi di elementi nutritivi.

Nella fase acuta è consigliabile adottare una dieta molto leggera e prevalentemente vegetariana, in modo che tutte le risorse dell'organismo siano finalizzate a combattere la malattia. Gli alimenti consigliati sono: crescione (anche in germogli), prezzemolo, sedano, carote e tutte le verdure fresche di stagione; agrumi, uva spina, more, lamponi, miele.

■ OMEOPATIA. *Aconitum* viene prescritto ai primi segnali di comparsa di febbre accompagnata da irrequietezza e intensa sete.

Belladonna è consigliato quando il paziente ha la sensazione di "bruciare", ha il viso caldo e arrossato e le pupille dilatate, per cui non sopporta la luce. La gola è intensamente rossa.

Bryonia è utile nei casi in cui il soggetto abbia la bocca asciutta, forte sete, bisogno di stare tranquillo e cefalea che si aggrava al più piccolo movimento. Il senso di debolezza non è molto marcato.

Pulsatilla può essere prescritto se il soggetto è un bambino ed è inquieto, piange e ricerca molte attenzioni. Non c'è sete nonostante la febbre ed esiste un peggioramento al caldo.

Nux vomica è consigliato se il paziente è estremamente irritabile, ipersensibile e si sente infreddolito.

Mercurius solubilis è il rimedio adatto quando la salivazione e il sudore sono abbondanti, l'alito è cattivo ed esiste ipersensibilità ai cambiamenti di temperatura.

Gelsemium è utile quando il paziente non ha sete, prova brividi di freddo lungo la schiena, accusa mal di testa nella regione posteriore del capo che peggiora al più piccolo movimento, sensazione di pesantezza alle palpebre e agli arti, si sente debole e trema.

LA PREVENZIONE

La comparsa della febbre deve venire considerata un sintomo e non una malattia particolare: in genere è il segnale che l'organismo sta combattendo contro un'infezione. L'intensa sudorazione è un segnale positivo, in quanto il corpo sta espellendo le sostanze indesiderate.

Se il soggetto è colpito da forti brividi, tremori e arriva a battere i denti, si consiglia di consultare il medico.

Fuoco di sant'Antonio
Nome popolare dell'herpes zoster, il fuoco di sant'Antonio deriva da un'infezione provocata dallo stesso virus della varicella e riguarda le radici dei nervi posti sotto la pelle.

Colpisce prevalentemente dopo i cinquant'anni ed è caratterizzato da un dolore bruciante e da un'eruzione di vescicole crostose che seguono l'andamento dei nervi colpiti. All'inizio si manifesta su un lato del viso o del collo, del petto o del tronco. Una volta guarita l'eruzione, la nevralgia (il dolore dei nervi, chiamato in questo caso "nevralgia posterpetica") può durare diversi mesi e, in alcuni casi, anni.

Vedi anche DOLORI CRONICI.

LA MEDICINA UFFICIALE

In primo luogo vengono prescritti analgesici, poi antivirali e cortisonici per rallentare la riproduzione del virus.

Se ci sono vesciche vicino all'occhio, spesso si richiede una visita specialistica.

LE TERAPIE DELLA MEDICINA NATURALE

■ AGOPUNTURA. La terapia del dolore è efficace, soprattutto per circoscrivere la nevralgia. Inoltre si stimolano punti del meridiano dell'Intestino Crasso.

■ AROMATERAPIA. Per avere reale efficacia, il trattamento deve iniziare non appena si manifestano i sintomi. Sulla zona colpita strofinate olio essenziale di geranio, salvia e timo (tre gocce di ciascuno sciolte in olio inerte). Se la zona è molto sensibile, l'olio deve essere applicato con delicati picchiettii.

■ IPNOSITERAPIA. Le sedute di ipnosi possono aiutare a sopportare il dolore bruciante di questa affezione e a rilassarsi.

■ NATUROPATIA. Quando fate il bagno, lavate delicatamente le vesciche, poi applicatevi compresse fresche e umide. Un pugno di amido di mais o di avena colloidale nell'acqua del bagno dà sollievo e accelera la guarigione. In ogni caso, cercate di non toccare le lesioni e di non grattarle.

Indossate indumenti ampi e comodi, in modo da evitare qualsiasi strofinamento e la conseguente irritazione delle vescicole.

Non applicate talco sulla parte lesa, in quanto può avere un'azione irritante; tenetela semplicemente coperta con una garza sterile o una pezzuola di lino.

■ OMEOPATIA. Tra i rimedi raccomandati, *Arsenicum* per le sensazioni di intenso bruciore, *Mezereum* per il dolore acuto o bruciante che perdura dopo la scomparsa dell'eruzione, *Ranunculus bulbosus* per il dolore intenso al petto o alla schiena, *Rhus toxicodendron* quando il prurito è intollerabile.

■ VITAMINE E MINERALI. Le integrazioni di vitamine del complesso B favoriscono la rigenerazione dei nervi.

Raccomandati sono anche la vitamina C, efficace antivirale, e i bioflavonoidi, che contribuiscono all'assorbimento della vitamina C.

LA PREVENZIONE

L'herpes zoster può insorgere anche in seguito a stress, oppure in presenza di una diminuzione delle difese immunologiche del soggetto. Una dieta equilibrata e corretta unita a un sano stile di vita può sicuramente aiutare a prevenire questo disturbo.

Gastrite *Con questo termine si raggruppa una notevole varietà di sintomi. Con "acidità di stomaco" si intende generalmente il rigurgito di acido o il reflusso di cibo parzialmente digerito nell'esofago o nella bocca.*

Altri sintomi, usati per definire la stessa sensazione sono, per esempio, il "bruciore di stomaco" (sensazione dolorosa avvertita dietro lo sterno), le eruttazioni acide, il gonfiore e la sensazione di pesantezza allo stomaco immediatamente dopo aver deglutito.

La gastrite può essere accompagnata da nausea, vomito oppure da diarrea.

Le cause più comuni sono la cosiddetta "indigestione", ossia l'assunzione eccessiva di cibo o di be-

vande alcoliche, l'abitudine di indossare abiti o cinture troppo stretti, il compiere attività fisica (o, al contrario, lo sdraiarsi) immediatamente dopo il pasto, il fumo e il caffè in eccesso, le terapie con antinfiammatori, cibi troppo speziati, gli alimenti infetti, lo stress prolungato.

Attacchi ripetuti di acidità di stomaco, accompagnati da bruciori o da una fastidiosa sensazione di nodo alla gola o di chiusura dello stomaco, possono essere causati da un rilassamento del diaframma alla base dell'esofago, che consente ai succhi gastrici, che sono acidi, di defluire dallo stomaco, verso l'alto. Questi sintomi possono in realtà indicare disturbi più seri, come un'ulcera gastrica o un'ernia iatale.

In tutti i casi di particolare intensità, e soprattutto di persistenza dei sintomi, si consiglia di consultare il medico.

Vedi anche AEROFAGIA, ALITOSI, INTOSSICAZIONE ALIMENTARE, NAUSEA, ULCERA.

LA MEDICINA UFFICIALE

I medici sono concordi nel ritenere che l'alimentazione sia un elemento importante nel trattamento della gastrite. Per ridurre l'acidità raccomandano una dieta leggera, suddivisa in piccoli pasti regolari che includano latte, pesce, pollo e cereali. Vengono di solito esclusi gli alimenti grassi e i fritti, i pasti pesanti, il consumo ecces-

L'aceto di mele *è molto utile quando i succhi gastrici sono insufficienti o si soffre di iperacidità, cioè di un'eccessiva produzione di acido da parte dello stomaco. È infatti in grado di riequilibrare l'acidità eccessiva meglio delle sostanze alcaline. Importante è la diluizione: assumete due cucchiaini di aceto di mele in un bicchiere di acqua.*

sivo di bevande alcoliche, il caffè, il tè, le spezie e i cibi molto acidi.

Qualora il disturbo dovesse continuare, il medico può prescrivere un preparato antiacido: una sostanza alcalina che ha lo scopo di neutralizzare l'acidità presente nello stomaco.

LE TERAPIE DELLA MEDICINA NATURALE

■ AGOPUNTURA. È una forma di terapia efficace per molti disturbi digestivi, in particolare i disturbi di stomaco, le gastriti, le ulcere e in genere le infiammazioni della mucosa gastrica.

■ FITOTERAPIA. Lo zenzero è molto utile per ridurre i sintomi della gastrite. Prendetelo in capsule o in compresse subito dopo mangiato. Cominciate con due capsule e, se necessario, aumentate la dose.

Le radici di consolida maggiore e di altea sono efficaci nel ridurre l'irritazione dell'apparato digerente. Si possono assumere in infuso o in decotto (*vedi* pag. 310) per un massimo di tre settimane consecutive.

■ IDROTERAPIA. Provate con una compressa sullo stomaco: bagnate un grande fazzoletto in acqua calda, strizzatelo e appoggiatelo direttamente sulla pelle all'altezza dello stomaco. Mettete sopra una borsa dell'acqua calda, nonché un piccolo plaid per trattenere a lungo il calore. State a riposo per almeno mezz'ora.

■ NATUROPATIA. Si consigliano piccoli pasti regolari, prevalentemente a base di frutta, verdura e cereali integrali, mentre è opportuno ridurre l'apporto di cibi a contenuto proteico, come carne, pesce, uova, formaggio e noci. Occorre eliminare completamente i grassi e gli alimenti che possono contenere sostanze irritanti, come gli additivi alimentari o le spezie.

Evitate di bere subito prima dei pasti e comunque cercate di bere poco anche durante.

Un buon rimedio contro l'acidità è un cucchiaio di aceto di mele in mezzo bicchiere d'acqua bevuto a piccoli sorsi durante il pasto (anche se può sembrare strano utilizzare un acido quando il problema è l'acidità).

■ OMEOPATIA. *Nux vomica* è utilizzata per alleviare i disturbi dovuti a indigestione o per attenuare una cefalea dovuta a disturbi della digestione.

LA PREVENZIONE

Oltre a seguire una dieta equilibrata e corretta, è utile, per prevenire la gastrite, fare particolare attenzione alle abitudini e allo stile di vita.

Rilassatevi, concedendovi venti minuti di tranquillità prima e dopo i pasti.

Mangiate lentamente, masticando bene ogni boccone, e cercate di rendere il pasto piacevole e rilassante.

Non fumate: il fumo irrita la mucosa gastrica.

Non mangiate mai meno di due ore e mezzo prima di andare a letto.

Assicuratevi un periodo di sonno sufficiente alle vostre necessità. Per dormire, alzate la testiera del letto di venti centimetri (basta mettere dei rialzi sotto le gambe oppure uno spessore sotto il materasso): tenere il letto inclinato ostacolerà il ritorno dei bruciori di stomaco.

Riducete il consumo di caffè e di tè fino a evitarli completamente durante il periodo degli attacchi.

Evitate le bevande alcoliche.

Quando vi chinate, piegate le ginocchia: se vi piegate in due all'altezza dello stomaco, lo comprimete, forzando gli acidi verso l'alto.

Non assumete elevate dosi di aspirina e ricordate che numerosi medicinali, fra cui in particolare alcuni antidepressivi e sedativi, possono aggravare l'acidità.

Geloni
Si tratta di lesioni a colorazione rossastra oppure violacea, pruriginose, talvolta screpolate, che colpiscono soprattutto le estremità, dovute al freddo umido.

I geloni compaiono per lo più sugli alluci e sulle altre dita dei piedi, ma possono interessare anche le orecchie e diverse parti del corpo.

Vedi anche PROBLEMI CIRCOLATORI.

LA MEDICINA UFFICIALE

Evitando di esporre al freddo le zone sensibili, i geloni di solito spariscono senza alcun trattamento nel giro di due o tre settimane.

LE TERAPIE DELLA MEDICINA NATURALE

■ IDROTERAPIA. Immergete dapprima i piedi in acqua calda per tre minuti circa e successivamente nell'acqua fredda per un minuto. Ripetete l'operazione per venti minuti al mattino o alla sera, terminando sempre con l'immersione in acqua fredda.

Può anche essere efficace un massaggio ai piedi, praticato dopo un pediluvio in acqua cal-

***Pediluvi alternati** aiutano a risolvere i geloni. Avete bisogno di due catini, uno con acqua calda e uno con acqua fredda. Mettete i piedi nell'acqua calda per tre minuti, poi in quella fredda per un minuto. Ripetete il trattamento per tre o quattro volte.*

da, a cui sia stato aggiunto un cucchiaio di calendula o di olio di senape ogni due litri d'acqua.

■ MASSAGGIO. Sui geloni si può praticare un massaggio con olio di oliva fino al recupero della giusta colorazione della pelle, oppure si può praticare un massaggio con olio e succo di cipolla miscelati. Il succo di cipolla si ottiene dalla filtrazione su una garza di una cipolla frullata o passata al minipimer.

■ NATUROPATIA. La carota è un ottimo alimento contro i geloni, soprattutto se associata all'olio di oliva.

Anche le forme più gravi di geloni possono essere alleviate, se non guarite, con un preparato composto da glicerina e miele. Mescolate un cucchiaio di ciascuna sostanza con l'albume di un uovo e un cucchiaio di farina. Sbattete gli ingredienti fino a ottenere una pasta omogenea e spalmatela sulla parte pulita e asciutta. Coprite con un leggero bendaggio e lasciate sulla parte per 24 ore. Si ritiene che per combattere i geloni sia efficace una dieta ricca di calcio e a base di verdura verde fresca, nonché di arance, mandorle, yogurt e semi di sesamo.

Abbiate sempre cura di non grattare i geloni, per non provocare un peggioramento delle condizioni.

■ OMEOPATIA. Tra i rimedi raccomandati, l'unguento di *Rhus toxicodendron* o di *Agaricus muscaria*, da applicare due volte al giorno.

Per via orale, usate *Petroleum* se la pelle tende a ulcerarsi e a screpolarsi, oppure se sono presenti fissurazioni sulla sommità delle dita.

Anche *Carbo vegetabilis* è efficace nei casi di prurito, bruciore e quando le condizioni peggiorano entrando in un letto caldo.

■ VITAMINE E MINERALI. Sono utili integrazioni di vitamina D, soprattutto per i bambini.

A chi è particolarmente soggetto a questo disturbo, può essere prescritta l'assunzione delle vitamine C ed E. Anche gli integratori vitaminici del complesso B possono dare buoni risultati.

LA PREVENZIONE

Il modo migliore per prevenire i geloni consiste nell'indossare indumenti caldi, soprattutto guanti, calzoni, scarpe.

Non fumate, perché la nicotina è un vasocostrittore. Il fumo riduce la circolazione periferica, quindi rende le estremità ancora più vulnerabili.

I soggetti che presentano disturbi circolatori dovrebbero svolgere regolare attività fisica per stimolare il flusso sanguigno.

Ogni volta che vi lavate le mani, soprattutto d'inverno, asciugatele con cura.

Si pensa che l'alcol riscaldi dall'interno, ma in realtà aumenta le perdite di calore: non serve quindi bere alcolici per proteggersi dai geloni.

Per proteggere la circolazione, è bene indossare indumenti comodi e non mettere anelli alle dita.

Gotta
La gotta è un disturbo metabolico che si manifesta con attacchi di intenso dolore articolare, soprattutto alla base dell'alluce, al piede, alla caviglia, al ginocchio, al polso, alle falangi delle dita delle mani. Il primo attacco, che di solito riguarda un'unica articolazione, dura pochi giorni. Se la malattia progredisce, altre giunture si infiammano, il dolore cresce e spesso subentrano complicazioni renali. Un sintomo tipico è lo sviluppo di una forma di artrite. I soggetti più a rischio sono gli individui obesi di sesso maschile.

Se l'acido urico, sottoprodotto del normale metabolismo delle proteine, non viene smaltito dai reni nel processo digestivo, o se viene prodotto in eccesso, si accumula nel sangue, forma cristalli e va a depositarsi in un'articolazione e nei tessuti circostanti, provocando l'infiammazione e quindi il dolore tipico della gotta.

Vedi anche ARTRITE, OBESITÀ, STRESS.

LA MEDICINA UFFICIALE

Per ridurre il dolore articolare si somministrano antinfiammatori.

Se il dolore è intenso si prescrivono analgesici, riposo a letto e molti liquidi.

L'allopurinolo è il farmaco usato per inibire la formazione di acido urico, mentre altri farmaci sono usati efficacemente per promuovere la sua eliminazione da parte dei reni.

LE TERAPIE DELLA MEDICINA NATURALE

■ AGOPUNTURA. La terapia punta in un primo tempo a ridurre dolore e infiammazione, poi a migliorare le condizioni generali. I meridiani trattati variano a seconda delle articolazioni colpite. In particolare vengono stimolati i punti dei meridiani del Fegato, della Milza-Pancreas, dello Stomaco e della Vescica.

■ IDROTERAPIA. È utile l'applicazione di compresse calde e fredde, oppure di ghiaccio, sull'articolazione colpita, per ridurre il dolore.

■ NATUROPATIA. Oltre a evitare gli alimenti ricchi di purina (tra questi soprattutto il fegato e le interiora) è opportuno aumentare il consumo di carboidrati complessi, di liquidi, di frutta e ortaggi freschi (a eccezione degli spinaci e degli asparagi).

Alcuni medici raccomandano di mangiare molte ciliege, mirtilli e more, che contengono una

Anche se non c'è evidenza scientifica *che le ciliege diano sollievo alla gotta (sembra che contengano una sostanza capace di ridurre l'acido urico), alcuni medici le consigliano e molti pazienti le trovano efficaci. Pare non faccia differenza usare le varietà dolci o le amarene, e neppure se le ciliege sono fresche o conservate. Le quantità segnalate variano da circa dieci ciliege a due etti e mezzo al giorno. Alcuni soggetti hanno anche registrato successi con un cucchiaio di concentrato di ciliege al giorno.*

sostanza capace di ridurre l'acido urico, e quindi la probabilità che si manifesti un attacco.

■ OMEOPATIA. Vengono considerati sia i sintomi specifici sia le debolezze costituzionali che hanno permesso l'instaurarsi della malattia. Tra i rimedi usati: *Belladonna* (quando l'articolazione è rossa, calda e tumefatta) e *Colchicum* (quando il dolore si trasferisce da un'articolazione all'altra).

■ RIFLESSOLOGIA. Le zone riflesse corrispondenti ai reni e alla milza sono quelle più direttamente collegate alla produzione di acido urico. È opportuno inoltre stimolare le zone riflessogene relative a ipofisi e ghiandole surrenali (*vedi* pag. 184).

■ VITAMINE E MINERALI. Si raccomandano integrazioni di acido folico (che inibisce la produzione di acido urico), vitamina C, vitamina E e vitamine del complesso B.

LA PREVENZIONE

La riduzione del peso e il cambiamento della dieta sono gli obiettivi prioritari, soprattutto per i pazienti sovrappeso o obesi.

Il digiuno va evitato perché può far aumentare, in proporzione, il tasso di acido urico nel sangue.

Occorre limitare al massimo il consumo di alimenti ricchi di purina, sostanza chimica dalla quale si forma l'acido urico. Tra gli altri: fegato e tutte le interiora, pesci come aringhe e sardine, carne, pollame, legumi, spinaci e asparagi. Evitate i dolci di qualsiasi tipo e le bevande alcoliche.

Fate regolarmente esercizio fisico e riducete lo stress, che può, negli individui predisposti, scatenare un attacco di gotta.

Herpes *L'herpes simplex è uno dei più diffusi agenti patogeni e può provocare diverse infezioni di varia gravità (gengivite, congiuntivite, eczema, nevralgia del trigemino). Il periodo di incubazione è di circa una settimana: si hanno febbre, malessere e le tipiche eruzioni vescicolari in varie localizzazioni, con dolori nella zona affetta. Un altro tipo di herpes simplex (herpes genitale) provoca generalmente infezioni nella zona genitale, trasmissibili sessualmente.*

Il virus, di solito contratto per la prima volta durante l'infanzia, rimane latente anche per anni, ma può tornare attivo in ogni momento. Si manifesta in genere con stati febbrili, in periodi di scarsa resistenza alle infezioni, in situazioni di stress, in seguito a una malattia infettiva, a esposizione al freddo o al sole. Può essere anche collegato alle mestruazioni.

Consultate il medico se l'herpes dovesse comparire nella zona degli occhi.

Vedi anche CONGIUNTIVITE, ECZEMA, FEBBRE, MALATTIE DEL CAVO ORALE, NEVRALGIA.

LA MEDICINA UFFICIALE

In farmacia sono disponibili pomate e lozioni per alleviare il dolore e facilitare la guarigione. (Quelle a base di aciclovir, se applicate ai primi sintomi, possono anche bloccare l'evolversi dell'infezione.)

Purtroppo per ora non esiste un vaccino: si può limitare e curare l'infezione in corso, ma attacchi successivi di herpes possono sempre verificarsi.

LE TERAPIE DELLA MEDICINA NATURALE

■ FITOTERAPIA. La salsapariglia, una pianta con proprietà diuretiche e depurative, sembra possa favorire la guarigione dell'herpes simplex. Per preparare il decotto (da bere un'ora prima dei due pasti principali), fate bollire per venti minuti 70 g di radici secche in un litro di acqua.

■ OMEOPATIA. Si ritiene possano essere efficaci *Rhus toxicodendron*, *Natrum muriaticum* e *Ranunculus*.

Per il controllo dell'affezione a livello genitale, viene consigliato *Mercurius solubilis*.

■ VITAMINE E MINERALI. Lo zinco e la lisina (un aminoacido) assunti come integratori sembrano dare buoni risultati nella guarigione dell'herpes. Ad alte dosi possono essere pericolosi; dovrebbero quindi essere utilizzati solo sotto controllo medico.

LA PREVENZIONE

Sono in molti a pensare che il virus dell'herpes attecchisca soprattutto se il sistema immunitario è indebolito. Pertanto una dieta equilibrata e corretta, l'esercizio fisico regolare e uno stile di vita poco stressante possono contribuire a prevenire l'herpes.

Si ritiene che l'aminoacido lisina sia efficace nel ridurre le possibilità d'attacco da parte del virus. La lisina si trova nelle carni di agnello e pollo, nel pesce, nel formaggio, nel latte, nel lievito di birra, nei fagioli, nella maggior parte della frutta e della verdura.

Per evitare di contagiare altre persone (o di esserne contagiati) è bene evitare qualsiasi forma di contatto, quando l'herpes si presenta ancora umido.

Evitate di usare asciugamani, sciarpe o cuscini di altre persone.

Non toccate le vescicole se non per applicarvi pomate o lozioni (e non dimenticate di lavarvi le mani subito dopo).

Incontinenza *L'incapacità di controllare l'emissione delle urine e delle feci può provocare imbarazzo nei bambini, negli adolescenti e negli adulti.*

Questo disturbo può essere difficile da curare e si consiglia pertanto di consultare il medico.

L'incontinenza nei bambini può essere dovuta a insicurezza.

Nelle donne l'incontinenza urinaria può essere provocata da un prolasso, ossia dall'abbassamento di un organo (per esempio l'utero), talvolta come conseguenza del parto.

Negli uomini, invece, la causa può essere in relazione con problemi alla prostata.

Entrambi i sessi possono soffrire di incontinenza a seguito di un ictus e delle relative lesioni ai centri nervosi preposti al controllo dell'emissione delle urine.

La causa più comune per l'incontinenza delle feci è, paradossalmente, la stitichezza che, provocando un'ostruzione di feci solide nell'intestino, consente il passaggio solo di feci liquide.

Vedi anche ENURESI, STITICHEZZA.

LA MEDICINA UFFICIALE

L'incontinenza della vescica e dell'intestino necessita di un'indagine accurata, soprattutto se si tratta di persone anziane.

L'assistenza a una persona incontinente, soprattutto se si tratta di un soggetto anziano e costretto a letto, può essere un compito talvolta difficile. Il personale preposto all'assistenza pubblica o specializzato può fornire consigli su come trattare il paziente al suo domicilio.

Esistono in commercio appositi deodoranti e pannoloni per adulti.

LE TERAPIE DELLA MEDICINA NATURALE

■ FITOTERAPIA. Per liberare l'intestino, in caso di stitichezza ostinata, si possono prescrivere compresse di tagete o regina dei prati, da assumere tre volte al giorno.

■ IDROTERAPIA. Si suggeriscono semicupi (*vedi* pag. 86) caldi e freddi oppure, in alternativa, impacchi caldi e freddi sulla zona bassa dell'addome e sulla schiena, per migliorare la circolazione locale e tonificare i muscoli.

■ NATUROPATIA. Provare a bere un po' meno, soprattutto la sera, può essere utile per migliorare il disturbo.

Eliminate le bevande alcoliche. Anche la caffeina è un diuretico (fate anche attenzione a non assumere la caffeina contenuta nei medicinali). In genere tutti gli alimenti contenuti nelle diete dimagranti sono diuretici (per primo il succo di pompelmo): fate quindi attenzione.

Il succo di mirtillo, al contrario, è acido, ha pochi residui e ha benefici effetti antinfiammatori sulla vescica.

■ YOGA. La pratica costante dello yoga (e soprattutto gli esercizi che coinvolgono i muscoli addominali) è utile per prevenire i problemi di incontinenza.

LA PREVENZIONE

Attenzione alla stitichezza: può contribuire all'incontinenza. Mangiate perciò cibi molto ricchi di fibra.

La nicotina irrita la superficie della vescica. Inoltre, se soffrite di incontinenza da sforzo, la tosse tipica dei fumatori può peggiorare il problema.

Pare che le persone obese siano maggiormente portate a essere incontinenti.

Indigestione
Termine generico per disturbi che vanno dal bruciore di stomaco al mal di pancia, dalla nausea al meteorismo: in genere si verifica dopo aver mangiato o bevuto troppo, o troppo in fretta, o per aver consumato cibi indigesti.

L'indigestione può essere determinata da eccesso o da scarsità di acidi gastrici. Fumare, bere alcol, alcuni farmaci e lo stress fanno aumentare la secrezione di acidi.

L'indigestione può comunque essere il sintomo di disturbi più gravi come calcolosi, ulcera peptica o infiammazione dell'esofago.

Se all'indigestione si accompagnano crisi di vomito, sangue nello sputo e feci particolarmente scure occorre avvisare subito il medico.

Vedi anche AEROFAGIA, CALCOLI BILIARI, DIARREA, INTOLLERANZE ALIMENTARI, NAUSEA, STRESS, ULCERA.

LA MEDICINA UFFICIALE

I prodotti antiacido (per ridurre la presenza di acido nello stomaco) sono utili per alleviare i sintomi, ma usati troppo spesso possono mascherare un problema più grave.

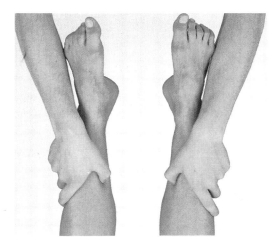

Contro i disturbi da indigestione (acidità, dolori gastrici, coliche) si consiglia la pressione dei punti situati circa quattro dita sopra il malleolo interno, posteriormente alla tibia. Esercitate dapprima una pressione con il polpastrello del pollice, poi con l'unghia dello stesso dito. Infine, con il pollice e l'indice, stirate la pelle sul punto, continuando a premere. Questo intervento ottiene risultati migliori se viene seguito dalla pressione dei punti sotto il ginocchio (vedi anche a pag. 181).

LE TERAPIE DELLA MEDICINA NATURALE

■ AGOPUNTURA. Il trattamento mira a liberare il flusso energetico nella milza, organo molto importante nel processo digestivo. Inoltre vengono trattati alcuni punti dei meridiani dello Stomaco e della Vescica.

■ DIGITOPRESSIONE. Dapprima trattate un punto nella parte bassa della gamba, situato quattro dita sopra il malleolo interno, sulla tibia. Premete al di sotto dell'osso.

Di seguito effettuate una pressione sulla parte esterna del ginocchio, su un punto alla distanza di tre dita sotto la rotula.

■ FIORI DI BACH. *Agrimony* può essere utile nelle indigestioni prodotte dall'ansia.

Impatiens può limitare l'irritabilità emotiva e calmare lo stomaco.

■ IDROTERAPIA. Compresse calde sull'addome danno un sollievo immediato.

■ FITOTERAPIA. Numerose sono le erbe medicinali che possono venirci in aiuto in caso di digestione difficile. Per calmare gli spasmi e i crampi gastrici, potete usare la tintura di anice (dieci gocce su una zolletta di zucchero, due volte al giorno). Per preparare la tintura, fate macerare per 12 giorni in 100 g di alcol un cucchiaino da caffè di semi di anice verde. Alla fine filtrate.

Contro nausea, aerofagia e meteorismo, è molto efficace l'infuso di basilico, da bere dopo i pasti. Per prepararlo, lasciate in infusione per dieci minuti 50 g di foglie di basilico in un litro di acqua bollente.

Anche il tè di camomilla, o di menta piperita, bevuto molto caldo, aiuta in caso di indigestione.

■ MASSAGGIO. Massaggiare l'addome in senso orario (è la direzione del cibo che attraversa l'apparato digerente) aiuta le digestioni difficili.

■ NATUROPATIA. Se l'indigestione è occasionale, è sufficiente fare un paio di giorni di dieta leggera o limitarsi ad assumere succhi freschi di frutta o di verdura.

Alcuni cibi identificati come frequentemente responsabili di provocare bruciore di stomaco sono caffè, tè e altre bevande contenenti caffeina, alcol, cioccolato, agrumi, cibi grassi o fritti, fagioli e cavoli (che provocano fermentazione intestinale). Frequenti episodi di problemi digestivi sono anche collegabili a intolleranze alimentari (frequente quella al lattosio).

■ OMEOPATIA. *Nux vomica* è utile per il bruciore di stomaco con meteorismo.

Pulsatilla è consigliabile se si ha anche una sensazione di gonfiore. *Carbo vegetabilis* è indicato quando ci sono dolore e gonfiore, *Ipecacuanha* quando c'è nausea e *Arsenicum album* quando i bruciori di stomaco sono molto intensi, accompagnati da dolori addominali, diarrea e nausea alla vista del cibo.

■ RIFLESSOLOGIA. Tra le zone riflessogene da stimolare, quelle relative a ipofisi, tiroide, paratiroide, stomaco, pancreas e colon (*vedi* pag. 182).

■ YOGA. La pratica regolare di movimenti di allungamento e di torsioni aiuta a tonificare l'apparato digerente.

LA PREVENZIONE

Fumo e alcol possono irritare lo stomaco e vanno ridotti se soffrite di disturbi digestivi. In particolare va evitata la sigaretta accesa appena prima di mangiare.

Create un'atmosfera distesa al momento dei pasti e cercate di masticare a lungo.

Cinque o sei piccoli pasti a intervalli regolari possono essere più facili da digerire di due pasti consistenti.

Evitate i cibi che vi sembrano indigesti e, se soffrite spesso di problemi digestivi, non sdraiatevi per almeno due o tre ore dopo aver mangiato. A titolo preventivo, bevete una tazza di acqua calda con un cucchiaino di succo di limone prima di sedervi a tavola.

Le tecniche di rilassamento e l'attività fisica aiutano a ridurre lo stress, che può scatenare o aggravare i disturbi.

Influenza

L'influenza è una malattia infettiva, contagiosa ed epidemica, dovuta a un virus. Ha un'incubazione che dura da due a cinque giorni.

I principali virus dell'influenza sono solo tre, ma hanno una capacità illimitata di evolvere in forme differenti. I principali sintomi di influenza sono febbre, mal di testa, dolori articolari, stanchezza generale, qualche volta il naso che cola, mal di gola e tosse. Talvolta possono essere presenti anche vomito, dolori addominali, diarrea, a seconda del tipo di virus e della reattività dell'organismo. La fase acuta dura in genere da due a quattro giorni.

Vedi anche CEFALEA, DIARREA, FEBBRE, MAL DI GOLA, TOSSE.

LA MEDICINA UFFICIALE

Aspirina, paracetamolo o ibuprofen possono alleviare la febbre, il mal di testa e i dolori alle ossa che accompagnano quasi sempre l'influenza.

Fra gli alimenti più ricchi *di vitamina C, che potenzia la resistenza alle infezioni (e all'influenza), ci sono verdura e frutta, in particolare gli agrumi. È bene ricordare che la vitamina C si deteriora in presenza di aria, di luce, con la cottura. È bene quindi bere i succhi di frutta subito dopo averli preparati.*

Ci sono altre medicine antiraffreddore, in vendita senza ricetta, che possono darvi un po' di sollievo, almeno temporaneo, per esempio i medicinali a base di antistaminici. Ma, attenzione, queste medicine possono eliminare i sintomi fino a darvi la falsa sensazione di essere guariti. Riprendere troppo in fretta le vostre normali attività può portarvi a una ricaduta.

È probabile che il naso sia in cattive condizioni. Per diminuire l'irritazione, lubrificatevi spesso le narici con le pomate specifiche che trovate in farmacia.

Gli antibiotici non hanno alcun effetto contro il virus, anche se i medici spesso li prescrivono per combattere le infezioni batteriche secondarie che possono determinare l'insorgenza di bronchite o polmonite.

Ogni anno gli scienziati mettono a punto un vaccino contro i ceppi più recenti del virus. Si consiglia la vaccinazione a chi vive nelle case di riposo, a chi ha disturbi cronici, a chi è oltre i 65 anni e al personale medico. Nei casi in cui il vaccino non riesca a prevenire l'influenza, ne diminuisce considerevolmente la gravità.

LE TERAPIE DELLA MEDICINA NATURALE

■ IDROTERAPIA. Una gola dolorante o irritata accompagna spesso l'influenza. Potete trovare un po' di sollievo e liberarvi dal catarro raccolto in gola facendo dei gargarismi con una soluzione di acqua salata. Sciogliete un cucchiaio di sale in mezzo litro d'acqua. Usatela tutte le volte che volete, ma non inghiottite il liquido perché contiene molto sodio.

In caso di dolori e sensazioni di freddo, si consiglia un bagno caldo con l'aggiunta di sali di Epsom prima di coricarsi.

Nella fase febbrile sono utili impacchi freddi sul torace (come in tutti gli altri casi di applicazioni di impacchi freddi, si ricorda di coprire la parte con un asciugamano pesante o con una coperta per favorire la traspirazione e mantenere il calore).

■ MASSAGGIO. Un massaggio alla schiena (*vedi* pag. 170) stimola il sistema immunitario e riduce i sintomi dell'influenza.

■ NATUROPATIA. L'influenza è una malattia infettiva che tende a diffondersi molto rapidamente. State perciò a casa dal lavoro almeno fino a un giorno dopo che la temperatura è ritornata normale. E tenete i bambini a casa da scuola finché non sono guariti completamente.

Il riposo a letto è fondamentale, perché permette alle energie dell'organismo di combattere l'infezione influenzale.

Se vi rimettete in attività mentre siete ancora fuori forma, indebolite le vostre difese e vi esponete a possibili complicazioni.

Succhiare una caramella o una pastiglia può lubrificarvi la gola e aiutarvi a stare meglio. In più questi prodotti contengono calorie che il vostro corpo può usare in questo periodo in cui probabilmente non state mangiando molto.

Elevare il livello di umidità in camera da letto aiuta a ridurre il disagio della tosse, della gola dolente e del naso troppo asciutto.

Assicuratevi che la vostra stanza da letto abbia sempre un buon rifornimento di aria fresca, ma evitate le correnti. E prevenite i brividi usando pigiami o camicie da notte caldi e coprenti.

Una caratteristica dell'influenza sono i muscoli stanchi e doloranti: alleviate il dolore con un termoforo o una coperta elettrica.

I liquidi sono particolarmente importanti se avete la febbre, perché potreste disidratarvi. Inoltre possono darvi numerosi elementi nutritivi: ottimi i succhi di barbabietola e di carota, ricchissimi di vitamine e minerali.

Quando sarete pronti a passare dai liquidi a qualcosa di più sostanzioso, cercate di orientarvi su cibi leggeri a elevato contenuto di amidi. Per un dessert rinfrescante, sbucciate e mettete in frigo banane molto mature, poi frullatele.

■ OMEOPATIA. *Baptisia* è consigliato nei casi di grave prostrazione, di comparsa di sintomi gastrici, intontimento e quando il paziente abbia il volto arrossato e si senta "a pezzi".

Eupatorium perfoliatum è utile se il soggetto si sente "con le ossa rotte", ha gli occhi arrossati e non desidera muoversi.

Gelsemium è il rimedio adatto per i casi di pesantezza al capo e agli occhi, con assenza di sete e sensazioni alternate di caldo e freddo lungo la schiena.

Per prevenire l'influenza, l'omeopatia consiglia l'assunzione di *Oscillococcinum* ogni 15 giorni in periodo di epidemia, assieme al manganese-rame oligoelemento, una dose tre volte la settimana.

■ VITAMINE E MINERALI. Ai primi brividi potete assumere oligoelementi di rame, fino a sei assunzioni al giorno, oppure l'associazione rame-oro-argento (una dose al giorno per una settimana); possono essere assunti anche contemporaneamente (per esempio rame al mattino e rame-oro-argento la sera).

Possono anche essere prescritte dosi massicce di vitamina A e vitamina C.

LA PREVENZIONE

Evitate i luoghi affollati: il virus si sparge facilmente. Durante le epidemie di influenza state quindi lontani dai cinema, dai teatri, dai centri commerciali, dai mezzi di trasporto pubblici. L'esposizione prolungata al freddo e all'umidità abbassa le vostre resistenze e aumenta il rischio di infezioni (anche il fumo e l'alcol riducono la resistenza; in particolare il fumo disturba il tratto respiratorio e vi rende ancora più vulnerabili all'influenza).

Per prevenire l'influenza è consigliabile introdurre con sistematicità nella dieta succhi a base di cavolo, di cipolla, di limoni, di arance, di ananas e di pompelmi.

Poiché l'influenza ha origini virali, la regola più valida per prevenirla è quella di consumare il più possibile sostanze naturali e ricche di vitamina C, che hanno la proprietà di rafforzare le difese dell'organismo.

Insonnia È l'incapacità di addormentarsi
quando ci si corica, anche se stanchi, o di dormire tutta la notte senza interruzioni.

L'insonnia è un problema molto comune, che ha cause sia psicologiche sia fisiologiche.

I problemi fisiologici comprendono dolori, effetti collaterali di medicinali, malattie, astinenza da droghe o psicofarmaci come barbiturici, sedativi e antidepressivi. Quelli psicologici riguardano soprattutto ansia e depressione.

Rapporti travagliati, problemi lavorativi o scolastici e altri fattori stressanti possono tener svegli la notte. Se le crisi d'insonnia sono frequenti, è logico sentirsi irritabili, depressi e incapaci di concentrazione durante la giornata

Vedi anche DEPRESSIONE, DOLORI CRONICI, EMICRANIA, STANCHEZZA, STRESS.

LA MEDICINA UFFICIALE

In genere vengono prescritti farmaci sedativi ipnotici, che però possono dare assuefazione e dovrebbero essere considerati solo in casi di emergenza, e per brevi periodi. Non di rado si crea una tolleranza sempre maggiore ai sonniferi e occorre aumentare le dosi per riuscire ad avere effetti positivi. In combinazione con altri

Rilassarsi mentre si fa un bagno caldo
(magari con l'aggiunta di qualche goccia di olio essenziale di salvia) può essere di aiuto a chi soffre di insonnia. Sull'idroterapia vedi pagg. 84-89.

farmaci o alcol, inoltre, i sonniferi sono pericolosissimi. Se l'insonnia dura a lungo ed è determinata da ansia o da depressione vale sicuramente la pena di cercare un aiuto psicologico.

LE TERAPIE DELLA MEDICINA NATURALE

■ AGOPUNTURA. Trattando in particolare alcuni punti dei meridiani del Cuore, della Milza-Pancreas e della Vescica, l'agopuntore cerca di calmare l'inquietudine di chi soffre di insonnia.

■ FITOTERAPIA. L'infuso di camomilla, bevuto poco prima di andare a dormire, è un buon calmante. Per prepararlo, lasciate in infusione per dieci minuti 25 g di fiori secchi in un litro di acqua bollente.

L'erba gatta (*Nepeta cataria*) combatte l'eccessivo nervosismo che non permette di dormire bene. Potete berne un infuso (40 g di sommità fiorite essiccate in un litro di acqua bollente per dieci minuti), due volte al giorno.

■ IDROTERAPIA. Un bagno caldo prima di coricarsi aiuta a rilassare i muscoli e la mente. Attenzione, però: i bagni molto caldi possono, per qualcuno, risultare stimolanti.

■ IPNOSITERAPIA. L'ipnosi e l'autoipnosi possono essere molto utili.

■ MASSAGGIO. Un massaggio completo aiuta a rilassare le tensioni, favorendo il sonno.

■ NATUROPATIA. Il medico sottopone la dieta del paziente a esame per scoprire eventuali fonti nascoste di caffeina (per esempio nelle bevande a base di cola, nel tè, nel cioccolato, nel gelato al caffè e in alcuni farmaci).

Certi medici consigliano di mangiare cibi ricchi di triptofano, uno degli aminoacidi costitutivi delle proteine, considerato un sedativo naturale in quanto stimola il cervello a produrre una sostanza che favorisce il sonno. I latticini sono buone fonti di triptofano.

Al di là dei cambiamenti dietetici, il consiglio è sempre di fare un'adeguata attività fisica ed esercizi di rilassamento.

■ OMEOPATIA. I rimedi più usati sono *Arsenicum* per ridurre l'ansia, *Passiflora* per il sonno disturbato, *Coffea* qualora la veglia sia accompagnata da continua attività mentale.

■ SHIATSU. L'insonnia risponde in particolare al trattamento di punti situati sulla fronte e alla base del cranio.

■ VITAMINE E MINERALI. Integrazioni di calcio e di magnesio possono essere di aiuto a chi soffre di insonnia.

■ YOGA. Stiramenti, esercizi di rilassamento e posizioni calmanti, come quella del *Cadavere* (*vedi* pag. 234), favoriscono il sonno.

LA PREVENZIONE

Una delle strategie prioritarie è cercare di coricarsi e alzarsi sempre alla stessa ora. Trovate un rituale tranquillo e calmante per l'ora di coricarvi: leggete un libro non molto impegnativo o ascoltate un disco di musica classica. Evitate gli stimolanti come caffè, alcol, nicotina. Bevete un bicchiere di latte caldo o di camomilla. Fate regolarmente attività fisica, ma non nelle due ore prima di coricarvi. Dormite in una stanza ben arieggiata.

Intolleranze alimentari Con

"intolleranza alimentare" si intende l'incapacità di metabolizzare alcuni alimenti, in particolare il glutine (una proteina presente in alcuni cereali come il grano, l'orzo e la segale: in questo caso l'intolleranza prende il nome di "celiachia" o "morbo celiaco"), oppure il lattosio (lo zucchero del latte), ma anche molti altri cibi, o particolari sostanze contenute in essi.

I sintomi (che possono manifestarsi anche qualche giorno dopo l'ingestione dell'alimento) sono talmente vari da non far sospettare sempre un'origine

alimentare. Può trattarsi di nausea, di vomito, di diarrea, ma anche di stitichezza, di una diffusa sensazione di stanchezza, di forte sudorazione, di acne, di gonfiore delle gengive, di emicrania, oppure di stati depressivi o di forte agitazione.

L'intolleranza inoltre può innescare meccanismi che portano alla bulimia (molto spesso l'alimento "incriminato" è proprio quello che la persona desidera di più o che le trasmette un senso di energia).

Altre conseguenze di un'intolleranza possono essere un eccessivo dimagrimento, ritenzione d'acqua, gonfiori, meteorismo, crampi allo stomaco.

Vedi anche ACNE, ALLERGIE, DIARREA, EMICRANIA, NAUSEA, STANCHEZZA, STITICHEZZA, STRESS.

LA MEDICINA UFFICIALE

I test conosciuti da tempo, come gli esami del sangue, RAST (test di Radio Allergo-adsorbimento), Prick Test e Patch Test, che consistono nel mettere a contatto con la cute una piccola quantità di materiale sospetto, vanno bene per le allergie, ma non danno risposte affidabili per le intolleranze. Un test semplice e indolore, che si esegue in alcune città italiane (il DRIA test, frutto di una ricerca originale di operatori italiani dell'Associazione di Ricerca Intolleranze Alimentari), consiste nel porre sotto la lingua una piccola quantità dei diversi potenziali fattori scatenanti, uno dopo l'altro, disciolti in acqua. Il paziente è seduto su una poltrona e viene invitato a muovere una gamba dopo ogni nuova sostanza introdotta. Dall'eventuale modificazione della forza muscolare, che viene misurata e memorizzata su un tracciato del computer, si riesce a stabilire a quali sostanze la persona è diventata intollerante. In genere, viene poi consigliata un'alimentazione che introduce le sostanze "incriminate" non più di una volta ogni quattro o sette giorni.

LE TERAPIE DELLA MEDICINA NATURALE

■ FIORI DI BACH. *Beech* e *Clematis* sono prescritti per l'ipersensibilità in generale.

■ IPNOSITERAPIA. Sotto la guida di un terapista, potete imparare come usare l'autoipnosi per ridurre al minimo gli effetti dannosi dello stress.

■ NATUROPATIA. Non è necessario, in genere, astenersi dalle sostanze che determinano intolleranza per tutta la vita. È spesso sufficiente fare una rotazione dei vari alimenti e fare uso soltanto di determinate famiglie di cibi (chi è intollerante ai pomodori solitamente tende ad avere problemi anche con le altre Solanacee, come patate, peperoni e melanzane) soltanto una o due volte la settimana, lasciando in pratica un intervallo di tre giorni per concedere un momento di pausa alle difese immunitarie.

Il sistema dietetico per vincere le intolleranze alimentari si chiama "dieta a rotazione" e si sposa idealmente con il concetto delle corrette combinazioni alimentari (di tutto, ma non tutto insieme, con una giusta variazione e alternanza).

Per seguire un'alimentazione che tenga conto della rotazione dei cibi, occorre conoscere le diverse "famiglie" di alimenti. Tra quelli fortemente proteici, ricordiamo i vari tipi di carni e pesci, i formaggi, le uova, le leguminose e i semi oleosi (se una persona ha sviluppato un'intolleranza, per esempio, alla carne bovina, solitamente tollera invece bene quella di agnello o di volatile).

■ VITAMINE E MINERALI. È utile integrare la dieta con vitamine e minerali. È bene però consultarsi con uno specialista che possa aiutarvi a preparare un programma di supplementi in base alle vostre necessità personali (alcuni individui particolarmente sensibili possono infatti sviluppare sensibilità anche alle vitamine).

■ YOGA. La qualità della respirazione è importante per tenere sotto controllo lo stress, che pare influisca sulle intolleranze alimentari. Le tecniche di respirazione yoga sono molto utili.

LA PREVENZIONE

È di solito utile eliminare dalla dieta dadi e salse già pronte: hanno quasi tutti un forte contenuto in glutammato di sodio, una sostanza di sintesi che l'organismo non "riconosce" e alla quale può reagire facilmente con intolleranze.

Un altro fattore importantissimo per vincere o tenere sotto controllo le intolleranze e le loro manifestazioni è un sano stile di vita: stress, inquinamento ambientale, cattiva alimentazione o introduzione di tossine hanno un effetto immunodepressivo, cioè riducono in generale la capacità dell'organismo di difendersi dalle insidie del vivere quotidiano.

Intossicazione alimentare

I principali sintomi di un'intossicazione alimentare sono nausea, vomito, diarrea, dolori addominali simili a crampi, vertigini. Il soggetto inoltre potrebbe essere febbricitante e sudato.

La causa più comune è l'ingestione di alimenti che contengono sostanze tossiche o germi altamente patogeni o in numero tale da irritare e infiammare le mucose dello stomaco e dell'intestino.

Vedi anche FEBBRE, GASTRITE, NAUSEA.

LA MEDICINA UFFICIALE

In un normale caso di intossicazione alimentare i sintomi (crampi, nausea, vomito, diarrea) passano in un giorno o due. Ma per chi è molto giovane, per gli anziani, o per chi soffre di una malattia cronica o di un problema immunitario, l'avvelenamento da cibo può essere molto serio. Queste persone dovrebbero consultare un medico ai primi segni di intossicazione.

In farmacia si possono acquistare soluzioni fisiologiche glucosate, che aiutano a rimpiazzare i sali minerali persi a causa del vomito e della diarrea, o farmaci antidiarrea, come il caolino.

Nel corso di gravi tossinfezioni possono essere prescritti antibiotici.

LE TERAPIE DELLA MEDICINA NATURALE

■ FITOTERAPIA. La menta in infuso (un cucchiaino da frutta di foglie fresche o secche per tazza) è uno dei rimedi migliori: allevia la nausea e riduce il meteorismo e l'eventuale mal di testa. Bevetene tre tazze al giorno.

Nei casi non gravi, potete assumere tre o quattro capsule di aglio al giorno.

■ NATUROPATIA. Bevete molti liquidi, soprattutto acqua, ma anche succo di mela, brodo di carne o di verdure.

Un infuso di menta (con l'aggiunta di qualche foglia di alloro) può aiutare a risolvere più rapidamente un normale caso di intossicazione alimentare. Esistono diverse specie di menta con proprietà medicinali identiche (la menta è tonica, stimolante, antispastica, digestiva e analgesica).

Vomito e diarrea possono farvi perdere importanti elettroliti come potassio, sodio e glucosio. Una ricetta particolarmente reidratante consiste nel mescolare succo di frutta (per integrare il potassio) con mezzo cucchiaino di zucchero o miele (per il glucosio) e un pizzico di sale da cucina (cloruro di sodio).

In genere, qualche ora dopo che vomito e diarrea si sono calmati, si può iniziare a mangiare qualcosa. Cominciate con alimenti facili da digerire: fette biscottate, brodo, riso bollito o semolino. Evitate i cibi ricchi di fibra, gli alimenti speziati o acidi, quelli molto grassi o troppo dolci e i latticini, che possono irritare lo stomaco ancora di più. Attenetevi a una dieta leggera per un giorno o due; poi lo stomaco sarà pronto per tornare alla normalità.

■ OMEOPATIA. Se una grave forma di diarrea deriva dall'ingestione di cibo infetto, e in particolare di carne, si consiglia *Arsenicum album* quando sono presenti anche vomito, forte prostrazione, brividi e ansia.

Si consiglia l'assunzione di *Carbo vegetabilis* se, dopo aver mangiato pesce avariato, l'individuo presenta meteorismo, è infreddolito e si sente mancare.

Se il malore deriva dall'assunzione eccessiva di frutta (soprattutto se acerba), quando compaiono debolezza, coliche, vomito e diarrea senza dolori, usate *China officinalis*.

Coffea cruda è il rimedio utile contro le intossicazioni da alcol.

Phosphorus è consigliato in presenza di diarrea, vomito, forte desiderio di acqua gelata che viene vomitata quasi immediatamente.

LA PREVENZIONE

Lavatevi le mani prima di preparare il cibo, per evitare di contaminare gli alimenti con batteri. Lavatevi di nuovo le mani dopo aver toccato carne cruda e uova.

Non mangiate pesci crudi, né ostriche, carne, latte non pastorizzato o uova (e non usate uova screpolate).

Non lasciate cibo a temperatura ambiente per più di due ore ed evitate di mangiare i cibi che sono fuori dal frigorifero da troppo tempo.

Non mangiate funghi selvatici. Alcuni contengono tossine che attaccano il sistema nervoso centrale e possono essere mortali.

Non assaggiate nessun cibo che abbia un brutto aspetto o un cattivo odore.

Non consumate i cibi che si trovano in barattoli incrinati, nelle scatole di conserva gonfie o piegate.

Iperattività
Con la definizione di bambino "iperattivo" si può intendere sia un bambino che ha più energia, è più attivo e meno disciplinato degli altri bimbi della sua età, sia quello che dà anche segni di aggressività e di violenza. Il bambino iperattivo è irrequieto e non sta mai fermo, non ascolta le direttive, tende a mettersi in mostra, non riflette, non riesce a concentrarsi su qualcosa in particolare, piange e urla, ha difficoltà a dormire e non conosce la paura. Può avere anche problemi di regolazione del centro della sete e della temperatura corporea.

L'iperattività è più frequente nei maschi che nelle femmine.

In genere si ritiene che si tratti di una reazione allergica a certi tipi di alimenti o a sostanze chimiche e i soggetti che ne soffrono sono spesso affetti anche da asma, raffreddore da fieno, eczema e catarro.

Vedi anche ALLERGIE, ASMA, ECZEMA, INTOLLERANZE ALIMENTARI, RAFFREDDORE DA FIENO.

LA MEDICINA UFFICIALE

Questo disturbo è stato diagnosticato con maggior frequenza negli ultimi anni e i medici sono del parere che una delle cause principali sia attribuibile alle intolleranze alimentari: disturbi del sistema nervoso legati a ipersensibilità o allergie sono stati osservati da molti ricercatori. Possono inoltre essere presenti problemi familiari di natura psicologica. Il medico consiglierà una dieta a eliminazione volta a individuare gli alimenti nocivi. Potrà inoltre suggerire una visita presso uno psicologo dell'età evolutiva, che aiuterà il bambino e i genitori a impostare comportamenti adeguati.

LE TERAPIE DELLA MEDICINA NATURALE

■ NATUROPATIA. Il semplice passaggio da cibi a elevato contenuto di additivi chimici, coloranti, conservanti, stabilizzanti a un'alimentazione basata su ingredienti naturali è stato riconosciuto di una certa efficacia.

■ OMEOPATIA. *Chamomilla* è indicato per il bambino particolarmente violento e collerico (soprattutto fra i due e i quattro anni). Sono preda di collere che li fanno urlare e buttarsi a terra. In casi estremi faticano a respirare e presentano quelli che vengono comunemente chiamati "spasmi del singhiozzo".

Cina è consigliato per i bambini collerici, il cui segno caratteristico è il digrignamento dei denti, anche durante il sonno.

Staphisagria va bene per i bambini particolarmente suscettibili, che non sopportano di essere presi in giro e ancora meno di essere vittime della minima ingiustizia.

Ignatia è il rimedio indicato per i bambini che presentano carattere mutevole, con alternanza di pianti e risate.

Pulsatilla va bene per un altro tipo di ipersensibile, più portato al pianto che al riso.

Tarentula è il rimedio adatto per quel bambino che tende a prendersela con gli oggetti: strappa volontariamente i vestiti, rompe i giocattoli, getta lontano tutto quello che può raggiungere.

■ VITAMINE E MINERALI. Anche un deficit di magnesio, manganese, zinco, vitamina B_6 e acidi grassi può essere correlato a iperattività. Potranno quindi essere utili integrazioni di minerali e vitamine.

LA PREVENZIONE

Conoscere quali sono gli alimenti e le sostanze che possono influire sull'iperattività è il primo passo per attuare una corretta prevenzione.

Gli alimenti che possono essere implicati includono i latticini, lo zucchero raffinato, le uova, i prodotti a base di grano, gli agrumi (soprattutto arance e mandarini), oppure sostanze con un alto contenuto di salicilati (che si trovano nell'aspirina e in molti tipi di frutta e verdura), i piselli, la frutta secca, l'aceto, le bevande alcoliche, alcuni additivi alimentari.

Tra le altre sostanze sospettate di provocare iperattività, si trovano il cadmio (che proviene dal fumo delle sigarette), l'alluminio, il rame, il mercurio (compresi i preparati per la cura delle carie dentarie), i prodotti chimici per le pulizie domestiche, deodoranti, profumi, fluoruri, polveri e cloro (nell'acqua trattata).

Se alla base del comportamento del bambino ci sono problemi di tipo psicologico, cercate di comprendere quali sono i fattori (a casa, a scuola o tra gli amici) che possono causargli difficoltà emotive. Provate ad alleviare alcune delle pressioni che il suo atteggiamento sta provocando, forniteGli un supporto emotivo dimostrandogli che può contare su di voi quando ha problemi all'esterno.

Mentre vi sforzate di modificare ogni situazione che può causare problemi al bambino nell'ambiente esterno, cercate quelle che possono turbarlo a casa. Se la sua insicurezza trae origine dalla tensione esistente tra i membri della famiglia, cercate di risolvere questi problemi o di evitare che il bambino ne venga coinvolto.

Ipertensione *Si dice che la pressione è alta quando i valori sistolici e diastolici sono maggiori della norma (calcolata tenendo conto dell'età e del sesso). La pressione sistolica è quella esercitata dal sangue contro le pareti arteriose nella fase di massima contrazione del cuore. La pressione diastolica corrisponde invece alla successiva fase di rilassamento.*

Non è chiaro che cosa determini il disturbo, ma è assodato che l'ipertensione (cioè la pressione cronicamente alta) praticamente non dà sintomi fino a che non si manifestano una cardiopatia, un ictus, una nefropatia, un'emorragia nella retina o altre malattie correlate.

Una storia familiare di ipertensione rappresenta un fattore di rischio.

Fumo, obesità, eccessivo consumo di alcol e diabete possono aggravare il problema.

La pressione alta in gravidanza è una minaccia per la salute della madre e del feto.

Vedi anche CARDIOPATIE, DIABETE, OBESITÀ, STRESS.

Il biofeedback *si è dimostrato utile nel controllo dell'ipertensione.* Vedi anche *pagg. 126-131.*

LA MEDICINA UFFICIALE

I farmaci antipertensivi più usati sono i betabloccanti (che riducono la frequenza cardiaca), i diuretici (che aumentano la produzione e l'escrezione di urina) e i vasodilatatori (che allargano i vasi sanguigni).

In genere si prescrivono quando l'ipertensione è già piuttosto grave.

Ci sono opinioni diverse sul fatto che l'ipertensione lieve possa essere trattata senza uso di farmaci.

LE TERAPIE DELLA MEDICINA NATURALE

■ AGOPUNTURA. La terapia si concentra in particolare sui meridiani del Fegato e della Vescica. Durante le sedute occorre comunque tenere sotto controllo la pressione. Nei casi gravi, le tecniche come agopuntura, shiatsu e digitopressione sono controindicate.

■ MASSAGGIO. Il massaggio riduce lo stress, uno dei fattori che contribuiscono all'innalzamento della pressione. Per evitare possibili problemi, chiedete informazioni al vostro medico curante e avvertite anche chi vi pratica il massaggio del fatto che siete ipertesi.

■ NATUROPATIA. È essenziale cambiare dieta e abitudini. Mangiare molta frutta e verdura cruda, cereali integrali e cibi allo stato naturale; limitare o eliminare il consumo di carni rosse, zucchero e sale a favore di alimenti con meno grassi e meno colesterolo sono le principali raccomandazioni.

Alcuni medici sostengono che le carenze di potassio contribuiscono all'ipertensione. Per questo consigliano di consumare liberamente alimenti ricchi di questa sostanza, come banane e patate. Anche aglio e cipolle hanno effetto antipertensivo. I cetrioli sono buoni diuretici e calmanti naturali. Inoltre il naturopata prescrive quasi sempre tecniche per il rilassamento e la gestione dello stress.

Dieta ed esercizio fisico regolare, utili per chi ha la pressione lievemente sopra la norma, possono giovare anche in situazioni ipertensive più marcate.

■ RIFLESSOLOGIA. Il massaggio generale del piede è rilassante. Le zone riflesse da stimolare sono quelle corrispondenti a testa, cuore, reni e apparato urinario.

■ SHIATSU. Sedute regolari riducono la tensione e favoriscono il rilassamento.

Come per l'agopuntura, occorre tenere sotto controllo la pressione durante le sedute.

■ VITAMINE E MINERALI. Si raccomandano integrazioni di vitamina A, C ed E, di potassio, di calcio e di magnesio. Altri nutrienti utili agli ipertesi sono: colina, lecitina e gli oligoelementi selenio e zinco.

■ YOGA. Le tecniche di rilassamento, di meditazione e di respirazione favoriscono l'abbassamento dei valori della pressione, ma occorre evitare le posizioni a testa in giù, come per esempio la *Candela* (*vedi* pag. 228).

LA PREVENZIONE

Le persone sovrappeso dovrebbero attuare un programma alimentare per eliminare i chili in eccesso e fare attività fisica, possibilmente aerobica, come camminare, correre e nuotare.

Ridurre il sale ed eliminare gli alimenti industriali con elevato contenuto di sodio può essere utile ai soggetti con problemi di ipertensione. Conviene inoltre ridurre il consumo di alcol e di stimolanti (come la caffeina), o eliminarli completamente, smettere di fumare e trovare ogni giorno un po' di tempo per compiere esercizi di rilassamento o di riduzione dello stress.

Laringite *Si tratta di un'infiammazione della laringe, che può essere provocata da un'infezione alle vie respiratorie superiori o da una reazione allergica. I sintomi sono raucedine (fino all'afonia), tosse secca, mal di gola, che si accentua parlando, e febbre (comune nei bambini e presente circa nel trenta per cento degli adulti).*

La laringite esiste sia in forma acuta sia in forma cronica: quest'ultima colpisce esclusivamente gli individui adulti.

Vedi anche ALLERGIE, BRONCHITE, STRESS.

LA MEDICINA UFFICIALE

Il medico consiglierà di parlare il meno possibile, di bere molti liquidi e, se necessario, di assumere farmaci antipiretici e antidolorifici. Al paziente verrà anche consigliato di evitare il fumo, la polvere e le sostanze irritanti, e di non forzare la voce, finché non sia tornata normale.

Si richiedono un esame delle corde vocali e della laringe e un attento controllo medico in caso di persistenza del disturbo. A parte comunque il fastidio momentaneo, se non riuscite a portare la situazione sotto controllo in tempi brevi, essa potrebbe degenerare e l'infiammazione potrebbe propagarsi alle vie respiratorie inferiori, portando magari a una bronchite.

LE TERAPIE DELLA MEDICINA NATURALE

■ AROMATERAPIA. Gli oli essenziali di pino e di eucalipto, anche aggiunti all'acqua delle vaschette dei termosifoni, aiutano chi ha problemi di abbassamento di voce.

■ DIGITOPRESSIONE. Due punti in particolare sono significativi contro la laringite. Effettuate una pressione verso l'alto nel punto posto all'estremità dell'angolo esterno della base dell'unghia del pollice. (Potete anche strofinare questo punto con un po' di ghiaccio.)

Il secondo punto è situato nella membrana che separa l'indice dal pollice sul dorso della mano: premete verso l'osso (ricordate però di non utilizzare mai questo punto in gravidanza).

■ FITOTERAPIA. Per tutte le persone che devono sostenere uno sforzo vocale intenso (cantanti, oratori), sono utili inalazioni di eucalipto: mettete nell'inalatore una manciata di foglie e inspirate con la bocca per venti minuti. Praticate questa inalazione poco tempo prima dello sforzo vocale.

■ NATUROPATIA. Non parlare è un buon sistema per recuperare la voce in breve tempo (anche sussurrare fa male: le corde vocali si toccano come quando si urla).

Si consigliano gargarismi con il miele.

È utile bere molti liquidi: otto o dieci bicchieri il giorno di acqua oppure succhi, tè con miele o limone (è meglio che i liquidi non siano troppo freddi).

■ OMEOPATIA. In caso di raucedine per aver parlato troppo (attori, insegnanti) o cantato, si usa *Arum triphillum*. In questo caso la voce può essere bitonale, avere cioè improvvisi alti e bassi e stridulità.

Causticum è consigliato per chi ha voce rauca il mattino e la sera e la trachea dolente, come se fosse escoriata.

Per tosse secca e forte con perdita della voce (soprattutto la sera), è consigliato *Phosphorus*.

■ VITAMINE E MINERALI. Per migliorare la resistenza all'infezione, è utile assumere da due a quattro capsule al giorno di aglio o di echinacea per alcuni giorni.

È raccomandata anche l'assunzione di integratori a base di vitamina C.

LA PREVENZIONE

Il fumo è tra le prime cause della secchezza della voce: chi tende a soffrire di laringite dovrebbe smettere di fumare, o almeno ridurre drasticamente il numero delle sigarette.

La mucosa che riveste le corde vocali deve essere sempre tenuta umida: è utile avere in casa un umidificatore che emette aria fredda oppure tenere la testa sopra una bacinella di vapore bollente per cinque minuti, due volte al giorno.

Imparare a respirare con il naso è un buon sistema per prevenire la raucedine (il naso è un umidificatore naturale).

Alcuni farmaci possono essere molto disidratanti: soprattutto i medicinali per la pressione alta e per la tiroide e gli antistaminici.

Malattie del cavo orale

Infiammazioni e lesioni delle gengive possono dare luogo a gengivite, un'infiammazione che provoca gonfiore, sanguinamento e alito cattivo.

Non trattata, la gengivite può degenerare in piorrea, un'infiammazione con erosione dell'apparato di sostegno del dente, che può provocarne la caduta. La piorrea può anche essere determinata da un diabete non ben curato o da una gravidanza, oltre che da stati di carenza (per esempio di vitamina C).

Vedi anche ALITOSI, DIABETE.

LA MEDICINA UFFICIALE

Per prevenire e curare la gengivite è utile lavare i denti più volte al giorno con lo spazzolino e il dentifricio e usare molto spesso il filo in-

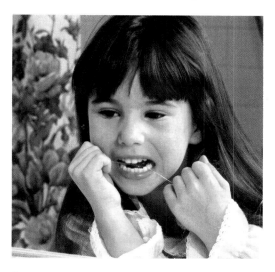

La corretta igiene orale, con uso regolare di spazzolino e filo interdentale, è la miglior prevenzione contro le malattie del cavo orale.

terdentale. Chi ha problemi gengivali può aver bisogno di una pulizia completa dal tartaro e dalla placca anche da due a quattro volte l'anno. Per la piorrea ci sono tecniche di pulizia specifiche che aiutano ad ammorbidire e rimuovere la materia infetta e i tessuti danneggiati. Anche i denti possono essere trattenuti artificialmente in sede. Talvolta sono consigliabili chirurgia o estrazione di tutti i denti.

LE TERAPIE DELLA MEDICINA NATURALE

■ NATUROPATIA. Per le infezioni del cavo orale sono eccellenti pennellature locali o sciacqui con propoli, diluita in acqua. (Attenzione: la propoli macchia tutto ciò con cui viene in contatto, ma viene via facilmente con un po' di alcol.)

■ OMEOPATIA. Per gengivite e altre infiammazioni dei tessuti, usate tintura di *Staphysagria* tre volte al giorno; per gengive infiammate, sanguinanti o che si ritirano può essere utile *Mercurius solubilis*.

Hepar sulphuris è utile in presenza di ascessi. *Phosphorus* e *Carbo vegetabilis* sono raccomandati in caso di gengive sanguinanti.

Per le gengive infiammate e sanguinanti alcuni omeopati consigliano anche una soluzione di acido folico.

■ VITAMINE E MINERALI. Le carenze di vitamina A e C possono contribuire ai problemi del cavo orale. Integrazioni di vitamina A sotto forma di betacarotene possono essere di aiuto.

Se invece il problema è uno squilibrio di calcio e fosforo, si useranno supplementi di questi elementi.

L'applicazione di olio di vitamina E, preso da una capsula, riduce il fastidio delle afte (piccole ulcere dolorose all'interno della bocca).

LA PREVENZIONE

È fondamentale usare diverse volte al giorno spazzolino e filo interdentale, per eliminare completamente la placca batterica e le particelle di cibo ogni volta che si mangia.

Carenze di vitamina C nella dieta favoriscono in alcuni soggetti le infezioni gengivali: mangiare molta frutta e verdura ricche di vitamine diminuisce i rischi.

Riducete al minimo il consumo di cibi e bevande dolci: lo zucchero favorisce la formazione di carie e placca.

Evitate gli alimenti appiccicosi, soprattutto tra un pasto e l'altro. Mangiate molti cibi crudi, che richiedano una lunga masticazione. Questa infatti favorisce la produzione di saliva, che protegge la bocca dai batteri cariogeni.

Dato che il fumo aggrava i problemi gengivali, può essere opportuno smettere.

Mal d'auto
Detto anche "cinetosi", è il disturbo che colpisce molti individui che viaggiano in auto, ferrovia, aereo, nave, o comunque compiono rapidi spostamenti dalla linea retta. Lo stesso tipo di disturbo si può quindi verificare sulle montagne russe, sulle giostre, sull'altalena.

La persona colpita accusa nausea, vomito, sudorazione fredda, talvolta senso di vertigine e diarrea. Il suo viso diventa pallido.

I sintomi, che possono durare fino a tre giorni se la causa persiste, cessano di solito immediatamente alla fine del viaggio.

La causa della cinetosi risiede nella particolare sensibilità del labirinto, l'organo dell'orecchio interno deputato al mantenimento dell'equilibrio.

Vedi anche DIARREA, NAUSEA.

LA MEDICINA UFFICIALE

Esistono pillole contro il mal d'auto, ma assicuratevi di prenderle almeno un'ora prima di partire, altrimenti non hanno effetto. Se dovete guidare, evitate quelle contenenti antistaminici, per non avere sonnolenza.

LE TERAPIE DELLA MEDICINA NATURALE

■ AROMATERAPIA. Per migliorare le condizioni di malessere, si ritiene efficace inalare due gocce di olio essenziale di menta e altrettante di zenzero poste su un fazzoletto.

■ DIGITOPRESSIONE. Un rimedio molto usato contro la cinetosi consiste nell'esercitare una pressione sul punto situato sulla parte interna dell'avambraccio, in posizione centrale, a tre dita dalla piega del polso. Esercitate la pressione verso il centro del braccio.

■ FITOTERAPIA. Masticare un pezzetto di zenzero è un rimedio antichissimo contro la nausea da movimento (pare che lo zenzero agisca assorbendo gli acidi e bloccando la nausea nel tratto gastrointestinale). Potete utilizzare anche le capsule di zenzero, in vendita in farmacia.

■ NATUROPATIA. Mangiare alcune olive (o succhiare un limone molto acido) ai primi sintomi di malessere può aiutare a combattere la cinetosi. Nei primi momenti, infatti, il mal d'auto provoca un eccesso di saliva, che si raccoglie nello stomaco e provoca nausea. Olive e limoni producono tannini, che asciugano la bocca. Anche mangiare biscotti secchi o cracker, che assorbono l'eccesso di liquido che arriva nello stomaco, può essere utile.

■ OMEOPATIA. Nei casi in cui la nausea migliora stando coricati e peggiora all'odore del cibo, assumete *Cocculus*.

Preferite *Tabacum* nei casi di vertigine, debolezza, sudorazione, nausea, sensazione di cerchio alla testa e se l'odore di sigaretta risulta particolarmente sgradevole.

Coca è il rimedio dei montanari e degli scalatori che possono avere, specie se non allenati, vertigine, ronzio alle orecchie, cefalea, palpitazioni, insonnia benché molto stanchi.

Petroleum è consigliato nei casi di nausea accompagnata da vomito e aumento della salivazione in soggetti che stanno meglio quando mangiano o stanno sdraiati oppure che sono infastiditi dalla luce.

Borax è efficace quando il malessere aumenta in presenza di movimenti verso il basso accompagnato da paura degli stessi, come per esempio in aereo quando ci sono turbolenze (oppure per chi soffre d'auto solo quando si scende da una montagna).

LA PREVENZIONE

Le probabilità di avere la nausea diminuiscono se viaggiate di notte, perché non riuscite a vedere il movimento come di giorno.

Allontanate la nausea con una boccata d'aria fresca: in macchina aprite il finestrino; su una barca state fuori ed esponetevi alla brezza; in aereo aprite l'areatore che avete sopra la testa.

Più siete stanchi più è facile che vi venga la nausea. Assicuratevi di avere dormito abbastanza prima di partire.

In macchina, cercate di tenere ferma la testa e guardate avanti, concentrandovi sulla strada o sull'orizzonte (avete mai notato che chi guida non soffre di mal d'auto?) Non leggete mentre viaggiate in macchina, né in barca.

Non fumate in auto perché il fumo è un potente induttore di cinetosi.

Mal di gola *Sensazioni di secchezza, irritazione, prurito e difficoltà di deglutizione caratterizzano il mal di gola. La mucosa rossa e gonfia può essere inoltre sintomo di raffreddore, di allergia, di*

malattie infantili come orecchioni, varicella, morbillo e anche di mononucleosi.

Nei bambini piccoli il mal di gola è determinato spesso da un'infezione da streptococchi, che può dar luogo a complicazioni come tonsillite, scarlattina, febbre reumatica e nefropatie.

Vedi anche ALLERGIE, LARINGITE, RAFFREDDORE, TONSILLITE.

LA MEDICINA UFFICIALE

Per un mal di gola di lieve entità sono sufficienti gargarismi con acqua salata.

Un adulto può assumere aspirina o paracetamolo, mentre in caso di infezione da streptococchi, tonsillite o altre infezioni batteriche vengono prescritti antibiotici o penicillina.

LE TERAPIE DELLA MEDICINA NATURALE

■ AGOPUNTURA. Si trattano punti dei meridiani dell'Intestino Crasso e del Polmone, oltre che alcune zone riflesse corrispondenti a polmone, faringe e laringe, situate nell'orecchio.

■ AROMATERAPIA. Inalazioni di salvia sclarea, sandalo e *tea tree* (*Melaleuca alternifolia*) possono dare sollievo.

Contro l'infezione sono utili anche gargarismi all'essenza di geranio o di limone in acqua molto calda.

■ NATUROPATIA. Limitate il consumo di dolci e di zucchero e bevete molti liquidi: brodo, tè di zenzero, succhi di frutta.

Alcune posizioni yoga rinforzano la muscolatura del viso e della gola. La posizione del Leone si esegue seduti sui talloni, con le mani sulle ginocchia e la lingua completamente in fuori.

L'aglio mangiato crudo e le pennellature locali di propoli, per le loro proprietà antibiotiche, aiutano a combattere l'infezione da streptococchi.

■ OMEOPATIA. *Aconitum* è utile quando il mal di gola è accompagnato da febbre e raffreddore.

Apis è consigliato quando la deglutizione è difficoltosa.

Baryta muriatica e *Belladonna* sono raccomandati quando esistono sensazioni di secchezza e bruciore; *Hepar sulphur* e *Phytolacca* quando c'è intenso malessere.

■ RIFLESSOLOGIA. È utile la stimolazione delle zone corrispondenti a collo, ghiandole surrenali e linfonodi del collo.

■ VITAMINE E MINERALI. Per stimolare il sistema immunitario e favorire la guarigione si consigliano le vitamine A e C, oltre a betacarotene e zinco.

■ YOGA. Praticate la posizione del *Leone* (*vedi* pag. 401) più volte al giorno per rinforzare i muscoli del viso e della gola.

LA PREVENZIONE

Non fumate ed evitate gli ambienti fumosi o inquinati. Ai primi sintomi, bevete molti liquidi e fate gargarismi più volte al giorno con acqua calda e sale, con aceto di mele, succo di limone o propoli.

Sciogliete un cucchiaino di miele nel succo di un limone, aggiungetevi un bicchiere di acqua calda o fredda e bevete.

Succhiate pasticche per la gola, soprattutto a base di vitamina C stabilizzata e di gluconato di zinco, per combattere l'infezione e il fastidio.

Mal di schiena *Quasi tutti, almeno una volta, hanno provato ad avere mal di schiena. Per fortuna si tratta, nella maggior parte dei casi, di dolori passeggeri, che possono essere determinati da posture scorrette, scarso tono muscolare (soprattutto addominale) e sedentarietà.*

Anche sforzi, lavori pesanti, il trasporto di carichi possono scatenare il mal di schiena.

Altre cause sono le fratture da compressione e gli strappi dei muscoli o dei legamenti.

Tra le malattie dalle quali può dipendere il dolore ricordiamo le patologie renali, l'artrite, la cistite, il cancro, le coliche biliari e lo stress.

Il mal di schiena è quasi sempre il risultato di un incidente che abbia provocato un danno a un disco o a una vertebra.

Per "ernia del disco" si intende in genere il prolasso di un disco intervertebrale, un problema strutturale nel quale uno o più dischi vanno a comprimere la radice di un nervo oppure il midollo spinale.

Vedi anche ARTRITE, CANCRO, CALCOLI BILIARI, CISTITE, SCIATICA, STRESS.

LA MEDICINA UFFICIALE

Un paio di giorni di riposo sono la prima prescrizione per i casi acuti.

Il passo successivo può essere un programma di esercizi di stretching e di potenziamento.

Se il problema è più grave, si può far ricorso alla fisioterapia.

In alcuni casi vengono prescritti corsetti o altri sostegni per la schiena.

Contro i dolori acuti i medici consigliano di solito farmaci antinfiammatori, analgesici e antispastici, mentre per i dolori cronici (con debolezza e insensibilità, che possono essere provocati dalla compressione di un nervo) arrivano a prescrivere un intervento chirurgico.

LE TERAPIE DELLA MEDICINA NATURALE

■ AGOPUNTURA. Ha una potente azione analgesica e può essere usata quando il dolore è talmente forte da impedire l'utilizzazione di altre tecniche (per esempio, si possono alleviare i dolori provocati da spasmi e tensione muscolare prima di intervenire con i massaggi).

■ CHIROPRATICA. Il trattamento prevede una serie di manipolazioni vertebrali (a sostegno delle quali possono essere impiegati anche gli impacchi ghiacciati).

■ IDROTERAPIA. Il nuoto e altri esercizi acquatici sono molto efficaci.

Altri aiuti sono i semicupi con sale inglese e, nei primi giorni di una crisi acuta, gli impacchi ghiacciati.

Una volta ridotta l'infiammazione, sono preferibili impacchi di acqua calda.

■ MASSAGGIO. Un operatore qualificato può massaggiare tutto il corpo, con una particolare attenzione per la zona colpita.

Per il mal di schiena risultano rilassanti i movimenti fluidi, mentre l'impastamento aiuta a ridurre la rigidità (*vedi* pag. 170).

Nei casi acuti, prima del massaggio va consultato il medico.

■ OMEOPATIA. Tra i rimedi appropriati contro il dolore e l'indolenzimento citiamo *Rhus toxicodendron*, per chi soffre di dolori notturni che migliorano con il movimento, e *Bryonia*, per chi soffre di dolori pungenti che si aggravano al minimo movimento.

■ OSTEOPATIA. Se il problema è un'ernia del disco, l'osteopata può prima di tutto cercare di rilassare i muscoli vertebrali contratti, poi allungare dolcemente la colonna per ridurre la pressione sul disco spostato. Un problema di questo tipo richiede un minimo di sei sedute.

Lesioni minori, come per esempio lo stiramento di un muscolo, possono migliorare anche in una sola seduta.

■ RIFLESSOLOGIA. Per ridurre il dolore si trattano le aree del piede corrispondenti alla regione lombare, ai reni, al sistema urinario e alle anche.

■ SHIATSU. La pressione dei punti della regione lombare può dare conforto. Il trattamento va iniziato sul lato della schiena dove è avvertito il dolore, poi si continua sull'altro.

Attenzione: lo shiatsu è controindicato in presenza di ernia del disco, di febbre alta, di malattie contagiose della pelle e per i soggetti che stanno facendo una terapia a base di cortisone.

■ TECNICA DI ALEXANDER. L'insegnante può insegnarvi come sedervi, alzarvi in piedi e muovervi correttamente sia per prevenire il mal di schiena sia per combatterlo.

■ VITAMINE E MINERALI. La vitamina D, assunta in combinazione con calcio e vitamina C, è importante per la crescita e la salute delle ossa e dei nervi.

La vitamina C è utile nel caso in cui i dischi intervertebrali siano deteriorati.

Si raccomanda inoltre l'assunzione di vitamina E, magnesio, manganese, fosforo e zinco.

■ YOGA. Ottimo per rafforzare e rilassare i muscoli, lo yoga migliora anche la postura, di

I cuscini danno sostegno durante il sonno

■ Se soffrite di mal di schiena, anche scendere dal letto la mattina può diventare un compito impegnativo. Ecco come ridurre al minimo lo sforzo.

Rotolate su un lato, avvicinandovi al bordo del letto, poi portate le ginocchia all'altezza dei fianchi. Le gambe restano piegate e il corpo rilassato.

■ Lasciate andare i piedi verso il pavimento e aiutatevi con le mani per spingervi a sedere sul letto (con i piedi a terra). Per stendervi, fate il contrario. Accertatevi che il vostro materasso non sia troppo morbido, per avere un sostegno adeguato.

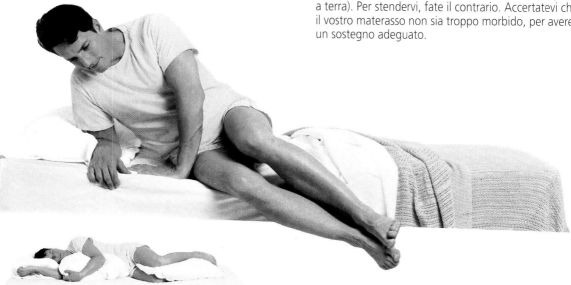

Sul lato: il sostegno è offerto da tre cuscini.

Supini: cuscini sotto la testa e sotto le ginocchia.

Proni: cercate di tenere una gamba flessa.

solito con una riduzione del mal di schiena. Prima di intraprendere un corso, è importante spiegare i propri problemi al maestro yoga (alcune particolari posizioni, infatti, sono controindicate per chi soffre di mal di schiena).

LA PREVENZIONE

Le strategie per evitare, o limitare al massimo, il mal di schiena comprendono gli esercizi per una buona postura e per imparare a sollevare, spingere e trasportare pesi senza sforzo.

Per stare seduti, scegliete sedie con sedile solido e un buon supporto per la parte bassa della schiena. (Per chi sta seduto molto a lungo, sono ottime le sedie "ergonomiche", che permettono di far gravare il peso della colonna vertebrale anche sulle ginocchia.)

Esercitatevi tutti i giorni per tonificare i muscoli della schiena e dell'addome, e per prevenire la rigidità della colonna vertebrale.

Attività come camminare, nuotare, andare in bicicletta e remare fanno bene alla schiena. Se vi capita spesso di avere mal di schiena, evitate gli sport violenti, come il tennis e lo squash, che richiedono torsioni improvvise.

Non portate regolarmente i tacchi alti.

Da seduti, evitate di accavallare le gambe.

In piedi, non restate fermi a lungo ma spostate periodicamente il peso da una gamba all'altra oppure appoggiate un piede a uno scalino.

Per prevenire le patologie vertebrali, dormite su un materasso sostenuto, e preferite la posizione supina o sul lato, con un cuscino molto basso sotto la testa.

Nausea
È la sensazione di disgusto che, in genere, precede il vomito (ed è da esso alleviata). È un segnale che il corpo invia: avverte di non assumere cibi perché l'organismo non è in grado, al momento, di digerirli e assimilarli. Le cause possono essere numerose: può trattarsi di una leggera indigestione, ma anche di un'intossicazione o di un'intolleranza alimentare; può essere sintomo di molti disturbi gastrointestinali o di un'influenza incipiente. Può essere causata anche da sollecitazione del labirinto, dal mal d'auto o dal mal di mare. Alcune persone avvertono nausea in determinate situazioni psicologiche, per esempio quando sono agitate. A volte la nausea è accompagnata da emicrania, febbre o diarrea.

Vedi anche DIARREA, EMICRANIA, FEBBRE, GASTRITE, INDIGESTIONE, INTOLLERANZE ALIMENTARI, INTOSSICAZIONE ALIMENTARE, NAUSEA IN GRAVIDANZA.

LA MEDICINA UFFICIALE

La nausea è un sintomo, non una malattia: il ruolo del medico sarà quindi quello di individuarne e curarne le cause.

I farmaci antiacido possono comunque dare sollievo ai sintomi.

LE TERAPIE DELLA MEDICINA NATURALE

■ DIGITOPRESSIONE. Applicando una forte pressione con la punta del pollice a circa 5 centimetri dall'articolazione del polso, si alleviano i sintomi della nausea (*vedi anche* pag. 181).

■ FITOTERAPIA. Lo zenzero è un buon rimedio contro la nausea. Potete assumere capsule di radice polverizzata o preparare un infuso (*vedi* pag. 310). Anche un biscotto allo zenzero può funzionare se i sintomi sono molto leggeri.

■ NATUROPATIA. Succhiare una fettina di limone può essere utile per ridurre i sintomi.

Se i cibi vi danno nausea, cercate comunque di bere qualcosa di leggero, come tè o succhi. È meglio che i liquidi siano caldi o a temperatura ambiente (non freddi, né gasati, per evitare ulteriori problemi allo stomaco). Bevete solo una piccola quantità di liquido per volta.

Se avete bisogno di mangiare qualcosa, e la nausea è forte, mangiate carboidrati in piccole quantità (fette biscottate o cracker, per esempio). Quando lo stomaco si calma, continuate con proteine leggere, come petto di pollo o pesce. Gli alimenti grassi sono l'ultima cosa da aggiungere alla dieta.

Uno dei sistemi più efficaci per smettere di avere la nausea è quello di vomitare (non provocate il vomito, ma non cercate nemmeno di trattenervi: in fondo è un metodo per trovare un rapido sollievo).

■ OMEOPATIA. Nei casi di nausea costante dopo i pasti, senza vomito, si consiglia *Ipecacuanha*. Se il malessere segue l'assunzione di cibi grassi, e il soggetto desidera stare all'aria aperta, provate con *Pulsatilla*.

Se la nausea è aggravata in automobile, nave o aereo, è utile *Coccolus*.

Kali carbonicum è il rimedio per chi ha nausea senza vomito, soltanto in posizione eretta.

LA PREVENZIONE

Se avete spesso la nausea, e sospettate che dipenda dalla digestione, prenotate una visita medica, per esaminare con uno specialista la radice del fenomeno.

Odori o esalazioni (leggere fughe di gas, prodotti antitarme, disinfettanti, detergenti, vernici) nella casa o nell'ambiente di lavoro potrebbero provocare nausea: un frequente ricambio d'aria è il primo intervento.

Poi conviene eliminare la causa, perché, se l'esposizione alla sostanza nociva è prolungata, si può arrivare ad avere allergie.

Se è un particolare cibo a provocare nausea, per esempio nel caso di un'intolleranza alimentare, occorre eliminare, a rotazione, i cibi "incriminati".

Nausea in gravidanza *In genere, la nausea in gravidanza comincia verso la sesta settimana, nel momento in cui la placenta comincia a produrre un particolare ormone.*

In molte donne i sintomi raggiungono la punta massima all'ottava o nona settimana e se ne vanno dopo la tredicesima.

La nausea in gravidanza è del tutto normale; occorre cominciare a preoccuparsi quando, ad essa, si aggiungono altri sintomi.

Se state perdendo peso, se vi sentite disidratate oppure urinate poco, se vomitate molto spesso, è meglio consultare il medico.

Vedi anche NAUSEA.

LA MEDICINA UFFICIALE

Si tende a non prescrivere farmaci nei primi mesi di gravidanza, a causa dei possibili effetti che potrebbero avere sul nascituro.

Il vomito in gravidanza è più comune al mattino, ma può essere presente anche nel resto della giornata e può essere prevenuto evitando il digiuno con piccoli pasti frequenti.

LE TERAPIE DELLA MEDICINA NATURALE

■ FITOTERAPIA. Preparate un infuso (*vedi* pag. 310) di zenzero fresco e sorseggiatelo di frequente.

Poiché la nausea mattutina può essere associata a ipotensione, possono giovare pure i biscotti a base di zenzero (lo zenzero non soltanto favorisce la digestione, ma è anche un leggero stimolante).

Tisane di camomilla o di menta (o di una combinazione di entrambe le erbe) sono pure utili per ridurre la nausea gravidica.

■ NATUROPATIA. Non mangiare peggiora la situazione: è utile fare leggeri spuntini durante il giorno (e, se necessario, anche durante la notte).

Molte donne in gravidanza *trovano che la respirazione profonda e lo yoga sono ottimi strumenti per vincere la nausea.*

Alimentarsi con zuccheri semplici, come quelli contenuti nella frutta, è un buon metodo per ridurre la nausea. I succhi di uva e di arancia sono molto indicati. Anche semi oleosi (come le mandorle, che contengono un po' di grasso, un po' di proteine e molte vitamine del complesso B) possono soddisfare l'esigenza di pasti piccoli e frequenti.

Evitare i cibi grassi e i fritti facilita la digestione, diminuendo la possibilità di avere nausea.

■ OMEOPATIA. I rimedi omeopatici sono particolarmente adatti, poiché la loro notevole diluizione non comporta rischi né per la donna né per il nascituro.

Ipecacuanha è consigliabile nei casi ostinati di nausea e vomito con sete scarsa.

Kreosotum è utile in caso di vomito, la mattina, di liquido acquoso e dolciastro. Poi la donna mangia a colazione e a pranzo e non ha problemi. Vomita invece dopo cena.

Nux vomica può essere efficace quando la nausea e il vomito si presentano la mattina dopo la colazione. L'odore del cibo, delle bevande e soprattutto del tabacco è insopportabile. La donna è irritabile, depressa e vuole essere lasciata in pace.

Pulsatilla è indicato quando il cibo aggrava la condizione e i sintomi peggiorano alla fine della giornata e migliorano all'aria aperta.

■ SHIATSU. Il massaggio della schiena (nelle zone corrispondenti allo stomaco e al sistema ormonale) può essere efficace per diminuire i sintomi di nausea.

LA PREVENZIONE

Pasti piccoli e frequenti, evitando i grassi e i fritti, riescono in genere a eliminare, o per lo meno a ridurre, i sintomi tipici della nausea in gravidanza.

Se state assumendo supplementi vitaminici per la gravidanza, parlatene con il vostro medico: in alcuni casi possono farvi venire la nausea.

Nevralgia *Si tratta di un dolore che si estende lungo il tragitto di un nervo, come avviene, per esempio, nella sciatica.*

La localizzazione del dolore dipende dal nervo che è stato colpito.

Dal momento che si conosce il territorio di distribuzione di ogni nervo, dall'area dolorante si può risalire al nervo affetto.

Ne è un esempio l'infiammazione del trigemino, che innerva ciascuno dei due lati del viso, le zone oculari, mandibolari e mascellari.

Talvolta è sintomo di herpes zoster (chiamato anche fuoco di sant'Antonio).

Vedi anche DOLORI CRONICI, FUOCO DI SANT'ANTONIO, SCIATICA.

LA MEDICINA UFFICIALE

Dopo aver diagnosticato l'affezione di cui la nevralgia è sintomo, il medico prescriverà farmaci antidolorifici.

Può anche, in alternativa ai farmaci, anestetizzare il nervo per mezzo di stimolazioni transcutanee. Si tratta di impulsi elettrici che riescono a raggiungere, attraverso la pelle, il nervo interessato, diminuendo il dolore.

Anche iniettando alcol o fenolo nel nervo si può ridurre la sensazione di dolore.

Esistono in numerosi ospedali reparti specializzati nella terapia del dolore dove vengono eseguite cure specifiche per il trattamento delle nevralgie e dei dolori cronici.

LE TERAPIE DELLA MEDICINA NATURALE

■ AGOPUNTURA. In caso di dolore acuto, è consigliabile un trattamento quotidiano. L'agopuntore tratterà i punti posti sui meridiani della Vescicola Biliare, della Vescica, dell'Intestino Crasso, dello Stomaco e del Fegato.

■ AROMATERAPIA. Il dolore al viso può essere alleviato applicando olio di eucalipto. Non usatelo però concentrato (può, a lungo andare, irritare la pelle): è meglio diluirlo in olio inerte.

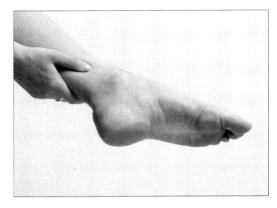

Shiatsu, riflessologia e digitopressione *possono dare sollievo alle nevralgie. Sulle tecniche di riflessoterapia vedi pagg. 182-189.*

■ DIGITOPRESSIONE. Per alleviare la nevralgia del trigemino, premete sull'estremità interna del sopracciglio, oppure verso il basso in direzione della mascella, nel punto corrispondente agli angoli della bocca.

LA PREVENZIONE

Non esiste una prevenzione specifica. È probabile però che la nevralgia possa essere insorta in seguito a eccessivo stress, oppure il dolore sia stato rinforzato da una diminuzione delle difese immunitarie. Una dieta equilibrata e corretta e in generale un sano stile di vita possono sicuramente aiutare a prevenire questo problema, o a ridurne la sintomatologia.

Obesità *L'obesità è caratterizzata da un accumulo di grasso nell'organismo con un aumento di peso che supera almeno del 15% quello ideale.*

L'obesità è pericolosa per la salute e può addirittura pregiudicare la durata della vita quando viene superato del 20% o più il peso ideale. È inoltre un importante fattore di rischio per l'infarto miocardico (perché favorisce l'ipertensione arteriosa e innalza il tasso di colesterolo). L'obesità diminuisce anche la capacità respiratoria ed è spesso associata al diabete, oltre a facilitare la comparsa di artrite agli arti inferiori e di ernia del disco (per il maggior carico imposto alle articolazioni).

I casi di sovrappeso e obesità sono aumentati negli ultimi anni a causa dello stile di vita più sedentario. Il fenomeno colpisce in modo particolare i bambini che passano lunghe ore davanti alla televisione e sono influenzati da modelli alimentari sbagliati.

L'obesità è in genere dovuta a un apporto alimentare eccessivo rispetto al fabbisogno energetico del soggetto, per cui l'energia in eccedenza viene im-

magazzinata sotto forma di adipe. Si diventa obesi perché si introducono con la dieta più calorie di quelle che si consumano per mantenere la temperatura corporea e per compiere le attività fisiche quotidiane.

Si ritiene che gran parte della responsabilità, oltre all'assunzione di cibo in eccesso, sia da attribuire a un'alterazione del metabolismo, anche se non si devono dimenticare i fattori emotivi, psicologici e sociali.

Vedi anche ARTRITE, CARDIOPATIE, DIABETE, GOTTA, IPERTENSIONE, PROBLEMI CIRCOLATORI, STRESS.

LA MEDICINA UFFICIALE

La maggior parte dei medici consiglierà ai pazienti obesi di adottare una dieta equilibrata ma caloricamente insufficiente, povera in carboidrati e grassi animali, ricca di proteine, fibre e vitamine. Di solito non vengono prescritti farmaci dimagranti, poiché esiste il rischio di assuefazione e di pericolosi effetti collaterali.

La resezione chirurgica di parte del piccolo intestino (*by-pass* digiuno-ileale) è efficace nel ridurre il peso di obesi incapaci di seguire una dieta, ma non è consigliabile a causa delle numerose e gravi complicazioni.

LE TERAPIE DELLA MEDICINA NATURALE

■ AGOPUNTURA. Il trattamento ha lo scopo di ridurre il notevole appetito attraverso la riattivazione dei flussi di energia che scorrono lungo i meridiani della Milza-Pancreas, dello Stomaco, del Cuore e del Polmone.

Anche il trattamento dei punti posti sulle orecchie (auricoloterapia) si ritiene che possa far diminuire l'eccessivo desiderio di cibo, così come la moxibustione.

■ FITOTERAPIA. L'obesità non può essere curata con preparati vegetali. Si può però integrare il regime alimentare ricorrendo a piante diuretiche, calmanti, lassative, depurative. Fra queste, utili sono soprattutto l'agrimonia, il carciofo, il tarassaco, la valeriana.

Possono essere usate erbe disintossicanti in gocce, come *Betula verrucosa* oppure diuretiche, come *Fucus vesiculosus* o *Pilosella*, se si pensa che vi sia ritenzione idrica.

Alcune alghe, come il kelp, di solito preparate in capsule o in compresse, si ritiene stimolino il metabolismo.

■ NATUROPATIA. Il trattamento deve essere personalizzato, in quanto sono moltissimi i fattori che possono determinare l'obesità.

Se le cause sono essenzialmente alimentari, è consigliabile che l'obeso si attenga a una dieta povera di calorie ma giustamente equilibrata, associata a un'attività fisica costante. Questo intervento, seppure ugualmente importante, può essere considerato secondario nel caso dell'obesità di origine ormonale, che richiede una correzione della disfunzione.

■ OMEOPATIA. *Calcarea carbonica* è un rimedio consigliato, soprattutto se il soggetto presenta intensa sudorazione oppure in caso di depressione o di desiderio smodato di cibo, in particolare di uova.

Natrum muriaticum è utile qualora ci sia ritenzione idrica.

■ TAI CHI. Col tempo, l'esercizio dovrebbe conferire una linea più armonica. L'uso quotidiano dei principi e degli esercizi del Tai chi per riportare l'equilibrio, la creatività e l'armonia dovrebbe anche riuscire a ridurre la fame e fornire un miglior benessere psicofisico.

■ VITAMINE E MINERALI. Potassio, magnesio e litio (come oligoelementi) possono venire somministrati alternativamente, due volte ciascuno alla settimana.

LA PREVENZIONE

L'esercizio fisico, unito a una dieta equilibrata e ipocalorica, è l'unico modo efficace sia per mantenere il peso-forma sia per perdere peso.

Alcuni semplici accorgimenti possono aiutare ad avvertire meno lo stimolo della fame e a diminuire la quantità degli alimenti assunti. La mattina, per esempio, prima di fare colazione, bevete del succo di limone. Prima dei pasti principali mangiate una mela. Preferite i cibi ricchi di cellulosa, che più di altri danno un senso di sazietà.

Meglio di due pasti abbondanti sono tre o cinque piccoli pasti al giorno, escludendo carboidrati raffinati (zucchero industriale, pane e pasta bianchi) e riducendo i grassi, soprattutto di origine animale.

Bando alle bevande alcoliche e attenzione allo stress che, se eccessivo e prolungato, tende ad alterare il metabolismo.

Consumare in grande quantità verdura cotta e cruda (soprattutto finocchi, melanzane, carciofi e sedani) e frutta favorisce lo smaltimento dei grassi in eccesso.

È utile bere, preferibilmente lontano dai pasti, due litri di acqua minerale non gasata.

Orzaiolo

Si tratta dell'ascesso pieno di pus prodotto dall'infezione del follicolo di un pelo ciliare, che compare sul margine della palpebra (che si gonfia e si arrossa).

Benché piuttosto dolorosi, in genere gli orzaioli non sono pericolosi. Durano più o meno una settimana e qualche volta arrivano a maturazione, scoppiano e scompaiono da soli.

Quando non guariscono completamente lasciano un piccolo nodulo rosso nella palpebra che, sfregando contro l'occhio, può dare origine a un nuovo orzaiolo.

Se l'orzaiolo vi crea problemi alla vista, se vi procura febbre, mal di testa, sonnolenza o perdita di appetito conviene consultare il medico, così come se è localizzato all'interno della palpebra invece che sul bordo esterno.

Vedi anche AFFATICAMENTO OCULARE, ALLERGIE, FEBBRE.

LA MEDICINA UFFICIALE

Se l'ascesso matura ma non si rompe, il medico suggerisce impacchi caldi oppure il drenaggio chirurgico.

Se l'infezione tende a ripresentarsi può prescrivere un antibiotico.

LE TERAPIE DELLA MEDICINA NATURALE

■ FITOTERAPIA. Un decotto (*vedi* pag. 310) di eufrasia o di camomilla può essere usato per un bagno oculare e può contribuire a ridurre l'infiammazione.

■ NATUROPATIA. È utile una dieta disintossicante, per esempio a base di sola frutta e verdure crude per un periodo che può andare da un giorno a una settimana.

Evitate di sfregare l'occhio o di strizzare l'orzaiolo, specialmente se c'è infezione. Impacchi caldi, o molto caldi, limitano il dolore e aiutano l'ascesso a maturare.

■ OMEOPATIA. Uno dei rimedi più usati è *Pulsatilla*. In fase iniziale spesso si prescrive *Aconitum*, poi *Pulsatilla* se *Aconitum* non fa effetto.

Se ci sono spesso ricadute si può provare con *Staphysagria*, soprattutto se il problema si presenta in un periodo di esaurimento psicofisico.

■ VITAMINE E MINERALI. Si suggeriscono integrazioni multivitaminiche e multiminerali quotidiane, oltre che di vitamina C e di zinco.

Se gli orzaioli compaiono spesso può darsi che ci sia una carenza di vitamina A.

Ricordate comunque che supplementi massicci di questa vitamina vanno presi solo sotto controllo medico.

LA PREVENZIONE

Se il disturbo è ricorrente, può essere indice di relativa carenza delle difese immunitarie del soggetto. Una dieta equilibrata e corretta, che non faccia mancare nessuno dei nutrienti essenziali, è la prima regola da seguire.

Impacchi caldo-umidi *con decotti decongestionanti, per esempio a base di eufrasia (*Euphrasia officinalis*) o di camomilla romana (*Anthemis nobilis*), sono utili per alleviare l'infiammazione oculare provocata da un orzaiolo. Potete fare anche, con gli stessi decotti, alcuni bagni oculari, con l'apposito "bicchierino" che potete acquistare in farmacia.*

Osteoporosi

L'osteoporosi è una malattia progressiva che determina l'assottigliamento e la fragilità delle ossa per decalcificazione.

Colpisce soprattutto le donne dopo la menopausa, in modo particolare quelle che fumano e che fanno poco esercizio fisico (a maggior ragione se hanno già precedenti di questa malattia in famiglia e se hanno seguito una dieta povera di calcio per anni).

L'inizio della menopausa accelera considerevolmente il normale processo di assottigliamento delle ossa prodotto dall'invecchiamento perché le ovaie smettono di produrre l'ormone femminile estrogeno, che favorisce la conservazione della massa ossea.

La fragilità e la debolezza dello scheletro rendono particolarmente vulnerabili le donne nei confronti di fratture come quelle della colonna vertebrale, dell'anca, del polso.

Vedi anche ARTRITE, DOLORI CRONICI, PROBLEMI DELLA MENOPAUSA.

L'esercizio fisico regolare aiuta a prevenire l'osteoporosi, una malattia delle ossa che colpisce prevalentemente le donne di mezz'età.

LA MEDICINA UFFICIALE

In genere il medico raccomanda supplementi di calcio e, in menopausa, una terapia ormonale sostitutiva. Alcuni nutrizionisti consigliano una dieta a elevato tenore di calcio, dalla quale siano banditi gli alcolici.

LE TERAPIE DELLA MEDICINA NATURALE

■ NATUROPATIA. È consigliabile adottare una dieta povera di proteine e ricca di calcio, fosforo, magnesio e vitamine A e D (delle quali è assai ricco l'olio di fegato di merluzzo).

In più, il medico prescrive a volte una serie di esercizi fisici.

■ TAI CHI. Gli aggraziati movimenti del Tai chi aiutano i pazienti ad adattarsi ai mutamenti fisici e a mantenere un aspetto giovanile ed efciente. Questo è particolarmente importante nella mezza età, quando possono insorgere malattie come l'osteoporosi e il fisico femminile risente dei cambiamenti ormonali. Si ritiene che il Tai chi stimoli le energie mentali, emotive e fisiche.

■ VITAMINE E MINERALI. Integratori a base di calcio e vitamina D sono la prima indicazione. Acido folico, vitamina K, manganese, boro e magnesio contribuiscono a conservare la massa ossea; integrazioni di questi elementi possono essere utili alle donne in menopausa.

■ YOGA. Alcuni terapisti sono convinti che una respirazione efficiente procuri sollievo a chi ha l'osteoporosi. La respirazione diaframmatica può aiutare l'organismo a contrastare i cambiamenti d'assetto della struttura ossea. Anche le tecniche di rilassamento sono efficaci.

LA PREVENZIONE

Per prevenire l'osteoporosi o rallentare la sua progressione è indispensabile fare attività fisica regolare e badare a ciò che si mangia. Assicuratevi di assumere molti latticini, ortaggi verdi a foglia, crostacei e altre fonti alimentari di calcio, ma evitate gli alimenti (come spinaci e bietole) ricchi di acido ossalico, una sostanza che ne ostacola l'assorbimento.

Per contrastare la perdita di massa ossea, lo scheletro deve essere sollecitato a sostenere il peso del corpo: molto utili sono la corsa leggera, le passeggiate veloci e il salto della corda (esercizi da fare almeno tre volte la settimana).

Cercate di esporvi regolarmente al sole, o almeno all'aria aperta; la pelle infatti assorbe i raggi ultravioletti del sole e li converte in vitamina D, un importante catalizzatore per l'assorbimento del calcio.

Se non lo avete ancora fatto, smettete di fumare: il fumo riduce il livello di estrogeni.

I soggetti con osteoporosi devono cercare di evitare cadute accidentali perché le ossa, già fragili, possono fratturarsi con relativa facilità.

Usate allora tappeti che impediscano di scivolare, illuminate bene i locali della casa e le scale e applicate maniglie alla vasca da bagno e alla doccia.

Piede d'atleta *Micosi cutanea non grave, ma non per questo meno fastidiosa, si riconosce per la pelle lacerata o desquamata tra le dita dei piedi e sulla pianta, in particolare sul lato interno del piede. La pelle prude e dà fastidio; spesso si formano vesciche. Anche le unghie possono essere interessate dall'infezione e quindi iniziare a spezzarsi o a staccarsi dalle dita.*

LA MEDICINA UFFICIALE

Polveri, lozioni e creme antimicotiche possono risolvere il problema. Spesso si ricorre a soluzioni a base di cloruro d'alluminio.

Se i prodotti locali risultano inefficaci, il medico può prescrivere farmaci a base di griseofulvina (in pillole, capsule o in forma liquida), ad azione antimicotica.

LE TERAPIE DELLA MEDICINA NATURALE

■ FITOTERAPIA. Per combattere le infezioni micotiche, si raccomanda di fare ogni giorno un pediluvio in un infuso (*vedi* pag. 310) concentrato di radici di idraste, oppure in una miscela composta da parti uguali di trifoglio dei prati, salvia, calendula, agrimonia e due cucchiaini di aceto di mele aggiunti all'acqua. Lasciate il piede a bagno per mezz'ora, poi asciugatelo bene, utilizzando talco di radici di idraste.

■ IDROTERAPIA. Pediluvi in acqua salata calda, della durata di cinque-dieci minuti, aiutano a eliminare il fungo.

Le immersioni in acqua ammorbidiscono inoltre la pelle, consentendo una miglior penetrazione dei rimedi locali.

■ NATUROPATIA. Può essere consigliabile l'applicazione di polvere di vitamina C sulle zone colpite.

La medicina popolare consiglia di lavare i piedi nel tè caldo.

Potete anche bere circa due tazze al giorno di un tonico per la pelle composto da succo di fragole unito a polpa di datteri freschi.

■ OMEOPATIA. La crema di calendula (si acquista nelle farmacie che vendono prodotti omeopatici) è efficace per ammorbidire la pelle e aiuta a combattere l'infezione.

■ RIFLESSOLOGIA. Sebbene il massaggio zonale non possa essere effettuato sulla zona affetta dal disturbo, l'effetto generale di stimolazione delle difese dell'organismo può far risentire la sua influenza sulla parte infetta e quindi favorirne il miglioramento.

LA PREVENZIONE

Per prevenire il disturbo, asciugate bene i piedi, compresa la zona tra le dita, ogni volta che li lavate.

Dopo aver asciugato con cura i piedi, cospargeteli di talco.

Se frequentate piscine o fate la doccia in una palestra, usate sempre ciabatte di gomma per evitare il contatto del piede con il pavimento.

Date la preferenza ai sandali e ad altre calzature aperte, che consentano la libera circolazione dell'aria, ed evitate le scarpe di materiali vinilici. Usate due paia di scarpe a giorni alterni, in modo che tra un uso e l'altro abbiano il tempo di asciugarsi completamente.

Preferite le calze di fibre naturali a quelle di materiali sintetici, che assorbono male l'umidità.

Se siete particolarmente vulnerabili a questa infezione, cercate di camminare a piedi nudi il più possibile, per lasciar evaporare il sudore.

Problemi circolatori
Dopo le vene varicose, uno dei più comuni problemi circolatori è costituito dai trombi, coaguli di sangue che ostruiscono le pareti dei vasi sanguigni e che, a volte, si possono formare per tappare un buco in una parete vascolare lesionata. I trombi si formano soprattutto nelle gambe e producono sintomi quali dolore, sensibilità, gonfiore, cambiamento di temperatura e di colore della pelle. I coaguli sono una minaccia quando, spezzandosi, penetrano nei polmoni.

Un altro problema vascolare è la cancrena, cioè la necrosi di un tratto di pelle e del tessuto sottostante provocata da un'interruzione della corretta irrorazione di sangue.

Se una vena si infiamma e si forma un trombo, si verifica una tromboflebite o, più comunemente, una flebite.

Gravidanza, postumi di interventi chirurgici, malattie che confinano il paziente a letto per un lungo periodo, stile di vita sedentario, sovrappeso, pillola anticoncezionale, fumo e invecchiamento sono i fattori di rischio dei problemi vascolari.

Vedi anche EMICRANIA, EMORROIDI, VENE VARICOSE.

LA MEDICINA UFFICIALE

Per la flebite in una vena superficiale il trattamento prevede impacchi caldi e antinfiammatori. Per la trombosi di vene poste in profondità il trattamento varia a seconda della localizzazione e della misura dei trombi. I medicinali anticoagulanti possono prevenire la formazione di ulteriori trombi, mentre i trombolitici sciolgono quelli esistenti. In caso di ricovero, le medicine possono essere somministrate per via endovenosa e, se esiste il sospetto che un trombo lasci la vena diretto verso i polmoni, si può effettuare un'operazione chirurgica di eliminazione del trombo.

LE TERAPIE DELLA MEDICINA NATURALE

■ IDROTERAPIA. Le lunghe immersioni complete o in semicupio (*vedi* pag. 86) possono agevolare la circolazione.

Fate anche impacchi freddi e sfregamenti rapidi con un asciugamano bagnato in acqua fredda e poi strizzato.

A chi ha problemi di circolazione *si consiglia un esercizio fisico regolare: il nuoto è tra i più indicati.*

■ NATUROPATIA. È importante alimentarsi con cibi ricchi di fibra e poveri di grassi, come frutta e verdure fresche.

Alcuni medici suggeriscono di eliminare i cibi troppo raffinati, con poche fibre e molti grassi. È utile anche evitare gli stimolanti, come caffè, tè, bevande a base di cola.

■ OMEOPATIA. Per un attacco di flebite può essere utile *Hamamelis*.

■ RIFLESSOLOGIA. La stimolazione delle zone corrispondenti al cuore e alle ghiandole surrenali favorisce la circolazione (*vedi* pag. 184).

Va inoltre prestata attenzione alle aree riflessogene corrispondenti alle parti in cui si manifesta il disturbo circolatorio ed è utile il massaggio completo della mano o del piede.

■ VITAMINE E MINERALI. La vitamina C previene l'accumulo delle piastrine che può risultare in un trombo.

Alcuni medici suggeriscono integrazioni di vitamina E per agevolare la circolazione nei piedi e nelle gambe e di vitamina PP per dilatare i vasi sanguigni. Supplementi a base di calcio e di magnesio danno sollievo ai crampi notturni determinati dalla scarsa circolazione.

LA PREVENZIONE

La prima cosa da fare per prevenire i problemi vascolari è smettere di fumare perché la nicotina provoca costrizione e danni permanenti alle vene. Seguire un regolare programma di allenamento aiuta a mantenere in funzione il sistema cardiocircolatorio. Camminare e nuotare sono gli esercizi ideali.

Anche perdere i chili in eccesso è essenziale perché l'accumulo di grasso, soprattutto sull'addome, intralcia il ritorno del sangue al cuore dalle vene, aumentando così il rischio che si formino trombi.

Quando riposate, cercate di tenere i piedi più alti della testa per evitare che il sangue ristagni e prevenire in questo modo la formazione di coaguli.

Problemi della menopausa

Quando le ovaie smettono di produrre ovuli, e quindi le donne cessano di avere regolarmente le mestruazioni, ha inizio la menopausa.

È un periodo caratterizzato da intensi cambiamenti, attribuibili soprattutto alla caduta della produzione di estrogeni: vampate di calore, sudorazione notturna, ridotta elasticità della pelle che diventa più rugosa, riduzione della lubrificazione vaginale e dell'interesse per il sesso sono alcuni degli eventi più frequenti, insieme con affaticamento, insonnia, irritabilità e nervosismo.

Resta comunque in discussione se sono le modificazioni dovute alla menopausa o altri fattori a causare i sintomi non fisiologici, che possono durare per mesi o per anni.

La menopausa si verifica spontaneamente intorno ai cinquant'anni, ma può essere anche chirurgica, in seguito all'asportazione delle ovaie.

Dalla menopausa in poi le donne sono più esposte al rischio di osteoporosi e di cardiopatie.

Vedi anche CARDIOPATIE, DEPRESSIONE, INSONNIA, OSTEOPOROSI, PROBLEMI MESTRUALI, STANCHEZZA.

LA MEDICINA UFFICIALE

La terapia ormonale sostitutiva rappresenta il modo più comune per contrastare le vampate di calore e altri sintomi della menopausa.

Se la terapia è controindicata per ragioni di natura medica, l'alternativa più comune sono i sedativi.

Per la lubrificazione vaginale vengono prescritte in genere creme a base di estrogeni mentre per episodi ricorrenti di depressione, irritabilità e nervosismo si ricorre ad antidepressivi e tranquillanti, anche se un sostegno psicoterapeutico sarebbe in molti casi più opportuno.

LE TERAPIE DELLA MEDICINA NATURALE

■ AGOPUNTURA. Per contrastare le vampate di calore, si trattano punti dei meridiani della Vescica, della Vescicola biliare e del Rene.

■ NATUROPATIA. Quando la perdita di massa ossea accelera, elevando il rischio di osteoporosi, è importante un adeguato apporto di calcio. Tra i cibi che ne sono ricchi: fagioli, lenticchie e altri legumi secchi, verdure verdi a foglia, uova, sardine. Anche i latticini sono ottime fonti di calcio, ma alcuni naturopati suggeriscono che limitarli protegga dalle vampate di calore. Il caffè e l'alcol vanno ridotti.

■ OMEOPATIA. *Lachesis*, *Sepia* e *Sulphuricum acidum* aiutano a controllare le vampate di calore e la sudorazione. *Bryonia* viene prescritta contro la secchezza vaginale.

■ VITAMINE E MINERALI. La vitamina E è efficace contro le vampate di calore.

Un'associazione di calcio e vitamina D è consigliabile soprattutto per le donne sottoposte a terapia ormonale sostitutiva, per contrastare le vampate e il mal di schiena, oltre che contro l'assottigliamento delle ossa.

■ YOGA. Le posizioni che migliorano la forma fisica in generale sono particolarmente utili, soprattutto in combinazione con esercizi di rilassamento e di meditazione.

LA PREVENZIONE

Una gelatina lubrificante è sufficiente in genere ad alleviare la secchezza vaginale e a rendere più piacevoli i rapporti sessuali.

Se le vampate di calore sono un problema, evitate i cibi speziati e piccanti, che tendono a far sudare.

È utile anche smettere di fumare, per evitare i problemi connessi (che in questo periodo aumentano).

Aver condotto una vita sufficientemente sportiva e attiva prima della menopausa sembra essere il fattore protettivo più significativo nei confronti dell'osteoporosi, il più grave e comune tra i problemi delle donne di mezza età.

Problemi mestruali *Le mestruazioni consistono nell'eliminazione, mese dopo mese, del rivestimento interno dell'utero e di un uovo non fecondato. Compaiono in genere tra gli undici e i quattordici anni e, dopo un periodo di irregolarità, tendono a stabilizzarsi su cicli compresi tra ventuno e trentacinque giorni, con una media di ventotto. L'emorragia dura tra i tre e i sette giorni per ciclo e, salvo le interruzioni dovute a gravidanze, si ripresenta regolarmente fino alla menopausa. I problemi legati al ciclo mestruale sono soprattutto dolori lombari, crampi addominali e tensione.*

Alcune donne soffrono di "sindrome premestruale", cioè hanno un periodo di malessere fisico e mentale nella fase che precede la comparsa del ciclo. I sintomi comprendono cefalea, eruzioni cutanee, seni gonfi e dolenti, sonnolenza, insonnia, depressione e irritabilità.

Altri problemi mestruali sono l'amenorrea (assenza di mestruazioni), che può essere il risultato di un'eccessiva perdita di peso, di esercizi fisici troppo impegnativi e di stress; la menorragia (mestruazioni molto abbondanti), che può essere il sintomo di un fibroma o di un'infezione pelvica (ma le mestruazioni abbondanti possono essere provocate anche dall'uso della spirale), l'endometriosi, cioè la crescita di una parte del tessuto uterino al di fuori dell'utero, la dismenorrea (cioè le mestruazioni dolorose) e l'irregolarità dei flussi.

Vedi anche CEFALEA, DEPRESSIONE, EMICRANIA, INSONNIA, PROBLEMI DELLA MENOPAUSA, STANCHEZZA, STRESS.

LA MEDICINA UFFICIALE

Il trattamento dipende dal problema e dalle sue cause.

Un'emorragia eccessiva si può contenere con una terapia ormonale o sostituendo la spirale intrauterina con altri contraccettivi.

Per l'endometriosi possono essere prescritti farmaci di vario tipo, compresi contraccettivi orali per sopprimere l'ovulazione e le mestruazioni. Nei casi gravi può essere necessario un intervento chirurgico.

Tra le terapie per la sindrome premestruale si segnalano i diuretici, che riducono la ritenzione di liquidi e i contraccettivi orali, che aiuterebbero a dare regolarità al ciclo. Alcuni medici prescrivono vitamina B_6 e magnesio, efficaci contro i sintomi. Nei casi particolarmente difficili può essere utile il colloquio con uno psicologo.

LE TERAPIE DELLA MEDICINA NATURALE

■ AGOPUNTURA. Per la sindrome premestruale si tratta il meridiano del Fegato; per gli altri sintomi i meridiani del Rene, dello Stomaco, della Milza-Pancreas, della Vescica e del Fegato.

■ FITOTERAPIA. Per alleviare i dolori dei crampi mestruali, potete bere un infuso di camomilla, con l'eventuale aggiunta di zenzero. Per prepararlo, lasciate in infusione per almeno trenta minuti 15 g di fiori secchi di camomilla romana in un litro d'acqua.

Bevete una tazza di infuso prima di ogni pasto, prima e durante le mestruazioni.

■ IDROTERAPIA. Immersioni in acqua calda e applicazioni di impacchi caldi sulla regione lombare favoriscono la circolazione e rendono il dolore più sopportabile.

■ MASSAGGIO. È molto utile un massaggio sulla regione lombare, sull'addome e sulle gambe.

Anche l'automassaggio della zona lombare e dell'addome, con la mano aperta e in senso orario, può attenuare i sintomi.

Un automassaggio nella zona lombare *contribuisce ad attenuare i dolori mestruali. Con i pollici, frizionate tutta la regione lombare, dall'alto in basso e poi dal basso verso l'alto, per circa trenta secondi. Restando nella stessa posizione, date piccoli colpi con i pugni socchiusi su tutta la regione renale.*

■ NATUROPATIA. Se il vostro problema è la sindrome premestruale, mangiate meno cibi ricchi di grassi saturi, come carne e latticini, preferendo quelli con grassi polinsaturi, come legumi e cereali integrali. Una dieta di questo tipo aiuta a migliorare l'equilibrio ormonale. Mangiate molta verdura fresca, specialmente a foglia ed evitate il sale, che porta a trattenere maggiormente i liquidi. Cocomeri, cetrioli e prezzemolo sono diuretici naturali e contribuiscono a ridurre la sensazione di gonfiore del periodo mestruale. Il naturopata può anche suggerire alcuni esercizi per contrastare la ritenzione idrica.

■ OMEOPATIA. *Pulsatilla* riduce la tensione e il dolore avvertito nel seno. *Sepia* dà sollievo all'irritabilità, al senso di affaticamento e al pianto immotivato. *Magnesia phosphorica* è efficace contro i crampi. Per dolori intensi si può ricorrere a *Caulophyllum* o a *Colocynthis* (se siete nervose).

■ RIFLESSOLOGIA. Dà sollievo il massaggio delle zone riflesse corrispondenti all'utero, alle tube, alle ovaie e alla vagina.

■ VITAMINE E MINERALI. Le donne che hanno forti emorragie dovrebbero assumere supplementi di ferro, per reintegrare quello perso.

Per contrastare le perdite eccessive e l'irregolarità mestruale sono indicate integrazioni di vitamine A e C, oltre che di bioflavonoidi (favoriscono l'assorbimento della vitamina C).

Contro i sintomi della sindrome premestruale e la ritenzione di liquidi sono utili calcio e magnesio, il complesso vitaminico B, la vitamina B_6 e l'acido folico. Integrazioni di vitamina E danno sollievo al dolore del seno.

■ YOGA. La posizione del *Cadavere* (*vedi* pag. 234) può ridurre di intensità la tensione premestruale in fase iniziale. Altre posizioni aiutano nei vari momenti del ciclo.

LA PREVENZIONE

Mangiare meglio, smettere di fumare e fare esercizio fisico hanno aiutato molte donne a vincere la sindrome premestruale. Inoltre sembra conveniente evitare cioccolato, caffeina e altri eccitanti nel periodo che precede la comparsa delle mestruazioni. Una riduzione del consumo di sale (e quindi di tutti gli alimenti confezionati industriali) aiuta a limitare la ritenzione idrica. Per alcune donne sembra utile ridurre il consumo di alcol e di zuccheri.

È sempre opportuno riposare molto e praticare tecniche per la gestione dello stress.

Psoriasi

La psoriasi è un'affezione cutanea riconoscibile dalle particolari lesioni secche, argentate e squamose, che provocano un'accelerazione nella produzione di nuovi strati di pelle, a un ritmo tale da non permettere l'eliminazione di quelli vecchi.

Le zone più colpite sono generalmente il cuoio capelluto, le mani, le ascelle, i gomiti, le ginocchia, la regione lombare, le natiche.

Può esistere una predisposizione genetica alla psoriasi, che in genere si manifesta la prima volta all'inizio dell'età adulta e ogni tanto si ripresenta. In generale produce prurito.

Le complicazioni più gravi possibili sono le infezioni batteriche e lo sviluppo di una forma di artrite.

Vedi anche ARTRITE, STRESS.

LA MEDICINA UFFICIALE

Vengono quasi sempre prescritte creme e pomate per uso locale a base di cortisone o di catrame vegetale. Viene inoltre a volte consigliata l'esposizione al sole o a speciali lampade agli ultravioletti.

LE TERAPIE DELLA MEDICINA NATURALE

■ FIORI DI BACH. Possono essere utili *Crab apple* (se provate disgusto e vergogna), *Pine* (se vi sentite colpevoli), *Willow* (se avete del risentimento).

Rescue remedy, in crema, e *Impatiens* danno sollievo al prurito.

■ FITOTERAPIA. Il trattamento è a base di erbe che purificano il sangue. Un infuso (*vedi* pag. 310) di tarassaco (o dente di leone), di fiori di trifoglio dei prati e di bardana può favorire il processo di disintossicazione.

■ IDROTERAPIA. Spesso si suggerisce di fare saune o bagni di vapore per sudare. All'inizio le sedute saranno di due minuti al giorno, per aumentare progressivamente fino a mezz'ora due volte al giorno. Prima e dopo la seduta conviene bere due bicchieri d'acqua. Attenzione: non fate mai una sauna o un bagno turco subito dopo mangiato, soprattutto se soffrite di una cardiopatia, di una patologia cardiovascolare o di tubercolosi.

■ IPNOSITERAPIA. Sedute di ipnosi possono contribuire al controllo dello stress, frequente causa di ricadute, e dar sollievo al prurito e all'irritazione della pelle.

■ NATUROPATIA. Le disfunzioni del fegato possono sostenere la psoriasi, quindi evitate caffè e alcol, che lo appesantiscono. Spesso si consiglia di utilizzare più proteine di origine vegetale: semi oleosi, cereali integrali e legumi.

L'olio di pesce sembra in grado di migliorare il disturbo: mangiate regolarmente sgombri, salmone, aringhe e altri pesci grassi.

■ OMEOPATIA. *Mercurius* è efficace quando la psoriasi colpisce il cuoio capelluto.

■ VITAMINE E MINERALI. Come terapia sintomatica si consigliano vitamine A ed E, acido folico, selenio, zinco e olio di semi di lino.

LA PREVENZIONE

Tenere la pelle idratata, se necessario anche con creme o oli, aiuta a prevenire varie affezioni cutanee.

L'esposizione moderata al sole aiuta a far sparire le chiazze rosse (ma fate attenzione a non scottarvi).

Due pugni di crusca d'avena nell'acqua del bagno contribuiscono ad ammorbidire le scaglie in procinto di staccarsi. Lo shampoo al catrame viene raccomandato. Per la pulizia della pelle, usate un sapone non troppo aggressivo ed evitate di strofinare le zone colpite: potreste peggiorare l'irritazione.

Evitate lo stress eccessivo, che può scatenare ricadute.

Molto spesso i problemi cutanei *dipendono da stress. Una volta verificata questa causa, è utile intervenire cercando di ridurre lo stress nella propria esistenza oppure con appropriate tecniche di rilassamento (vedi pagg. 120-125), con l'ipnositerapia o con il biofeedback. Anche le tecniche di visualizzazione (vedi pagg. 129-131) hanno effetti significativi nella diminuzione di sintomatologie legate a stress.*

Punture di insetti

Le api e le vespe, quando pungono, iniettano veleno nella pelle, causando dolore, arrossamento e gonfiore nella zona della puntura. Sintomi più gravi possono segnalare un'allergia, che può portare a uno shock anafilattico. Se chi è stato punto diventa rigido, ha orticaria, nausea o vomito, respiro affannoso, voce rauca, giramento di testa, lingua o viso gonfio, svenimento, shock, la prima cosa da fare è usare un kit contro le punture di insetto o, in sua mancanza, portare la vittima, nel minor tempo possibile, al più vicino pronto soccorso.

Vedi anche ALLERGIE.

LA MEDICINA UFFICIALE

Le pomate a base di antistaminici, in vendita senza ricetta, possono aiutare a dare sollievo al dolore, riducendo il prurito e il gonfiore.

In caso di reazioni gravi alla puntura, il medico può prescrivere steroidi, antibiotici, antistaminici o farmaci antidolorifici per combattere l'infiammazione o l'infezione.

Nei casi di shock anafilattico, il medico deve intervenire prontamente con un'iniezione di adrenalina, seguita da una di antistaminici.

Se siete soggetti a rischio (cioè soffrite di allergie alle punture di api o di vespe), è consigliabile portare con voi una siringa di cortisone pronta all'uso, da iniettarvi in caso di emergenza.

Se siete diretti in zone dove esiste il rischio di contrarre febbre gialla o malaria (malattie diffuse dalla puntura di zanzare), dovreste sottoporvi alla vaccinazione oppure alla profilassi antimalarica con farmaci per via orale.

LE TERAPIE DELLA MEDICINA NATURALE

■ NATUROPATIA. L'uso immediato della propria saliva sulla zona punta è il più antico sistema tradizionale esistente.

Poiché il veleno di un insetto è generalmente acido, si può ottenere una buona neutralizzazione mettendo in contatto la zona punta con un batuffolo imbevuto di acqua e ammoniaca (quanto prima viene fatto, tanto migliori sono ovviamente i risultati).

Lo stesso effetto viene ottenuto da un impasto di acqua e bicarbonato.

Una borsa di ghiaccio, o anche semplicemente un cubetto di ghiaccio, posta sopra la puntura può bloccare il gonfiore e impedire al veleno di diffondersi.

Paradossalmente anche il caldo può fare bene perché neutralizza una delle sostanze chimiche che provocano l'irritazione. Prendete un

Per prevenire le punture di insetti, *mescolate cinque gocce di olio essenziale di geranio, cinque di lavanda, due di garofano, o di citronella, con 25 ml di olio vegetale e applicate sulla pelle con un delicato massaggio. Sono utili anche gli oli di basilico, di eucalipto e di menta.*

asciugacapelli e dirigetene il flusso di aria calda sulla puntura.

Se non avete nient'altro sotto mano, mescolate un po' di terra argillosa e di acqua fino a ottenere un impasto morbido. Applicatelo sulla puntura e coprite con una garza o un fazzoletto. Lasciate in posizione finché l'argilla non si è asciugata.

Una tecnica valida di trattamento è un impacco sulla zona colpita con succo di cipolla (ottenuto facendone un trito) oppure, per chi avesse dei pomodori nell'orto, stropicciare due foglie di pomodoro sulla lesione (anche i petali di fiori di calendula o, in mancanza di questi, di un fiore qualsiasi, strofinati sulle punture di vespa o di ape, dopo aver tolto il pungiglione, sembra abbiano un buon effetto lenitivo).

■ OMEOPATIA. Il rimedio più usato contro le punture di api, vespe e zanzare è *Apis*.

Esistono pomate a base di *Apis*, efficaci contro le reazioni locali.

■ VITAMINE E MINERALI. Pare che gli insetti siano attratti dalle persone che hanno carenze di zinco (attenzione, però: aumentate il consumo di zinco solo con l'approvazione e la supervisione del vostro medico).

LA PREVENZIONE

Per allontanare gli insetti si consigliano i seguenti "rimedi della nonna".

Contro le formiche: mettete un limone nella zona infestata e lasciatelo ammuffire.

Contro le vespe e le api: frizionate sulle parti da proteggere foglie di noce schiacciate.

Contro le mosche e le zanzare: bruciate foglie di alloro.

Contro le tarme: cospargete il capo d'abbigliamento da proteggere con polvere di rizoma di calamo aromatico.

Contro le cimici: mettete delle foglie di fagiolo sotto il materasso.

Contro i pidocchi e le pulci: eseguite frizioni sulla parte da proteggere (o già colpita) con una lozione a base di aceto e di lavanda. Per prepararla, lasciate macerare per dieci giorni 100 g di fiori freschi di lavanda in un litro di aceto bianco. Alla fine filtrate.

Raffreddore *Il raffreddore è un'infezione delle vie respiratorie prodotta da un virus che può colpire il naso, i seni frontali, la gola, la laringe, la trachea e i bronchi.*

I sintomi più comuni sono starnuti, tosse, congestione, naso che cola, lacrimazione accentuata e malessere diffuso. A questi possono aggiungersi anche qualche linea di febbre, mal di gola, brividi, indolenzimento e laringite.

Vedi anche FEBBRE, INFLUENZA, LARINGITE, MAL DI GOLA, TOSSE.

LA MEDICINA UFFICIALE

Decongestionanti per bocca, gocce e spray nasali danno sollievo ai sintomi.

Aspirina e paracetamolo (preferibile per i bambini) attenuano il fastidio e fanno abbassare la febbre.

Gli antibiotici servono solamente se si sviluppa un'infezione batterica secondaria, per esempio a livello delle orecchie, dei seni frontali oppure dei polmoni.

LE TERAPIE DELLA MEDICINA NATURALE

■ AGOPUNTURA. La stimolazione di punti dei meridiani dei Polmoni, della Vescicola Biliare, dell'Intestino Crasso, della Milza e dello Stomaco aiuta a eliminare il catarro dall'apparato respiratorio e a rinforzare i polmoni.

■ IDROTERAPIA. I bagni freddi riducono l'infiammazione, quelli caldi rilassano e danno sollievo ai dolori muscolari.

Pediluvi caldi della durata di dieci-quindici minuti, prima di coricarsi, aiutano a stimolare la circolazione.

Per ridurre la congestione, provate a usare un vaporizzatore o a inalare i vapori di una doccia o di un bagno caldi.

■ MASSAGGIO. Il massaggio del viso attenua la congestione nasale.

■ NATUROPATIA. Spesso i medici consigliano rimedi idroterapici, come bagni con sale inglese, abluzioni calde e fredde, frizioni per migliorare la circolazione e ridurre la congestione e l'indolenzimento.

Le raccomandazioni dietetiche comprendono l'eliminazione di zucchero e latticini, che fanno aumentare le secrezioni mucose.

Mangiate molta frutta e verdure fresche, condite generosamente con aglio e cipolle crude (dai provati effetti antivirali).

Bevete molto (sia acqua sia succhi, brodi e tisane) per assicurarvi una sufficiente quantità di liquidi.

I liquidi bollenti, come tè e brodo di pollo, aiutano ad ammorbidire il catarro.

■ OMEOPATIA. Il trattamento varia a seconda delle cause del raffreddore, dello stadio raggiunto e dei suoi sintomi.

In una fase iniziale può essere utile *Aconitum*, specie se il raffreddore è venuto dopo un raffreddamento improvviso o se è accompagnato da febbre, mal di testa e insonnia.

Gelsemium è indicato per il raffreddore provocato da tempo umido e non freddo, con sintomi come sonnolenza e naso chiuso.

Altri rimedi comuni sono *Allium cepa, Belladonna, Euphrasia* e *Natrum muriaticum*.

■ VITAMINE E MINERALI. Le integrazioni non curano il raffreddore ma alcuni studi mostrano che vitamina C e zinco possono dare sollievo a mal di gola e ad altri sintomi.

Dosi molto elevate di vitamina C abbreviano la durata del raffreddore e lo rendono più sopportabile.

Spesso si prescrivono anche vitamine del complesso B, mentre un breve trattamento, sotto stretto controllo medico, a base di vitamina A in dosi massicce può aiutare a combattere il raffreddore e altri virus.

■ YOGA. La pratica regolare dello yoga aiuta a combattere dolori e indolenzimenti, promuove la guarigione e rilassa.

Molto efficace è anche la pratica della respirazione alternata (*vedi* pag. 417).

LA PREVENZIONE

Lavare spesso le mani è una buona misura preventiva. Non ci sono prove scientifiche che le correnti d'aria o i luoghi umidi provochino il raffreddore, tuttavia qualche precauzione al riguardo non guasta per bambini piccoli, anziani e chiunque abbia deboli difese immunitarie. La raccomandazione riguarda anche i luoghi affollati e i mezzi di trasporto pubblici, dove è più facile che si trasmettano i virus.

Non fumate quando avete il raffreddore e, se ne siete colpiti più di un paio di volte l'anno, analizzate la vostra dieta e il vostro stile di vita.

In ogni caso cercate di non saltare i pasti quando avete febbre o raffreddore: le malattie sottraggono energia, che il cibo restituisce.

Raffreddore da fieno *Detto più propriamente "rinite allergica" o "stagionale", il raffreddore da fieno si presenta quasi sempre in primavera, in estate e in autunno, cioè nei momenti in cui piante ed erbe producono i loro pollini. Il vento li trasporta scatenando in molti reazioni allergiche che comprendono tosse, starnuti, secrezione nasale, lacrimazione intensa e prurito in gola.*

Vedi anche ALLERGIE, INTOLLERANZE ALIMENTARI, STRESS, TOSSE.

Gli esercizi di respirazione alternata (tratti dallo yoga) sono utili per ridurre gli attacchi di rinite allergica.
1. Inspirate attraverso la narice sinistra, chiudendo la destra con il pollice.
2. Trattenete il respiro, chiudendo le due narici.
3. Espirate dalla narice destra, tenendo chiusa la narice sinistra con l'anulare e il mignolo.
4. Inspirate dalla narice destra, tenendo chiusa la sinistra.
5. Trattenete il respiro con le due narici chiuse.
6. Espirate quindi attraverso la narice sinistra.

LA MEDICINA UFFICIALE

Quando decongestionanti, antistaminici e spray nasali non fanno effetto, il medico può prescriverli in dosi più massicce o intervenire con cortisonici (devono essere usati solo dopo il fallimento delle altre terapie, dato che la loro somministrazione continuata comporta numerosi rischi collaterali).

I soggetti che soffrono di riniti allergiche particolarmente gravi possono sottoporsi a un programma intensivo di desensibilizzazione che prevede iniezioni settimanali, quindicinali o mensili di un siero contenente estratto di polline. Questo tipo di terapia dura da uno a tre anni.

LE TERAPIE DELLA MEDICINA NATURALE

■ AGOPUNTURA. Stimolare i punti posti sui meridiani della Vescica e dell'Intestino Crasso dà sollievo al raffreddore.

Se l'allergia vi colpisce ogni anno nello stesso periodo, sedute settimanali di agopuntura nei due o tre mesi precedenti possono essere una buona prevenzione.

■ IDROTERAPIA. Immersioni in acqua fredda, semicupi e frizioni (*vedi* pag. 86) mattutine possono diminuire i sintomi.

■ NATUROPATIA. È prioritaria una dieta con molti cereali integrali, frutta cruda, ortaggi e aglio. Altri alimenti consigliati sono il miele, il rafano, la senape, la cipolla e l'aglio.

Evitate gli alimenti che stimolano la produzione di muco, come i latticini. Alcuni medici sconsigliano anche le bevande alcoliche, che fanno gonfiare le membrane mucose.

■ OMEOPATIA. Raffreddori allergici che durano nel tempo richiedono una terapia di rinforzo del sistema immunitario, oltre a quella sintomatica.

Quando c'è intensa secrezione e fastidio al naso e agli occhi si consigliano *Euphrasia* e *Arsenicum album*. Talvolta è utile anche *Pulsatilla*.

In caso di attacchi acuti, quando c'è lacrimazione e in presenza di scolo nasale, viene prescritto *Allium cepa*.

■ VITAMINE E MINERALI. Betacarotene e vitamina C stimolano le risposte immunitarie. Vitamina C, acido pantotenico e calcio possono dar sollievo ai sintomi.

■ YOGA. Gli esercizi base dello yoga, eseguiti con regolarità, riducono lo stress che spesso accompagna e peggiora gli attacchi allergici.

Anche la pulizia del naso e gli esercizi di respirazione sono molto efficaci.

LA PREVENZIONE

Chiudersi in casa nella stagione dei pollini o utilizzare mascherine protettive non sembrano soluzioni ideali, ma purtroppo evitare il contatto con gli allergeni è sempre la cosa migliore da fare. Cominciate evitando il fumo (anche quello passivo), le zone ad alto inquinamento industriale e la polvere, tutti fattori che aumentano la reattività allergica.

Un condizionatore d'aria può ridurre il contatto con i pollini a patto di cambiare spesso il filtro dell'aria.

Reumatismi
Il termine "reumatismo" è usato per indicare dolori muscolari e articolari, molto comuni con l'avanzare dell'età. Essi possono essere dovuti a fibrosite (infiammazione dei tessuti connettivi, specialmente quelli dei muscoli del dorso), a febbre reumatica e a varie forme di artrite (in particolare l'artrite reumatoide).

Una causa significativa è la polimialgia reumatica, un'affezione che si presenta improvvisamente, dopo i 65 anni, con forti dolori al collo e alle spalle, rigidità mattutina, debolezza muscolare e cefalea (in un secondo tempo segue atrofia muscolare da mancato uso).

Vedi anche ARTRITE, CEFALEA.

LA MEDICINA UFFICIALE

La maggior parte dei disturbi reumatici reagisce positivamente, oltre che a semplici rimedi come applicazioni di borse di acqua calda sulle zone affette, a farmaci analgesici antinfiammatori (per esempio l'aspirina o l'ibuprofen).

Se sospettate di avere una polimialgia reumatica, consultate il medico, perché la diagnosi è possibile solo sulla base di un accurato esame del sangue. In questo caso la terapia consiste nel riposo, nella somministrazione di analgesici e, se il disturbo tende ad aumentare, nella prescrizione di cortisonici.

LE TERAPIE DELLA MEDICINA NATURALE

■ AGOPUNTURA. Il trattamento riguarda alcuni punti sui meridiani della Vescicola Biliare, dell'Intestino Crasso, del Rene e dello Stomaco. Unito alla pratica di moxibustione è spesso efficace per ridurre le contratture muscolari.

■ AROMATERAPIA. Per alleviare i dolori reumatici possono essere utili bagni con l'aggiunta dei principi attivi di erica, lavanda, ginestra, aghi e gemme di pino.

■ IDROTERAPIA. Si favorisce la traspirazione con impacchi sudoriferi e bagni caldi (questi ultimi soprattutto sotto forma di bagni di vapore e saune). Conviene anche stimolare la circolazione sanguigna nelle zone affette con impacchi, bagni e docce a temperatura alterna.

Quando il paziente presenterà un miglioramento, si useranno i procedimenti idroterapici freddi che saranno piuttosto brevi (il loro scopo è di stimolare la reazione vascolare locale, rivitalizzare i tessuti circostanti e aumentare, per via reattiva, la produzione del calore).

■ MASSAGGIO. La pratica del massaggio è decisiva nel trattamento dei reumatismi. Se fatti con cura, i massaggi riescono a smuovere le scorie metaboliche presenti nei tessuti (specialmente nelle articolazioni affette), migliorandone così l'irrigazione sanguigna.

I massaggi sul collo e sulle spalle devono essere eseguiti molto delicatamente. Man mano che si prosegue il trattamento, si possono usare frizioni più profonde e tecniche di impastamento (*vedi* pag. 168). È consigliabile terminare il massaggio, che può a volte risultare doloroso, con lenti movimenti ritmici calmanti o di sfioramento.

■ OMEOPATIA. Quando al paziente dà fastidio essere toccato, non sopporta il caldo e l'articolazione è gonfia, può essere utile *Apis*.

Quando il dolore reumatico viene notevolmente aggravato dal movimento, può essere efficace *Bryonia*.

Dulcamara è il rimedio adatto per dolori articolari e muscolari durante il riposo e ai cambiamenti di tempo, in modo particolare se scatenati e aggravati dall'umidità.

Se il dolore peggiora nel momento in cui ci si comincia a muovere, ma migliora se si fanno movimenti lievi e continuati, provate *Rhus toxicodendron*.

■ RIFLESSOLOGIA. Viene raccomandato il massaggio sulle zone riflessogene corrispondenti alle parti del corpo interessate, nonché sulle zone relative al plesso solare, all'ipofisi, alle paratiroidi e alle surrenali.

LA PREVENZIONE

È importante ridurre in modo significativo il consumo di alcol, carni rosse, zucchero e carboidrati raffinati. Sono utili invece gli alimenti che favoriscono un'azione antinfiammatoria (verdure cotte e crude, in particolare aglio, cipolla, cavolo e frutta).

Prima di un cambiamento di dieta, è opportuno effettuare una cura disintossicante per eliminare le·tossine (depositate dentro e intorno alle articolazioni), che sono responsabili di molte forme reumatiche.

Sciatica *Un forte dolore intermittente (ma a volte anche una fitta acuta) che scende lungo la gamba è il tratto distintivo della sciatica. Il nervo sciatico, che parte dalla base della colonna vertebrale e arriva fino al piede, è il più esteso del corpo. La pressione provocata da un disco spostato nella parte bassa della schiena è una delle cause più frequenti di questo disturbo, talvolta accompagnato da insensibilità e da debolezza.*
Altre cause della sciatica possono essere un'osteoartrite o un tumore.
Vedi anche ARTRITE, MAL DI SCHIENA.

LA MEDICINA UFFICIALE

Analgesici, antispastici e antinfiammatori sono la prima risposta.

Per i dolori acuti si consiglia in genere il riposo a letto per due o tre giorni.

È consigliabile anche la fisioterapia.

LE TERAPIE DELLA MEDICINA NATURALE

AGOPUNTURA. Per alleviare il dolore si trattano punti situati lungo i meridiani della Vescica, della Vescicola biliare e dell'Intestino Crasso.

CHIROPRATICA. La manipolazione spinale è uno dei rimedi più indicati in caso di sciatica.

Inoltre il terapista può prescrivere esercizi di allungamento e di potenziamento per prevenire ricadute.

IDROTERAPIA. Impacchi ghiacciati sul fondo schiena danno sollievo. Alcuni preferiscono alternarli a compresse calde.

Consigliabili anche il nuoto e gli esercizi acquatici in una piscina riscaldata.

MASSAGGIO. In genere si fa un massaggio generale (*vedi* pagg. 168-175), poi si trattano con tecniche specifiche la regione lombare, le natiche, le cosce e l'incavo delle ginocchia.

Il massaggio aiuta a rilassare i muscoli e quindi a ridurre il dolore.

NATUROPATIA. Per contrastare il dolore, raffreddate con ghiaccio l'area colpita diverse volte al giorno nei primi due o tre giorni.

In seguito può dare sollievo anche una borsa dell'acqua calda.

OMEOPATIA. *Colocynthis* cura la sciatica che peggiora quando il tempo è freddo e umido e con dolori che si estendono fino al ginocchio o al tallone.

Aconitum va bene quando il dolore è insopportabile e procura paura e ansia.

Magnesia phosphorica va scelto quando ci sono spasmi intermittenti e stato generale di prostrazione.

RIFLESSOLOGIA. La stimolazione delle zone riflesse corrispondenti all'anca, al nervo sciatico, ai linfonodi inguinali e alla regione lombare è utile per ridurre il dolore.

VITAMINE E MINERALI. Per il buon funzionamento del sistema nervoso si raccomandano

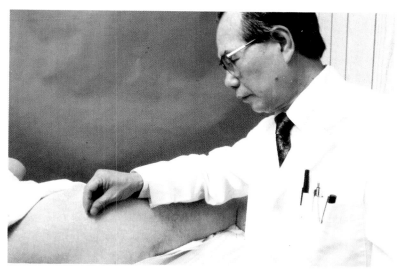

Il dolore del nervo sciatico,
quasi sempre intenso,
può scomparire
con l'agopuntura.

integrazioni del complesso vitaminico B e di tiamina (vitamina B$_1$), carenze della quale portano all'erosione del rivestimento dei nervi, che rende intollerabile il dolore della sciatica.

LA PREVENZIONE

Alcuni esercizi, come camminare e nuotare, fanno bene al nervo sciatico mentre rimanere a lungo seduti, soprattutto utilizzando sedie senza un sostegno adeguato, aggrava il malessere. Le sedie a dondolo e le poltrone con schienali e braccioli regolabili sono molto indicate.

Assicuratevi anche che la vostra postura sia corretta: sedersi male procura uno sforzo inutile alla regione lombare.

Se siete stressati, praticate qualche tecnica di rilassamento.

Scottature *Si tratta di lesioni della pelle dovute al calore. Tutte le scottature aperte, dove cioè la pelle è stata distrutta e lascia a nudo una superficie di color rosso vivo, sono da considerarsi ustioni di secondo grado ed esigono una medicazione e precauzioni sotto sorveglianza medica.*

Vedi anche Scottature solari.

LA MEDICINA UFFICIALE

Passate 24 ore dalla bruciatura, si consiglia di lavare dolcemente la lesione con acqua e sapone una volta al giorno (fra un lavaggio e l'altro, la zona va tenuta coperta e asciutta).

Un unguento antibiotico eviterà possibili infezioni e renderà più rapida la guarigione.

Non rompete le vesciche: se una vescica si rompe, pulite accuratamente la zona con acqua e sapone, poi applicate un po' di unguento antibiotico e coprite.

LE TERAPIE DELLA MEDICINA NATURALE

■ FITOTERAPIA. Due o tre giorni dopo l'incidente spezzate una foglia fresca di aloe e applicatela alla scottatura: il succo di aloe ha un effetto analgesico.

Potete usare anche una pomata già pronta a base di aloe.

■ NATUROPATIA. La prima cosa, e la più importante, è neutralizzare l'agente delle scottature: fate scorrere acqua fredda in grande abbondanza sulle bruciature per un quarto d'ora, per mezz'ora o comunque finché smette di bruciare (il freddo impedisce alla scottatura di diffondersi nei tessuti e fa da anestetico temporaneo).

Se vi siete bruciati con grasso bollente o con un liquido caldo come l'acqua delle batterie o una minestra, togliete i vestiti inzuppati, lavate via il grasso dalla pelle e poi mettete la parte scottata a bagno nell'acqua. Se il vestito è appiccicato alla bruciatura, fate scorrere l'acqua sopra il tessuto, poi andate dal medico (non cercate di toglierlo per conto vostro).

Consultate il medico se la scottatura è più estesa di una moneta da cento lire in un bambino e un po' più grande in un adulto, oppure se la bruciatura è su un bambino di meno di un anno o su una persona oltre i sessant'anni.

Dopo aver pulito e raffreddato la scottatura, avvolgetela con precauzione in un tessuto pulito e asciutto, per esempio uno spesso strato di garza e, almeno per le successive 24 ore, non toccatela più.

Sono utili le applicazioni locali di yogurt e di amido di mais. Ottimo anche il decotto forte di tè, che ha un effetto immediato di riduzione dei sintomi (il tè può essere utilizzato sia facendone delle aspersioni sia delle compresse, pezzuole bagnate da applicare sulla pelle).

Anche una patata cruda può essere tritata e posta tra due garze, per applicazioni dall'effetto analgesico e decongestionante.

■ VITAMINE E MINERALI. Quando la bruciatura comincia a guarire, aprite una capsula di vitamina E e massaggiate il liquido sulla pelle irritata: procura un senso di benessere e riesce a prevenire le cicatrici.

Scottature solari *L'eccessiva esposizione alle radiazioni solari può provocare un'irritazione della pelle. Le reazioni cutanee ai raggi ultravioletti possono andare da un modesto bruciore a un accentuato rossore fino a vere e proprie bruciature. Le scottature leggere inducono l'aumento della sensibilità della pelle con prurito, bruciore e arrossamento. In seguito, dopo qualche giorno, l'epidermide si scurisce: l'infiammazione ha incrementato la produzione di melanina, il pigmento che provoca l'abbronzatura e che svolge un'azione preventiva nei confronti di nuove radiazioni.*

Le persone di razza bianca, specialmente se bionde e di pelle chiara, sono più sensibili ai danni da radiazioni ultraviolette, perché possiedono una quantità minore di melanina.

Scottature più gravi possono risultare molto dolorose e provocare bolle e vescicole piene di liquido. I

Un cataplasma di argilla *è molto utile per decongestionare e rinfrescare la pelle dopo una lunga esposizione al sole. Per evitare che l'argilla diventi secca troppo rapidamente, mescolatela con olio di oliva. Stendete quindi con le dita uno strato spesso di prodotto sulla parte arrossata. Se lo applicate sul viso, lasciate libera la zona intorno agli occhi e alla bocca. Togliete il cataplasma, quando l'argilla sarà essiccata, con abbondante acqua fresca, senza strofinare la pelle.*

sintomi cutanei aumentano per uno o due giorni dopo l'esposizione al sole.

A seconda dell'intensità della scottatura, verranno persi strati cutanei via via più profondi.

L'esposizione prolungata alle radiazioni solari non aumenta l'abbronzatura oltre un certo limite, e danneggia la pelle. I raggi ultravioletti, infatti, favoriscono la formazione di rughe e lo sviluppo di tumori cutanei.

Vedi anche SCOTTATURE.

LA MEDICINA UFFICIALE

I consigli sono di calmare la pelle con docce fredde, di idratarla con una crema, di bere molto per rimpiazzare i liquidi persi.

Un analgesico leggero, come l'aspirina, può eventualmente aiutare a dare sollievo al dolore, al prurito e al gonfiore di una scottatura lieve o moderata.

LE TERAPIE DELLA MEDICINA NATURALE

■ IDROTERAPIA. Dopo una scottatura da sole la pelle è infiammata. Potete rinfrescarla con impacchi freddi. Bagnate un panno in acqua fredda (alla quale potete aggiungere qualche cubetto di ghiaccio) e stendetelo sulla bruciatura. Raffreddate il panno ogni pochi minuti, man mano che si scalda. Ripetete l'applicazione più volte al giorno, per un totale di dieci minuti ogni volta. Un'alternativa agli impacchi, soprattutto se la zona scottata è molto estesa, è un bagno freddo. Potete aggiungere all'acqua del bagno una tazza di aceto bianco: riduce il dolore, il prurito e l'infiammazione. Quando vi asciugate non strofinate la pelle o la irriterete ancora di più. Una crema idratante (per esempio a base di calendula) dopo il bagno aiuta a mantenere morbida la pelle. Finché la pelle è irritata, non usate sapone né bagno-schiuma.

■ NATUROPATIA. In caso di scottatura solare, dovete bere molti liquidi, per contrastare l'effetto disidratante della bruciatura.

■ VITAMINE E MINERALI. Integrazioni di vitamina E contribuiscono ad aiutare a guarire la pelle danneggiata.

LA PREVENZIONE

Prima di uscire all'aperto, anche se il tempo è coperto, applicate un filtro solare.

Più chiara è la pelle (cioè meno ha pigmenti) e più assolato è il luogo, più elevato deve essere il fattore protettivo della crema o lozione solare. La massima protezione è offerta dalle creme opache che contengono ossido di zinco oppure biossido di titanio (vanno usate per zone limitate particolarmente sensibili, come per esempio il naso o le labbra).

State particolarmente attenti fra le ore 10 e le 15, quando il sole è al massimo della sua forza.

Se intendete abbronzarvi, fatelo con molta gradualità, cominciando con esposizioni di un quarto d'ora e aumentando quindi solo di pochi minuti al giorno.

Non usate i prodotti che favoriscono un'abbronzatura rapida, soprattutto se la vostra pelle è piuttosto chiara.

Ricordate che in montagna, con la neve e il vento, è ancora più facile scottarsi.

Sinusite *Si tratta di un'infiammazione, dovuta a infezione batterica, delle mucose dei seni paranasali, cioè delle cavità ossee del cranio (seni frontali ed etmoidali) e della faccia (seni mascellari) che si aprono nel naso.*

Il muco, di norma, è trasportato attraverso minuscoli condotti d'aria dai seni paranasali al naso, ma i condotti possono congestionarsi in modo tale da impedire la circolazione dell'aria e del muco. Se questo si accumula nei seni, è possibile che si infiammino e ne può risultare una sinusite.

Il fattore predisponente più comune è un'infezione virale delle prime vie aeree (naso e faringe), che provoca la chiusura del passaggio fra seni e naso e favorisce l'infezione batterica.

La sinusite può essere però causata anche da allergie, da raffreddore da fieno, da intolleranze alimentari o da esposizione alla polvere e a sostanze irritanti come il tabacco.

I sintomi includono dolori alla fronte e alle guance, secrezioni dal naso, cefalea e febbre.

I seni frontali e mascellari sono quelli più comunemente colpiti. La sinusite frontale può colpire i bambini solo dopo i 5 anni, perché solo dopo tale età si formano i seni frontali.

Vedi anche ALLERGIE, CEFALEA, FEBBRE, INTOLLERANZE ALIMENTARI, RAFFREDDORE, RAFFREDDORE DA FIENO.

LA MEDICINA UFFICIALE

Le compresse che contengono decongestionanti sono utili perché contraggono i vasi sanguigni, fanno entrare aria nelle narici e alleviano l'oppressione.

Se però la congestione è provocata da un'infezione, è meglio evitare i prodotti che contengono antistaminici perché possono congestionare ancora di più.

Le gocce nasali vanno bene se vengono usate poco, ma l'uso frequente in realtà prolunga il problema e può addirittura peggiorarlo.

Se avete provato a curarvi da soli per tre o quattro giorni e i seni paranasali vi fanno ancora male, sono ancora oppressi e ostruiti, dovete consultare il medico. Forse dovrete assumere antibiotici oppure, se i sintomi continuano, sottoporvi a un intervento chirurgico.

LE TERAPIE DELLA MEDICINA NATURALE

▪ AGOPUNTURA. Se la causa è di natura allergica, verranno trattati i punti sui meridiani dell'Intestino Tenue e dell'Intestino Crasso, nonché quelli sul meridiano della Milza-Pancreas.

▪ AROMATERAPIA. L'inalazione di vapori contenenti menta, eucalipto o altre sostanze può giovare, umidificando il muco e facilitandone la rimozione.

Per ottenere un effetto immediato, si può inalare, da un fazzolettino di carta, una goccia o due di essenza di lavanda.

▪ DIGITOPRESSIONE. Un massaggio ai seni paranasali doloranti porta alla zona un apporto di sangue fresco e un po' di sollievo.

Premete i pollici fermamente ai due lati del naso e mantenete la pressione per una ventina di secondi. Ripetete.

▪ IDROTERAPIA. Il calore umido applicato ai seni frontali dolenti è un modo efficace per diminuire il dolore.

Prendete un asciugamano, bagnatelo nell'acqua calda, strizzatelo e applicatelo sugli occhi e sugli zigomi, finché il dolore non diminuisce. Possono bastare anche pochi minuti.

▪ NATUROPATIA. Per lavar via le secrezioni nasali incrostate, è utile usare una soluzione salina (in vendita nelle farmacie) oppure mescolare due tazze di acqua calda con un cucchiaino di sale e un pizzico di bicarbonato. Versate la soluzione in un bicchierino, piegate indietro la testa, chiudete una narice con il pollice e aspirate la soluzione con la narice aperta. Poi soffiatevi il naso con precauzione. Ripetete dall'altro lato.

Il sollievo per i seni frontali si può ottenere anche mangiando cibi che contengono certe spezie o condimenti (tra questi l'aglio, il rafano e il peperoncino rosso).

▪ OMEOPATIA. Quando vi è catarro vischioso, di colore giallastro, e grave congestione, provate *Kali bichromicum.*

Sanguinaria è il rimedio per chi si lamenta di dolori al naso che si estendono alla testa. Le mucose sono secche e il muco non cola.

Se il viso è molto sensibile, il paziente ha freddo ed è irritabile, la suppurazione nasale è molto abbondante ed esiste una tosse rauca che si aggrava quando il malato si scopre, è consigliato *Hepar sulphuris.*

Se la zona dolente cambia continuamente, i sintomi sono peggiori in casa che fuori, vi è tendenza al pianto, il naso è ostruito e vi è catarro giallognolo, potrebbe essere utile *Pulsatilla.*

▪ RIFLESSOLOGIA. Per alleviare i sintomi della sinusite è consigliato il massaggio delle zone corrispondenti ai seni paranasali, alla testa, al naso, agli occhi, ai nodi linfatici superiori, al collo, alla parte superiore della colonna vertebrale e alle ghiandole surrenali.

▪ VITAMINE E MINERALI. Vengono in genere associati ai rimedi omeopatici gli oligoelementi manganese e rame.

LA PREVENZIONE

L'umidità è la cosa più importante per mantenere i seni frontali sgombri.

Se siete soggetti a sinusite, potete fare inalazioni (anche semplicemente con una pentola piena di acqua bollente e un asciugamano sopra la testa) due volte al giorno.

Un umidificatore nella camera da letto evita l'inaridimento delle vie nasali e dei seni frontali (l'umidificatore va pulito almeno una volta la settimana per evitare la formazione di funghi e muffe).

Bere in abbondanza durante il giorno bevande sia calde sia fredde fluidifica il muco e lo fa scorrere con maggiore facilità.

Soffiarsi una narice alla volta aiuta a prevenire l'eccesso di pressione nelle orecchie, che può far rifluire i batteri nei passaggi dei seni nasali.

L'esercizio fisico può dare sollievo, perché libera adrenalina che fa contrarre i vasi sanguigni, e quindi riduce il gonfiore.

Stanchezza

La stanchezza (o astenia) è un indebolimento generale che determina la diminuzione di forza (o addirittura la mancanza) in tutto l'organismo o in una sua parte. Può essere dovuta a superlavoro, a stress, a sonno insufficiente, a carenze alimentari, oppure può rappresentare uno dei sintomi di influenza, diabete, disfunzioni ormonali, problemi cardiaci e circolatori, inconvenienti muscolari, malattie polmonari, anemia.

Spesso si può verificare durante l'adolescenza e, anche se non ha un carattere patologico, deve essere controllata e corretta. La stanchezza cronica può anche essere un sintomo che accompagna la sindrome premestruale o la menopausa, entrambe caratterizzate da squilibri ormonali.

Vedi anche ANEMIA, DEPRESSIONE, DIABETE, INFLUENZA, INSONNIA, PROBLEMI CIRCOLATORI, PROBLEMI DELLA MENOPAUSA, PROBLEMI MESTRUALI, STRESS.

LA MEDICINA UFFICIALE

Il medico cercherà di stabilire, innanzi tutto, le cause fisiche della stanchezza, per poterle curare di conseguenza. Potrebbe anche indirizzare il paziente presso uno specialista o uno psicoterapeuta.

LE TERAPIE DELLA MEDICINA NATURALE

■ AROMATERAPIA. Alcuni oli essenziali sono particolarmente utili in caso di stanchezza: fra questi il pepe nero, il limone, il rosmarino.

Potete versarne qualche goccia su un fazzoletto e quindi inalare.

■ AGOPUNTURA. Il trattamento punta al rie-

La digitopressione è molto utile per combattere in modo efficace uno stato di stanchezza dovuto a superlavoro cerebrale, purché questo sia occasionale. Il punto da trattare si trova nella cavità tra la radice del naso e l'angolo interno dell'occhio. Esercitate una decisa pressione con l'indice e il pollice contemporaneamente, insistendo sul fondo delle due cavità.

quilibrio dell'energia. Spesso è combinato alla pratica di moxibustione.

■ DIGITOPRESSIONE. Esercitate la pressione sul palmo della mano, nel punto in cui appoggia il dito medio quando si ripiegano le dita all'interno.

■ IDROTERAPIA. Una doccia fredda aiuta a restituire energia. Anche un bagno tiepido, con l'aggiunta di dieci gocce di oli essenziali stimolanti (come il rosmarino o il limone), è utile in caso di stanchezza. (Per un bagno tonificante, non rimanete nell'acqua più di dieci minuti.)

■ MASSAGGIO. Un buon metodo per alleviare la condizione di stanchezza (quando si tratta di un fenomeno temporaneo e non sintomo di situazioni più gravi) consiste in un leggero e tonificante massaggio a tutto il corpo.

Il massaggio dovrebbe iniziare con veloci colpetti leggeri nella direzione del flusso venoso, massaggiando braccia e gambe dalle estremità verso il cuore e tutta la schiena dalla zona lombare fino alle spalle. In seguito, si può passare a un massaggio più profondo, con maggiore pressione sui muscoli.

■ NATUROPATIA. La dieta dovrà essere il più possibile energetica. È importante ricordare che i cibi crudi possiedono maggiori proprietà vitali di quelli cotti e dovrebbero perciò essere inseriti in abbondanza nel menù quotidiano. Fra gli alimenti più utili per contrastare un periodo di stanchezza ci sono aglio, cipolla, limone (tonici ed euforizzanti), cavolo, carota, asparago, cicoria, crescione, prezzemolo (ricostituenti e tonificanti), sedano, basilico, salvia, timo, rosmarino, cannella, santoreggia (tonici delle ghiandole surrenali), avena, mela, uva (stimolanti della tiroide), miglio, grano (energetici e tonificanti), soia (in tutte le sue forme, è energetica e stimolante), rafano (stimolante).

Gli alimenti controindicati sono tutte le pietanze troppo elaborate (complicano la digestione, intaccando le risorse dell'organismo), i prodotti in scatola e i cibi raffinati (risultano, per i procedimenti industriali subiti, impoveriti di elementi nutrizionali importanti e di vitamine), le bevande alcoliche, il tè, il caffè (provocano sensazioni di euforia o di eccitamento non supportate da una reale situazione di efficienza fisica: una volta svanito il loro effetto, la stanchezza si manifesterà in modo ancora più evidente).

■ OMEOPATIA. *Arnica* è utile se, dopo uno sforzo fisico, non riuscite a prendere sonno.

Dopo un lungo periodo di tensione o di intenso impegno negli studi, potete assumere *Phosphoricum acidum*.

Kali phosphoricum può essere efficace in caso di depressione.

■ VITAMINE E MINERALI. Assumere una quantità sufficiente di zinco, magnesio, potassio, vitamina C e acido folico è importante. Buoni integratori per combattere gli stati di stanchezza sono anche le alghe, il lievito di birra, la lecitina di soia, il germe di grano, l'olio di fegato di merluzzo, il polline.

È utile iniziare l'assunzione regolare di integratori in un periodo che si preannuncia stressante, prima di arrivare a uno stato di vera stanchezza.

■ YOGA. La pratica regolare di esercizi yoga (*vedi* pag. 228) è uno dei sistemi migliori per rilassarsi e ricaricarsi di energia allo stesso tempo.

LA PREVENZIONE

Un'alimentazione corretta ed equilibrata, ricca di cibi crudi, vitali, suddivisa in cinque pasti leggeri (invece che in solo due troppo ricchi) e ben combinati è il primo passo per prevenire episodi di stanchezza.

È sempre consigliabile astenersi da alcol e fumo che, affaticando il fegato, contribuiscono a dare un senso di spossatezza.

Alcuni farmaci (soprattutto i sonniferi, certe medicine per la pressione alta e per la tosse e il raffreddore) possono contribuire a incrementare il senso di stanchezza. Se sospettate che possa essere proprio l'abituale assunzione di un farmaco uno dei motivi della vostra stanchezza, parlatene con il medico curante.

Quando la stanchezza non è un fatto episodico (o motivato da particolari circostanze o situazioni), può rappresentare un sintomo da non sottovalutare.

Potrebbe infatti segnalare un'eccessiva prostrazione da stress, un esaurimento nervoso incipiente, perfino l'insorgenza del diabete. È quindi opportuno in questi casi compiere i necessari accertamenti per poter prevenire eventuali conseguenze.

Stitichezza
L'impossibilità di defecare con facilità e regolarità deriva quasi sempre da una dieta scorretta con scarso apporto di fibre o di liquidi, come pure da un uso sconsiderato di lassativi.

La stitichezza (o stipsi) può, in qualche caso, essere il sintomo di un problema più grave, tra i quali la colite, l'ipotiroidismo e, in rari casi, il cancro del colon. Può anche essere un effetto collaterale di alcuni farmaci, tra i quali gli antidepressivi. Qualche volta è indice di un'anomalia strutturale.

La stitichezza può accentuarsi in periodi di depressione o di ansia.

Le ragadi anali e le emorroidi, causando dolore al passaggio delle feci, inducono il paziente a evitare la defecazione e possono quindi portare a stitichezza.

Vedi anche *AEROFAGIA, COLITE, DEPRESSIONE, DIVERTICOLITE, EMORROIDI, MAL DI SCHIENA.*

LA MEDICINA UFFICIALE

Può essere utile modificare la dieta.

Spesso vengono prescritte sostanze per aumentare il volume della massa fecale.

Lassativi, clisteri e supposte possono essere usati, ma tenete presente che non curano il disturbo, bensì eliminano solo momentaneamente il sintomo (e possono, a lungo andare, provocare assuefazione).

LE TERAPIE DELLA MEDICINA NATURALE

■ AGOPUNTURA. L'agopuntore mira al riequilibrio energetico degli organi digestivi perché tornino a funzionare correttamente. La scelta dei meridiani dipende dalla natura del disturbo e dai sintomi connessi, quali meteorismo, tensione addominale o mal di schiena.

■ CHIROPRATICA. Benché non si tratti di un problema di competenza della chiropratica, spesso la stitichezza provoca dolori nella regione lombare. L'esame può mettere in luce danni della colonna vertebrale, curabili con la manipolazione.

■ DIGITOPRESSIONE. Un punto spesso usato per trattare la stitichezza si trova sul dorso della mano, tra pollice e indice.

■ FITOTERAPIA. Alcune piante contengono sostanze chimiche che, irritando la mucosa dell'intestino, lo inducono a secernere muco che facilita l'espulsione delle feci. Questa irritazione, ripetutamente provocata, può diventare pericolosa per il colon: l'adozione abituale di piante lassative non soltanto tende ad aggravare la stitichezza, ma può dare origine a colite. Si dovrebbe dunque evitare l'uso prolungato delle seguenti piante medicinali: frangola, cicoria (dannosa soltanto a forti dosi: nessun inconveniente se adottata in sostituzione del caffè), felce dolce, rabarbaro, liquirizia, senna.

Altre piante medicinali permettono di combattere la stitichezza senza controindicazioni, fra queste la rosa, il serpillo e il sambuco nero.

Per preparare un infuso di rosa (*Rosa centifolia*), lasciate per cinque minuti 10 g di petali secchi in un litro di acqua bollente. Filtrate e bevetene due tazze al giorno.

Per preparare un infuso di serpillo (*Thymus serpillum*), lasciate per 5 minuti 60 g di pianta intera secca in mezzo litro di acqua bollente. Filtrate e bevetene tre tazze al giorno.

Mangiare molta frutta e verdura *è la migliore cura e prevenzione contro la stitichezza.*

Per preparare il decotto di sambuco nero (*Sambucus nigra*), fate bollire per cinque minuti 80 g di bacche secche in un litro di acqua. Alla fine filtrate. Bevete un bicchierino di decotto al mattino a digiuno e un altro la sera, al momento di coricarvi.

Anche i semi di lino sono un lassativo leggero, che favorisce i movimenti intestinali. Potete fare bollire per qualche minuto 10 g di semi secchi in un litro di acqua. Filtrate e bevete (due tazze al giorno) il decotto, dopo averlo addolcito con miele.

■ IDROTERAPIA. Sono efficaci le compresse calde e fredde applicate sull'addome e i semicupi alternati caldi e freddi.

■ MASSAGGIO. Per stimolare il colon, massaggiate la pancia in senso orario, partendo dall'ombelico e andando verso l'esterno, con una pressione profonda e ritmata.

■ NATUROPATIA. Il medico spesso consiglia di masticare meglio i cibi per demolire i vari nutrimenti prima che arrivino nei vari organi della digestione.

Mangiare molta frutta fresca, con la buccia quando è possibile, cereali integrali, legumi e ortaggi fornisce fibra alimentare e favorisce la regolarità intestinale. Il miele ha un'azione lievemente lassativa.

In alcuni casi vengono prescritti esercizi per tonificare i muscoli coinvolti nel passaggio delle scorie attraverso l'apparato digerente.

■ OMEOPATIA. *Bryonia* è indicato quando il tono muscolare dello stomaco è scarso.

Lycopodium viene prescritto a chi ha gas addominali e gonfiore.

Alumina viene consigliato quando i movimenti intestinali sono inefficaci, oppure quando lo stimolo e il movimento intestinale sono assenti per giorni (è utile anche contro la stipsi dei bambini).

Nux vomica è il rimedio indicato per coloro che avvertono lo stimolo, ma nessun movimento intestinale, oppure per persone che hanno abitudini saltuarie, causate da lassativi (in particolare è adatto per chi mangia e beve troppo) e da una vita eccessivamente sedentaria.

Platinum è adatto contro la stitichezza di chi viaggia, causata dal cambiamento di vita e di alimentazione.

■ VITAMINE E MINERALI. Si possono assumere vitamina C e aspartato di magnesio, come pure olio di semi di lino.

Se la stitichezza è causata da una terapia antibiotica si suggeriscono fermenti lattici per favorire la ricostituzione della flora batterica intestinale, distrutta dai farmaci.

■ YOGA. La pratica regolare contribuisce a mantenere sano l'intestino.

Le contrazioni addominali, le posizioni accovacciate e tutte quelle che prevedono flessioni sono eccellenti per prevenire e curare la stitichezza.

LA PREVENZIONE

È facile aumentare l'apporto di fibra alimentare mangiando più frutta e verdura, soprattutto a foglia, cereali integrali come riso e grano non raffinati, vari semi (per esempio di girasole), piselli e fagioli secchi, frutta essiccata.

Un cucchiaio di crusca a pranzo o altre fibre vegetali possono avere un benefico effetto. La fibra alimentare va comunque aggiunta gradualmente, per non aumentare la sensazione di gonfiore e i gas intestinali, e soprattutto va accompagnata da molti liquidi. Anche un programma regolare di attività fisica può promuovere la regolarità intestinale.

Essenziale è anche comprendere che il concetto di regolarità varia da persona a persona. Non andare di corpo quotidianamente non è segno di stitichezza, ma, dopo una settimana che non ci si scarica o dopo un cambiamento repentino e duraturo delle modalità abituali, vale la pena di consultare il medico.

Stress
Stress è un termine che viene dalla lingua inglese e significa "sforzo", ma anche "sottolineare", "accentuare".

Solitamente si intende lo stress come un nemico del benessere, della libertà. E, in effetti, molto spesso lo è; anzi esso può diventare un'insidia grave alla serenità e alla salute.

Esiste però anche il rovescio della medaglia, cioè uno stress positivo: una situazione "difficile", "stressante" può spronare infatti a mobilitare il meglio delle proprie risorse, fisiche e intellettuali.

In un certo senso anche un evento desiderato e gioioso costituisce uno stress, in quanto accelera il battito cardiaco e sollecita le capacità di reazione dell'organismo. È inoltre fondamentale l'atteggiamento di base verso le situazioni della vita. Le stesse circostanze possono essere vissute come uno stimolo positivo da una persona e come un fattore di stress negativo da un'altra. L'unica differenza è appunto l'approccio individuale, il personale modo di vedere la situazione.

Troppo stress può comunque nuocere direttamente alla salute. Parole confuse o vuoti di memoria, tachicardia persistente, mani sudate, dolore al collo o alla schiena, mal di testa, tremore, orticaria, ansietà incontrollabile, insonnia sono alcuni dei sintomi collegati allo stress (che indicano che si ha bisogno di consultare un medico). Si pensa che anche alcune allergie, certe intolleranze alimentari e l'acne siano direttamente collegate allo stress.

Vedi anche ACNE, ALLERGIE, CEFALEA, INSONNIA, INTOLLERANZE ALIMENTARI, MAL DI SCHIENA, TACHICARDIA.

LA MEDICINA UFFICIALE

I medici possono fornire consigli generali per combattere lo stress, per esempio diminuire la mole di lavoro, praticare sport o imparare una tecnica di rilassamento.

Spesso vengono anche prescritti tranquillanti, che permettono di affrontare il problema con tecniche più specifiche.

LE TERAPIE DELLA MEDICINA NATURALE

■ AGOPUNTURA. Si tratta di impostare la terapia secondo i canoni della medicina tradizionale cinese, correggendo gli squilibri dell'energia. Il trattamento sarà quindi individuale.

■ DIGITOPRESSIONE. Premersi le tempie rilassa i muscoli di tutto il corpo, specialmente quelli del collo.

■ FITOTERAPIA. Come rilassanti, si consigliano infusi (*vedi* pag. 310) di biancospino, camomilla o melissa. Il fitoterapeuta potrebbe anche prescrivere rilassanti più potenti come passiflora o valeriana.

■ IDROTERAPIA. Un bagno caldo riesce a diminuire i disturbi legati a una situazione di stress. Quando una persona è tesa o ansiosa, il flusso di sangue alle estremità diminuisce. L'acqua calda riequilibra la circolazione (l'acqua fredda è sconsigliata per le ragioni opposte).

Un'alternativa rapida a un bagno è quella di far scorrere acqua calda sulle mani finché non si sente che la tensione comincia a calare.

■ IPNOSITERAPIA. Durante lo stato di ipnosi vengono impartiti al paziente suggerimenti che continuano ad essere efficaci anche dopo la fine della seduta.

È utile apprendere tecniche di autoipnosi (*vedi* pag. 135) per facilitare il rilassamento.

Anche esercizi di visualizzazione, o di training autogeno oppure l'ascolto di cassette di musica rilassante possono essere utili per combattere una situazione di eccessivo stress.

Il biofeedback (*vedi* pagg. 126-131) permette di scoprire le cause delle proprie risposte sotto stress: rappresenta quindi un ottimo sostegno terapeutico che ben si combina con le tecniche di rilassamento, con la meditazione, con il training autogeno e con le psicoterapie.

▨ MASSAGGIO. Soprattutto nei casi in cui lo stress si manifesta in contratture muscolari o in disturbi emotivi, un massaggio dolce e accurato può aiutare a ristabilire l'equilibrio, superando le resistenze del soggetto ed eventualmente eliminando la causa del problema. Qualsiasi genere di massaggio riesce comunque a rilassare, ad allentare la tensione, a dissolvere la stanchezza e a rafforzare l'energia. Aiuta a prevenire stati di debolezza e affaticamento fisico, oltre a migliorare la circolazione sanguigna e a favorire l'eliminazione delle sostanze tossiche.

▨ NATUROPATIA. Si consiglia molta attenzione alla dieta, che deve essere particolarmente sana, ricca di frutta fresca, di verdure, di fibre.

Ricordate che, per la vostra salute, l'atteggiamento nei confronti del cibo è tanto importante quanto quello che mangiate realmente. Cercate di trovare sempre il tempo di godervi il cibo che mangiate lentamente, assaporando ogni boccone. Non mangiate mentre state leggendo, cucinando, parlando al telefono o lavorando.

▨ OMEOPATIA. Nei casi di stress dovuti a trauma emotivo, a un lutto o a dispiaceri, si consiglia *Ignatia*.

Nux vomica è il rimedio per le persone irritabili, che chiedono molto a se stesse e agli altri, che hanno tendenza a strafare e ad eccedere con il cibo, l'alcol e il tabacco, che hanno un risveglio faticosissimo.

Agli studenti, nei casi in cui è richiesta particolare concentrazione, o a coloro che si sentono deboli o depressi, potrebbe giovare *Acidum phosphoricum*.

Chi "non ce la fa più", si sente esausto e irritabile, piange e prova indifferenza per le persone care, dovrebbe provare *Sepia*.

▨ RIFLESSOLOGIA. L'approccio principale di questo trattamento consiste nell'indurre il rilassamento generale, ma è anche in grado di trattare sintomi fisici, agendo sulle relative aree riflessogene.

▨ TAI CHI. I movimenti lenti e fluidi di questa disciplina hanno lo scopo di creare l'equilibrio tra il corpo, la mente, le sensazioni, le emozioni, allentando le tensioni. All'allievo viene insegnata una respirazione corretta, ovvero un particolare modo di espirare che ha lo scopo di indurre rilassamento e calma.

▨ TECNICA DI ALEXANDER. Per abitudine, e in modo particolare quando si è stressati, si assumono posizioni (sedute o in piedi) che impediscono una corretta circolazione sanguigna e una respirazione lenta e profonda. Pertanto si crea un circolo vizioso: i muscoli diventano più tesi, il cervello riceve meno nutrimento e così scatta nell'organismo un segnale di "allarme" che non migliora le nostre risposte alle situazioni stressanti. Imparare gli esercizi per la postura è quindi utile anche per ridurre lo stress.

Un esercizio per la postura, tratto dalla tecnica di Alexander, può aiutare a mantenere una posizione corretta. Appoggiate la schiena contro lo stipite di una porta, con le ginocchia piegate e i piedi a circa 15-20 cm dalla porta. Rilassate i muscoli lombari e fate qualche respiro profondo. Raddrizzate lentamente le gambe e fate scivolare la colonna vertebrale lungo la porta, contraendo gli addominali, in modo da tenere la schiena piatta.

■ VITAMINE E MINERALI. Se siete sottoposti da molto tempo a stress, l'organismo richiede un maggiore apporto di alcuni nutrienti: per esempio di vitamina C, di vitamina E, delle vitamine del gruppo B, di sali minerali come ferro, calcio e soprattutto magnesio e zinco.

■ YOGA. La pratica regolare dello yoga genera un profondo senso di rilassamento, tranquillità, concentrazione e lucidità mentale, unite a forza e agilità fisiche. Oltre a distendere tutte le parti del corpo, lo yoga massaggia gli organi interni e le ghiandole.

Il sistema di respirazione rilassa la mente e il corpo, stimola la circolazione sanguigna e aumenta l'afflusso di ossigeno ai tessuti.

LA PREVENZIONE

L'alimentazione deve essere particolarmente equilibrata, facilmente digeribile ed esente da fattori intossicanti.

Praticare con costanza esercizio fisico, dedicarsi a tecniche di rilassamento o di meditazione, concedersi regolarmente momenti di autentico relax sono tutti utili sistemi per prevenire e combattere lo stress.

Nei momenti di stress è particolarmente forte la sensazione di "sostenersi" con caffè, alcol e nicotina: nel lungo periodo, però, tutte queste sostanze finiscono per agire negativamente sul sistema nervoso e sull'umore.

Tachicardia *È un'accelerazione significativa del ritmo cardiaco, per lo più di origine nervosa.*

Può essere anche un segnale di ipertiroidismo, ossia di un eccesso di attività della tiroide.

Può manifestarsi in brevi crisi, definite di "tachicardia parossistica".

Vedi anche IPERTENSIONE, PROBLEMI CIRCOLATORI, STRESS.

LA MEDICINA UFFICIALE

Nella maggior parte dei casi, la tachicardia può essere alleviata diminuendo il consumo di caffè e di alcol.

Tuttavia, qualora si sospettasse un'altra causa, il medico provvederà a controllare il polso e la pressione arteriosa.

Se lo riterrà opportuno, chiederà che sia effettuato un elettrocardiogramma, per stabilire l'eventuale presenza di disturbi cardiaci e prescriverà degli esami specifici per la valutazione della funzione tiroidea.

LE TERAPIE DELLA MEDICINA NATURALE

■ DIGITOPRESSIONE. Un delicato massaggio alla carotide destra aiuta a fermare un attacco di tachicardia (l'arteria va massaggiata dove si congiunge al collo, il più possibile sotto la mascella).

■ FITOTERAPIA. L'infuso di menta è utile per calmare le palpitazioni. Per prepararlo, lasciate in infusione per dieci minuti 40 g di foglie fresche di menta piperita in un litro di acqua bollente.

La valeriana è un buon sedativo, efficace per riequilibrare il proprio stato nervoso. Potete utilizzarla in compresse, da acquistare in farmacia.

■ IDROTERAPIA. Riempite un catino con acqua fredda e immergetevi il viso per un secondo o due: con l'acqua fredda il ritmo delle pulsazioni dovrebbe diminuire automaticamente.

■ NATUROPATIA. Sono consigliati pasti regolari, con pochi dolci. Saltare i pasti e poi riempire i vuoti dello stomaco con una merendina dolce o una bibita gassata costringe gli enzimi pancreatici a un superlavoro (dopo di che l'insulina si scatena e voi ripiombate in una relativa ipoglicemia). A questo punto le ghiandole surrenali secernono adrenalina per mobilizzare le scorte di glicogeno del fegato (e l'adrenalina innesca l'accelerazione improvvisa delle pulsazioni e la sensazione di panico).

Chi ha un metabolismo rapido deve mangiare più cibi proteici, che vengono digeriti più lentamente dei carboidrati e aiutano a prevenire un calo eccessivo dello zucchero nel sangue.

■ OMEOPATIA. Se la tachicardia è legata allo stress, sono efficaci i trattamenti di fondo per il controllo dell'ansia e quelli diretti al sintomo (*Ignatia amara, Oleander, Spigelia anthelmia, Cactus grandiflora*).

■ VITAMINE E MINERALI. Il magnesio protegge le cellule: in quelle del muscolo cardiaco equilibra gli effetti del calcio, che, quando entra in circolo, stimola la contrazione muscolare. Il magnesio è fondamentale per gli enzimi cellulari che pompano fuori il calcio, perché determina il ritmo della contrazione e del rilassamento. Aiuta il cuore a diventare meno irritabile (oltre che come integratore, si può assumere nutrendosi in abbondanza con soia, noci, leguminose, crusca).

Il potassio è un altro dei minerali che aiutano a rallentare l'azione del cuore e l'irritabilità delle fibre muscolari. Si trova nella frutta e nelle verdure (però si rischia di perderlo se la dieta è troppo ricca di sodio oppure se si usano molti diuretici o lassativi).

LA PREVENZIONE

Il caffè, le bibite alla cola, il tè, il cioccolato, le pillole "antifame" e tutti i tipi di stimolanti sono da abolire: vi espongono al rischio della tachicardia atriale parossistica.

Il riposo è il trattamento più indicato per contrastare un attacco.

Tendinite *Viene anche chiamata "sindrome da usura" ed è l'infiammazione di un tendine, o della zona intorno al tendine, dopo uno sforzo prolungato o eccessivo (microtraumi ripetuti, esercizi di riscaldamento dei muscoli troppo brevi, allenamento troppo prolungato).*

È un disturbo molto doloroso e, al contrario dei dolori muscolari, che in genere sono di breve durata, il dolore della tendinite rimane a lungo. È meglio consultare il medico per evitare che diventi cronica.

LA MEDICINA UFFICIALE

L'aspirina e gli altri medicinali antinfiammatori, che potete comperare anche senza ricetta, sono un buon rimedio antidolore per la tendinite, almeno temporaneamente. Questi farmaci riducono anche l'infiammazione e il gonfiore.

LE TERAPIE DELLA MEDICINA NATURALE

■ AGOPUNTURA. Vengono trattati i punti specifici della lesione e alcuni punti ad attività generale, come il punto specifico dei muscoli, quello delle ossa, alcuni punti del meridiano del Fegato o quelli delle lombalgie situati sul meridiano della Vescica.

■ DIGITOPRESSIONE. Applicate una delicata pressione nei punti a circa quindici centimetri di distanza dall'area dolorante (non direttamente sulla zona lesa).

■ IDROTERAPIA. Fare un bagno caldo, meglio ancora un idromassaggio, è un buon modo per innalzare la temperatura corporea e migliorare la circolazione.

Scaldare il tendine diminuisce il dolore della tendinite. Per esempio, per una tendinite al ginocchio, mettete dapprima sul ginocchio un asciugamano umido e caldo, poi un sacchetto di plastica, poi uno scaldino e infine una fascia elastica morbida, solo per tenere tutto in posizione.

L'applicazione dura da due a sei ore. Per evitare di scottarvi, tenete lo scaldino al minimo. Per avere il massimo risultato, la parte lesionata dovrebbe stare più alta del cuore.

■ MASSAGGIO. È un mezzo terapeutico estremamente valido sia nella prevenzione sia nel trattamento della tendinite.

■ OMEOPATIA. Per il dolore muscolare dopo un esercizio fisico eccessivo, come pure in caso di contusioni e stato di shock, provate *Arnica*.

Strappi muscolari e distorsioni devono prima essere trattati con *Arnica* e quindi con *Rhus toxicodendron* o *Ruta*, a seconda dei sintomi.

Contro i dolori del "gomito del tennista" (un esempio di tendinite da continua sollecitazione, un'infiammazione della parte esterna del gomito, nel punto in cui i tendini del muscolo dell'avambraccio sono uniti all'osso) provate ad assumere *Ruta*.

LA PREVENZIONE

È importante, durante allenamenti sportivi o attività faticose per la muscolatura, non ignorare gli avvertimenti del corpo. Se il dolore è forte, e continuate a sforzarvi, il tendine si può spezzare (e questo vuol dire lunga inattività forzata, un intervento chirurgico, o addirittura una disabilità permanente).

Per prevenire questo disturbo, è utile non ini-

Chi inizia un'attività sportiva *deve procedere per gradi, non pretendere subito di avere grossi risultati e farsi seguire da un esperto (per evitare errori di postura e tensioni muscolari).*
Sono infatti gli allenamenti eccessivi i maggiori responsabili di problemi articolari.

ziare mai un'attività sportiva di punto in bianco, ma praticare un allenamento regolare e progressivo che incrementi a poco a poco la forza e la flessibilità delle articolazioni e dei muscoli. Ciò significa anche concedervi il tempo necessario per un adeguato periodo di riscaldamento prima di dare inizio all'attività sportiva vera e propria.

La prima cosa da fare se siete stati colpiti da tendinite è comunque prendersi un po' di riposo (ma non troppo, altrimenti i muscoli possono cominciare ad atrofizzarsi).

Tonsillite *È l'infiammazione delle tonsille, generalmente associata a faringite (infiammazione della faringe), dovuta a infezione virale o batterica. È molto comune nei bambini che non hanno ancora acquisito resistenze agli agenti infettanti con cui vengono a contatto all'asilo o a scuola, ma a volte colpisce anche gli adulti. I sintomi sono mal di gola, tonsille e faringe infiammate e rosse (a volte anche biancastre con la presenza di pus), febbre, ingrossamento delle linfoghiandole del collo, tosse secca.*

Il medico va consultato se, dopo tre giorni, i sintomi non si riducono, se c'è febbre molto elevata, se ci sono secrezioni purulente, se è presente anche un eritema cutaneo che possa far pensare a una malattia esantematica.

Vedi anche FEBBRE, MAL DI GOLA, TOSSE.

LA MEDICINA UFFICIALE

Il medico può eseguire un tampone faringeo per l'esame colturale e prescrivere antibiotici, se sospetta una causa batterica.

LE TERAPIE DELLA MEDICINA NATURALE

■ FITOTERAPIA. Si consigliano gargarismi con altea, salvia e timo o fiori e foglie di tiglio.

■ NATUROPATIA. Restate a letto durante la fase in cui i sintomi sono più acuti.

Bevete molto (acqua e succhi di agrumi) e non preoccupatevi se, per qualche giorno, non riuscite a mangiare.

Nel caso sia presente congestione nasale e le adenoidi siano ingrossate, evitate di assumere latte e latticini.

Fate spesso gargarismi, anche semplicemente con acqua tiepida e succo di limone.

■ OMEOPATIA. *Apis* è il rimedio consigliato quando la gola appare rossa e lucente e le tonsille sono coperte di membrane bianche. Il paziente sente meno dolore inghiottendo bevande fredde e si aggrava con bevande calde.

Se le tonsille sono infiammate, di colore rosso vivo, e il paziente ha difficoltà nell'inghiottire, si può usare *Belladonna*.

Phytolacca decandra è utile quando le tonsille sono coperte di punti biancastri (contenenti pus) oppure di membrane grigie e bianche. Il dolore è aggravato molto dalle bevande calde, migliorato da quelle fredde. Le tonsille sono molto gonfie, così come il collo; anche la radice della lingua può essere dolente alla deglutizione.

Se la gola è di colore rosso cupo, gonfia, il paziente ha l'alito sgradevole e molta sete, se i sintomi peggiorano durante la notte o quando il soggetto tenta di parlare, si consiglia *Mercurius solubilis*.

■ VITAMINE E MINERALI. L'integrazione con vitamina C può aiutare a rinforzare le difese immunitarie, in modo particolare durante l'inverno.

Capsule di aglio, anche queste soprattutto durante il periodo invernale, possono essere consigliate come supplementi.

LA PREVENZIONE

Le frequenti infezioni e infiammazioni delle tonsille sono considerate un fattore determinante nello sviluppo di future malattie. Per questa ragione sia il trattamento sia la prevenzione devono coinvolgere l'intero sistema immunitario, allo scopo di eliminare il rischio di un indebolimento di tutto l'organismo. Un'alimentazione sana ed equilibrata, eventualmente integrata con vitamine e minerali, unita a un corretto stile di vita (che includa regolare esercizio fisico), è quindi, anche in questo caso, la migliore prevenzione.

Torcicollo *Si manifesta con una contrazione dolorosa di uno dei muscoli del collo.*

In genere il collo fa male perché si tiene la testa in una posizione sbagliata (spinta in avanti, con le orecchie davanti alle spalle) per troppo tempo. Anche la cefalea da tensione può essere una causa di dolore al collo, che può però essere provocato anche da un "colpo di frusta" (subìto, per esempio, in seguito a un incidente stradale): in questo caso è meglio che consultiate un medico.

Vedi anche CEFALEA, MAL DI SCHIENA, STRESS.

LA MEDICINA UFFICIALE

Si utilizzano gli unguenti rubefacenti ("riscaldano" la parte lesa): danno sollievo ma non hanno un effetto risanante reale, perché non penetrano sotto la superficie cutanea.

La sedia "ergonomica" *(nella fotografia) è stata studiata per favorire una postura corretta ed è utile per mantenere eretti il collo e la schiena.*

Gli antinfiammatori come l'aspirina o l'ibuprofen aiutano a ridurre il dolore e l'infiammazione (assumeteli preferibilmente a stomaco pieno e soltanto se non ci sono controindicazioni).

LE TERAPIE DELLA MEDICINA NATURALE

AGOPUNTURA. Il trattamento può essere indicato per la maggior parte dei casi di mal di collo e irrigidimento. I punti trattati sono posti sui meridiani dell'Intestino Tenue, della Vescicola Biliare, del Polmone, della Vescica e dell'Intestino Crasso.

IDROTERAPIA. Una borsa del ghiaccio, o un po' di ghiaccio avvolto in un panno, sono una buona soluzione quando la rigidità è appena cominciata. Se il collo ha un problema lieve, il freddo aiuta a diminuire il dolore.

Dopo che il ghiaccio ha ridotto l'eventuale infiammazione, il calore è un meraviglioso calmante, sia che venga da uno scaldino elettrico sia da una doccia calda.

OSTEOPATIA. Una postura scorretta può essere la causa principale del dolore e dell'irrigidimento del collo.

A volte invece possono essere evidenti veri e propri spostamenti di una o più vertebre rispetto alle contigue. Si renderà allora necessaria la manipolazione per ristabilire i corretti rapporti e l'adeguata posizione.

YOGA. Un programma ben studiato di posizioni yoga (*vedi* pagg. 228-235) aiuta a diminuire la rigidità in tutto il corpo.

Praticare le tecniche yoga di rilassamento riesce a ridurre contrazioni e tensioni.

LA PREVENZIONE

Per prevenire il torcicollo (e per non peggiorare quello già esistente) è utile, se state spesso seduti, utilizzare una sedia che mantenga eretti collo e schiena.

Cercate di tenere in alto la testa e piegate invece in dentro il mento, come quando fate il doppio mento.

Evitate anche di tenere sempre la testa bassa quando lavorate alla scrivania o leggete: questo vi aiuterà a prevenire lo sforzo dei muscoli della nuca.

Se lavorate tutto il giorno allo schermo di un computer, è importante posizionarlo all'altezza degli occhi: se vi sforzate di guardare continuamente in su o in giù, potete provocarvi spasmi al collo.

Se parlate molto al telefono, soprattutto mentre siete seduti, badate a non tenere il collo in una posizione scomoda: a lungo andare ciò può provocare rigidità e dolori.

È facile dimenticarsi che ci sono un modo giusto e uno sbagliato di sollevare gli oggetti pesanti. Il modo giusto è piegare le ginocchia e tenere la colonna vertebrale ben dritta. Quando sollevate il peso, tenetelo vicino al corpo.

Molti problemi cominciano e peggiorano quando si dorme abitualmente in una posizione sbagliata: meglio su un materasso senza infossature e senza cuscino (oppure con un cuscino cervicale che dà al collo il giusto sostegno). Evitate anche di dormire a pancia in giù (mentre è utile dormire di fianco, con le ginocchia piegate verso il torace, in posizione "fetale").

Ricordatevi di coprirvi bene il collo nella stagione fredda: il brutto tempo può aggravare la rigidità e il dolore del collo.

Il semplice fatto che siete in tensione irrigidisce i muscoli del collo e vi provoca dolore. Se siete sotto pressione o vi sentite molto contratti, vi può aiutare imparare qualche tecnica di rilassamento (*vedi* pagg. 118-125).

Anche semplici esercizi di ginnastica, che potete fare anche seduti a tavolino, possono contribuire a mantenere la mobilità del collo.

Tosse
È un riflesso improvviso e involontario che consente di ripulire le vie respiratorie. La tosse può essere leggera o insopportabile, secca o grassa, nel caso in cui smuova il muco o il catarro presenti.

Può essere il sintomo di un raffreddore ma anche di numerose malattie, tra le quali l'ascesso pol-

monare, il tumore del polmone, la bronchite cronica, la polmonite, la tubercolosi, il raffreddore da fieno e l'asma. I fumatori soffrono spesso di tosse cronica.

Vedi anche ASMA, BRONCHITE, CANCRO, RAFFREDDORE, RAFFREDDORE DA FIENO.

LA MEDICINA UFFICIALE

La terapia dipende da che cosa provoca la tosse: spesso si consigliano sciroppi o caramelle a base di destrometorfano.

I farmaci prescritti per la tosse e per altri disturbi correlati possono contenere codeina e antistaminici.

Per la tosse asmatica con costrizione dei bronchi può essere prescritto un broncodilatatore (per bocca o per aerosol).

LE TERAPIE DELLA MEDICINA NATURALE

■ AGOPUNTURA. Per migliorare il flusso energetico verso i polmoni, l'agopuntore tratta, fra gli altri, i punti del meridiano del Polmone sulle braccia.

■ AROMATERAPIA. Allo stadio iniziale, si racomanda l'uso di oli essenziali per inalazione, allo scopo di rendere la tosse più umida e favorire così l'espulsione del catarro. Gli oli essenziali più usati a questo scopo sono l'eucalipto, il timo, il cipresso e il sandalo. Mettete due o tre gocce di olio in una tazza di acqua calda e inalate il vapore per circa dieci minuti, due o tre vol-

Fra i vari tipi di miele, hanno particolari proprietà espettoranti, sedativi della tosse e favorenti la sudorazione quelli di eucalipto, timo, castagno, pino e lavanda, particolarmente se sciolti in liquido caldo (ottimi gli infusi di erbe, soprattutto di salvia).

te il giorno, finché la tosse non scompare. Se la gola è irritata da una tosse secca e insistente, fate gargarismi con tre gocce degli stessi oli essenziali, diluiti in un bicchiere d'acqua.

■ IDROTERAPIA. Inalazioni di vapore e bagni e docce caldi in ambiente pieno di vapore attenuano il fastidio della congestione nasale e della tosse. Anche impacchi freddi su gola e petto danno sollievo.

■ NATUROPATIA. Il medico può raccomandare una dieta a base di frutta e verdura cruda, noci, semi oleosi, tisane e acqua minerale. I latticini e altri alimenti coinvolti nella produzione di muco andrebbero eliminati.

Per ammorbidire le secrezioni bronchiali, mangiate cipolle crude e aglio, salsa di rafano e senape.

Il succo di limone caldo con un cucchiaino di miele e di glicerina può risultare calmante. Anche il miele, assunto da solo o in una tisana calda, è un buon calmante delle mucose bronchiali.

■ OMEOPATIA. I rimedi per la tosse cronica comprendono *Aconitum*, in uno stadio iniziale e dopo esposizione a vento freddo e secco; *Belladonna* quando c'è anche febbre alta; *Bryonia* per la tosse secca e dolorosa; *Spongia* per la tosse associata a bruciore laringeo o per la tosse cronica dei bambini.

■ VITAMINE E MINERALI. Sono consigliate capsule di aglio, come espettorante, e integrazioni delle vitamine A e C.

LA PREVENZIONE

C'è chi consiglia di bere una tazza di acqua bollente con un cucchiaio di succo di limone e uno di miele. Bere liquidi (brodo, tisane, succhi di frutta e acqua pura) fa molto bene.

Anche le inalazioni di vapore, da un vaporizzatore, da una pentola o da un lavandino pieni di acqua bollente, aiutano ad ammorbidire il catarro.

Il fumo irrita i bronchi, quindi smettete di fumare. Se optate per uno sciroppo, potete scegliere tra due tipi: uno sopprime il riflesso della tosse e l'altro è espettorante, cioè rende la tosse meno irritante e aiuta a portare il muco verso l'esterno.

Ulcera *Una lesione aperta e infiammata sulla superficie della membrana mucosa di un organo interno è definita "ulcera".*

Il tipo più comune è quella gastrointestinale, che si verifica nello stomaco o nel duodeno (il canale che collega lo stomaco all'intestino).

Il termine "ulcera peptica" si riferisce a una lesione dello stomaco o del duodeno, prodotta dall'acido gastrico. I sintomi comprendono sensazione di gonfiore, bruciori di stomaco e dolore addominale (che spesso viene avvertito entro un'ora dopo i pasti e può durare anche due-tre ore).

Le afte sono ulcere della bocca che possono presentarsi sulla lingua, sull'interno delle guance, sulle labbra e sulle gengive. Spesso sono determinate da allergie alimentari, scarsa igiene orale, fumo, stress, stanchezza.

Fumare, bere, fare frequentemente uso di aspirina, di corticosteroidi e di altri farmaci sono, insieme con la predisposizione genetica, fattori di rischio per l'ulcera peptica.

Vedi anche AEROFAGIA, GASTRITE, INDIGESTIONE, INTOLLERANZE ALIMENTARI, MALATTIE DEL CAVO ORALE, STRESS.

LA MEDICINA UFFICIALE

In genere il trattamento prevede prodotti antiacido in liquido o in pastiglie. Aspirina e altri antinfiammatori sono controindicati e vanno assolutamente evitati, mentre farmaci come la cimetidina e la ranitidina possono abbassare il livello di acidità dei succhi gastrici e quindi dar sollievo ai sintomi e favorire la cicatrizzazione delle ulcere gastriche e duodenali.

L'efficacia di una dieta leggera è dubbia anche se molti medici ritengono che sia utile per alcuni pazienti.

Solo di rado si interviene chirurgicamente.

LE TERAPIE DELLA MEDICINA NATURALE

■ AGOPUNTURA. In genere si trattano punti dei meridiani del Fegato, della Milza-Pancreas, dello Stomaco e della Vescica.

■ IPNOSITERAPIA. È efficace sia per dar sollievo ai sintomi sia per diminuire lo stress.

■ NATUROPATIA. Anche se la dieta leggera può essere consigliabile per qualche giorno in caso di ulcera peptica, è possibile che interferisca con la guarigione non fornendo quantità sufficienti di ferro e di vitamina C.

Evitate alcol, caffè e altre bevande contenenti caffeina o cioccolato. Anche il caffè decaffeinato può essere sconsigliato.

■ OMEOPATIA. Le ulcere peptiche rispondono in genere ad *Argentum nitricum* quando i sinto-

mi comprendono flatulenza e desiderio di dolci; a *Nux vomica* quando c'è dolore irritante a breve distanza dai pasti; a *Lycopodium*, in presenza di sensazione di sazietà anche dopo aver ingerito pochissimo cibo, desiderio di dolci e insofferenza per gli indumenti attillati.

Arsenicum album è il rimedio consigliato se il soggetto è ansioso e meticoloso, soffre di diarrea e di dolori brucianti subito dopo i pasti e non ha appetito.

■ VITAMINE E MINERALI. Molti medici ritengono che integrazioni di vitamina A ed E siano protettive nei confronti dell'ulcera da stress.

Per le afte, vitamina B_{12}, acido folico e zinco accelerano la guarigione, mentre l'olio di vitamina E può essere applicato direttamente sulla lesione.

LA PREVENZIONE

Se fumate, smettete.

Usate tecniche per il controllo dello stress, come la meditazione e il biofeedback, per diminuire i sintomi e prevenire le ricadute. Assicuratevi di dormire a sufficienza.

Fate regolare esercizio fisico.

Evitate caffè, tè, alcol e cibi acidi, come gli agrumi (anche le mele e i pomodori hanno un elevato contenuto acido). Non consumate cibi speziati e piccanti. Non mangiate frutta secca. Se pensate che l'ulcera possa essere il risultato di un'intolleranza alimentare, fate un accurato esame della vostra dieta e osservate se qualche cibo in particolare provoca un attacco.

Benché il latte aiuti a neutralizzare l'acidità di stomaco, le proteine e il calcio che contiene possono stimolare un'ulteriore produzione di acido, con effetto opposto a quello cercato. Non assumete aspirina e farmaci antinfiammatori, se possibile, specialmente a stomaco vuoto, poiché irritano la mucosa gastrica.

Vene varicose *Le vene che si allungano fino a mostrarsi nella loro tortuosità appena sotto la superficie della pelle sono vene varicose (o varici). Si trovano soprattutto nelle gambe, ma anche nell'esofago, nello scroto e nell'intestino retto, dove prendono il nome di emorroidi.*

Le vene varicose sono il risultato di un difetto nel meccanismo circolatorio o di una debolezza ereditaria delle pareti venose. Un complesso sistema di valvole fa in modo che il sangue venoso risalga per le

Le vene varicose sono vene indebolite che non hanno più la forza di risospingere il sangue al cuore. Quelle delle gambe sono le più esposte al problema, perché sono le più lontane e le più basse rispetto al cuore. Un esercizio che aiuta a prevenire le vene varicose consiste nello sdraiarsi sulla schiena e alzare le gambe in verticale, appoggiandole contro una parete. Mantenete questa posizione per due minuti: permette al sangue di rifluire dalle vene gonfie fino al cuore. Ripetete più volte l'esercizio nel corso della giornata.

gambe invece di ritornare verso il basso, dove ha già ceduto tutto l'ossigeno ai tessuti. Se qualcosa non funziona, il sangue torna indietro, ristagna e infine provoca il rigonfiamento di una vena superficiale.

Stare in piedi a lungo e fare poca attività fisica sono due tra i maggiori fattori di rischio per questo disturbo.

Tra le donne influiscono anche i cicli ormonali e la pressione delle vene pelviche che si verifica in gravidanza.

Vedi anche EMORROIDI, PROBLEMI CIRCOLATORI, STITICHEZZA.

LA MEDICINA UFFICIALE

Quando l'apparizione di vene violette desta preoccupazione e quando la zona circostante diventa cedevole e prude fastidiosamente, può essere necessario intervenire con iniezioni sclerosanti o chirurgicamente per eliminare la vena gonfia.

LE TERAPIE DELLA MEDICINA NATURALE

■ AROMATERAPIA. Impacchi freschi con olio essenziale di cipresso, rosmarino e menta piperita danno sollievo alle vene.

■ IDROTERAPIA. Spugnature sulle gambe con acqua fredda o abluzioni con acqua argillosa possono limitare il disagio.

■ OMEOPATIA. *Pulsatilla* e *Hamamelis* sono spesso prescritti alle donne in gravidanza.

■ RIFLESSOLOGIA. È utile il massaggio delle zone riflesse corrispondenti ai reni e alle ghiandole surrenali (*vedi* pag. 184).

■ VITAMINE E MINERALI. Sono consigliate integrazioni di vitamina C, vitamina E e bioflavonoidi (sostanze che favoriscono l'assorbimento della vitamina C).

■ YOGA. La pratica regolare dello yoga (in particolare la posizione della *Candela*, *vedi* pag. 228) favorisce il drenaggio del sangue e previene la formazione delle vene varicose.

LA PREVENZIONE

A titolo preventivo si consiglia di non fumare, tenere il peso sotto controllo e mantenere in esercizio le gambe con lunghe camminate, corsa, passeggiate in bicicletta, nuoto.

Evitate anche di rimanere a lungo fermi in piedi.

Le donne che soffrono di vene varicose nelle gambe dovrebbero usare solo calze elastiche "riposanti" (oggi anche trasparenti come tutte le altre). Inoltre dovrebbero stare sedute con i piedi sollevati, non accavallare le gambe per non intralciare la circolazione e riposare con un cuscino sotto il materasso dalla parte dei piedi.

Verruche *Sono escrescenze della cute e delle mucose ad essa contigue, causate da un virus. Ne vengono colpiti soprattutto i giovani, a livello dei piedi e delle parti scoperte. Le verruche "volgari" sono ruvide, callose, dello stesso colore della pelle o, in alcuni casi, marrone chiaro. Un altro tipo di verruche, simili a quelle volgari, si manifesta sulla pianta del piede: sono le verruche "plantari", che si approfondiscono nella cute, diventando pertanto molto fastidiose. Queste ultime si diffondono rapidamente: è quindi consigliabile adottare semplici precauzioni, come non camminare a piedi scalzi in locali pubblici come piscine, spogliatoi, eccetera. Se la verruca è di colore scuro, morbida, cambia improvvisamente di colore, prude, sanguina o secerne liquido, consultate il medico: potrebbe non trattarsi di una verruca ma di una formazione tumorale della pelle.*

LA MEDICINA UFFICIALE

Non esistono farmaci specifici contro il virus delle verruche. Il dermatologo può usare per la loro rimozione la criochirurgia (con ghiaccio secco o azoto liquido) oppure il bisturi elettrico. Anche l'applicazione di agenti caustici può essere efficace.

LE TERAPIE DELLA MEDICINA NATURALE

AGOPUNTURA. Nella medicina tradizionale cinese, la pelle è collegata ai polmoni e all'intestino, quindi i punti da trattare saranno sia quelli intorno alle verruche, sia quelli sui punti dei meridiani del Polmone e dell'Intestino Crasso.

AROMATERAPIA. Si ritiene che gli oli di cipolla e di aglio siano efficaci contro le verruche (se ne consiglia l'assunzione in capsule, a causa dell'aroma molto pungente di queste sostanze).

FITOTERAPIA. Molto efficace è l'applicazione del lattice di celidonia, spremuto dallo stelo e dalle foglie della pianta fresca e applicato direttamente sulla verruca, facendo attenzione a non spanderlo sulla pelle sana circostante.

IPNOSITERAPIA. Sedute di ipnosi sono particolarmente efficaci contro le verruche. Si suggerisce al paziente, sotto ipnosi, che la verruca perderà poco alla volta la capacità di svilupparsi e che, di conseguenza, finirà per seccarsi e staccarsi dalla pelle.

NATUROPATIA. Come terapia locale, aglio e cipolla crudi e tritati possono essere applicati regolarmente con una compressa di garza durante la notte.

Ricordate comunque che le verruche spesso se ne vanno da sole (in particolare quelle dei bambini), di solito nel giro di due anni.

OMEOPATIA. *Thuja*, insieme con un trattamento locale a base di crema di *Thuja*, è il rimedio più usato.

VITAMINE E MINERALI. L'applicazione di vitamina A, o di vitamina C, sulla verruca pare sia in grado di eliminarla. Triturate una compressa di vitamina, aggiungete un po' di acqua e mescolate. Appoggiate la pasta ottenuta sulle verruche e quindi coprite con un cerotto perché non si sposti.

LA PREVENZIONE

Evitate di camminare a piedi nudi in palestre, piscine, bagni pubblici.

Cercate di non avere contatti fisici con portatori di verruche.

Non grattate né toccate le verruche, per evitarne la diffusione.

Rilassarsi regolarmente è, per molti casi, la migliore delle terapie.

Indice analitico Sono riportate in *corsivo* le voci già corsivizzate all'interno del testo: rimedi omeopatici, della floriterapia, della medicina cinese, denominazione latina delle piante…

Ringraziamenti

Selezione dal Reader's Digest esprime la propria gratitudine per il permesso accordato a estrarre e adattare brani dalle seguenti opere:

Alcoholics Anonymous Services, Inc., *The Twelve Steps*, © 1939, 1955, 1976. Il permesso concesso per la pubblicazione di questo materiale non presuppone che Alcolisti Anonimi abbia rivisto o approvato i contenuti di questo libro e neppure che Alcolisti Anonimi sia d'accordo con i punti di vista qui espressi. Benché i Dodici Passi siano utilizzati all'interno di programmi e attività basate sul modello di A.A., ma rivolte ad altri problemi, il programma di A. A. è stato ideato specificamente per il recupero degli alcolisti. **The American Journal of Clinical Hypnosis**, *Cholecystectomy with Self-Hypnosis*, di Victor Rausch, vol. 22, n. 3, gennaio 1980, © 1980 American Society of Clinical Hypnosis. **Brunner/Mazel, Inc.**, *Self Hypnosis: The Complete Manual for Health and Self-Change*, 2a ed., di Brian M. Alman e Peter T. Lambrou, © 1992 Brunner/Mazel, Inc. **Centerline Press**, *F. Matthias Alexander: The Man and His Work*, di Lulie Westfeldt, © per il testo 1964 Lulie Westfeldt. **Doubleday Dell Publishing Group Inc.**, *The Allergy Discovery Diet*, di John E. Postley e Janet M. Barton, © 1990 John E. Postley e Janet M. Barton. Utilizzato con il permesso di Doubleday, una divisione di Bantam Doubleday Dell Publishing Group, Inc. **Eating Well (TM) Inc.**, maggio-giugno 1991, *Primal Prescription*, di John Willoughby, © 1991 John Willoughby. **Element Books Ltd.**, *The Elements of Shamanism*, di Nevill Drury, © 1989 Nevill Drury e Susan Drury Publishing Pty Ltd. **HarperCollins Publishers**, *The Art of Survival*, a cura di M.L. Gharote e Maureen Lockhart, © 1987 M.L. Gharote e Maureen Lockhart. *The Case of Nora: Body Awareness as Healing Therapy*, di Moshe Feldenkrais, © 1977 Moshe Feldenkrais. **Harvard University Press**, *The Navajo*, di Clyde Kluckhohn e Dorothea Leighton, © 1946 President and Fellows of Harvard College, 1974 Florence Kluckhohn e Dorothea Leighton. **Health Media Inc.**, marzo-aprile 1987, *Medical Self-Care. Self-Care in the Information Age*, di Tom Ferguson. **Houghton Mifflin Company**, *Health and Healing*, di Andrew Weil, © 1983, 1988 Adrian Weil. *Natural Health, Natural Medicine*, di Andrew Weil, © 1990 Andrew Weil. **Overeaters Anonymous, Inc.**, *The Great American Wife*, © 1980 Overeaters Anonymous, Inc. **Penguin USA, Inc.**, *Head First: The Biology of Hope*, di Norman Cousins, © 1989 Norman Cousins. Utilizzato con il permesso dell'editore Dutton, New American Library, una divisione di Penguin Books USA Inc. *The Youngest Science: Notes of a Medicine Watcher*, di Lewis Thomas, © 1983 Lewis Thomas. Utilizzato con il permesso di Viking Penguin, una divisione di Penguin Books USA Inc. **Random House, Inc.**, *Dr. Dean Ornish's Program for Reversing Heart Disease*, di Dean Ornish, © 1990 Dean Ornish. **Shelter Publications, Inc.**, *Galloway's Book on Running*, © 1983 Jeff Galloway. **Simon & Schuster, Inc.**, *A Leg to Stand On*, di Oliver Sacks, © 1984 Oliver Sacks. Pubblicato con il permesso di Summit Books, una divisione di Simon & Schuster, Inc., e Gerald Duckworth & Co. Ltd. **St. Martin's Press, Inc.**, *Healers on Healing*, a cura di Richard Carlson e Benjamin Shield, © 1989 Richard Carlson e Benjamin Shield. Pubblicato con il permesso speciale di Jeremy P. Tarcher, Inc. **Station Hill Press**, *Job's Body: A Handbook for Bodywork*, di Deane Juhan, © 1987 Deane Juhan. **The New York Times**, *How Tools of Medicine Can Get in the Way*, di Lawrence K. Altman, 12 maggio 1992, © 1992 New York Times Company. **The Overlook Press**, *The Overlook Martial Arts Reader*, a cura di Randy F. Nelson. *A State of Grace: Understanding the Martial Arts*, di Don Ethan Miller. Pubblicato con il permesso di Don Ethan Miller. **Vegetarian Times, Inc.**, *The Natural Doc*, di Victoria Moran, "Vegetarian Times", agosto 1990. **World Publications**, *Dr. Sheehan on Running*, di George A. Sheehan, © 1975 Runner's World Magazine. **Casa Editrice Astrolabio**, *Encounters with Qi, Exploring Chinese Medicine*, di David Eisenberg e Thomas Lee Wright, © 1985 David Eisenberg e Thomas Lee Wright.

Fonti iconografiche

La posizione delle illustrazioni nella pagina è indicata con le seguenti abbreviazioni: *a*, in alto; *b*, in basso; *c*, al centro; *d*, a destra; *s*, a sinistra.

9 A. Perlstein/Laura Ronchi-Tony Stone. 10 Robert Grant. 13 Penny Gentieu. 14 Rooney Johansson. 16-17 Cynthia Watts Clark. 19 Sam Abell, © 1992 National Geographic Society. 20 Rick Smolan. 22 David Parker/Science Photo Library/Photo Researchers, Inc. 23 Jean Francois Allaux. 25 M.G. Perrelli/SIE/Contrasto. 26 *a* e *c* James A. McInnis; *b* Noel Allum. 28 *a* e *b* Ilhami/Sipa Press. 29 Jean Francois Allaux. 30 The Bettmann Archive. 31 Douglas Kirkland/Sygma. 32 *a* Mark Peters/Sipa Press; *b* Tourneret/Sipa Press. 33 R. Schefold. 34 Peter Menzel. 36 Per concessione del Denver Art Museum, Denver, Colorado/ Foto di Ben Benschneider per concessione di Time-Life Books, Inc. 37 *a* Susanne Page; *b* Michal Heron/Woodfin Camp & Associates. 38 Stephen Trimble. 39 Jean Francois Allaux. 40 New York Public Library Picture Collection. 41 Phil Schermeister/ AllStock. 42 The Plastic Source. 43 Robert Harding Picture Library. 44 *a* Peter Chadwick/Octopus Publishing Group Ltd; *b* Michael Reingold. 45 *a* Z. Caluzny/Laura Ronchi-Tony Stone; *b* Marais Grussen/ Sipa Press. 47 Jeffrey Aaronson. 48 David Henderson/Eric Roth Studio. 49 Alain Nogues/Sygma. 50 Nik Douglas. 51 Sven Gahlin, da TANTRA di Philip Rawson, red edizioni, Como, © 1989 red./studio redazionale, Como. 52 da MANDALA di José e Miriam Argüelles, © José e Miriam Argüelles e Shambhala Publications; riprodotto su permesso di Shambhala Publications, Inc., Boston. 53 *a* Henry Hilliard; *b* Dilip Mehta/Contact Stock/Woodfin Camp & Associates. 54 Stephanie Maze. 55 Dilip Mehta/Contact Stock/Woodfin Camp & Associates. 56-57 Marcia Keegan. 58 Hahnemann University. 59 Henry Groskinsky. 60 Culver Pictures. 61 Jean Francois Allaux. 62-63 Brian Seed. 64 Mansell Collection 65 *a* Beppe Assenza; *b* P. Blundell-Jones/The Architectural Association. 66-67 The Dr. Edward Bach Center. 68-69 da MAPPA DEI FIORI DI BACH, red edizioni, Como, © 1993 red./studio redazionale, Como. 71 Peter Chadwick/Octopus Publishing Group Ltd. 72 Michael Reingold. 73 Paul Biddle & Tim Malyon/Science Photo Library/Photo Researchers, Inc. 75 The British School of Osteopathy. 76 Palmer College of Chiropractic. 77 *a* Peter Chadwick/Octopus Publishing Group Ltd; *b* Michael Reingold. 78-79 Peter Chadwick/Octopus Publishing Group Ltd. 80 Granata Press Service 81 Dan Heringa. 82 Francois Gauthier/Sipa Press. 84 Archivio red./studio redazionale, Como. 85 Winfield Parks © 1973 National Geographic Society. 86 The J. Allan Cash Photolibrary. 88-89 T. Mata, L. Carbonell/Integral, da IL GRANDE MANUALE ILLUSTRATO DI IDROTERAPIA, di Frederic Viñas, red edizioni, Como, © 1992 red./studio redazionale, Como. 90 *a* Carlos Angel/Gamma Liaison; *b* Jonathan Blair/Woodfin Camp & Associates. 90-91 *b* Mike Yamashita. 91 *d* Nathan Benn/Woodfin Camp, Inc. 92 Steve McCurry/Magnum. 93 Studio Aleph, Como. 95 Studio Aleph, Como. 97 Pierre Boulat/ Woodfin Camp & Associates. 98-99 Cynthia Watts Clark. 100 Dona Burns-Pizer. 101 Michael Freeman. 103 Roy Morsch/The Stock Market. 104 Jean Francois Allaux. 105 Timm Rautert/Visum. 106 The Bettmann Archive. 107 *a* Frank Fournier/Contact Stock/Woodfin Camp & Associates; *c* Steve McCurry/ Magnum; *b* Terence Spencer/Colorific! 109 Noel Allum. 110 Jean Francois Allaux. 111 *a* © SPL/Science Source/Photo Researchers, Inc.; *b* G. Hadjo, CNRI/Science Photo Library/Photo Researchers, Inc. 112 *a* The Bettmann Archive; *b* Manly P. Hall Collection of the Philosophical Research Society. 113 Dilip Mehta/Contact Stock/Woodfin Camp & Associates. 114 Michael A. Keller/ The Stock Market. 115 *b* Nik Douglas; *a* e *c* riproduzioni su permesso di Princeton University Press, © 1979 Princeton University Press. 117 *a* Robert Frerck/The Stock Market; *b* Michael S. Yamashita. 118 John G. Horey. 119 Louie Psihoyos/Matrix. 120 David Madison. 122 Torin Boyd. 123 Benjamin Ailes/Floatation Tank Association/per gentile concessione di "Newsweek". 124-125 David Madison. 126 Will & Deni McIntyre/Photo Researchers, Inc. 127 Vandystadt/Allsport. 129 Hartley Film Foundation. 130 da GETTING WELL AGAIN, di O. Carl Simonton, S. Matthews-Simonton, James Creighton, © 1978 O. Carl Simonton e Stephanie Matthews-Simonton. Riproduzione su permesso di Bantam Books, una divisione di Bantam Doubleday Dell Publishing Group, Inc. 131 David Cannon/Allsport. 132 The

Granger Collection, New York. 133 Howard S. Friedman. 134 Bart Bartholomew/Black Star. 137 National Guild of Hypnotists, foto di Steven Bachand. 138 Fotografia © 1991, The Art Institute of Chicago. Tutti i diritti riservati. 139 Louie Psihoyos/Matrix. 140 *a* James A. McInnis; *b* National Museum of the American Indian. 142 *a* Impact Photos; *b* Penny Tweedie/Colorific! 143 *a* Michael Kluvanek/South Australian Museum; *b* Impact Photos. 144 Freud Museum, Londra. 145 The Wilhelm Reich Museum. 146 *a* Rick Friedman/Black Star; *b* Andrew Sacks/Black Star. 148 T. Rosenthal/Granata Press. 149 Grazia Neri. 150 da SPONTANEOUS PAINTING AND MODELLING, © 1971 E.M. Lyddiatt, pubblicato da Constable & Company Limited, Londra. 151 Ellerbrock & Schafft/Bilderberg. 152 *a* Ed Quinn; *b* Gale Zucker/Stock, Boston. 153 *a* Frank Fournier/Contact Stock/Woodfin Camp & Associates; *b* David Burnett/Contact Stock/Woodfin Camp & Associates. 154 B. Petersen/Stock Market/Contrasto. 155 da THE BODY VICTORIOUS, di Lennart Nilsson, Dell Publishing Company, New York. 156 Gianfranco Gorgoni/Contact Stock. 157 Jean Francois Allaux. 159 Mary Ellen Mark/Library. 160 Paul Fusco/Magnum. 162-163 Joel Gordon. 164-165 Cynthia Watts Clark. 166 International Institute of Reflexology. 167 Max Aguilera-Helweg. 168 Elizabeth Hathon. 169 Noel Allum. 170 Michael Reingold. 170-175 Jan Cobb. 176 Dona Burns-Pizer. 177 Noel Allum. 178 Studio Aleph, Como. 180 Noel Allum. 181 fotografie Studio Aleph, Como; disegni Marcella Grassi. 182-183 Jan Cobb. 184-185 The Plastic Source. 186-189 Jan Cobb. 190 fotografie Jan Cobb; illustrazione Dona Burns-Pizer. 191-192 Noel Allum. 193 Jean Francois Allaux. 194 NASTAT. 195 fotografie Noel Allum; illustrazioni The Plastic Source. 196 Noel Allum. 197 Jean Francois Allaux. 198 © Bonnie Freer 1992. 199 Joel Gordon. 201 Joel Gordon. 202 © Karsh, Ottawa/Woodfin Camp & Associates. 203 fotografia Dan McCoy/Rainbow; illustrazione Michael Reingold. 204-205 Cynthia Watts Clark. 207 © 1978 Charles B. (Chuck) Rogers jr. 208 J. Feingersh/Stock Market. 209 Noel Allum. 211 Shelly Katz/"Time" Magazine. 212 *a* David Brownell; *b* Karen Keeney. 213 Keith Gunnar/Bruce Coleman Inc. 214-219 Bruce Curtis. 220-223 Studio Aleph, Como. 224 Carol Guzy/Black Star. 225 fotografia Carol Lee/St. Croix; disegni Marcella Grassi. 226 Marcella Grassi. 227 fotografia Lester Sloan Woodfin Camp & Associates; disegni Marcella Grassi. 228 Dilip Mehta/Contact Stock/Woodfin Camp & Associates. 229-234 Bruce Curtis. 236 R. Norman Matheny/"The Christian Science Monitor". 237 Doug Menuez/Reportage. 238 *s* Pat LaCroix/The Image Bank; *d* per concessione di Roxby Press, Londra. 239 per concessione di Roxby Press, Londra. 240 *a* Alon Reininger/Woodfin Camp & Associates; *b* Alon Reininger/Contact Stock/Woodfin Camp & Associates. 241 Ed Kashi. 242 Chris Johns/AllStock. 243 Jean Francois Allaux. 244 Andrew Grant. 245-251 Joseph Quever. 252-253 Cynthia Watts Clark. 255 Wolfgang Kunz/Bilderberg. 256 *a* Marvy/Stock Market/Contrasto; *b* Swarthout & Associates/Stock Market. 260 Jean Francois Allaux. 262 da WERNER KOLLATH, FORSCHER, ARZT UND KUNSTLER, di Elisabeth Kollath, J.F. Lehmanns Verlag, Monaco. 263 *a* Jerry Howard/Positive Images; *b* Grazia Neri/Sigma. 264 Jasper Partington Octopus Publishing Group Ltd. 265 *a* Louie Psihoyos/Woodfin Camp & Associates; *b* G. Pisacane. 266 M. Carr/Viesti Associates/Granata Press Service. 267 Jean Francois Allaux. 269 Zao Longfield/The Image Bank. 270 *a* Martin Culik/Rodale Press; *b* Mitch Mandel/Rodale Press. 272 Jacques Chenet/Woodfin Camp & Associates. 274 *a* G. Pisacane; *b* Robert Grant. 275 Robert Grant. 276 Jerry Howard/Positive Images. 278 N. Mascardi/The Image Bank. 279 D. Cannon/Laura Ronchi-Tony Stone. 281 A. Skelley/Stock Market. 283 Jerry Simpson. 284-285 Studio Marcialis. 285 Michael Holford. 286 Marco Polo/F. Bouillot, da MANGIARE MEGLIO PER VIVERE MEGLIO, © 1987 Selezione dal Reader's Digest, Milano. 287 *as* Terry Madison/The Image Bank; *ad* Elyse Lewin/The Image Bank; *c* Amanda Adey/Stockphotos Inc.; *b* Brett Froomer/The Image Bank. 288 New York Public Library Picture Collection. 289 Gordon Gahan, Photographer/ © National Geographic Society. 290 G. Pisacane. 291 C. Haase/Stock Image/Granata Press. 292 Murray Alcosser/The Image Bank. 293 *s* Charles Gold; *d* M. Pedone/Puglia/The Image Bank. **295** *as* Murray Alcosser/The Image Bank; *bs* e *d* H. Armstrong Roberts. **296** *a* David Parker/Science Photo Library/Photo Researchers, Inc.; *b* Jeremy Burgess/Science Photo Library/ Photo Researchers, Inc. **297** Christopher Springmann. **299** Nick Kelsh. **300** M.J. Klein. **302-303** Cynthia Watts Clark. **304** Robert Golden. **305** Heather Angel. **306-307** G.I. Bernard/NHPA. **307** Mark J. Plotkin. **308** Laurentis/Stock Image/Granata Press. **309** Jean Francois Allaux. **310** John Markham/Bruce Coleman Inc. **311** disegno Marilena Pistoia, da LE PIANTE DELLA SALUTE, di F. Bianchini e F. Corbetta, Arnoldo Mondadori Editore © 1975. **312** *a* Grant Heilman/Grant Heilman Photography, Inc.; *b* disegno Marilena Pistoia, da LE PIANTE DELLA SALUTE, di F. Bianchini e F. Corbetta, Arnoldo Mondadori Editore © 1975. **313** *a* disegno Marilena Pistoia, da LE PIANTE DELLA SALUTE, di F. Bianchini e F. Corbetta, Arnoldo Mondadori Editore © 1975; *b* Eleanor B. Wunderlich. **314** *a* Eleanor B. Wunderlich; *b* Studio Marcialis. **315** disegno Mette Ivers, da SEGRETI E VIRTU' DELLE PIANTE MEDICINALI, © 1979 Selezione dal Reader's Digest, Milano. **316** *a* Eleanor B. Wunderlich; *b* Studio Marcialis. **317** *a* R. Longo, da SEGRETI E VIRTU' DELLE PIANTE MEDICINALI, © 1979 Selezione dal Reader's Digest, Milano; *b* disegno Guy Michel, da SEGRETI E VIRTU' DELLE PIANTE MEDICINALI, © 1979 Selezione dal Reader's Digest, Milano. **318** *a* disegno Robert Rousso, da SEGRETI E VIRTU' DELLE PIANTE MEDICINALI, © 1979 Selezione dal Reader's Digest, Milano; *b* Eleanor B. Wunderlich. **319** *a* Bob Gossington/Bruce Coleman Inc.; *b* Walter Chandoha. **320** *a* disegno David Baxter, da SEGRETI E VIRTU' DELLE PIANTE MEDICINALI, © 1979 Selezione dal Reader's Digest, Milano; *b* O. Polunin, da SEGRETI E VIRTU' DELLE PIANTE MEDICINALI, © 1979 Selezione dal Reader's Digest, Milano. **321** *a* e *b* disegno Marilena Pistoia, da LE PIANTE DELLA SALUTE, di F. Bianchini e F. Corbetta, Arnoldo Mondadori Editore © 1975. **322** *a* Willmar Schwabe; *b* Murray Alcosser/The Image Bank. **323** *a* John A. Lynch: Photo/Nats; *b* Hans Reinhard/Bruce Coleman Inc. **324** *a* Michel Viard/Peter Arnold, Inc.; *b* Heather Angel. **325** *a* M. Brosselin, da SEGRETI E VIRTU' DELLE PIANTE MEDICINALI, © 1979 Selezione dal Reader's Digest, Milano; *b* Studio Marcialis. **326** *a* Heather Angel, da SEGRETI E VIRTU' DELLE PIANTE MEDICINALI, © 1979 Selezione dal Reader's Digest, Milano; *b* disegno Marilena Pistoia, da LE PIANTE DELLA SALUTE, di F. Bianchini e F. Corbetta, Arnoldo Mondadori Editore © 1975. **327** Charles Pickard, da SEGRETI E VIRTU' DELLE PIANTE MEDICINALI, © 1979 Selezione dal Reader's Digest, Milano. **328** disegno Marilena Pistoia, da LE PIANTE DELLA SALUTE, di F. Bianchini e F. Corbetta, Arnoldo Mondadori Editore © 1975. **329** *a* Pat & Roe Hagan/Bruce Coleman Inc.; *b* disegno Denis Weber, da SEGRETI E VIRTU' DELLE PIANTE MEDICINALI, © 1979 Selezione dal Reader's Digest, Milano. **330** *a* L. West/Bruce Coleman Inc.; *b* Studio Marcialis. **331** *a* Studio Marcialis; *b* Pitch/J. Prissette, da SEGRETI E VIRTU' DELLE PIANTE MEDICINALI, © 1979 Selezione dal Reader's Digest, Milano. **332** *a* Jacana/P. Pilloud, da SEGRETI E VIRTU' DELLE PIANTE MEDICINALI, © 1979 Selezione dal Reader's Digest, Milano; *b* Eleanor B. Wunderlich. **333** *a* Walter Chandoha; *b* disegno Marilena Pistoia, da LE PIANTE DELLA SALUTE, di F. Bianchini e F. Corbetta, Arnoldo Mondadori Editore © 1975. **334** *a* John Markham/Bruce Coleman Inc.; *b* disegno Marilena Pistoia, da LE PIANTE DELLA SALUTE, di F. Bianchini e F. Corbetta, Arnoldo Mondadori Editore © 1975. **335** *a* Norman O. Tomalin/Bruce Coleman Inc. **336** Robert Conrad. **337** Noel Allum. **338** J.C. Marlay/Stock Image/Granata Press. **339** Studio Aleph, Como. **340-341** Cynthia Watts Clark. **343** Joel Gordon. **345** Foto Marburg/Art Resource, N.Y. **347** Lorentis/Stock Image/Granata Press. **349** Linda Bohm/Leo de Wys, Inc. **350** John Huet/Leo de Wys, Inc. **352** Studio Aleph, Como. **355** Ethan Hoffman/Picture Project. **357** Archivio red./studio redazionale, Como. **358** Bruce Curtis. **360** J. Garcia/Oasis, da IL GRANDE MANUALE ILLUSTRATO DEL MASSAGGIO, di E. Peinado, red edizioni, Como, © 1992 red./studio redazionale, Como. **361** T. Mata, L. Carbonell/Integral, da IL GRANDE MANUALE ILLUSTRATO DI IDROTERAPIA, di Frederic Viñas, red edizioni, Como, © 1992 red./studio redazionale, Como. **362** Brian Hill. **363** Andrew Eccles/Rebus, Inc. **364** Studio Aleph, Como. **365** Steven Mays/Rebus, Inc. **367** Lorentis/Stock Image/Granata Press. **368-369** Bruce Curtis. **370** Studio Aleph, Como. **372** Francoise Sauze/ Science Photo Library/Photo Researchers, Inc. **373** A. Craddock/AGE/Granata Press. **374** Lorentis/Stock Image/Granata Press. **375** Sal DiMarco jr/"Time" Magazine. **376** Studio Aleph, Como. **378** Noel Allum. **379** A. Craddock/AGE/Granata Press. **380** Studio Aleph, Como. **382** Steve McCurry/Magnum. **383** Archivio red./studio redazionale, Como. **385** Archivio red./studio redazionale, Como. **387** Studio Aleph, Como. **388** L. Giordano/SIE/Contrasto. **390** Studio Aleph, Como. **391** J. Vila/AGE/Granata Press. **393** Schmid/Langsfeld/The Image Bank. **395** J. Vila/AGE/Granata Press. **397** Dan McCoy/Rainbow. **399** Barbara J. Rosen/Images Press **401** Bruce Curtis. **403** Jan Cobb. **405** Lorentis/Stock Image/Granata Press. **406** Noel Allum. **408** Studio Aleph, Como. **409** Douglas Kirkland/Sygma. **411** Douglas Kirkland/Sygma. **413** J. Garcia/Oasis, da IL GRANDE MANUALE ILLUSTRATO DEL MASSAGGIO, di E. Peinado, red edizioni, Como, © 1992 red./studio redazionale, Como. **414** Lorentis/Stock Image/Granata Press. **415** A. Rohmer/Stock Image/Granata Press. **417** Studio Aleph, Como. **419** Noel Allum. **421** J. Noone/Stock Image/Granata Press. **423** Studio Aleph, Como. **425** Henryk Kaiser/ Leo de Wys, Inc. **427** Studio Aleph, Como. **429** Lorentis/Stock Image/Granata Press. **431** Studio Aleph, Como. **432** Archivio red./studio redazionale, Como. **434** Studio Aleph, Como. **435** Bill Binzen/The Stock Market.

Finito di stampare nel mese di novembre 1995
da Rotolito Lombarda